La Boucle

Du même auteur

Aux mêmes éditions

Partition rouge
(en collaboration avec Florence Delay), 1988

' Le grand incendie de Londres '
Récits, avec incises et bifurcations, 1985-1987
1989

Aux éditions Gallimard

Signe d'appartenance, *1967*

Le Sentiment des choses, *1970*

Trente et un au cube, *1973*

Graal Fiction, *1978*

Quelque chose noir, *1986*

Aux éditions Seghers

La Belle Hortense, *1985, 1989*

L'Enlèvement d'Hortense, *1987*

L'Exil d'Hortense, *1990*

La Bibliothèque oulipienne
(en collaboration), 3 vol., 1987, 1990

Fiction & Cie

Jacques Roubaud
La Boucle

Seuil
27, rue Jacob, Paris VIe

COLLECTION « FICTION & CIE »
DIRIGÉE PAR DENIS ROCHE

ISBN : 2-02-019119-9

« Il serait difficile, même pour un saint,
de rêver d'avant sa naissance. »

Récit

Chapitre 1

Fleur inverse

1 Pendant la nuit, sur les vitres,

Pendant la nuit, sur les vitres, le gel avait saisi la buée. Je vois qu'il faisait nuit encore, six heures et demie, sept heures ; en hiver donc, dehors noir ; sans détails, noir ; la vitre couverte des dessins du gel à la buée ; sur la vitre la plus basse, à la gauche de la fenêtre, à hauteur du regard, dans la lumière ; d'une ampoule électrique, de l'ampoule jaune ; jaune contre le noir intense, opaque, hivernal, la buée s'interposant ; pas une buée uniforme, comme à la pluie, mais une gelée presque transparente au contraire, dessinant ; un lacis de dessins translucides, ayant de l'épaisseur, une petite épaisseur de gel, variable, et parce que d'épaisseur variable dessinant sur la vitre, par ces variations minuscules, comme un réseau végétal, tout en nervures, une végétation de surface, une poignée de fougères plates ; ou une fleur.

De l'ongle, je grattais cette neige, cette fausse neige : ni blanche ni cotonneuse ; pas la neige fondante non plus, mais la neige évanouissante, printanière et sale, qui persiste sur les trottoirs, sous les buis ; de la glace pilée plutôt, râpée, poudreuse, incolore, éphémère ; l'ongle traçait un chemin sur la vitre, et le précipité de buée s'amassait en arrière, contre le doigt, devenant eau à la chaleur du doigt, disparaissant très vite en ruisseaux infimes, s'évaporant en froideur humide, sur le doigt gourd ; ou bien, la paume à plat sur le verre, et à sa pression le grumeau de gel devenait une plaque de glace vitreuse, laissant apercevoir soudain la nuit presque attentive, proche ; toute la végétation de traces froides effacée, avec ses imaginaires pétales, étamines et corolles ; comme vitre sur vitre, lisse : car la carte, le réseau sensible des lignes de la main ne s'y imprimait pas.

De l'ongle encore, précautionneusement, je pouvais faire glisser ces lames de glace sur la surface du verre, vers le bas, les disposant l'une à côté de l'autre, en figures polygonales, en rectangles fracturés ; la moitié supérieure de la vitre apparaissait alors un moment nue, immédiatement adjacente à la nuit, contiguë à cette masse toujours impénétrable et bleue, sombre ; un moment seulement, car la buée aussitôt la couvrait : une buée fine, impartiale, isolante ; cette buée même qui flottait dans l'air en nuage, née de la respiration ; le souffle fait buée repoussait le dehors nocturne, toujours ; aussitôt reformé si je le frottais du coude, de la manche du pyjama. De tout ce buisson d'images, on pourrait déduire qu'il faisait, aussi, froid dans la chambre, peut-être un peu moins froid qu'au-dehors, pour que la buée colle à la vitre, mais assez pour qu'en l'air se condensent (**je les vois**), comme tombés d'une parole silencieuse, ces vocables gelés.

Mais ce serait se livrer à un exercice de déduction superflu, puisque, au moment même de le dire, avant de le dire, je le sais ; mon souvenir le sait, et il ne ment pas. Je ne veux pas dire qu'un souvenir est, ou n'est pas, sincère, seulement que, tel un chien, il ne peut pas mentir (sans doute le mensonge n'est-il qu'un dire, une parole tournée vers l'extérieur). Il apparaît tel vraiment, en cette image ; et toute image est indéniable. Le souvenir, mon souvenir, sait qu'il en était ainsi : **Il faisait nuit, et c'était l'hiver ; il faisait froid ; froid dehors, froid dans la chambre ; je grattais de l'ongle, je laissais s'accumuler contre mon ongle le *granito* des cristaux en brouillard de la buée, j'appuyais ma main sur la vitre, je la pressais de mon visage, de mon souffle.** Pourtant, la moindre ligne du récit de ce souvenir contient une énorme quantité de conclusions implicites. Et c'est là que l'erreur, s'il y a erreur, partout me guette. Car dans le souvenir, dans mon souvenir (je ne parle que pour moi) il n'y a que du voir. Même le toucher est « incolore », anesthésié. Je n'ai pas d'autres adjectifs pour identifier cette appréhension des choses matérielles par la pensée seule, sans forme ni qualités sensuelles, comme elles surgissent, grises, faites d'une pâte à modeler conceptuelle, selon certaines des premières théories de l'Antiquité. Je ne sens pas, m'en souvenant, que mon doigt est froid, ni l'aspérité douce, évanouissante, de la poussière raclée gelée. Je sais, parce que c'est un savoir commun, et universel, qu'il y a le gel, que ce mode d'existence physique de l'eau est froid, qu'il fait froid donc, et tout ce qui s'ensuit. Et je me rappelle le savoir d'expérience, comme on dit. Mais l'image que je restitue en ce moment est insensible à ce savoir, indifférente.

Écrire sur le verre est comme écrire sur l'eau : quoi que l'on tente d'y inscrire, c'est aussi une métaphore de l'éphémère nature de tout, qu'une fiction mythifiante a pu parfois changer en son contraire ; inventant un message gravé sur des glaciers éternels, dans les neiges, uniformément défendues par leur blancheur, du pôle, un graffiti immense (de préférence, oui, de dimensions colossales), dans une langue préférablement incompréhensible, donc immortelle, offrant une vérité à la fois capitale et indéchiffrable. Dès qu'on maîtrise les gestes d'écrire, et pour certains, vraisemblablement, jusqu'à ce que la main cesse, vient le désir, mélangé d'angoisse, d'écrire des mots, des signes, immédiatement effaçables : par la vague, dans le sable, par les pas, dans la poussière, au crayon, sous la gomme, l'eau, les pluies, les heures ou les larmes brouillant l'encre.

C'était l'hiver, un hiver de guerre, vraisemblablement : 1938-1939, au plus tôt, 1944-1945, au plus tard. Avant, comme après, je n'aurais pas pu être dans cette chambre. C'était la fin d'une nuit, puisque la buée avait gelé. Une nuit très froide, espèce rare. Il ne gèle pas souvent dans l'Aude. Je cherche un hiver très froid : 1940 ? 1942 ? Il y a eu au moins un hiver très froid, pendant cette guerre-là. Il demeura longtemps dans toutes les mémoires, dans la mienne, d'autant plus mémorable qu'on ne chauffait pas, en tout cas pas chez nous. Notre chambre n'était pas chauffée. Si cette image est juste, et pure, si elle n'est pas troublée, mélangée d'autres, par ressemblance, confusion, par simple répétition, si c'est bien le carreau inférieur de la fenêtre que je vois, ce devait être le plus ancien, le premier hiver possible. Mais toutes les images, tous les souvenirs, dès qu'on souffle dessus, se couvrent de telles buées, se révèlent pénétrés partout d'imprécision. Autour est le passé qui est, comme la nuit de cet hiver-là, impénétrable.

A gauche de la fenêtre, je vois mon lit : c'est une autre image, un autre moment, ou le même ? Je ne sais pas. **Je ressens le cube de la chambre autour de moi, le lit en angle contre deux murs, le long de moi, derrière ma tête ; plus loin, la porte s'ouvre, est ouverte** (cet « autour » appartient à la vision qui, comme la lumière, est parfois capable de « tourner les coins »). De certaines chambres, lits, je ne peux évoquer qu'une seule image qui demeure toujours la même, et tout ce qui ne s'y trouve pas me reste hermétiquement fermé. Mais j'ai de cette chambre ancienne une vision multiple quoique unifiée, faite d'un collage, de la superposition puis de la fusion de très nombreuses visions séparées, devenues alors indiscernables, à partir d'un point, celui d'où « cela » se regarde, un point central, en haut du lit, presque en coin. Il y a un « haut » et un « bas » du lit, comme si, couché, on s'imaginait encore vertical, le « point » de la vision en haut de « page ». C'est là que, dans une lettre, on met l'adresse de l'expéditeur. Pas de couleurs, non, pas de couleurs. Voir ainsi ensemble toutes les autres images surgies de ce même lieu, l'ongle sur la vitre gelée, les carreaux de nuit, ce que le jour dans les vitres fera paraître, suppose des yeux multiples, des mains innombrables, « pleines de doigts ». Qui se souvient est à la fois un Argus, un être à cent yeux, et une pieuvre, être à cent bras.

Dans le froid, mon lit avait des régions, chaudes ou froides ; le froid y voisinait intensément avec le chaud ; pinçait les oreilles, le nez. Voilà, n'est-ce pas, le vrai « incontournable », la banalité même de la température. On conquiert, le soir, autant de territoires qu'il est possible sur le froid, livrant l'analogue des batailles d'une campagne de Russie, qui proposait un modèle stratégique au jeu de cette conquête, nuit après nuit renouvelée (je ne parle pas de l'historique, la désastreuse, la napoléonienne, mais de celle qui se déroulait alors dans les lits immenses de l'Ukraine, contemporainement, et qui nous était dévoilée chaque soir à la radio de Londres, les victoires « alliées » confirmées, avec retard, par l'annonce de nouveaux « replis élastiques » allemands, à celle de Paris occupé). **Restaient réfractaires à la douceur, toujours, les sibériennes régions des trois bords, entre les parois verticales du matelas et les couvertures, qui s'enfoncent loin sous lui ; au matin, la chaleur diffuse du corps dormant avait réduit les poches de résistance, Stalingrad des armées du gel.**

Il y avait, je les vois, deux autres lits, dans la chambre ; de l'autre côté de la fenêtre, celui de ma sœur Denise ; au fond (si je regarde encore du même point) celui de mon frère Pierre, à la gauche de la porte ; vue depuis la porte, au contraire, cette disposition d'origine parentale (je veux dire définie par les parents) organisait l'espace de la chambre suivant l'âge de ses occupants (si on saisit cet espace dans le mouvement de la vue, comme j'ai l'habitude de le faire, et comme si la surface plane du monde, et pas seulement celle du lit, était devenue verticale, telle, aussi, une page : de gauche à droite, et de haut en bas). **Il me semble que la lumière, spartiate, venait bien d'une ampoule nue, au plafond ; à peu près tout le reste a disparu.**

2 Comme le monde du sceptique

Comme le monde du sceptique de Russell, l'univers qui contient une image du passé vient juste de naître, et il cessera avec elle, c'est-à-dire presque instantanément. L'image du passé (et, en fait, toute image est du passé), dite souvenir, n'a pas de durée. Elle vient au monde, elle devient monde, sans légende, sans mode d'emploi, sans explications. Elle implique beaucoup, mais n'offre aucune garantie, aucune justification de son existence. Dès qu'on s'arrête un peu sur elle, au lieu de l'accueillir sans hésitation, comme disant le vrai du passé, comme nous apportant un savoir sur le passé qui commanderait une croyance raisonnable en lui, et qu'on s'interroge sur

15

cette non-durée du souvenir, on ne peut qu'être saisi de doute.

Et pourtant la certitude (dont je ne prétends donc pas qu'elle est raisonnablement fondée) est toujours là : dans cette chambre je pénètre, au présent, après presque un demi-siècle d'éloignement, et je m'habille, face à la fenêtre, face à la nuit gelée, de ce regard. **Je vois, intensément je vois, le chemin de vitre apparaître crissant sous mon ongle, et les copeaux de glace sans couleur s'accumuler sur la phalange de mon doigt.** L'intensité, la proximité physique du monde sont deux des traits essentiels de ce souvenir : cette nuit est si proche au regard qu'elle ne peut qu'être réelle, que montrer du réel, qu'avoir été.

Mais comment se fait-il que je m'habille aujourd'hui de ce regard, projetant un morceau de monde sur une ancienne échelle de vision, où la fenêtre est haute, le lit vaste ? C'est un miracle qui me laisserait incrédule, si je n'avais pas l'habitude de le constater, comme chacun sans doute, sans discussion. J'investis — et si je dis « je » il s'agit de « moi, ici et maintenant », de « moi présent » — j'envahis le centre de la vue, le lieu intérieur à un corps où se forment les images (le « centre imaginaire de soi », le point par rapport auquel celui qui voit situe le monde, et sa vision : je n'affirme rien de plus ; rien en particulier sur un quelconque support physique des images et leur localisation éventuelle dans le cerveau ; je laisse ces suppositions aux péremptoires « cogniticiens »). Et ce corps est celui d'un être depuis un demi-siècle disparu. On ne peut pas, dit le sens commun, se voir soi-même. Non seulement on ne peut pas, dirais-je, se voir soi hors de soi, maintenant. Mais on ne peut pas non plus se voir soi-même au passé. On ne peut pas, dit-on encore, « être et avoir été ». On ne peut pas, dirais-je, en aucun moment ne pas être, c'est-à-dire qu'on ne peut jamais avoir la preuve, intérieure, « d'avoir été ». Ce qui continue jusqu'à aujourd'hui, de cette chambre, de cette nuit n'est pas « moi », mais un monde.

De ces réflexions, expression d'un scepticisme, somme toute, modéré (quoique orienté dans une direction peut-être inhabituelle), je tire l'explication du sentiment de gêne qui m'a toujours saisi à la lecture des « souvenirs d'enfance », indépendamment de leur efficacité de récits, de descriptions, de conviction politique ou morale, particulièrement de ceux qui tentent, naïvement (je crois), et sincèrement (j'espère), de réduire, d'effacer même, d'annuler la distance entre le « moi » présent du narrateur et son hypothétique « moi » ancien, sa « personne » enfantine. Des phrases comme « je pensais que... », « je croyais que... », si elles se présentent comme immédiates, et non comme indirectement déduites d'autres considérations (des documents écrits, des lettres, un « journal » par exemple, qui sont des évidences physiques constatables au présent), me repoussent. Certes, plus on se rapproche, à reculons dans le temps, de l'instant de notre naissance (et certainement si on recule jusqu'à la fin de notre deuxième année, fin de la véritable « école maternelle » de chacun), ces tentatives de reconstruction sont, le plus souvent, invraisemblables (m'apparaissent telles). (La plupart d'entre nous, pourtant, aspirant à l'immortalité dans les deux sens, s'efforcent, avec une touchante obstination, de placer le plus près possible de leur naissance l'instant de leur « premier souvenir ».)

Mais mon incrédulité est beaucoup plus étendue, et beaucoup plus radicale. La célèbre « *willing suspension of disbelief* » de Coleridge réclame du lecteur (je me limite ici au lecteur) l'interruption momentanée et volontaire d'un scepticisme tout naturel face à l'impossibilité de croire vrai ce qui est raconté dans la fiction. J'interprète ainsi la formule : comme un détournement et une particularisation implicite de l'axiome millénaire, sceptique lui aussi, de « suspension du jugement », donc comme réclamant la « suspension d'un jugement, pourtant inévitable, d'impossibilité ». On l'applique généralement au roman seul : mais elle me semble, en fait, devoir être invoquée avec beaucoup plus de force encore dans le contexte du récit autobiographique ; que je placerai donc, sur une échelle d'invraisemblance, à la même hauteur que le roman historique, et presque aussi haut que la « science-fiction ». Quant à moi, il m'est pratiquement impossible d'y parvenir.

J'insiste encore : ce que je viens d'écrire n'aspire à aucune pertinence physiologique, neurologique, psychologique, cognitive, ou philosophique. Pourquoi ? parce que ceci, offert à votre

17

lecture, n'est rien d'autre qu'un récit : le commencement de ce que je nomme une branche (c'est la deuxième) d'une prose (c'est la deuxième, elle en suit donc une autre, comme elle d'une certaine étendue (mais il n'est pas nécessaire cependant d'avoir lu la première pour aborder la seconde, ni les suivantes, s'il en vient d'autres)), prose que je qualifie, faute d'avoir trouvé un terme générique plus particulier, et plus proche de mon intention, de récit. Les choses qui s'y disent sont dites au présent du récit, à mesure que le récit avance, et telles qu'elles se présentent pour être racontées par moi, à chaque ligne s'inscrivant en « New York 12 points », sur mon écran. Elles n'en sont pas détachables, elles ne peuvent en aucune façon prétendre au statut de vérités, pas même à celui de « possibilités de monades à poser sur les étagères de l'essence ».

J'ai étendu sur l'immobilité (d'un écran, puis d'un papier) une image : une image de mon passé, qui m'apparaît être l'une des plus anciennes (j'ai la conviction de son ancienneté). La difficulté de la description ne me vient pas seulement du fait de toutes les conclusions implicites que je tire (et « force », en quelque sorte, à pénétrer l'image elle-même) de ce que je sais, ou m'imagine savoir, des circonstances de la création de l'image, ni d'ailleurs du fait qu'elle n'est, dans ce cas précis, vraisemblablement pas unique, mais réitérée, mais composée, composite. La difficulté tient à son instantanéité. Aussitôt apparue, l'image disparaît : pour la décrire, je dois la répéter, l'invoquer, l'appeler, selon les modes expérimentaux, que chacun construit pour lui-même, du souvenir volontaire. En la faisant de nouveau apparaître, je l'affaiblis. Même cette image-là, première du récit, si intense, si « première » que je la sente (et intense parce que « première ») s'affaiblit en ce moment où je la sollicite pour la description. En la répétant je la brouille, je la déforme, je la décolore.

Bref, je la détruis. Peut-être pas tout de suite, mais à terme. Je la détruis en ce sens que, devenant plus faible, et plus pâle, elle tend moins à disparaître qu'à n'être plus évoquable, à n'être plus résurgente que comme souvenir second, souvenir d'elle-même, et de tous les moments de mon insistance à la contempler pendant le temps consacré à sa **description**, sous l'effet des mots, des pensées suscitées par la **description**. (Ce sont surtout les mots de la description qui produisent cette **destruction**, qui en viennent à substituer à elle une autre image, une image née, elle, de mots. Ce sont les mots qui la rendent irrémédiablement ce qu'elle devient : un souvenir devenu extérieur.) Mais aussi parce que l'arrêt sur l'image lui donne un statut autre, qui est très semblable à celui d'une <u>photographie</u>. La photographie a changé profondément la perception du souvenir d'enfance (de tous les souvenirs, mais surtout du souvenir d'enfance : l'enfance et la photographie ont maintenant un lien presque consubstantiel : « Toutes les photographies, a-t-on pu écrire, sont des photographies d'enfance. » J'ajouterai : et tous les souvenirs d'enfance sont vus comme des photographies (ou plus contemporainement encore : des « images-vidéo »)). Elle l'a fait proliférer dans le monde, comme « album de moments anciens ». Mais elle lui a aussi donné un modèle, auquel toutes les images du souvenir tentent désormais de se conformer : et ce modèle, tout d'immobilité, d'« oisiveté », d'unicité, de fixité, est à côté, est faux.

Ce n'est pas tout : dans ce cas précis (qui n'est pas celui de toutes les images), l'image ne reste pas isolée, même brève, même mouvementée. Elle ne s'élève pas comme un monument dans un paysage polaire. Je ne peux pas lui imposer de limites, un cadre. Quand l'image cesse, la vitre gelée ne sort pas du champ de ma vision, telle une Bérénice d'alexandrins quittant un racinien Titus sur la scène du Théâtre-Français. Quand une image cesse, elle cesse le plus souvent en d'autres, elle change. Elle va ailleurs, très vite, très loin (en temps et lieux), et n'importe où (à ce que, parfois, il semble). Regarder une image du passé, c'est être Argus, disais-je. Certes, mais c'est être Argus s'efforçant à la capture de Protée.

3 Ma fréquentation de cette image

Ma fréquentation de cette image est, elle-même, déjà ancienne : quand je pense le passé, le passé le plus éloigné (selon les repères chronologiques dont je dispose), elle m'apparaît parmi les premières : par le moment, hypothétique, de sa trace, tout autant que par sa rapidité à m'apparaître. Elle est une des visions les plus significatives de l'enfance. Elle est intense, importante, chargée d'émotion. C'est une image des débuts du temps. J'ai l'habitude de voir sa vitre nocturne, couverte des fleurs du gel. Elle m'est familière. Et elle m'apparaît aussi parfois d'elle-même, sans l'introduction de la pensée du souvenir, au hasard, absente de son cadre naturel. Mais je la reconnais aussitôt, elle ne peut m'échapper, car elle se ressemble. C'est là, également, une caractéristique « photographique » des souvenirs déjà surgis, et récurrents. En fait, il y a plus qu'un air de famille entre les images de deux moments où je rappelle ce souvenir. La conviction d'une <u>répétition identique</u> est irrésistible.

Mais un jour (que je ne peux dater avec précision, sinon qu'il remonte à plus de vingt ans sans doute, et en tout cas ne peut qu'être postérieur au <u>rêve</u> qui fut la cause lointaine de toute cette écriture, de cette entreprise qui, depuis maintenant quatre ans, dévore les premières heures, nocturnes, de mes journée), un jour j'ai associé cette image à une parole, une parole de poésie (si j'admets pour un moment que la poésie est parole, une « musique de bouche proférant paroles métrifiées », comme disait Eustache Deschamps), une parole donc, déposée sur un papier il y a des siècles, et prise, sur ce papier, entre les blancs, les « bords » qui définissent un vers :

Er resplan la flors enversa

Ces mots emplissent, sans fractures, le premier vers d'une *canso* (une « chanson », un poème-musique) du troubadour

Raimbaut d'Orange, composée il y a plus de huit siècles, dans une langue aujourd'hui quasi morte mais qui est pour moi la langue-origine de la poésie, le « provençal » : « Maintenant brille (resplendit) la fleur inverse. » Je la nomme dans ce récit « provençal », plutôt qu'occitan ou *lemozi* comme la désignaient jadis les Catalans : ces autres désignations ouvrent à des imaginations différentes, et pour moi moins émouvantes, de cette poésie. Pour choisir la première, j'ai mes raisons. Raimbaut d'Orange ne laisse pas longtemps ignorer le sens premier de ce groupement étrange : « **quals flors** » dit-il (« quelle fleur ? »). Et il se répond à lui-même, renchérissant sur le solipsisme spontané, absolu, de tout vers : « **neus gels e conglapis** » (neige, gel et « conglapi »), présentant en ce dernier vocable, si rare qu'il n'apparaît que là, on ne sait exactement quoi de gelé, mais que je décide de comprendre, pour les besoins de ma composition, précisément comme la conjonction vitrifiée de *neus* (neige) et de *gels*, comme la condensation d'un bruit-buée et d'une froide substance, emblématique du froid même, entendant en lui tout un « glapissement », et le crissement des copeaux du froid, transparents, glissant et criant sous l'ongle :

Er resplan la flors enversa
Pels trencans rancx e pels tertres.
Quals flors neus gels e conglapis
Que cotz e destrenh e trenca.

(Alors brille la fleur inverse
entre falaises tranchantes et collines.
quelle fleur ? neige gel et glace
qui coupe et tourmente et tranche.)

Or toute aube est un printemps, même une aube de gel. Et dans ce début paradoxal d'une *canso* amoureuse Raimbaut d'Orange, au lieu de laisser retentir, comme le veut la tradition, les chants doux et didactiques d'amour des instituteurs-oiseaux, les *essenhadors del chan*, fait parler des rossignols abstraits (l'expression « enseignants du chant » est d'un autre troubadour, Jaufre Rudel : les oiseaux sont ceux qui « enseignent le chant » dans la « douce saison suave », « enseigner » devant être compris ici à la manière languedocienne d'aujourd'hui, comme « apprendre à trouver » : **« je t'enseignerai la lièvre » disait, et je l'entends dans mon oreille après cinquante années, un chasseur à un chasseur**). Il met des glaçons à la place des gorges rouges-absentes, des gosiers transis de loriots ou d'alouettes, de leur chant mort de froid :

> **Vey mortz quils critz brays siscles**
> (je vois morts appels, cris, bruits, sifflets)

Invoquer le grand froid aviaire des collines saisies de gel (le froid semble plus absolu dans les paysages qui n'en ont pas l'habitude), c'est pour Raimbaut donner plus d'éclat encore à la fleur triple-une du chant, de la poésie et de l'amour, la <u>fleur inverse</u>, absente de tous bouquets (ici d'une double absence). Quand j'ai lu cette image, quand je me suis trouvé saisi, transi de ces mots-là, **flors enversa**, je les ai reconnus comme miens (c'était presque au début de ma lecture des Troubadours, je ne savais pour ainsi dire rien d'eux encore), et je me suis sentimentalement et spontanément placé, sans m'en rendre d'abord compte, implicitement dans le camp de ceux qui suivent l'une des deux voies à la fois antagonistes et inextricablement entrelacées de l'art des Troubadours, le **trobar**. Raimbaut d'Orange est sans doute le premier représentant accompli, sinon l'inventeur, le « trouveur » de l'une de ces voies, antérieurement et plus parfaitement que son disciple le plus connu, choisi, destiné par Dante à représenter cette <u>manière</u> et idée de la poésie, Arnaut Daniel.

Car il ne s'agit pas là simplement d'une métamorphose insolente de la métaphore « printanière » de la tradition (les commencements du chant de poésie, au printemps, identifiés au chant amoureux des oiseaux), mais aussi de l'affirmation d'une façon de dire en poésie, qui se prolonge bien au-delà du moment privilégié de la découverte des fleurs chantantes du gel. On pourrait la définir comme étant la **Voie de la double négation** (qui a ses versions parentes et parallèles, philosophiques, théologiques, et même logiques) : le gel nie la fleur et le chant. Mais dans le désert du gel fleurit une fleur paradoxale, dans son silence résonne une insistante disharmonie, et de cette floraison « hirsute », comme de cette atonalité polaire, renaissent, à l'évocation vibratoire du vers, simultanément la musique heureuse et sa disparition désespérée.

J'ai reconnu, dis-je, tout de suite cette voie, cette *via negativa* comme la mienne. Mais reconnu aussi qu'il ne s'agissait pas seulement de poésie : ce que je voyais, sentais et entendais en « neige, gel et " conglapi " » c'était, désormais inséparablement, l'image d'enfance de la vitre recouverte de sa gelée hivernale, et le parcours crissant de l'ongle devenant accompagnement intérieur, caché sous la vision, du déroulement, fracturé d'obstacles consonantiques, des vers de la *canso*, cette marque caractéristique de la « poétique négative » de Raimbaut. Sous la voix, comme sous le gel de la vitre, il y a le néant nocturne des choses périssables et disparues. La voie, dite « obscure » et « fermée », de la poésie selon Raimbaut d'Orange et Arnaut Daniel n'oublie jamais que, sous la plus grande « joie » d'amour, le « joi », guette le gel de l'accomplissement, la férocité du réel mélangé de mort. Il y a l'envers de la fleur d'amour, mais aussi celui des enfances : enfances de la chair mortelle, de la prose, le « roman ». Ou des langues.

C'est pourquoi, même s'il n'était pas en mon pouvoir de rompre cette association d'une image d'enfance à un fragment de poésie, je ne l'ai à aucun moment refusée. A mesure que je progressais (un peu) dans la connaissance du *trobar*, que je m'en faisais une idée plus claire, peut-être inexacte, mais conforme aux exigences de mon **Projet**, que les Troubadours, et Raimbaut sans doute plus que tout autre, ont influencé décisivement, elle devenait plus profonde et plus nécessaire encore, perdant le caractère soudain, fortuit et arbitraire de ses débuts. L'image en souvenir du carreau enfumé de gel, la nuit qu'elle cache et qui se révèle, la chambre, en ont acquis une plus grande force de conviction (la conviction d'être une révélation authentique et signifiante du passé) et une plus grande légitimité, en devenant le lieu où, à l'évidence, je devais commencer de rechercher les parcours « antérieurs » de mon

Projet, tout ce qui a rendu possible sa conception (c'est à cela, l'**Avant-Projet,** que je vais m'attacher en cette branche). Lieu et parcours qui contiennent en même temps, comme un germe second, comme une autre « fleur inverse », son échec.

4 Le bleu-noir de la nuit

Le bleu-noir profond de la nuit était derrière la vitre, il n'était pas répandu sur elle. Or en ces temps-là, on avait ordonné de couvrir les fenêtres d'une nuit peinte. Ainsi, espérait-on, des maisons de la ville aucune lumière ne s'échappant, elles, et la ville avec elles demeureraient invisibles, soustraites simplement d'elles-mêmes, par ce peu de couleur (mais résolue), comme celles de la *Phyllide* de Calvino, aux regards hostiles venus des hauteurs de l'air. Ainsi, avait-on décidé, le grondement des avions, le sifflement des bombes les épargneraient. On avait appelé cela Défense passive. Quels avions, descendus comme des nuages de la Montagne noire un jour de *cers,* le mistral de ces régions, craignait-on ici ? J'en suis aujourd'hui perplexe.

En fait, la France entière, qui aurait dû, par la simple vertu de ce stratagème pictural (nouvelle version du « camouflage » que Picasso, selon Gertrude Stein, prétendait inspiré du cubisme) se fermer, impénétrable, sous les couches dissimulantes de peinture couleur de nuit, n'ayant plus dans la nuit qu'un manteau teint de murailles, s'arrêtant même de respirer, de produire du bruit après les sirènes des alertes, s'était révélée brusquement étrangement visible au contraire, s'était muée en quelques semaines à peine au printemps de 1940 (ce « mai qui fut sans nuage ») en une immense ville ouverte, et parfaitement passive (la Défense passive n'ayant ainsi été qu'une préfiguration de la passivité nationale). Et les peintures des carreaux étaient rapidement devenues encore plus ridicules, dans ce département si éloigné du front, comme des témoignages d'un état illusoire, d'espoirs que la Défaite, cet événement que l'emploi de la majuscule désignait comme événement plus moral encore que militaire, avait tristement démentis. On les avait alors le plus souvent grattées pour rendre les vitres à leur transparence première. Plus tard, après El Alamein et Stalingrad, les pinceaux auraient dû reprendre du service, contre la menace d'autres avions (et j'imagine qu'il en fut ainsi ailleurs, au Havre par exemple). Mais notre ville ne se redonna pas cette peine, par lassitude, je pense, plus que par insubordination. Peut-être tout simplement n'y avait-il plus de peinture, parce qu'elle avait été « réquisitionnée » pour recouvrir les vitres autrement précaires de la Ruhr, ou de Dresde. Chez nous, dans notre maison, il n'en restait, ici ou là, que des traces où j'exerçais aussi, comme sur la buée du gel, mais différemment, mes ongles. Et le seul lieu ainsi durablement « protégé » des regards extérieurs était celui qu'on appelait, en ce temps, « les cabinets ». Étant donné son insertion très particulière dans la « topologie » de la maison, le maintien de la peinture passive avait peut-être répondu là à de tout autres exigences que celle de la Défense.

(Il y a une autre manière pour les maisons, dans la nuit noire, de garder leur silence visuel, leur incognito. Pour ne pas laisser échapper de lueur révélatrice, on peut imaginer de n'en produire aucune. Les fenêtres, alors, sont des yeux aveugles de chouette, les maisons sont comme abandonnées à la nuit. La ville ne se cache pas, elle retourne à l'état de ces huttes de pierre préhistoriques adoptées par les bergers, les « bories », qui datent peut-être d'avant l'invention du feu. Je n'ai pas souvenir de telles obscurités, sinon pendant des orages, des « pannes » ou des coupures d'électricité (celles de l'hiver 1944-1945 firent merveille : *je me souviens* d'un dessin de « jean effel », et de sa légende : « elle apparaît, elle disparaît, c'est la fée Électricité ». Mais je n'étais déjà plus dans la même maison, ni dans la même ville). Il est vrai que le plus souvent, les nuits, mes frères-et-sœur et moi, nous dormions.)

J'ai choisi de suivre, à la poursuite des métamorphoses de l'image du miroir gelé sur le tain de nuit que l'écriture de l'ongle révèle, un parcours parmi beaucoup. Je n'ai pas adopté, pour ce faire (mais le fallait-il ?), un principe général, contraignant, perceptible, d'organisation. Et quel aurait-il été ? La chronologie, la succession marquée, mesurée, conventionnelle, des moments ? Le temps intérieur, s'il est un tel autre temps, un temps qui ne serait pas le support d'une chronologie, parce qu'alors désordonné, lacunaire, variable dans la vitesse de son épuisement ? Les images-souvenirs s'y soumettent assez mal, en admettant même qu'on puisse jamais les situer précisément sur de tels axes. Il y a presque toujours, il me semble, dans le présent perpétuel du souvenir, lieu de la trinité augustinienne « présent du passé, présent du présent, présent du futur » (le futur est avant tout une réminiscence, ou même simplement un souvenir), une incertitude irréductible sur les positions respectives de l'« avant » et de l'« après ». Et même si cela m'avait été possible, ce n'est pas ainsi que j'ai conçu, dès son origine, mon récit, dès le moment, proche de son début, mais nullement antérieur à lui, où j'ai enfin su de manière claire ce qu'il serait. En suivant le temps, le temps physique (même intériorisé), je serais passé à côté de ce que je cherche, toujours.

C'est que les séquences significatives pour la mémoire ne se découvrent pas de cette façon. Il y a, pour commencer, au souvenir, autant d'anticipations que de dérivations. Non seulement les notions de l'« avant » et de l'« après » ne sont pas nettes, mais elles sont obligatoirement contradictoires. Je ne veux pas dire qu'un temps externe, inévitablement, ne les entraîne, unidimensionnel et irréversible (un peu comme un support vide, ou un éther de temps, associé à un espace abstrait, vide lui-même). Mais le temps qui m'occupe, celui de la **mémoire**, que je traque, est nécessairement, lui, à deux directions, et à deux directions au moins. Chaque souvenir, même placé précisément dans l'espace et dans le temps, regarde vers l'autrefois autant que vers le futur (et le futur est, lui, futur antérieur, sans cesse). Si je gratte le gel sur la vitre, c'est peut-être parce que j'ai, auparavant, bleui mes ongles à la peinture de nuit, ou le contraire. Mais c'est, surtout, le déclic indispensable à l'ouverture d'une porte dans la mémoire, vers d'autres fenêtres (une surtout, *before, behind, between, above, below*) (en avant, en arrière, entre, dessus, dessous).

J'ai toujours, aussi loin que je remonte dans cette perception des choses, été attiré par la nuit prématinale : je n'aime pas m'éveiller dans le jour. Il y a des nuits buissonnantes, traversées de lueurs, de lune, de lampes, d'étoiles, d'« obscure clarté », comme on lit dans un alexandrin aussi célèbre que banal, rendu banal, sinon ridicule, de toute l'admiration scolaire autrefois déversée sur lui. Il y a des nuits noires et blanches, noires et grises. Mais surtout il y a des nuits entières, compactes, impénétrables, opposant au jaune des lampes quelque chose comme leur propre rayonnement noir. Cette « beauté du noir », qui rend le monde incompréhensible et inexplicable, qui m'assure que le monde est et restera incompréhensible et inexplicable, cette « noirceur invariable à la vue » (c'est le monde, le monde qui se retire en soi-même avec dédain) m'attire, me tient serré contre les vitres, sans bouger, regardant.

Mais je ne veux pas regarder en aveugle. Et le noir, ce noir-là, extérieur, a besoin de la lumière pour être, absolu comme je le désire, proche, touchant mes yeux, mais ne les recouvrant pas. Si la chambre est éteinte, elle est plus noire que la nuit du dehors, la nuit en devient claire, pleine de formes vagues, se préparant à être définies par le jour. De faibles lueurs y traînent. Heureusement ma lampe, en brûlant, ne leur permet pas d'approcher. Elle protège ma fenêtre du jour, le jour du présent froid, du futur gelé. Et la fenêtre, en ses carreaux rigides, est comme peinte, peinte au noir.

Je me suis habitué ainsi à la nuit, à sa manière noire, mais pas pour y vivre. La nuit, quand je le peux, je dors. J'ai besoin seulement de la nuit finissante, précaire, celle qui n'est à personne (car la fin de nuit, dans le monde urbain des années quatre-vingt-dix du xxᵉ siècle, est de plus en plus vide : la vie éveillée des villes occupe de plus en plus profondément la nuit, mais en l'envahissant par l'autre côté). Je recherche cette forme de la nuit qui, puisque j'y suis seul, m'appartient en propre. Dans la maison où j'écris ces lignes, grises plus que noires, aucune fenêtre en ce moment ne brille. J'appuie sur les signes du clavier qui composent les mots « j'écris », mais en fait ils ne font qu'apparaître sur l'écran vertical qui me fait face, « écriture » électronique d'aujourd'hui, encore plus précaire que celle du crayon ou de l'encre sur des papiers, d'une précarité fascinante, qui provoque une ivresse d'"écrire", que la commande « *couper* » peut (ivresse supplémentaire qui transcende celle de la gomme) à tout moment condamner à l'anéantissement. Dehors (la cour de l'immeuble) est noir, aussi noir qu'il peut l'être dans cette ville mangée de lumières : Paris.

Ainsi, au début d'un <u>parcours multiple de mémoire</u>, ce livre, mon souvenir a fait apparaître une nuit pleine, rendue plus impénétrablement noire par la distance, par les années, par l'hiver, par la guerre. Mon souvenir s'est dirigé (je pourrais croire infailliblement, sans tâtonnements comme sans volonté) vers une sorte de maximum de nuit, comme si quelque chose de la nuit-en-soi avait été là, à m'attendre, comme si l'ongle enfantin n'avait entamé, gratté le gel que pour cette restitution.

5 Les parcours de mémoire sont réversibles.

Les parcours de mémoire ont une étrange réversibilité (au sein même de leur indirection générale). Ayant commencé celui-ci en un endroit imprécis du temps, sur une image qui est pour ainsi dire de nul moment, parce qu'elle pourrait venir d'une multitude d'entre eux, je lui fais succéder une autre qu'elle appelle en apparence spontanément, comme venant <u>après,</u> celle des carreaux peints non de nuit mais d'*ersatz*-nuit, la peinture sombre de la guerre. Mais si, au contraire, j'évoque d'abord ces fenêtres peintes, je vais, tout aussi spontanément, par le chemin du souvenir déjà tant de fois frayé, partir dans l'autre sens, vers le carreau gelé de ma chambre enfantine. La position respective, chronologiquement, des deux images m'échappe. Mais même si je parvenais à les dater exactement je pourrais facilement suivre la piste dans les deux sens.

Il en est ainsi dans les **Arts de la Mémoire** : dès le récit de leur fondation, immédiatement après celui du **Conte** qui leur sert de porche, de préambule, l'aventure arrivée à leur inventeur, leur « trouveur », le poète Simonide de Céos, « inspiré » par les deux jumeaux célestes, Castor ou Pollux (par l'un, ou les deux ? si l'un, je ne sais lequel, et il m'importerait assez de le savoir, puisque l'un est divin à l'origine, l'autre terrestre, avant leur union éternelle et sidérale en une unique constellation, et, selon qu'on choisit l'un ou l'autre ou les deux comme « saint(s) patron(s) » de la mémoire, on a affaire à des théories fort divergentes de cette faculté), on nous raconte l'exploit de cet autre poète de l'Antiquité qui pouvait, armé de son entraînement à cet art, réciter *L'Odyssée* entière à l'endroit et à l'envers (exploit qui dans mon esprit s'apparente irrésistiblement à celui du saut à la corde des petites filles ou encore à des prodiges de tricot). (Je n'ignore pas que les textes disent qu'il s'agit de *L'Iliade*, mais je préfère de beaucoup, je trouve plus satisfaisant, et plus conforme, qu'il s'agisse des errances de l'artificieux Ulysse. Et je peux me permettre un tel glissement, sans rompre un engagement unilatéral de véridicité pris autrefois, dans la première branche de mon livre, puisque je le fais sans omettre cet aveu qui signale que je ne désire pas tromper mon lecteur, et puisque je compose ici un récit, non un « mémoire » académique.)

Associer, de la manière la plus frappante et la plus contraignante possible ce dont on veut se souvenir, discours, arguments, vers d'un poème, à un parcours arbitrairement choisi (le conte des *Arts de la Mémoire* insiste sur cet arbitraire du signe mémoriel), dans un lieu familier au souvenir (et c'est bien en un lieu familier qu'ici moi aussi je commence, dans une chambre où j'ai dormi, d'une maison qui fut sept ans la mienne, de ma cinquième à ma douzième année), cela n'est en fait que mimer, et rendre volontaire, réglé, le fonctionnement spontané et universel des souvenirs. Les méthodes, les recettes, qu'à partir des indications énigmatiques, fragmentaires, énervantes dans leur imprécision, de Cicéron ou de Quintilien, le Moyen Âge, puis la Renaissance inventèrent, je les détourne à mes propres fins, pour imiter, régler et rendre descriptibles les choses qu'il faut que j'apprenne à disposer dans mon souvenir, puisque ce sont celles dont, chaotiquement, je me souviens à l'occasion de la composition de cette branche. (L'intention de ma narration, non dite, les suscite, toujours sous-jacente, même si elle ne les prédétermine pas.)

C'est, là encore, en ce renversement, une mise en œuvre de la poétique négative, avec sa stratégie de Double Négation, dont j'ai parlé à propos de Raimbaut d'Orange. Revivre, au moins sur des « épisodes », des segments limités du passé (et peut-être aussi à une plus grande échelle), réversiblement, l'odyssée (sans majuscule) qu'est une vie (n'importe quelle vie, la mienne, qui est aussi, comme celle d'Ulysse, la vie de « personne »), c'est ce que nous faisons quotidiennement dans le sommeil (rêvant), ou dans l'état de veille (nous souvenant). Le sens de ces parcours de mémoire ne peut être appréhendé que par le recours au double sens, dont les *Arts de la Mémoire* fournissent quelques figures réglées.

A la différence des démonstrations de la mathématique, strictement orientées (bien que, remarquons-le, la vérité d'une proposition ne se comprenne qu'à rebours, en remontant aux prémisses), les déductions de la mémoire diffèrent sensiblement selon la direction choisie pour les exhiber. Et la compréhension du moindre souvenir est à ce prix. Ainsi, tout simplement, dans un voyage, le paysage du retour n'est pas, pour celui qui l'accomplit, identique à celui de l'aller. Ce qui demeure invariant n'est pas le paysage mais le lieu, l'espace, fait & tissu, pour qui ne le pénètre pas, d'une indétermination fort peu discernable du vide.

Une des raisons principales de cette non-équivalence en même temps que non-indifférence des sens de parcours est que ce qui va apparaître après n'est, et ne reste jamais semblable à soi-même, dès que l'on change de direction. (Et on n'y rencontre pas, non plus, l'impossibilité générale du palindrome en temps réel (en temps vécu) si difficile, si « étranger » dans la langue, particulièrement dans la chaîne parlée.) Cela se passe à chaque instant. A chaque instant, quelque chose surgit qui est au-delà de ce qui vient d'être vu, et ce quelque chose diffère nécessairement en « allant » et en « revenant ». Dans tout parcours, l'instant ne prend son sens que de ce qu'il anticipe. Car un instant n'est pas un « maintenant » mais, selon une théorie du temps que j'affectionne, « ce qui aura été un " maintenant " ». **Grattant le gel sur la vitre, je vois bleuir mes ongles de la peinture,** et j'entre dans les années de guerre ; **puis, derrière la peinture qui me dissimule l'extérieur de la fenêtre, je vois la nuit audoise qui pèse contre la vitre gelée.**

Le parcours inverse suit le parcours direct comme son ombre, son fantôme. Ainsi, regardant, par la fenêtre d'un train à grande vitesse, on voit bouger les tranches fuyantes, fondantes, du paysage, fuir vers l'arrière les maisons, les arbres, les personnages muets des rues, les champs de colza, les rivières, et derrière, des collines ocre, ou vert sombre, des automobiles sur des routes, des trains de nuages qui de nouveau vont dans le même sens que nous, plus lents seulement, comme s'ils étaient retenus, collés, alourdis par la terre, saisis d'une hésitation à rester là, puis à disparaître. Et ainsi de suite : les tranches successives, de plus en plus physiquement éloignées, échangent les directions de leur mouvement apparent, avec de plus en plus de vague, de lourdeur, et de lenteur.

Chaque image du passé est donc un <u>double</u>, révélé par le mouvement qui l'entraîne, qui sera seulement arbitrairement arrêté par la mise en mots. La seule restitution (partielle) possible est alors de déplacer la vision <u>successivement dans les deux sens.</u> D'ailleurs la progression n'est jamais selon une <u>ligne,</u> comme dans la lecture ordinaire d'un livre, mais elle est à la fois buissonnante et discontinue, donnant la conviction intérieure de l'existence d'atomes, insécables et non mesurables, de temps, puisque selon chaque déplacement, sans cesse, les possibilités divergentes de l'<u>après</u> m'apparaissent. Une métaphore simplifiée légèrement de cette situation m'est venue, une nuit, en Amérique (comme on dit chez nous, pour désigner les USA) :

Je m'approchais, en voiture, d'une ville (Seattle, sur la côte du Pacifique), venant de l'aéroport. La route de l'aéroport s'approchait, lentement, d'une autoroute située en contrebas, une « voie express » le long de laquelle on devait passer, pour atteindre le centre, visible assez longtemps, de loin. C'était une heure déjà nocturne, mais la circulation était encore intense (c'était octobre, le bel octobre, plus rouge que roux, du Nouveau Monde), et les deux files de voitures, dans les deux sens, coulaient continûment, rivières lumineuses. En outre, il y avait des « sorties », d'où s'échappaient des ruisseaux de chacune des deux rivières de véhicules, et ce n'étaient évidemment pas les mêmes dans les deux sens : ces « ruisseaux » ruisselaient à sens unique. Ainsi font les chemins d'eau. C'était la nuit, et les feux de toutes les voitures étaient allumés. Mais des voitures qui s'éloignaient de moi je ne voyais que les feux arrière, rouges, et des voitures qui venaient vers moi les phares, jaunes. Des ruisseaux rouges fuyaient vers la droite et vers l'avant, des ruisseaux jaunes parallèles vers la gauche, et vers l'arrière. La hauteur, la distance, donnaient au champ de cette vision sérénité et ampleur, et permettaient de saisir simultanément par la pensée comme continus les deux rubans, les deux fleuves de couleur mouvante.

6 A l'air froid, le nuage né du souffle,

Dans l'air froid, le nuage de buée né du souffle rencontrait la vitre, s'y posait. Souffler de la buée sur le verre fait de la surface transparente une page encore, inscriptible en signes, en mots qui restituent localement la transparence. Puis le souffle, la buée, de nouveau servent de gomme. Cette écriture est sans taches, elle n'a pas l'irréversibilité de l'encre, elle s'apparente plutôt à d'autres traces enfantines, comme l'encre de sureau (encre « sympathique », encre d'espion ?). Elle est éphémère, ce qui n'est pas nécessairement un manque ni un défaut. Je me retrouve (au passé) sans cesse écrivant sur le verre des carreaux, pas toujours à la buée, qui exige le froid, trop exceptionnel, ou la pluie extérieure (rare aussi). Mais on peut compter sur la poussière qui neige dans les greniers, les mansardes, les remises, sur les vitraux de cette étrange fleur lexicale, la « buanderie » (ses carreaux poussiéreux sont des vitraux laïques), sur la poussière et la fumée.

En ces années, **des locomotives, une épaisse fumée charbonneuse, grise, sale, s'élevait lourdement dans les gares, au long des voies, s'attardait, couvrait inexorablement d'une suie, grasse, irrésistible, les fenêtres des compartiments.** Les trains étaient lents, traînards, s'arrêtaient inexplicablement sur des voies de garage, attendaient, repartaient en silence, sans prévenir. **Mon regard cherche, encore une fois, la nuit extérieure, comme dans la chambre hivernale, et comme dans la chambre, ne distingue rien, ou presque ; dans ce souvenir je vois** (dans cette famille de souvenirs composites, empiétant les uns sur les autres, se confondant) **le coin de la fenêtre d'un compartiment** (c'est le nom, aussi, de la place : « coin fenêtre »), **à hauteur de mon doigt, le même doigt qui grattait la glace, qui se couvre maintenant de la suie salissante, tenace, crayonneuse, de la fumée des locomotives** (tel le charbon d'une mine de crayon, telle l'encre épaisse qui recouvrait jadis les plombs d'imprimerie).

Nous allions, une fois par mois, à Toulouse par le train. C'était le dimanche, car l'école absorbait les six autres jours de la semaine, et pleinement. Ma mère nous emmenait, ma sœur et moi, vérifier nos progrès pianistiques auprès de Mme Vidal, qui tenait l'école patronnée par Marguerite Long (la « grande pianiste » m'inspecta un jour, haute figure sévère, anguleuse, imposante, peu complimenteuse, aux doigts immenses et immensément rapides, pour les démonstrations, les corrections de doigté **(un grand nez oblique ; une main à bagues, sur la mienne, quelques secondes)**). Nous partions le matin, très tôt (je ne vois que de la nuit). On s'arrêtait à Bram, à Castelnaudary, à Villefranche-de-Lauragais ; on arrivait à la gare Matabiau. Nous présentions nos « morceaux » : des Clementi, des Kühlau surtout, un peu de Mozart. Vers la fin j'ai joué aussi des mazurkas, des polonaises de Chopin, extravagantes aux doigts. Nous revenions la nuit tombée.

Mon père nous accompagnait, retrouver et bavarder avec Canguilhem, son vieil ami d'École (l'École normale supérieure), passer le moment de notre leçon à la librairie Trentin (nous allions le rechercher là, parfois), pour d'autres retrouvailles, et conversations d'un autre type dont je n'ai saisi que plus tard (après 1944) la véritable signification. Nous déjeunions chez les Canguilhem dont les deux aînés, Bernard et Francette (« Cécette ») avaient à peu près nos âges. La cérémonie du déjeuner était impressionnante, les manières de table sévères (tout à fait inhabituelles pour nous). Car les enfants n'y parlaient pas entre eux, ne se mêlaient pas de la conversation des adultes, gardaient leurs deux mains sur la table, tenaient leurs ustensiles de la main qu'il fallait. L'axiome anglican (« *children should be seen, not heard* ») leur était appliqué avec une rigueur toute calviniste.

Mais ils se rattrapaient dès la disparition des parents dans d'autres régions de l'appartement sombre (**je le vois sombre**) : je n'ai jamais entendu en si peu de temps autant de mots « interdits » (d'inspiration essentiellement scatologique. Il me semble que nous ignorions entièrement le registre sexuel (ou bien, c'est fort possible, la censure adulte s'est imposée à ma mémoire, je ne sais)) que dans la bouche de ces deux enfants si bien élevés d'un déjà éminent philosophe aux cheveux très noirs et aux sourcils très noirs aussi, très épais.

(Ma sœur Denise, généralement farouche, avait fait sensation, lors de la première visite de Georges Canguilhem dans notre jardin, en montant spontanément sur ses genoux : j'ignore si c'était de sa part exorcisme ou intuition de la nature réellement essentiellement indulgente et bonne de cet épistémologue sévère pour les concepts (et les enseignants de philosophie qu'il inspecta longtemps) et bourru. Il ne devait pas non plus impressionner exagérément mes cousins, mes frères et moi-même puisque nous avions l'habitude de saluer son arrivée par un chant de guerre à rythme ascendant, spécialement composé à son intention : « Méchant Can ! méchant Cangui ! méchant Canguilhem ! » J'éprouve quelque satisfaction tardivement enfantine (il y a presque un demi-siècle de cela !), pendant que je me prépare, ces temps-ci, avec une institution pour laquelle je travaille, le Collège international de philosophie, à lui rendre hommage, à me souvenir de la désinvolture avec laquelle nous traitions alors l'éminent auteur de l'*Essai sur quelques problèmes concernant la frontière entre le normal et le pathologique,* qui a été (est encore) d'une importance considérable pour la philosophie française, et dont un exemplaire dédicacé se trouvait dans la bibliothèque de mes parents. Il est vrai que la philosophie, occupation professionnelle paternelle, n'a jamais cessé de m'impressionner.)

Nous revenions dans la nuit. Très tôt nous colonisions un compartiment du train attendant, obscur, sur un quai de la gare Matabiau. Le train restait non éclairé pratiquement jusqu'au départ, et pendant sa course inverse vers Villefranche-de-Lauragais, Castelnaudary, Bram, Carcassonne enfin. La très faible lumière (d'une veilleuse : Défense passive ?) donnait au voyage un caractère vespéral alternativement, pour moi, soporifique et exaltant. Une heure de coucher plus tardive que d'habitude, la tension surmontée de l'épreuve du piano (bien que Mme Vidal ait été calme, maternelle, peu sévère) donnait aux retours de ces dimanches leur couleur aventureuse, dont l'attraction la plus grande était le train. J'avais, déjà, hérité (de mon grand-père sans doute) une grande passion ferroviaire.

Mon occupation préférée (quand l'écriture à la suie sur les fenêtres, découverte, m'était inexorablement interdite) **était, je m'y vois, de me suspendre, dans le couloir du wagon, à la barre transversale de cuivre qui tranchait horizontalement la vitre à sa mi-hauteur** (c'est une mesure de la taille qui devait être la mienne, alors, que la simple possibilité d'une telle position). **Escaladant le rebord, me tenant par les mains, et accroché également à la barre des deux pieds, j'imitais** (je me représentais vraisemblablement étant) **l'animal qu'on nomme paresseux** (c'est un animal de la famille du tatou, comme l'indique le dicton mnémotechnique des naturalistes (un cadeau de mon frère) : T'as tout l'air d'un pangolin paresseux). **Je m'essayais à l'immobilité rêveuse de cet animal, ne pouvant, malheureusement pas cependant, me gaver comme lui d'un « mâchon » de feuilles d'eucalyptus** (qui sont, il me semble, le régime exclusif des « paresseux » ; à moins que je ne les confonde avec les koalas).

Ensuite nous rentrions, soudain pleins d'une immense fatigue, par la nuit claire ou voilée, sous les étoiles poignantes de

l'hiver, d'abord traversant le canal, puis par les « allées », et la place Davila, la rue Dugommier, notre rue enfin, la rue d'Assas, le long du haut mur de la caserne, jusqu'au plus grand pin, la porte d'entrée, la maison obscure, endormie ; et le silence, ce sommeil.

7 Dans cette poignée d'images d'enfance

Dans toute cette poignée d'images d'enfance je découvre un trait commun : la rareté des phénomènes naturels (ou non) qui les suscitent. Je veux dire rareté en ce qui concerne le lieu de leur production, mais rareté aussi pour le regard qui les absorbe. Plus précisément : le froid de l'hiver, le gel sont rares dans le département de l'Aude. La peinture bleue, camouflage des vitres pendant la guerre est un phénomène exceptionnel. La nuit enfin, pour un écolier de 1940, n'était pas la condition habituelle de sa vie. La nuit, alors, enfant, on était dans son lit et le plus souvent endormi. (Les enfants avaient leur vie ainsi strictement réglée, étant les derniers survivants (involontaires) des ancêtres paysans de chacun. Il y a une dualité entre philogenèse et ontogenèse dans les mœurs comme dans la physiologie des espèces.) (Mais c'était là peut-être seulement, si j'en juge par la Catalogne, ou l'Italie, une habitude familiale, plus dauphinoise ou piémontaise que méditerranéenne ; renforcée par les convictions « hygiéniques » des instituteurs de la Troisième République (dont mes grands-parents maternels étaient des représentants typiques, et d'inébranlables convaincus), et les horaires scolaires, qui ouvraient les classes tous les matins, en toutes saisons, en tous lieux, par tous les temps et en toutes circonstances, à huit heures, depuis Jules Ferry. Tous ces facteurs se conjuguaient pour faire de la lumière solaire la constante la plus assurée d'une vie enfantine ; et son absence, l'obscurité, l'exception.)
Ce n'est pas que ces images soient les seules qui me restent.

Mais ma mémoire, spontanément, les cherche, et les suscite avant toutes les autres. Leur irruption est la preuve d'une insistance négative, en des temps « historiques » eux-mêmes exceptionnels (où la vertu, la *virtù* machiavellienne dont firent preuve Canguilhem, et mon père, et leurs mystérieux amis, était d'être de ceux, longtemps plutôt rares en ce pays, qui disaient <u>non</u>), d'une attraction ancienne, esthétique au premier degré, <u>mais</u> secondairement et inséparablement en même temps éthique, et longtemps en moi non démentie, pour ce qui n'est pas habituel, conforme, ordinaire (plus justement d'ailleurs sur ce qu'il n'est pas habituel, ordinaire, de traiter de manière conforme). La buée gelée sur la vitre, la lumière électrique gelée par la peinture bleu nuit, le train attendant obscurément sur la voie, sont des visions, et des circonstances certainement « originales » pendant les douze premières années de ma vie. Et quand ma mémoire les retrouve, quelque chose d'une exaltation « originelle » demeure, les accompagnant.

Elles s'entourent d'une sorte d'auréole de bonheur sévère, qui ne provient pas d'un bien-être, mais d'une joie-lumière concentrée, absorbée. Comme si, au lieu de me placer d'en bas pour regarder un souvenir, d'en bas où la lumière la plus manifeste serait la plus particularisée, la plus affaiblie, la plus obscure, je me situais au contraire, dans la position séraphinique du contemplateur, où la lumière, donc, est contractée, simple, universelle, garde le mieux l'unité, la vigueur et l'éclat de la source. Le climat de ces images est alors celui de la <u>contemplation</u>. Elles sont des images contemplatives. Leur insistance, leur persistance, les apparentent, en dépit du statut essentiellement non photographique de tout ce que j'appelle ici **image**, aux photographies souvent interrogées des moments pour nous signifiants du passé. Elles sont comme des images suscitées autant que restituées par la contemplation émue de photographies. Et elles détiennent de la lumière, car elles ne possèdent pas de couleur (seule la photographie en « couleurs noir et blanc » possède, et offre, la lumière). Une fois posées à mon regard, elles le retiennent. Je vais de l'une à l'autre, je tourne dans le cercle où s'inscrit leur triangle, sans désir d'en sortir.

Elles ont, pourtant, particulièrement la première, celle de la fleur inverse du gel, un dehors, un « **hors-là** ». Curieusement, je peux venir assez aisément à ce dehors, mais en quelque sorte à reculons : c'est-à-dire venir du dehors pour me retrouver, à nouveau, dans l'intérieur hivernal de la chambre, devant la vitre, par une succession rapide d'images qui implique bien une sortie au jour (ou à la nuit) et un retour, mais dont précisément le moment initial me manque, comme s'il s'était infiniment écarté à cause de l'éloignement, ou d'un excès de transitions (tel le lièvre du paradoxe, mon regard obligé de passer là, puis encore là, qui est à peine plus loin que là, et ainsi de suite, est débordé par une inépuisable et simple « énumération » de points).

Une des propriétés les plus évanouissantes des souvenirs, peut-être origine de quelques-unes des « solutions » les plus étranges à la question du temps, aussi ancienne que la pensée même, est en effet la vitesse. Au paradoxe premier de la course dans l'espace, celle de l'obligation de franchir une infinité au moins de points épelables (potentiellement), on est tenté de « répondre » en ajoutant un second paradoxe, celui non seulement d'une infinité avalée d'instants (qui ne résoudrait rien (on ne résout rien non plus en fait par le second paradoxe, mais on peut en avoir au moins l'illusion) mais celle d'une domination des franchissements temporels sur les distances spatiales, plus matériellement inertes, en un mot, par une suffisante vitesse : le souvenir absorbe l'infinité des points visibles en se donnant (en disposant de) une infinité plus grande, multiplicativement plus grande pourrait-on dire, d'instants infiniment courts.

Il s'ensuit que le récit du souvenir, pour être fidèle, aurait un besoin inépuisable des ressources d'une rhétorique hermogénienne, puisque la vitesse est un concept, je dirai même le concept central du traité hellénistique dû à cet auteur. Il s'ensuit encore qu'il n'en est nullement ainsi dans la réalité des récits existants, et que ce fait contribue aussi, pour moi, au sentiment de « trahison » du réel qu'ils me donnent. Il est vrai qu'il n'y a pas de solution vraiment satisfaisante à ce problème, l'écrit ne pouvant mettre en application l'arithmétique infinitiste et contradictoire (vraisemblablement) dont je viens de parler, et qu'on ne peut imaginer que des stratégies analogiques, la plus naturelle étant celle de la discontinuité (appuyée, en somme, sur l'hypothèse de *quanta* de temps, déjà envisagés par la philosophie antique). Il ne m'apparaît pas qu'elle ait jamais été tentée.

(Une autre serait de montrer la vitesse par contraste : une tentative de description exhaustive des parcours fournirait la démonstration indirecte de l'excès jamais réductible de l'accomplissement sur la profération. (La naissance de Tristram Shandy, en somme, interprétée comme métaphore de la « conception » de l'écrit autobiographique.) L'accumulation scrupuleuse des détails montrerait son impuissance à rendre compte de la simultanéité de leur surgissement à la vue.)

Quoi qu'il en soit, la vitesse de déplacement de la mémoire se saisissant des souvenirs un à un est un fait, et il n'est nullement évident que l'organisation que nous choisissons le plus souvent pour raconter ne la trahisse que par sa lenteur. Sa rapidité est celle d'une illumination. Dans les territoires fracturés du passé, dans ses milieux inhomogènes, par réflexions et réfractions elle va, fouillant du bout de son bâton à la fois rigide et brisé (perceptuellement brisé).

(Mais les modes habituels de la narration du passé s'apparentent plus à l'imposition d'un ordre artificiel, provenant d'idées extérieures au fait brut du souvenir : ils offrent leur reconstitution à partir de *snapshots* immobiles.)

8 **Chaque fois que je sors, au présent, de la chambre du gel,**

Chaque fois que je sors, dans l'hiver du souvenir, de la chambre du gel aux fleurs inverses sur la vitre ; chaque fois que je sors, au présent, au présent du passé (puisque le présent est le mode essentiel de la poésie, le mien, puisque de tout poème il faut dire : il est de « maintenant »), **je trouve et vois la neige ;**

dehors est blanc ; dehors est un jardin recouvert de neige, découvert à la neige, une neige fraîchement tombée, dans le silence de la nuit, comme une surprise de la nuit, que rien encore, aucun pas, n'a pu brouiller, défricher, vieillir ; dehors dort sous un blanc manteau, sous de grands édredons ; blanc ; blanc d'un blanc qui n'est que cela : à ce blanc ne s'associe aucune idée de froid, aucune rigueur : tout le gel est dedans, dans la chambre, sur la vitre ; mais le blanc du dehors est un blanc d'une douceur substantielle, calme ; blanc pur.

Du blanc de la neige sort la lumière. La lumière sort présente, c'est-à-dire venue à moi après les années-lumière quasi infinies du passé. Mais, à la différence des lumières d'étoiles venues de leurs propres distances quasi infinies (paroles d'astres témoins de leur passé singulier d'astres, à leur vitesse constante indépassable, indépassable aussi en la monotonie des constantes universelles, vitesse énorme mais malgré tout minuscule pour de tels éloignements), la lumière de neige de cette image, dehors, est présente, se réitère sans cesse, sans cesse sort des coussins de la neige, des formes de la neige couvrant les formes des sols, des arbres, des murs. C'est une lumière neige, où je sors (mais qui sort ?), où je me trouve un voyant, voyant non ébloui, non aveugle par éblouissement.

Et si la neige est lumière-substance, sans cesse présente, et sans cesse d'elle-même redite, répétée, quelque chose comme le paradoxe d'Olbers est en acte dans ce souvenir : comme l'infini supposé du temps, de l'étendue et des étoiles peuplant l'infini espace avec constance, homogénéité et immobilité (avant l'invention de leur mouvement de fuite par Hubble) devrait faire du ciel de nuit une sphère autour de nous entièrement gonflée d'une lumière d'intensité infinie, rendant le noir de la nuit impossible, ainsi la blancheur lumière de cette neige d'autrefois, du dehors d'autrefois, emplit la vitre, la fenêtre, le dehors jardin de la fenêtre, et mes yeux, de son jour omniprésent. **Cette neige est entièrement densité lumineuse, entièrement présente, dans une blancheur douce, pleine et sans aucune nuit.**

Chaque fois que je sors de la chambre nocturne du souvenir premier, je trouve la neige. Je passe du noir au blanc. Tout ceci est sans couleur. Ce n'est pas seulement qu'il n'y a pas de couleur dans ce souvenir (les couleurs de mes souvenirs ne sont, sauf sans doute le noir et le blanc, que des couleurs nommées, des couleurs de langue), mais plus intrinsèquement que le moment du monde que je restitue met la couleur au second plan, pour ne garder que la lumière, et la non-lumière de la nuit. Ou c'est, si l'on veut, qu'il s'agit d'un temps-souvenir en un lexique de couleurs qui ne posséderait (comme il arrive dans certaines langues) que le « noir » et le « blanc ». Tout ce qui se passe, tout ce qui est déductible de ce qui se passe est défini par la lumière, ou par son absence : de la lumière, ou non-lumière de ceci on peut déduire, lumière ou non-lumière, cela. Le total de la lumière est ce monde.

Je sors toujours, à mon souvenir, vers de la neige. Aussi bien d'ailleurs si je retrouve le souvenir de la fleur de gel sur la vitre, que si je restitue celui de la vitre peinte au bleu-noir de nuit : **je gratte dans l'ombre l'incolore fougère du gel, ou bien le bleu de la sombre peinture de la Défense passive, et dehors est la neige sur le jardin ; la neige tombée pendant la nuit, toute pénétrée de silence, de tranquille silence et d'une absence totale des qualités premières des substances, à l'exception de la luminosité qui sort d'elle, et des formes, elles aussi lumineusement définies ; ce sont les formes du jardin, le jardin de la maison où je suis, où j'ai habité en ces années, rue d'Assas, à Carcassonne, dans l'Aude ; il y a de hauts murs contre la rue, une ruelle, une autre maison, d'autres jardins qui descendent, jardins et jardins, vers la rivière.**

La lumière sort de la neige, s'élève de la neige, plutôt qu'elle ne tombe du soleil pourtant présent dans le ciel : un soleil blanc. J'aime ce paradoxe ultime du blanc et du noir : je ne vois pas le Soleil Noir, cachant la lumière, la retenant en son sein par dédain, par énigme, ou jetant à profusion la lumière noire de la nuit, de la nuit noire de l'âme (le Soleil Noir est la nuit noire de l'Ame du Monde, le signe d'une mélancolie d'astre, du macrocosme désespéré de découvrir la privation du Dieu). Je vois un **soleil blanc** (sans la majuscule du nom propre et sans article défini) ; lumineux sans lumière, la recevant au lieu de la donner, figure d'un autre mode de la Double Négation constitu-

41

trice de ma mémoire d'enfance. Je passe du blanc au noir, puis de nouveau au blanc, mais à un blanc qui a les propriétés d'une chute, d'une privation : **je vois un soleil neige.**

Tout se passe comme si le déplacement d'intérieur à extérieur, le franchissement de l'espace transparent de la vitre par la vision, s'accompagnait d'une réfraction temporelle : **l'instant où je vois dans la chambre, contre le gel, est un instant nuit ; il fait nuit dehors, nuit très noire, sans lumière de lune, ou d'étoiles (les étoiles se sont interrompues),** mais l'instant suivant du souvenir est **dans le plein jour neigeux, le soleil présent ; un soleil d'hiver certes, mais déjà haut, dans le ciel blanc lui-même, d'un blanc moins intense que celui du sol livré à la neige, un blanc second ; la trajectoire du temps s'est brisée, et le passage lent de la nuit au jour, l'aube hivernale, l'émergence du soleil en sa paresse, a été gommé ; d'ailleurs le soleil lui-même est là, mais comme absent de son rôle d'astre père des jours.**

Le soleil s'est levé et a disparu, non dans la nuit mais dans le blanc lumineux de la neige ; c'est un soleil vide. La blancheur de page de la neige est, elle, au contraire, pleine. Elle est pleine de lumière comme le serait une peinture blanc sur blanc (mais comme une peinture blanc sur blanc qui ne serait pas suscitée, à la Lars Fredrikson, par l'immensité des régions neigeuses où la neige est la règle, où elle dit le droit du paysage : cette neige-là me repousse, m'inquiète, m'indispose. C'est une neige à la Jack London, ou bien faite pour des récits de conquête de l'Himalaya, une neige de « yéti ». Elle n'est pour moi que de la neige de fiction). La neige pleine du souvenir, dehors, restitue une lumière qui lui appartient en propre, qui est mue, inspirée par la blancheur, sa consistance, son épaisseur, son souffle.

De plus cette vision n'a rien de nostalgique. Cette neige n'est pas mortelle (comme elle l'est dans les nouvelles de Jack London), cette lumière n'est pas non plus indifférente, neutre. Elle représente une véritable sortie au jour, un émerveillement. La vérité du jardin s'y révèle, sa nature, dégagée de la valeur d'usage comme de la valeur « austenienne » ou « reptonienne » du jardin moralisé, au profit d'une netteté axiomatique : la précision du bois, la géométrie sentimentale des allées, des buis, des carrés de dahlias et tomates (mais sans tomates ni fleurs réelles : c'est l'hiver). **Je vois des mouvements de pies (noires et blanches), de corneilles (noires et noires) ;** les corneilles sont le prolongement de la chambre, de la nuit, par d'autres moyens (aviaires) ; **je ne les entends pas (je n'entends rien), mais elles criaillent, je le sais.**

9 **Ce souvenir est sans tristesse,**

Ce souvenir, donc, est sans tristesse, ce jardin d'hiver sans désolation. Le climat mental dans lequel je plonge est celui d'une illumination. Mais il n'y a pas non plus en lui de joie : émerveillement plutôt, à peine surprise. L'image produit à profusion de la lumière de neige, une nuée envahit le ciel, fait reculer le soleil blanc. **De loin en loin** (dans les instants séparés du souvenir réitérant l'image) **viennent les corneilles, les mouvements noirs des corneilles avec leurs cris inaudibles, tournoyant sur la neige, puis disparaissant en séquences, en messages morses par-dessus le mur du jardin, plus loin encore, par-dessus le mur de la caserne qui borde l'autre côté de la rue d'Assas ; elles vont vers la Cité, pour des congrès perpétuels, des colloques théologiques féroces ; oiseaux de prose médiévale, d'annonces mystérieuses ; les pies, elles, restent dans les grands pins.**

La sélection par la mémoire d'un paysage d'hiver, et dans l'hiver, d'un moment de neige, pour désigner par la métonymie de la réflexion en étendue (la neige est une partie de la lumière) la lumière la plus ancienne, celle qui contient le tout de l'enfance, s'inscrit encore dans le même paradoxe que je poursuis depuis le commencement de cette **branche** seconde de mon récit (scellée dans le titre de son premier <u>chapitre</u>, non encore entièrement expliqué) : ce n'est pas la lumière profuse, incessante, inévitable, de la quasi-totalité des jours, dans cette ville méditerranéenne, qui est, sans que je puisse en décider, choisie. Car la lumière qui me saisit n'est pas celle qui inspire touristes et vacanciers venus du nord, mais au contraire celle qui souligne la tristesse, le sentiment de l'irrémédiable, du révolu, du désolé. La lumière habituelle d'un climat presque sans nuages, sans pluies, pendant des semaines, des mois d'été, la lumière abusive du soleil ostensible est entièrement pour moi sans attirance (je ne suis pas un Franc, je ne suis pas un Helvète, ni un Viking, ni un Teuton). Le souvenir ici l'écarte sans hésiter, pour faire revenir la lumière plus rare, rare comme la denrée à laquelle elle s'identifie, la douce, la souple, l'inhabituelle, la surprenante neige du jardin.

Il me semble avoir retenu tous les moments de neige de ces années, tant ils étaient exceptionnels, mémorables. Un jour, lisant pour la première fois les poèmes de Guido Cavalcanti, j'ai été « transpercé » (tel un saint Sébastien dans le jardin des délices de la poésie (délices et supplices : « exquis », au sens anglais d'*exquisite* que l'on trouve dans l'expression *exquisite pain*) par deux vers (ils seront suivis de deux autres, qu'un paysage déductif lie pour moi) :

aria serena quand' apar l'albore
e bianca neve scender senza venti

La tranquillité soudaine, la « sérénité » de l'air quand vient l'aube, la « neige blanche descendue sans vent » : dans ces vers, vêtus de lumière en hendécasyllabes italiens du xiiie siècle, avec toute l'évidence et la soudaine nouveauté d'une vérité du monde en ses espèces naturelles apparaissant à l'aube (métaphorique) du lyrisme occidental en langue vernaculaire, je vois se lever l'explication de la neige de mon souvenir, de son « aura », de son non-non-froid éblouissant, puisque c'est la neige qui, en tombant, adoucit le grand froid nocturne, abat le vent, se fait protection du sol, de l'air, des êtres vivants, de la **mémoire.**

De tels moments sont infiniment rares dans la poésie, dans toute poésie : en équilibre miraculeux entre le détail aigu des notations particulières (où se manifeste l'être même, en tant que singulier et se révélant lui-même en son *haecceitas*, que

Hopkins appelle l'*inscape* d'une, de chaque chose), et le vague généralisant de la plupart des propositions descriptives (« il a neigé » ; « le vent tombe »), il semble qu'ils ne peuvent guère être dits qu'une seule fois. Et les poèmes où ils viennent occupent alors une place dans la poésie d'une langue (ou même d'une famille de langues) dont il n'est plus possible de les déloger.

Dans mon oreille, j'entendis aussi la fusion dans la langue de deux antonymes, aube et crépuscule : l'aube y était représentée par son nom propre, *albore*, proche de l'*alba* provençale, qui désigne une variante du chant d'amour, celui de la séparation des amants à l'aube (qui est de toutes les poésies). Et le crépuscule faisait ombre à travers le mot *serena*, qui m'évoque le personnage espagnol médiéval du *sereno*, le guetteur et protecteur des nuits urbaines.

La neige cavalcantienne ne tombe pas, elle descend, avec une lenteur infinie, blancheur sans air, sans vent. Traduisant le deuxième vers, celui de la neige (ou plutôt me l'appropriant, pour un poème), dans l'atmosphère de l'image évoquée, celle du jardin d'aube hivernale pris de neige, j'en fis ceci : « *La neige blanche descendue sans vent.* » Je voyais, autant que le mouvement de la neige s'établissant avec la lenteur d'un long décasyllabe (pour lequel il m'avait paru nécessaire, afin d'en marquer l'origine linguistique, de me servir de ce que la terminologie des manuels de versification, la « seconde rhétorique », appelle « césure italienne », très peu représentée dans la poésie en langue française), **la blancheur atteinte du sol, son repos silencieux et sourd ; il y a de la lumière à l'intérieur de cette neige, et elle illumine le vers entier ; neige et lumière viennent ensemble.**

> **Chi è questa che vèn, ch'ogn'om la mira,**
> **e fa tremar di claritate l'âre**

dit le deuxième couple de vers cavalcantiens que j'associe, en une flèche unique, dans ma « conception » (« quelle est celle qui vient, que tous regardent / qui fait trembler l'air de clarté »).

Le deuxième de ces vers faisait trembler Ezra Pound. Dans le sonnet (c'est un sonnet) la réponse à la question est évidente : celle qui vient est la « dame », la *donna*. Mais la flèche que j'en reçus, poétiquement (on dit, dans le discours mathématique dont j'ai l'habitude, la « source » d'une flèche, et son « but ») avait aussi sa source dans la neige d'aube, au cœur de la neige blanche descendue sans vent sur le jardin, en <u>cette</u> neige.

La clarté vibrante qu'elle portait était son nom : la **Mémoire**.

Chapitre 2

Le Figuier

10 A la Noël de 1942 mon père m'emmena à Toulon, chez son oncle Roubaud.

A la Noël de 1942 mon père m'emmena à Toulon, chez son oncle Roubaud. C'était à Saint-Jean-du-Var, alors faubourg vivant sur la route d'Hyères, entièrement absorbé par la ville maintenant, au 7 impasse des Mûriers, où habitaient les trois seuls survivants de sa famille : un oncle, une tante, et une cousine (la cousine Laure). La maison est aujourd'hui encore en sa possession (pour peu de temps sans doute). J'écris **« Saint-Jean-du-Var », « impasse des Mûriers », et il se produit devant mes yeux une fuite de plumages gris tachés de blanc, un mouvement de pintades ; en un même instant s'élève leur cri mouvement de pintades ; en un même instant s'élève leur cri mouvementé, semblable à une chaîne de puits rouillée ; l'éparpillement confus, affolé, des volailles grises, leurs cris rouille, distants d'un demi-siècle se répandent, inséparablement cousus à ces mots, libérés par eux : « Saint-Jean-du-Var ; 7 impasse des Mûriers » ; je vois aussi un poulailler, des lauriers, une allée étroite.**
murmurants vers à soie, à fruits blancs ; et d'autres mûriers, aux fruits rouges explosés sur le sol, comme de vin, comme de sang. Mais je sais qu'ils n'ont rien à faire là. Je ne les refuse pas, cela m'est impossible, je ne peux pas les exciser de l'image pour les « adresser » ailleurs, dans le « fichier » mental auquel ils appartiennent raisonnablement, le fichier « Orangerie » (pour les mûriers blancs), le fichier « Delphes » (pour les rouges), par

l'opération d'un *couper-coller* de « traitement de texte », pas plus que je ne peux retenir, immobiliser son mouvement-cri, infiniment plus rapide que l'échappée originale des pintades dans l'allée. **Elles jaillissent, se désordonnent, disparaissent ; et jaillissent, et crient, et disparaissent,** du puits de dix mille jours, de mon temps rouillé.

L'oncle Roubaud, mon grand-oncle, avait un menton très pointu, des poils de barbe blancs, piquants ; il s'appelait Denis. Denis est mon deuxième prénom. J'ai oublié celui de ma grand-tante. Je l'ai su, mais je l'ai oublié. Les choses qui nous sont dites mais qui ne font pas partie de nous sont plus vite que les autres oubliées. Il faudrait en garder une trace documentaire. En outre, depuis que j'ai commencé à éroder mes souvenirs en les interrogeant pour les faire servir à ce récit, il me semble que ma mémoire s'en trouve affectée plus loin, plus profondément que je ne l'avais prévu. La mise en mots, même rare, même prudente et avare, de moments du passé, qui les trouble, les déforme, les gomme, agit aussi sur d'autres qui leur étaient, sans qu'on s'en rende compte, solidaires. J'aimais beaucoup la tante de Toulon, mais j'ai oublié son prénom.

Mon père fut, très jeune, orphelin. Voilà un mot qu'on n'emploie pour ainsi dire plus, un mot de « roman de gare » aux temps de Gambetta, de Clemenceau : orphelin de père et de mère. Son père mourut quand il avait deux semaines. Il ne s'en souvient évidemment pas. Son père était postier & courait beaucoup. Les deux choses semblent liées, et liées, pas tout à fait causalement, mais presque, au fait primordial, celui de la mort de son père, dans les récits du mien. Sa mère était institutrice. Elle était née Garnier et mourut quand il avait cinq ans. Il vivait alors avec elle et avec sa grand-mère Ciamponcin ; ou Chiamponcin, on ne sait. L'incertitude des noms a toujours été pour mon père emblématique de son état d'orphelin. Il revenait sans cesse en nous parlant sur ces figures devenues purement nominales, et même pour la nomination, incertaines. Elles disparues, il alla vivre chez son grand-père Auguste ou Gustave Roubaud, le frère aîné de l'oncle, à Saint-Jean-du-Var déjà, sur la route de La Farlède.

L'incertitude onomastique, dans ce cas, se résout d'une

manière très particulière, qui est comme la signature de ce personnage original, mon arrière-grand-père Roubaud : par un prénom-valise. Selon mon père, en effet, le père de son grand-père (il s'agit donc de la droite ligne paternelle), allant déclarer la naissance de son fils à l'état civil de Soliès (Soliès, le vrai village des cerises et des hauteurs, pas le plat Soliès-ville, ni le Soliès-pont de la vallée) et se rendant compte brusquement qu'il avait omis de réfléchir à la question du prénom, aurait répondu à l'interrogation de l'employé, après s'être gratté la tête : « Oh, Gustave ! », ce que l'écriture administratrice et monumentaire aurait interprété, « à la lettre » de l'oralité, en <u>Augustave</u>. Mon arrière-grand-père ne s'appelait donc ni Auguste ni Gustave mais Augustave Roubaud.

Ma généalogie directement transmise ne remonte pas plus loin, de ce côté-là. Et de ce vigneron distrait et non conformiste des collines provençales, je « sais » seulement aussi qu'il avait été le seul de son village, en 1852, à voter contre les ambitions impériales du prince Louis-Napoléon, inaugurant ainsi une lignée, qui est maintenant la mienne, républicaine avec une certaine propension aux positions minoritaires. Que mon père ait reçu, et sélectionné pour nous être dits ces deux « faits », et ces deux faits seulement (et que je les aie retenus, moi, au détriment de tant d'autres choses) pour en élaborer une « vie brève » de son arrière-grand-père à lui, posé à l'origine têtue de sa branche familiale propre, présente en raccourci une illustration modèle de « rapport didactique » entre générations. D'une influence au moins égale à celle du patrimoine génétique, ces récits déterminent décisivement notre vision morale, et si j'en juge par mon expérience propre, ils influencent aussi notre parole, à son tour transmise (et devenant une composante, par exemple, de l'<u>éthos</u> du ' **grand incendie de Londres** ').

D'une naissance aussi désinvolte et d'une hérédité morale aussi peu inclinée à l'obéissance, Augustave Roubaud s'était construit une vie rude : il était entré dans la marine de guerre et avait servi comme quartier-maître mécanicien sous l'amiral Courbet. Il était titulaire d'un exploit héroïque, étant resté seul et obstiné avec ses machines dans son navire coulé au canon, prêt à exploser, dans l'eau jusqu'à la poitrine, l'ayant ramené, à l'étonnement général, au port. Cela avait été le moment à la fois le plus glorieux et le plus amer de sa vie : félicité et médaillé pour son courage, blâmé pour sa désobéissance (son refus d'obéir à l'ordre d'évacuation), son mépris pour la hiérarchie militaire en était resté absolu. Il n'a pas manqué de le transmettre à sa descendance, avec d'innombrables ramifications et extensions.

Mon père passa en sa compagnie les années de la Première Guerre mondiale. Ce fut alors la seule présence adulte dans sa vie : ses autres compagnons étaient les écoliers de sa bande, sa « raille », comme on disait (le sens du mot « raille » éclairé par la comptine : « cent dix-huit, cent dix-neuf / la raille, la raille, la raille / cent dix-huit, cent dix-neuf / la raille du cul du bœuf »). Et Saint-Jean-du-Var n'était pas, mais pas du tout, un faubourg de bonne compagnie. Le grand-père était retraité. Ses économies fondaient dans les achats gouvernementaux de canons pour combattre le « boche ». Sa retraite aussi se dépréciait à mesure que les tranchées se creusaient dans le sol crayeux de la Champagne pouilleuse. Il allumait sa pipe avec de l'Emprunt russe et des bons Panama, tout en jardinant ses melons et ses tomates. Il ne discutait guère, n'intervenait pas beaucoup, brandissait parfois sa canne avec colère en présence de quelque insolence énorme de son petit-fils. Mais mon père courait vite. Il vécut des années de liberté absolue, anarchique. Peu de vêtements, peu de livres, peu de nourritures, peu d'affection, mais la mer.

De la rade au Mont-Faron s'étendait un espace de rochers, d'éboulis, de sables, de rochers, de sentiers de douanier, de crevasses, de barques, d'écume. On ne peut s'en faire aujourd'hui la moindre idée, tant il étouffe d'autoroutes et de résidences secondaires. Pas à pas, pendant ces jours d'avant le début de l'an 1943, j'ai parcouru ces traces, j'ai vu, entendu, ou rêvé le conte des moules, des filets de pêcheurs, des poulpes, des crabes, des « arapèdes ». J'ai entendu la légende des congres, des murènes, des loups, des méduses, des dorades, des anchois, des sardines, des huîtres. Et surtout j'ai goûté, mordu au diamant des coquillages, au concentré de l'âme d'iode des mers, l'invraisemblable, tourmenté et biscornu <u>violet</u>, dont la chair est de couleur jaune à peu près tendre mais dont la saveur m'apparaît bleue, violente, celui que personne ou presque ne mange tant son goût est étrange, le préféré de mon père (les Catalans l'appellent <u>bugnols</u>, le « beignet »). Avec la guerre, la seconde, la pauvreté de famine et de silence induite par la guerre, le paysage provençal avait régressé de trente ans en arrière, et je voyais, pour une leçon parfaite, ces lieux presque semblables à ce qu'ils avaient, pour lui, été.

11 Je ne connaissais pas la mer.

Je ne connaissais pas la mer. Je sais que je l'avais déjà vue, quatre ans plus tôt, mais je l'avais presque oubliée. **Il faisait soleil, assez froid ; jours de l'hiver provençal, ciel bleu tendre, pas trop de mistral, un tout petit nuage blanc, parfois, se penchant à la gauche du mont Faron, timide, vite disparu ; la mer était plate ; c'était elle, c'était la mer ; je ne l'ai pas touchée, pas vraiment ; de la main seulement, du pied ; froide. En « excursion », aux « Sablettes », avec l'oncle, la tante, & cousine Laure, un long moment je fus, je suis, allongé sur le côté, une main entre joue et pierre froide (une jetée ?), parallèlement à l'eau, yeux fermés sous le poids du soleil doux dominical d'hiver, yeux ouverts, voyant ; à la jointure de l'air et de la mer je vois la lumière bondissante de l'eau à peine bougée, de plus en plus loin l'eau toujours lumineuse, seulement lumineuse, saupoudrée d'étincelles, rien que surface éblouissante, réitérée comme spontanément sous les paupières de nouveau fermées.** (« Le Soleil — a-t-on écrit il y a vingt-cinq siècles : un feu intelligent qui s'allume de la mer. ») Du haut du mont Faron, la mer était immensément plate, joyeusement, somptueusement réfléchissante. J'ai eu plus tard, en Catalogne, à Roda de Barra, en Italie, à Ponza, de semblables visions de Méditerranée quasi immobile, comme émettant de la lumière vers un soleil indépendant de sa lueur, réduit à n'être qu'une source seconde de rayons, moins universelle, moins exubérante. Je n'ai pas conservé d'alors, de Toulon, de ce moment-là, une épure certaine de sa platitude incandescente. Mais l'image fut là, sans doute. Avec elle chaque fois j'ai ressenti le désir intense d'une réciprocité, d'effectuer le parcours inverse de la lumière et de voir, à mon tour, depuis la mer réfléchissante, les plages, le mont, les collines : être à plat dans la mer, hébergé dans la distance.

Cette connaissance-là de la mer, qui naît de la nage loin, au large, m'appartient en propre. Je l'ai acquise bien plus tard, et je ne la dois à personne. Mais l'**idée de mer**, la nostalgie de la mer, m'est venue de mon père. Il l'a quittée à vingt ans, quand il est arrivé à Paris, à l'École normale supérieure, rue d'Ulm. Il n'y est presque jamais retourné. Et, de toute façon, c'est préférable, si on pense à ce que Toulon est devenu. La valorisation de la mer, et hiérarchiquement de la Méditerranée avant toute autre mer, avant les océans, est en moi un de ces chromosomes éthiques hérité de la branche généalogique strictement paternelle, son « caractère acquis » fixé par l'arrière-grand-père Augustave, puisque c'est lui qui descendit des collines, quittant le Soliès des hauteurs, non pour s'établir dans une médiocre petite plaine (Soliès-pont !), mais pour conquérir l'unique plaine vraiment « pontique », La Farlède au nom de déferlement − la Mer. On dit la « Mar ». La voix toulonnaise prononce « **Marrr** » avec un « r » multiple projeté sur la caverne d'ombres de la gorge, et la dire ainsi semble inévitable, tant la côte des Maures est rocheuse.

Dans son échelle des valeurs culinaires, les « biens de la mer » l'emportent, et de très loin. S'il apprécia presque toutes les nourritures, étendant, quand il en eut l'occasion, ses connaissances et ses appétits dans le domaine des vins et fromages (surtout), s'il adopta résolument la viande rouge, et même la crue (effort indiscutable pour un Méditerranéen), s'il montra constamment de la curiosité pour les saveurs étranges et étrangères, ce fut, comme pour la philosophie et la littérature, une conquête intellectuelle et culturelle, et aussi un effet de ses amitiés normaliennes (son meilleur ami d'École était normand, dont la femme fut mon agnostique marraine). Mais la trinité suprême des poissons, des crustacés et des coquillages resta souveraine pour lui. Et parmi eux on pourrait encore isoler et dessiner un blason en forme d'hexagramme, composé des tout premiers êtres comestibles marins (premiers dans le temps des découvertes de l'enfance, aux années quatorze), de ceux qu'il avait appris à capturer ou préparer lui-même, à la main, au couteau, au feu : l'huître, la moule et le violet, le poulpe, l'anchois et la sardine.

Toutes ces nourritures étaient « peuple », aux temps où cette distinction était nette (« peuple » ou aristocratiques : c'est un domaine où, assez souvent, les goûts des extrêmes sociaux pouvaient se rejoindre). L'oncle, la tante et la cousine n'avaient guère de sympathie pour la sardine, dont l'impérialisme olfactif est insupportable à toute ménagère bien ordonnée. Ils étaient, de manières comme d'habitudes et de convictions, des petits-bourgeois toulonnais assez pauvres et immobiles, mais infiniment généreux et sympathiques, en contradiction perpétuelle avec leurs modes de vie et de pensée. Ils adoraient et admiraient mon père ; et je les aimais. Mais en ce qui concerne la sardine et le poulpe (dont les mouvements les terrorisaient), ils restèrent intransigeants.

En pénétrant dans la famille de ma mère (ce fut bien plus tard, et il était encore le quasi-voyou de Saint-Jean-du-Var, toujours assez imprésentable : mais il était l'ami de Frantz, le fils, ce qui leva bien des obstacles), mon père dut livrer, au moins verbalement, une nouvelle fois la « lutte de classe culinaire » commencée avec sa tante, cette fois avec ses beaux-parents. On ne connaissait guère, dans la famille Molino, les nourritures marines que sous les espèces de la limande et du colin, qui plus est traitées par long et consciencieux affadissement dans la casserole, à l'eau bouillante. Ce sont des poissons, certes, qui peuvent être gustativement estimables, mais arrangés de cette façon, ils atteignent au comble de la fadeur et sont à la sardine ce que l'endive est à la salade, du point de vue du teint. Les coquillages étaient totalement inconnus ou bannis, les crustacés hors de portée des bourses d'instituteurs, les crabes innommables.

Deux séries de causes se conjuguaient donc pour un refus bien établi :

— la modestie des ressources financières familiales par rapport au coût de la nourriture (il y a eu, on le sait, un changement considérable dans la répartition des dépenses des ménages en France, comme on dit sociologiquement : mes grands-parents n'auraient certes pas pu, sans de grands sacrifices, se payer, même rarement, du homard ; en revanche, personne aujourd'hui dans la fonction publique, même au plus haut de l'échelle, ne pourrait se permettre le loyer actuel d'une maison telle que celle qu'ils habitaient) ;

— l'idéologie de l'hygiène et ses « raisonnements » diététiques : toutes les denrées maritimes (à l'exception du colin et de la limande, déjà nommés (et de la sole, un luxe)) étaient, pour mes grands-parents, dangereuses. Ils n'avaient pas, à vrai dire, entièrement tort. En l'absence de moyens de réfrigération efficaces, les poissons circulaient encore assez mal, et la famille habitait à Lyon. (En partie pour une raison semblable, la Provence ne connaissait alors que la viande très cuite.) Il reste que la phobie de la moule, par exemple, dont le toucher, à lui seul presque semblait-il, pouvait provoquer la typhoïde, allait bien au-delà de ces simples considérations sécuritaires.

La moule, la sardine, étaient des nourritures excessives, impudentes & impolies. C'est face à elles que se manifestait un vestige détourné de la peur dix-neuviémiste des « classes dangereuses », peur que, par ailleurs, mes grands-parents, aux idées « avancées », récusaient avec sincérité et énergie, sans avoir pour autant des positions politiques révolutionnaires. Et la sardine, au fond, peut être considérée comme l'extrême gauche des poissons. Pour justifier leur dégoût ils ne s'abritaient que derrière la pure raison hygiénique. D'ailleurs, dans le cas de la sardine, la friture, tradition culinaire provençale, faisait intervenir l'huile, l'huile d'olive. Or l'huile d'olive était classée par Raspail, un maître à penser de mon grand-père, dans la catégorie des nourritures « lourdes », s'opposant en cela strictement au beurre, dont la « légèreté » avait une sainteté presque médicale. C'était une raison supplémentaire d'abstention. A ces deux raisons universelles et anonymes s'ajoutaient en outre :

— pour ma grand-mère les ordres impérieux de son « foie » (organe d'invention française);

— pour mon grand-père les impératifs d'une éducation maternelle savoyarde qui avait définitivement orienté ses préférences vers « le » plat suprême : le gratin dauphinois.

Mon père a réussi presque entièrement la conversion de ma mère, sans toutefois obtenir d'elle une adhésion vraiment franche à la moule et à la sardine. C'est cependant là un résultat remarquable si l'on songe à quel point les goûts culinaires sont difficiles à bouger après l'enfance, particulièrement les dégoûts qui reposent sur la peur. Je crois bien qu'à vingt ans ma mère n'avait jamais même aperçu une huître ouverte dans une assiette.

12 Il n'avait pas, en tout cas, converti sa propre famille.

Il n'avait pas, en tout cas, converti sa propre famille. Il la traitait avec une affection un peu ironique, la trace de forts désaccords anciens visible sous la polémique enjouée concernant les dangereux « fruits de mer ». Cela n'avait sans aucun doute pas été de tout repos pour eux d'accueillir, à la mort du grand-père Roubaud, ce garçon violent, habitué à n'en faire qu'à sa tête, à tirer les sonnettes, à mettre des anguilles, des grenouilles ou même des crabes dans les boîtes aux lettres des bonnes dames dévotes de Saint-Jean-du-Var (il avait douze ans), presque un « voyou » en somme, pour employer le vocabulaire de l'époque. Et l'irruption de cet élément perturbateur dans leur vie bien réglée avait dû leur paraître d'autant plus inquiétante qu'il y avait la cousine Laure, qui était élevée, elle, selon les meilleurs préceptes, et pour laquelle on pouvait craindre la contagion.

Le hasard, selon lui, a seul fait que mon père n'a pas opté

pour l'autre voie qui se présentait, et que choisirent les plus vifs, les plus délurés de ses camarades d'école ou de jeu : celle de la délinquance (une troisième étant celle de la marine militaire : un de ses camarades de lycée « finit » amiral). Ce n'est pas la peur qui aurait pu le retenir, ni une soumission apprise aux règles de la société. Mais l'exemple autant que les discours sarcastiques de son grand-père s'unirent à l'influence d'un instituteur qui décida de le présenter au concours des « Bourses », qui lui permettait de faire des études secondaires sans coûter excessivement d'argent à une famille qui n'en avait pas beaucoup. C'était un bon calcul. D'ailleurs mon père n'aimait pas perdre. Il fut reçu, et alla au lycée.

Cousine Laure ne répondait pas aux attentes (d'inspiration poétique) qu'aurait pu susciter son prénom. Elle était, quand je la connus, plus très jeune, un peu déçue et résignée, un peu moustachue aussi (elle ne fut jamais très belle). Elle ne dépassa pas le « certificat d'études », n'alla jamais au lycée (où les filles n'imaginaient même pas pouvoir se rendre), n'apprit aucun métier. Elle eut en revanche une sérieuse éducation en couture et en cuisine provençale par sa mère (selon les préceptes du grand Reboul). Et son père, mon grand-oncle, lui paya d'indispensables leçons de piano. Puis elle grandit et attendit, vivant toujours chez ses parents, sortant peu, sans grandes velléités d'indépendance. Elle lut les romans de Georges Ohnet, & *La Petite Illustration*. Le temps passa.

Le temps passa mais l'unique issue, le mariage, ne vint point. Ses parents vieillirent, puis moururent. Leurs économies s'étaient dévaluées. Elle dut chercher du travail. Elle le trouva dans une garderie d'enfants. Elle y fut, somme toute, assez heureuse : les petits l'aimaient, car elle était douce, calme, et les aimait en retour. Elle loua les étages supérieurs de la maison du 7 impasse des Mûriers à des demoiselles d'âge moyen, des collègues célibataires comme elle, prit sa retraite dans la même maison, acquit une télévision. Ses anciennes locataires y sont encore (elle est morte à son tour), et payent aujourd'hui à mon père un loyer à peu près inchangé depuis 1960.

A la mort de cousine Laure, mon père a retrouvé les quelques

« effets » survivants de son grand-père, son héritage, en somme : il y a quelques papiers, qu'il m'a remis l'année dernière : le « livret militaire » avec toutes les « campagnes » du vieux marin Augustave, principalement (c'est bien ainsi qu'on l'appelait, je l'ai lu !) et les volumes de l'*Histoire socialiste* de Jean Jaurès. C'était un « rouge », comme son père à lui. J'ai beaucoup aimé cousine Laure, et la Tante, et l'Oncle, même si je n'ai pas été souvent les voir à Toulon : je les ai aimés moins que mon grand-père maternel sans doute, mais plus que ma grand-mère, certainement. A la Noël de 1942, j'étais heureux et curieux de les rencontrer. La maison m'enchanta, **l'éparpillement enroué des pintades, le mont Faron, les rochers, le scintillement lointain du soleil au large, et partout la mer, ses eaux immenses, lumineuses, et vertes ; bleues, vertes.**

La suite de l'histoire de mon père me semble comporter une large dose d'inévitabilité. Une fois engagé dans la voie des études la seule véritable issue était, cette fois, de les poursuivre. Le même hasard providentiel et républicain se reproduisit après le baccalauréat. Prêt à entrer dans la vie active sur les traces de son propre père, par le « concours des Postes », il obtint, comme la première fois, une bourse : elle l'envoya à Marseille, dans une classe dite de « première supérieure », ou encore, plus familièrement, « hypokhâgne ». Il entra trois ans plus tard, en 1927, après un premier échec, à l'École normale supérieure, rue d'Ulm. Ma mère, venue de la même « hypokhagne » marseillaise (elle alla en « khâgne » à Lyon, au lycée du Parc), fut reçue au même concours que lui. (Il y eut, phénomène exceptionnel pour l'époque, trois demoiselles rue d'Ulm cette année-là.)

S'il avait, depuis la mort de son grand-père, beaucoup progressé dans les études, appris du latin, des mathématiques, de la philosophie même, il ne devait pas avoir énormément varié dans son caractère. Et tel il a été toute sa vie : violent, indépendant, difficile, audacieux, intransigeant, ironique, obstiné, raisonneur, supportant difficilement la contradiction, peu influençable, ne reconnaissant aucune autorité autre qu'intellectuelle. Débarquant du train gare de Lyon pour passer l'oral du concours d'entrée à « l'École », il fut dans l'impossibilité de se faire comprendre des autochtones auxquels il demanda son chemin, tant son accent, l'accent faubourien du Toulon des années quinze, aussi rude, « hirsute » et d'arrière-gorge que le pur accent provençal d'Arles (qui était celui de son ami Paul Geniet, par exemple) est, au contraire, clair, « peigné ». Et il dit avoir adopté alors, pour toutes les interrogations du concours, une tactique presque désespérée : l'imitation de la voix d'un camarade lyonnais de sa classe qui lui avait semblé pendant l'année scolaire ridicule et « pointue » au possible, mais mieux accessible sans doute aux barbares parisiens.

S'il transigea ainsi, peu à peu, sur la violence de son accent (il lui revenait toujours, plus tard, quand il était en colère), il n'abandonna aucune autre de ses caractéristiques. Et les autorités de l'École normale supérieure, puis les autorités militaires et les jurys d'agrégation entrèrent en conflit avec lui à peu près aussi souvent, je pense, que les professeurs, censeurs ou surveillants d'étude du lycée de Toulon puis de celui de Marseille. La lutte contre les Allemands travestis en nazis fut, en un sens, simplement la forme la plus poussée de cet esprit de contradiction. L'enjeu était plus élevé, moins strictement personnel sans doute, mais la disposition d'esprit était la même.

Il n'était pourtant pas un révolté solitaire. Il fut, dès son plus jeune âge, un supporter assidu de l'équipe de rugby de Toulon (il l'est encore). Ce fut pour lui le jeu par excellence, qu'il pratiqua avec constance, même dans un environnement aussi peu favorable que la rue d'Ulm (il y jouait encore pendant la guerre avec ses élèves du lycée de Carcassonne). Il avait réussi à susciter la création d'une équipe de l'École, qu'il anima plusieurs années, bâtissant parfois ses mêlées pour la satisfaction de contraintes d'une nature que je qualifierai de pré-oulipienne : un jour il disposait une troisième ligne composée uniquement de chauves, par exemple, ou bien il choisissait deux « piliers » nommés respectivement Bélier et Taureau. Son estime pour Samuel Beckett n'attendit pas la gloire de l'auteur de *En attendant Godot*, mais eut pour origine les remarquables qualités de demi de mêlée dont celui-ci fit preuve, « lecteur »

irlandais à l'ENS, enrôlé par mon père dans l'équipe norma-
lienne, lors d'un match difficile contre l'AS Police de Paris. Ce
match fut si terrible (les policiers étaient à la fois plus
entraînés et sérieusement brutaux) que S.B. sortit du terrain
boueux légèrement « sonné », secouant la tête et disant avec
conviction : « *Never again! never again!* » « Quel dommage! »
ajouta mon père quand il nous fit le récit de ce match : « Il
avait la *vista*! » (Je suis très heureux de pouvoir, par ce récit,
ajouter ma pierre (une véritable pierre d'angle selon moi) à
l'édifice majestueux de la critique beckettienne.)

13 **Sur l'arrière de la maison, le figuier**.

**Sur l'arrière de la maison, il y avait une courette, minuscule,
où je n'aperçois rien que le ciel très bleu (il m'apparaît noir), et
un figuier ; la courette regardant l'intérieur de la maison par
une fenêtre basse** (très basse sans doute, puisque je la vois telle)
**éclairait la cuisine, et sur le sol, les tomettes octogonales, leur
pavage irrégulier, et surtout fracturé, rompu ; car le figuier,
qui était comme adossé au mur, l'embrassait avec une fougue
telle qu'il en disjoignait les pierres du mur et que ses racines
s'étaient frayé un chemin jusqu'au vêtement coloré du sol ; une
atmosphère particulière entoure cette image : fascination,
incrédulité, presque peur ; qu'un arbre ait une telle force, une
telle obstination, un tel pouvoir de destruction de ce qui est le
plus solide, le mur d'une maison, son sol couvert de la belle
géométrie ordonnée, vernie, rouge, des tomettes.
Ce figuier était un beau figuier ; je vois ses larges feuilles
épaisses, leur vert sombre, mat, nervures veinées.** Car le figuier
est un bel arbre. Je l'aime. Bien souvent ainsi en Provence, dans
l'Aude, on le plante adossé aux murs, tout près (à la Tuilerie,
chez mes parents, un figuier était établi à droite de la porte
d'entrée, celle qui donnait sur la route, que l'explosion de la
circulation automobile sur la Route minervoise a condamnée,

et du même coup l'arbre, qui en est mort). **J'ai en moi l'idée de son odeur, l'odeur de ses larges feuilles : ni agréable (parfum), ni désagréable, en aucune façon repoussante ; mais une odeur cependant évidente, tenace, corporelle.** Le figuier est un corps vivant. Le mouvement invisible qui le faisait forcer son entrée dans la cuisine, de dessous la terre, lui donnait à mes yeux une animation vitale, une véritable âme animale. C'est d'elle qu'il tenait son pouvoir de disjonction.

Car la place qu'il occupe ainsi (qu'on lui choisit) est presque une place d'animal familier : de chien ou de chat, proche des nourritures, de la cuisine, du foyer, proche du puits aussi, autrefois : entre le feu et l'eau. Familier, il protège, mais en même temps menace : le mur de destruction, de lézardes (il y a des lézards aussi dans ces murs), le sol d'effondrement, de désordre (les fourmis avancent en « cinquième colonne » dans les sillons des tomettes fracturées). Ses intentions sont incertaines : tantôt bénéfiques, tantôt, les après-midi d'orage par exemple, sinistres, prémonitoires : d'une ambiguïté divine, en somme. D'où lui vient cette force, cet *impetus* ligneux, la pression comme consciente, irrésistible, qu'il exerce sur les pierres, sur leur cohésion, sur le liant de la maçonnerie ? Quel est le sens de cette impulsion dérangeante et pourquoi, dans ces conditions, l'avait-on mis précisément là ? Quel démon l'habitait, déguisé en Dieu lare ?

Entre le feu (le soleil, le ciel) et l'eau (le puits, la mer), entre la flamme et la vague, par la vitre (de la fenêtre, basse, sur l'arrière de la cuisine), l'image-odeur-menace du figuier est entrée, alors, brusquement, dans ma « déduction » à partir du rêve, angoisseuse et attirante, caractéristique d'un des dix styles qui partagent mes mots, le « style pour dompter les démons », le *rakki tai*. Le **figuier** montrait, dans ce style, une maison, la maison de l'impasse des Mûriers, la maison qui était ma maison paternelle (et qui, cependant, ne lui appartenait pas). (Elle est à lui aujourd'hui, par l'héritage de cousine Laure. Et c'est pourquoi, peut-être, je ne peux me résoudre à mettre en œuvre la décision de la vendre, rendue nécessaire par la menace de ruine des bâtiments inoccupés qui pèse sur la Tuilerie.)

Le figuier (image) s'entrelace à l'image du **rêve** dans la déduction fictive qui organise toute ma narration. Le figuier (réel, révolu) s'enchevêtrait, lui, au mur de la cuisine. L'image d'enfance de ce figuier en suscite plusieurs autres, rejoint, par une chaîne que je défais ici en moments distincts, l'image nodale qui donne sens et nom à une **image-foyer** de la branche présente : une nomination, l'invention, ancienne, enfantine, d'un mot, « **oranjeaunie** », qui n'est pas dans la langue, que j'impose à la langue, que je lui ai imposé : elle est contemporaine de la chaîne des souvenirs. Dans la déduction, elle apparaît, une autre fois, explicitement, à la suite d'un progrès de la déduction dans son sens direct, liée à ce qui en est un des trois **nœuds**, une décision, la décision (les deux autres étant le rêve, et le **Projet**). Parce que la décision elle-même est dans le « style du *rakki tai* », est destinée à la lutte contre les démons. Mais je ne peux pas encore ici désenchevêtrer cette image plus avant.

La part bénéfique, ordinaire et rassurante, du figuier est aussi celle du fruit. En des temps voués à la faim, la figue, qui échappait au registre sinistre des « cartes de rationnement », était une source merveilleuse de sucre, comme un condensé d'une qualité alors essentielle au prestige du sucre : sa rareté, qu'il partageait avec les « matières grasses » ; l'indication accompagnant les boîtes de fromage ou de petits suisses : *20 %, 40 % de matières grasses*, qui aujourd'hui est destinée à valoriser les petits chiffres (arguments de vente en faveur des « régimes », le chiffre suprême étant 0 %) n'est apparue qu'à la sortie de la guerre et, les premières années, avant le retour à l'abondance, donnait l'avantage commercial au contraire à la quantité. Les récits parentaux de « l'avant-guerre », dont nous étions si avides, comportaient la description réclamée et répétée des nourritures qui avaient disparu de l'horizon de la France urbaine, dès l'hiver 40. Particulièrement favoris étaient le beurre et les desserts. Or les figuiers promettaient, comme tous les fruits, du sucre, du sucre savoureux.

Et, à la différence de fruits alors strictement mythiques comme l'orange, ou la banane, ou d'autres quasiment absents des régions audoises, comme la pomme ou la framboise (les myrtilles si sombres des Pyrénées, si bleues, comme couvertes d'une buée de bleu, avaient aussi cette qualité-là : être fruits exotiques, être sucre), le figuier, comme la vigne, était sucre à l'état libre, sans contraintes administratives, sans intervention aucune des « Autorités d'occupation ». De plus la figue, dont la période ordinaire est de quelques semaines antérieure aux vendanges, se prolonge à d'autres moments de l'année, soit par la figue de grenier, qui sèche sur des « claies », sur la paille, soit, plus attrayante encore, sur l'arbre même, par cette invention de la part bienveillante dans la nature figuière, la figue-fleur. Comme le figuier est un arbre pauvre, sans distinction, poussant sur les *restanques*, au bord des chemins, les figues noires, les figues vertes, n'étaient pas aussi surveillées que les cerises et étaient assez accessibles à des enfants un peu dégourdis.

On aurait pu penser aussi aux confitures. Pendant les premières années de notre installation dans le Minervois, quand le « pur sucre » comme le « 100 % de matières grasses » restait l'idéal culinaire de notre génération, nous nous sommes livrés à de véritables orgies de confiture. Et parmi elles, pour des raisons à la fois intrinsèques (j'aime ce goût) et externes, obliques, pour tout ce que l'idée de figuier implique, que je dis présentement, régnait la confiture de figues entières. Chaque fruit y était transformé en un cristal de confiture, et il se dévorait entier (propriété partagée par sa rivale, la confiture de tomates vertes qui avait, elle, l'originalité de n'être pas redondance, insistance sur la nature sucrée du fruit, mais paradoxe, puisque la tomate vivante ne se mange pas ainsi). Hélas, la confiture de figues n'était pas possible alors : car pour la confiture, il faut du sucre. Et les essais de substitution, au sucre de raisin, ne réussirent jamais.

Mais je ne connaissais pas encore, il me semble, la version maximale de l'excellence de la figue, qui était précisément une caractéristique mille fois décrite des merveilles de l'enfance de mon père, sur les pentes rocheuses du Faron (figues de maraude, bien évidemment, le plus souvent, mais présente aussi au « jardin » du grand-père, à La Farlède, don de la terre familiale perdue) : j'ai nommé (je vais nommer, en fait : cette expression, qui anticipe la nomination, est bizarre), j'ai nommé la **figue pennèque**. Elle qui, confite sur l'arbre même, dans la chaleur de fin août ou du début de septembre, présentant à la fois la saveur vivante du fruit et l'extrême concentration de douceur de la confiture, est la figue même, sa figure angélique, sa sainteté gustative. Quand j'ai connu la figue pennèque, dans les Corbières, à l'automne de 1943, je n'ai pas été déçu.

14 Un jour des années cinquante, au repas du soir,

Un jour des années cinquante, au repas du soir, mon père nous fit le récit d'une rencontre surprenante, dont voici à peu près la teneur : son amour non démenti des choses de la mer donnait à sa fréquentation du marché Secrétan, dans le XIXe arrondissement de Paris (le plus proche de la rue Jean-Menans, où nous habitions) un point d'ancrage (si j'ose m'exprimer ainsi) privilégié : la poissonnerie. Sa poissonnerie préférée était tenue par un couple de Bretons et mon père était généralement servi par l'épouse, Mme La Baïs (je ne vous garantis pas l'orthographe du nom), qui était une encore assez jeune, forte (mais mince), blonde et vive femme, assez réservée et surtout précise dans son vocabulaire, et qui avait de l'estime pour mon père, à la fois pour la fréquence, l'abondance et la variété de ses achats sous les trois espèces (poissons, coquillages, crustacés), mais aussi, d'une manière moins mercantile, pour sa compétence générale en ce qui concerne la mer. Ils avaient d'intéressants échanges sur l'onomastique, sans oublier, bien sûr, les digressions sur la cuisine. (Les noms des espèces marines varient beaucoup, presque à chaque tournant de cap océanique : mon père tenait fermement à donner à chaque poisson son nom véritable, presque un nom propre, c'est-à-dire celui qu'il portait dans ses eaux d'origine. Il se renseignait sur l'onomastique bretonne, et, l'ayant éclaircie à sa satisfaction, lui opposait celle, jamais oubliée, de Toulon.)

Mme La Baïs avait une autre cliente, d'une large cinquantaine, qui se trouvait parfois devant l'étal en même temps que mon père et que celui-ci avait identifiée comme Toulonnaise par son accent et son mode d'adresse à la poissonnière, qu'elle appelait « MaBelle ». Et c'est le surnom qui lui fut donné en retour, dans ma famille, à la suite du mémorable incident que je vais, à la suite de mon père, rapporter. « MaBelle » était unijambiste. Elle s'appuyait fortement sur sa jambe de bois pour soupeser longuement les dorades, en femme qui a depuis longtemps appris à vivre avec son infirmité, et qui a gardé, en dépit d'elle, une robuste vision de l'existence. Ce jour-là, il pleuvait tenacement, et « MaBelle » tint à signaler l'effet qui en résultait pour elle dans la région frontière entre sa chair propre et celle du bois, ce qu'elle confirma par une « monstration » à l'intention de mon père, de Mme La Baïs et des autres clients momentanément présents, en soulevant une robe noire jusqu'à la hauteur de sa cuisse, sectionnée un peu au-dessus du genou.

A ce moment il se fit dans l'esprit de mon père, c'est ainsi qu'il nous le présenta, une sorte d'illumination. Sans même y réfléchir il dit à « MaBelle » : « C'est en 1918, en essayant d'attraper le tramway, à Toulon, que vous avez eu votre accident. » C'était exact. Il avait **vu**, à cet instant, très précisément la scène, comment la jolie jeune fille d'alors était devenue toute rouge, mais n'avait pas dit un mot, pas poussé un cri, pendant qu'on se précipitait autour d'elle, pour arrêter le sang qui jaillissait. Par un cheminement obscur du souvenir, à plus de trente ans de distance, l'identification invraisemblablement s'était faite : que ce fût à ce moment-là précisément, voilà ce qui nous stupéfia tous (il est vrai que, s'il s'était trompé, rien de tout cela n'aurait été surprenant, et il ne nous en aurait peut-être même pas parlé. Tel est le paradoxe des coïncidences).

Ce qui l'avait étonné peut-être plus encore, c'est la manière dont MaBelle avait accueilli cette identification surprenante, version non orthodoxe de ce que le roman populaire d'autrefois appelait « la voix du sang » : par une absence totale de surprise. Elle s'était comportée comme si rien n'était plus naturel, comme s'il était inévitable que ce monsieur, qu'elle ne connaissait pas, ait eu un souvenir aussi net de cet épisode de sa vie. Le moment de l'accident, qui avait été sans aucun doute un moment essentiel, tragique, bouleversant et inoubliable de son existence, faisait tellement partie d'elle-même qu'il en excluait toute curiosité externe. Telle fut une des hypothèses que nous agitâmes pour nous expliquer son comportement, forme après tout seulement extrême d'une disposition mentale assez répandue : il y a des gens, nous en connaissons tous, qui transportent d'une manière tellement solipsiste leur monde avec eux, qui sont si intimement et inconsciemment convaincus qu'il est le seul « monde possible », qu'ils vous parlent, la première fois qu'ils vous voient, alors que vous venez juste d'entrer dans leur champ de vision, comme si vous étiez vous-mêmes inclus dans celui de toute leur vie, *ipso facto*, en devenant objet proche, et par conséquent devez connaître dans tous leurs détails les circonstances des événements dont ils vous parlent, les noms des personnages qui y sont mentionnés, avec toutes leurs généalogies. C'est ce que je proposerai d'appeler « l'esprit de clocher de soi-même ».

Il ne fut pas nécessaire de rappeler, dans la discussion qui suivit, puisque nous le savions tous, que l'intensité du souvenir de l'accident dont mon père avait fait preuve, lui permettant de « reconnaître » instantanément, stimulé par la vision de la cicatrice, en la truculente et presque sexagénaire MaBelle la jeune, jolie et courageuse Toulonnaise d'autrefois, n'était pas due seulement au fait que la scène initiale s'était produite sous les yeux d'un enfant de onze ans, mais à cet autre fait qu'il avait lui aussi, à cette époque, été victime d'un accident, moins grave certes, mais dont le résultat avait été également une amputation. Il est à vrai dire presque miraculeux, étant donné la vie à peu près entièrement autonome qu'il avait menée en compagnie de son grand-père, que cet accident-là ait été le seul :

Il avait voulu fouiller sous une lourde pierre. La pierre était retombée et l'index de sa main droite avait été écrasé : il y manque depuis deux phalanges. **Je vois ce qui reste du doigt, court, arrondi et lisse ;** c'est une image certainement très ancienne, et très persistante dans son état d'origine, car j'ai toujours une légère surprise de le revoir, en vrai, contemporainement, de dimensions réelles beaucoup plus petites que je ne pensais, quand je le regarde aujourd'hui. (Je parlerai ailleurs de mon propre accident à la main, à la main droite également.) Quant à la pierre coupable, c'est une pierre terrestre, j'en suis sûr. Je l'imagine énorme, en déséquilibre trompeur sur les pentes du Faron, cette montagne qui est une divinité toulonnaise à la fois tutélaire et maléfique, comme le figuier divin, comme toutes les divinités : capable de lézards, de couleuvres, de pêches de vigne et de cerises, mais aussi de pièges, comme celui qui s'était refermé sur le doigt de mon père.

On aurait pu s'attendre plutôt à un accident maritime. Les criques rocheuses étaient habitées d'une vie redoutable (elle m'apparaissait telle, à moi qui ne connaissais des dessous de l'eau que ceux d'une rivière, l'Aude) : congres, murènes, crabes, poulpes (aux dimensions magnifiées dans mon imagination par la lecture des *Travailleurs de la mer* de Victor Hugo, où figure, sorte de *remake* du poème anglo-saxon, « *Beowulf* », une bataille épique du héros avec un démon-pieuvre), ou encore l'embrassement urticant de la méduse, son glissement sournois, irisé comme un film d'essence à la surface d'une eau dormante, sans omettre les risques des plongées, de la perfide « ivresse des profondeurs », ou ceux de la vague subite que la tempête lance dans la grotte où le nageur inconscient s'est aventuré. La chute de la pierre ne fut-elle pas la revanche inéluctable de la montagne ancestrale (Soliès) pour son abandon par la tribu ?

Je ne sais plus ce qu'il espérait trouver sous cette pierre (des crabes peut-être) si même il s'en souvenait. Les effets de l'accident en tout cas ne se limitèrent pas à la perte du doigt, en tout cas pas dans le récit qui l'accompagne. Pour mon père ce fut la cause indiscutable d'une allergie qui se manifesta, disait-il, peu de temps après : il devint incapable de supporter le miel. La manifestation de cette intolérance punitive n'était pas une phobie, un dégoût insurmontable. Mais toute tentative de passer outre à l'injonction « tu ne mangeras plus de miel ! » était accompagnée presque instantanément de terribles brûlures d'estomac ; comme si sous la pierre s'était trouvé l'enfer, et que l'enfer était pavé de miel.

Après la guerre, je l'ai entendu plaisanter avec son ami Albert Piccolo, revenu de Buchenwald. Albert Piccolo était affecté, depuis toujours, d'une phobie alimentaire, d'une espèce autrefois assez répandue : il ne supportait pas le fromage. Le fromage le dégoûtait, et sa vue le mettait presque en fureur. « Qu'aurais-tu fait, lui disait mon père, si les nazis, au camp, t'avaient forcé à manger un camembert, ou un brie bien leste ? » Ils riaient tous deux.

15 La chute du mur de Berlin m'a précipité dans ce chapitre

C'est la chute du mur de Berlin qui m'a précipité dans ce chapitre, qui lui a donné son urgence à s'écrire, à cette place, et selon ces modalités : quand la Maison des écrivains, ayant décidé d'envoyer, pour qu'ils regardent et racontent, une douzaine d'écrivains dans les pays où s'effondrait le socialisme dit jadis « réellement existant » (comme c'est déjà loin, tout ça !), me proposa d'en faire partie, je dis oui et mon choix, sans même y réfléchir, se porta sur ce semi-pays qu'on appelait la RDA. Je m'en allai donc à Berlin-Est. C'était aux derniers jours de février 1990, il faisait froid, gris, neigeux. J'avais fui très vite la salle du petit déjeuner de l'hôtel Métropole, envahie dès sept heures par d'impatients hommes d'affaires Kohlo-nippons, soucieux de ne pas perdre une seconde des journées, tant ils avaient faim : de terres, d'usines, de main-d'œuvre reconnaissante, pauvre, modeste, germanophone et qualifiée.

La Spree, en cet endroit où je marchais, avait bâti une île. J'en faisais le tour, pour voir. Car j'étais venu pour cela : voir. Il faisait déjà jour. A l'extrême-orient du même fuseau horaire que Paris, il fait jour beaucoup plus tôt. Des Berlinois de l'Est (il en existait encore, contrairement à ce que j'avais cru comprendre à la lecture des journaux parisiens, ils ne s'étaient pas tous précipités dans les ambassades, ou de l'autre côté du Mur) promenaient leurs chiens dans un jardin d'enfants hideux, « à la Chirac ». Le ciel s'emplissait de nuages virulents, poussés par la tempête en un *Drang nach Osten* (une ruée vers l'est) tumultueux et noir : eux aussi, me disais-je.

Un vent violent rendait les mouettes silencieuses, les canards noirs au bec blanc timides sous les ponts, à moins que la censure n'eût pas encore été abolie dans le règne animal. Je marchais librement dans le matin gris le long de la Spree. Comme autrefois, au début des années soixante, j'avais marché le long du canal de l'Ourcq, avant que les exigences de la modernisation ne rendent cette activité privée-là impossible (à Toulon, aujourd'hui, comme à peu près partout au bord de la Méditerranée, c'est pire : la liberté de construire privément, comme la liberté des automobiles, rend la liberté de marcher si précaire qu'il n'est plus possible de l'exercer). A quai, s'allongeait un train de péniches, chargées jusqu'au bord de charbon : de la lignite brune.

Et je lisais sur toutes les façades les traces de la guerre ancienne, des éclaboussures de balles : ce sont les cartes parlantes de l'histoire des murs. Sur les bâtiments officiels on avait ravaudé l'étoffe de pierre avec des pièces bien propres, en reprises correctement rectangulaires. Sur quelques façades un peu plus modestes, les trous avaient été bouchés au mortier, par de simples pelletées de ciment gris qui débordaient de la surface, telles des déjections grumeleuses de pigeons énormes. Mais presque partout ailleurs les trous étaient restés tels qu'au moment de l'impact, et dans une des maisons de l'île les moineaux s'enfonçaient par dizaines, comme les rafales d'une mitrailleuse aviaire. Chacun de ces trous sans doute, en avril-mai 45, avait ainsi désigné, sans fleurs, son mort nazi, son mort soviétique.

C'est à ce moment que s'est projetée, dans mon souvenir, une image brusque, brusquement renaissante d'un oubli de quarante-cinq années. **J'ai vu**, se superposant à la façade trouée dans l'île berlinoise, **le mur criblé de trous** semblables **du palais du Luxembourg, un jour extrêmement froid de janvier 1945 (même les fontaines du jardin avaient gelé). J'accompagnais mon père,** qui se rendait au Sénat, où logeait alors la première assemblée de l'après-guerre, l'Assemblée consultative réunie par le général de Gaulle pour préparer le retour de la France à la normalité républicaine. **Je peux situer assez exactement cette façade et le geste, dans mon image, de mon père désignant le mur troué, comme de nids d'oiseaux noirs sinistres, à la Méryon : face aux arcades, qui à la droite du haut de la rue Garancière abritent encore, sous les arcades elles-mêmes, cette personnalité parisienne peu connue, une copie horizontale de monsieur le Mètre étalon,** celui dont les écoliers autrefois (avant sa déchéance au profit d'une simple et imma-térielle longueur d'onde) apprenaient à révérer l'adresse presti-gieuse, le « Pavillon de Breteuil ».

Telles sont les circonstances. Mais il est clair qu'il n'y a pas, dans ce retour d'image enfouie, qu'une simple superposition suscitée par la ressemblance. Ces blessures des murs sont parentes : elles résultent de la même guerre, et c'est de cette guerre que le geste de mon père vers la façade me parle, m'invite à me souvenir. J'ai passé depuis d'innombrables fois devant elles, dans la rue de Vaugirard. Leur trace, longtemps, n'était pas invisible, où les pansements de la pierre, soignés, étaient encore identifiables pour ce qu'ils étaient (il n'en est pas de même aujourd'hui, à l'endroit de mon image intérieure : le « ravalement » auquel se sont livrés les sénateurs le camou-fle, comme d'un *lifting*, emblème des efforts de rajeunissement de cette « chambre vieillarde », au peu reluisant visage de démocratie limitée). Mais la vue de la semi-ruine est-berlinoise a comme annulé d'un coup ces parcours adoucissants, m'a restitué toute la violence de la vision initiale (à moi qui n'avais pas connu directement, de la guerre, la langue de balles et d'explosions). On s'était battu dans l'île de la Spree, on s'était battu à Paris quelques mois plus tôt, devant les jardins du Luxembourg. Les mitrailleuses avaient « arrosé » les maisons, troué les fenêtres, tué. A Paris, dans ces mêmes rues, les bouquets de fleurs étaient encore vivaces en 1945, là où quelqu'un était tombé.

Tout se passait comme si « l'erreur archaïsante », le « socia-lisme » stalinien d'Ulbricht et Honecker, en disparaissant brusquement, avait restitué le paysage allemand, et partant le paysage français, en l'état où il se trouvait le 8 mai 1945, quand les armes s'étaient tues : ainsi, sous les couches aveugles des sédiments géologiques, on retrouve, soudain, après quelque catastrophe sismique, l'empreinte laissée dans la vase fluviale par un animal préhistorique dont l'espèce même s'est evanouie à jamais. Or, si cette image s'était représentée à moi avec cette force, c'est qu'elle touchait de très près à mon enfance politique.

Plus précisément encore : l'impulsion immédiate qui m'avait faire dire oui sans réfléchir à la proposition de Martine Segonds-Bauer transmise par Michèle Ignazi, et aussi immédiatement choisir de venir ici, à Berlin, où avaient eu lieu les derniers sauvages combats de la guerre, ne venait pas que du désir, sans doute inconsciemment profond, de repenser ce temps qui fut pour moi décisif, mais certainement aussi du besoin, moins conscient encore et se saisissant d'une indirecte justification, pour maîtriser la séquence d'images d'enfance que j'avais entrepris d'élucider (toujours sous la vision de la grande « feuille » de prose que je noircis ligne à ligne), à parler de mon père.

Et c'était un moment unique : une sorte de *no man's land* historique, le règne des vaincus ayant cessé, celui des vainqueurs, dont je voyais les avant-gardes se presser, frénétiquement, avidement, dans le hall de l'hôtel, pas encore établi. C'était un moment de suspension, presque de futur antérieur. Illuminé de cette compréhension, il m'était possible, seulement alors possible, de remonter à l'image, jamais perdue elle, et antérieure de deux ans à celle des murs criblés, celle vers laquelle je me dirige depuis les premières lignes de ce chapitre. La filiation est assez évidente, comme on verra. J'ai compris cela, et je suis revenu à l'hôtel par la Planckstrasse, fier d'honorer, par ce geste nominatif, en l'inventeur de la théorie des quanta, une moins inquiétante Allemagne.

16 Le jour de Noël nous avons traversé le port sur le petit bateau des promenades.

Le jour de Noël nous sommes montés sur le petit bateau des promenades qui emmenait encore, comme avant 1940, dans un effort méritoire d'imitation de la normalité, amoureux et enfants pour l'excursion traditionnelle des Toulonnais, aux « Sablettes ». Mais il fallait traverser le port, sortir de la rade. **Le bateau était à peu près vide, nous y étions presque seuls ; c'était une matinée claire, silencieuse (je la vois telle, pleine d'une clarté un peu solennelle, sans bruits autres que du glissement sur l'eau) ; l'eau était partout verte sous le soleil ; le petit bateau avançait le long des grands navires abattus, renversés, inclinés, avachis dans la rade ; ils dépassaient à peine de la surface de l'eau, certains entièrement recouverts, les plus grands penchés sur le côté, vides : une escadre de vaisseaux fantômes.**
La plus grande partie des bâtiments de la marine de guerre française étaient là. C'était peu après le « sabordage » de la flotte de guerre, qui ne sût se résoudre ni à se livrer aux Allemands, ni à rejoindre, de l'autre côté de la Méditerranée, les FFL, les Forces françaises libres du général de Gaulle. **Le visage de mon père était tendu, sévère, plein de cette fureur silencieuse que je lui connaissais bien.** Je ne crois pas qu'il ait prononcé un seul mot. Non par prudence, ni pour me tenir à l'écart de ses pensées, car nos parents ne se cachaient pas devant nous de souhaiter (pour paraphraser et renverser une phrase terrible de Pierre Laval) la victoire de l'Angleterre (et plus récemment de l'Union soviétique et des USA : il y avait eu Pearl Harbor, c'était l'hiver après celui de Stalingrad), mais parce qu'il n'y avait, en effet, rien à dire.
Je comprends très clairement aujourd'hui que la visite que nous avons alors rendue à l'impasse des Mûriers n'était pas destinée seulement à la rencontre de son reste de famille avec l'aîné de ses enfants, moi, mais au moins autant à cette

constatation silencieuse, une vérification du désastre de ces grands navires impeccablement neufs, même pas engloutis mais affaissés çà et là dans la magnifique rade, sans dignité aucune, sans avoir même un instant combattu. Il renouait, au moins mentalement avec son grand-père, resté autrefois seul dans la salle des machines de son navire atteint et abandonné, et son jugement intérieurement prononcé était certainement le même : une condamnation sans appel, pour lâcheté.

Mon père, ce jour de Noël, était à deux jours de son trente-sixième anniversaire. Il avait donc l'âge qui était le mien au moment des « événements » de 1968 (je me livre souvent à de telles comparaisons numériques). Il n'était pas encore, il me semble, « entré » dans la Résistance active (l'occasion, un appel de Londres, devait lui faire franchir ce pas peu de temps après). J'en conclus que notre voyage était, aussi, l'occasion de vérifier la nécessité d'une décision grave, et proche. S'il m'avait amené avec lui, et je suis certain que certaines des conséquences possibles de la décision étaient parfaitement présentes à son esprit (il m'a confié plus tard qu'il en avait longuement parlé avec ma mère. Il est clair qu'elles nous engageaient implicitement aussi, mes frères, ma sœur et moi-même, mais il était impossible d'en parler de manière ouverte), c'était, en prévision d'un avenir peut-être tragique (où nous nous serions, par exemple, retrouvés dans la situation d'orphelin qui avait été la sienne), pour une leçon de nature politique.

Je ne suis pas nationaliste. Mais j'ai appris alors, de mon père, ce que je nommerai de ce mot peu apprécié aujourd'hui, le patriotisme. Et je suis resté, dans une certaine mesure, patriote, je dirai de manière latente : mon dégoût profond du racisme, de la xénophobie, du « lepénisme », ma honte d'un certain état actuel de la France a certainement au moins en partie cette raison-là. J'entends cette distinction-opposition comme une transposition de celle proposée par Sloterdijk dans son *Traité de la raison cynique* entre le cynisme proprement dit et ce qu'il appelle le « kunisme », c'est-à-dire, au plus court, entre ce qui s'exerce de haut en bas et ce qui, au contraire, regarde de bas en haut. Je tiens le patriotisme nécessaire dans une nation quand elle est opprimée par une autre. Et telle était bien alors, avec une évidence assez aveuglante, pour mon père et ses amis, comme pour le général de Gaulle (mais les officiers de marine à Toulon ne l'avaient pas vu clairement ainsi), la situation de la France qui venait d'être entièrement occupée. Mais je tiens le nationalisme pour insupportable quand il s'exerce dans l'autre sens. Et les nations moyennes ou petites, hélas, sont souvent, au regard de leurs propres minorités, et sans même s'en rendre compte, simultanément dans ces deux dispositions d'esprit.

Avant toute autre considération (l'antifascisme, l'antiracisme par exemple) mon père s'est engagé par patriotisme. Et il ne l'a pas fait à moitié. Le disciple d'Alain, l'étudiant pacifiste, antimilitariste des années vingt, qui avait refusé (comme ses amis d'alors) la Préparation militaire supérieure et avait fait son service militaire, volontairement, comme simple soldat, se mit, en 43, au service d'un général dont il ne partageait guère les convictions politiques ou religieuses (et il se sépara de lui la guerre finie, précisément pour cette raison-là : leur unique point commun fut de ne pas accepter l'avilissement national que représentaient l'armistice, le règne des Allemands et de leurs disciples français, les « collaborateurs »).

Le fait politique décisif de sa vie a été le 10 mai 1940. Dans les mois qui suivirent la défaite (je conserve ici volontairement la désignation, une expression « datée », de l'effondrement militaire de la lamentable armée française devant l'offensive nazie, l'aboutissement de ces années trente que le poète anglais Auden a appelé, dans son poème sur la mort de Freud *« a low, dishonest decade »*, la décennie de l'*appeasement*, de la « non-intervention », de Munich), au hasard des rencontres, des visites ou des correspondances, il fit le tour et la révision de ses amitiés. Et le clivage fut définitif. Il ne révisa jamais le jugement qu'il dut, de ce point de vue, porter sur certains de ceux qui lui avaient été proches.

Il ne revit Guy Harnois, son meilleur ami, qu'après la Libération. Harnois avait été résistant. Mon père n'en avait jamais douté. Il a souvent raconté comment, retrouvant sur un quai de gare Paul Geniet, qui avait été les mêmes années que lui au lycée de Marseille (mon père en « khâgne » et Geniet en

« taupe », avant d'entrer à l'école des Ponts et Chaussées. Ils ne se connaissaient pas beaucoup alors), ils s'étaient reconnus en quelques phrases, comme « du même côté ». Et ils sont restés liés toujours. A l'intérieur du même camp, il s'opéra pour lui un second partage, moins grave mais pas moins net : entre ceux qui furent favorables, mais sans agir selon cette conviction, aux Alliés, et ceux qui prirent le risque de la lutte.

La Résistance fut le moment de sa liberté. Tout ce qui se produisit ensuite fut non seulement déception mais, plus décisivement encore, un « anticlimax » (Paul Bénichou, mon premier beau-père, dont le destin politique propre et l'évolution furent fort divergents, m'a dit un jour, et cela m'a frappé, que mon père, au fond, était ce qu'on appelait jadis un « homme d'action » égaré dans la philosophie et que c'était un vrai malheur historique (dont il blâmait d'ailleurs essentiellement Staline (je ne le suivrai pas entièrement sur ce terrain)) d'avoir rendu, pour des gens comme lui, après la Seconde Guerre mondiale, la pratique politique impossible. C'est de cela dans sa vie, il est vrai, que moi, son fils, suis le plus fier. Mais je n'ai jamais eu le moindre de ces rêves de rivalité ou d'émulation qui, en de très différentes circonstances historiques, inspirèrent (et parfois tragiquement) d'autres fils (plus jeunes de quelques années) de la génération « résistante ».

17 Pour un enfant, le cercle familial est un système planétaire d'avant la révolution copernicienne

Pour un enfant, le cercle familial est un système planétaire d'avant la révolution copernicienne, révolution dont le résultat, chez l'adulte mélancolique, est souvent de laisser au centre du monde un soleil absent, qui est la mort. C'est tout particulièrement le cas dans les familles, comme était la nôtre, dites « nombreuses » (la construction de cette expression langagière, quand j'eus étudié la « grammaire », me laissa un moment stupéfait). Inutile de préciser les rôles relatifs de chacun dans cette représentation. Ce ciel-là s'emplit de toutes sortes d'objets « célestes », les amis et connaissances des parents, dont les relations réciproques demeurent longtemps obscures. (L'identification des liens respectifs entre les deux « côtés » de son microcosme, dans l'œuvre du mémorialiste Marcel Proust, s'apparente à celle des rapports entre l'indistinction cosmologique et la séparation nominale des deux étoiles, Hesperus et Phosphorus, dont la distinction apparente et l'indistinction réelle fascinèrent les astronomes et les philosophes de l'Antiquité et agitent encore tant depuis le début du siècle les logiciens.) Les positions respectives de ces étoiles fixes, l'ancienneté relative de leurs lumières, exigent des hypothèses cosmogoniques, qui peut-être ne seront jamais, dans la suite de l'existence, soumises à vérification.

J'en suis venu, avec les années, à reconnaître, dans le ciel paternel, plusieurs telles configurations. Canguilhem (on m'excusera cette nomination courte qui peut paraître, ne désignant pas le savant mais l'homme, excessivement familière, mais il m'est difficile, sans hypocrisie, de faire comme si telle n'était pas la manière dont j'entendis, dans mon enfance, parler de lui. Et j'ai déjà dit qu'il nous arrivait de lui donner un nom plus familier encore), Canguilhem appartenait à un premier cercle, le plus ancien, constitué de ceux des camarades de l'École normale avec lesquels mes parents étaient restés en relation, cercle qui est allé, comme il est inévitable, s'amenuisant avec le passage du temps (mais, ce qui est sans doute remarquable, au contraire, c'est qu'aujourd'hui, à plus de quatre-vingts ans, mon père est encore très proche d'au moins deux ou trois d'entre eux).

La mort a écarté le premier mon oncle Frantz, en 1938. Ce geste de la mort a eu, sur notre famille, des conséquences énormes, que je n'affronterai pas directement dans ces pages. Je ne dirai qu'une autre mort encore, celle de Simone Weil, à Londres, pendant l'Occupation. Un peu avant de quitter la France pour l'Angleterre, par l'Espagne, elle nous rendit visite à Carcassonne. Je m'en souviens : elle m'a offert un jeu de quilles. Si je cherche à identifier ce qui unissait, en ce qui semble bien avoir constitué une sorte de groupe, ou de bande, et en dehors de l'appartenance commune, et contemporaine à la « Rue d'Ulm », ou des effets impondérables et indéchiffrables de la dilection (les éléments communs que je vais dire, qui sont de nature intellectuelle, éthique et politique, se retrouvaient plus ou moins associés aussi chez d'autres, qui n'étaient pas de leurs amis), je trouve ceci : ils étaient tous des « littéraires » (ce qui veut simplement dire « Élèves de l'École normale supérieure, section des Lettres »). Ils étaient tous pacifistes, antimilitaristes ; et, plus ou moins directement (indirectement dans le cas de mon père, qui n'a jamais été « disciple » de personne) des élèves du « philosophe » Alain.

Le pacifisme antimilitariste « alainiste », par exemple, a laissé quelques traces écrites qui ont trouvé place dans un livre (sur lequel ma sœur et moi nous sommes précipités dès sa parution : *Génération intellectuelle*, de Jean-François Sirinelli). D'une pétition de 1928 en faveur du philosophe Alain attaqué par la future droite collaboratrice, je recopie ces phrases : « Jugeant que la pensée se trahit lorsqu'elle accepte une autre loi que celle de l'objet même qu'elle s'est donné ; approuvent ceux qui recherchent selon la bonne foi les causes de la grande Guerre ; blâment ceux qui voudraient étouffer et même " déshonorer " le libre examen à ce sujet, à seule fin de conserver des idées qui n'ont été admises que pour leur utilité, d'ailleurs locale et provisoire. » Et dans la liste des signataires qui suit, je retrouve la plupart des noms qui constituent le « cercle » premier que j'évoque.

Les démêlés des normaliens pacifistes avec la direction de l'École et les autorités militaires à l'occasion de la PMS (Préparation militaire supérieure) sont longuement décrits dans le livre de Sirinelli. Mon père a souvent évoqué la réussite de Canguilhem, renversant comme sans le faire exprès, lors d'une inspection, une lourde mitrailleuse sur les pieds d'un colonel. Je ne résiste pas au plaisir de citer ici un incident caractéristique de l'insolence du « style » de mon père, qu'il n'abandonna jamais, parce qu'elle n'était que la continuation, affinée par les études, de celle de l'enfant faubourien de Saint-Jean-du-Var : « Citons (écrit Sirinelli) (...) Frantz Molino (1904-1938), fils d'un inspecteur primaire, ancien khâgneux du lycée du

Parc, normalien en 1926, agrégé des lettres en 1930, ou son futur beau-frère, Lucien Roubaud, de la promotion suivante, qui sera, comme Camille Marcoux, déféré devant le conseil de discipline en juillet 1929.

Si Frantz Molino, exempté du service militaire, n'a pas été concerné par le problème de la préparation militaire, Lucien Roubaud (...) se montra fort peu assidu aux séances de la PMS : en 1928-1929, par exemple, il est (...) douze fois absent et, sommé de s'expliquer par le directeur de l'École normale supérieure, il se justifiera en ces termes :
" Monsieur,

J'ai estimé qu'il était vraiment trop inutile pour moi, et pour les autres, de m'adonner à la préparation intensive d'un examen dont le résultat, en ce qui me concerne, est déjà décidé. J'ajoute que je n'ai été empêché de prendre part aux séances de Romainville, où j'avais cependant l'intention d'aller, que par la pensée des *perturbations que mon inexpérience ne pourrait manquer de jeter dans les manœuvres.* Veuillez croire, Monsieur, à ma considération. " (J.-F.S. ajoute en note : « Arch. Nat. 61 AJ 198 ». Le passage en italique était souligné par le destinataire, avec, en marge, cette appréciation : « raison inadmissible ».)

Le resserrement progressif de son cercle (je veux marquer l'affaiblissement des liens n'ayant pas pour cause l'intervention accidentelle, directe ou indirecte, mais toujours radicale, de la mort) a eu pour origine essentielle l'Histoire (et c'est, je crois, un trait de ce terrible « premier xxᵉ siècle », qui va d'août 14 jusqu'à la mort de Joseph Staline en 1953, qu'il en soit ainsi). Car les évidences partagées par tous autour de 1930 se sont heurtées à deux traumatismes successifs que je nommerai, comme tout le monde, l'un Occupation et l'autre Guerre froide. Je dois constater, et je ne porte pas là un jugement de valeur, que mon père n'a gardé de relations entièrement confiantes et étroites qu'avec ceux qui ont pris, dans le premier cas le même parti que lui, dans le second cas un parti non antagoniste au sien.

Mais peut-être, sans faire une « lecture » surtout politique de son itinéraire aurais-je dû, tout simplement, ajouter une particularisation supplémentaire, un paramètre caché, l'amour du rugby ? Dans les dernières années de sa vie de professeur de philosophie, au lycée Voltaire, attendant impatiemment la retraite pour pouvoir se livrer enfin à sa passion du jardinage et à ses expériences sur les melons, les tomates et les fraises, mon père réunissait autour de son poste de télévision, à l'occasion des matchs du Tournoi des Cinq Nations, trois des amis de ce temps, Marcoux (le « Camille Marcoux » que mentionne Sirinelli), Rolland et Harnois en un quatuor de *old boys* (comme les désignait ma sœur), dont la passion experte et la haute technicité m'impressionnaient grandement, quand par hasard il m'arrivait de regarder une mi-temps d'un « France-Galles » en leur compagnie.

Il y avait, en tout cas, dans l'enseignement « alainiste » un ingrédient qui se retrouve chez tous ceux qui n'ont pas cessé d'être de ses amis : le dédain de l'argent, des honneurs, des carrières. L'École, par le concours d'agrégation, conduisait à l'enseignement ; et il ne s'agissait pas alors de l'Enseignement supérieur, mais de celui des classes de lycée. Et ce n'était pas pour eux un pis-aller que de se trouver devant une classe, dans l'attente d'autre chose de plus noble (intellectuellement) et de plus rémunérateur. C'était un choix délibéré, marque d'une vocation réelle. Mon père fut, jusqu'à son entrée dans la clandestinité, un enseignant convaincu et passionné (ma mère l'est restée toute sa vie). La coupure de la guerre, prolongée par son séjour à l'Assemblée consultative gaullienne, puis par de nombreuses et de plus en plus décevantes années à l'Inspection générale des sports où l'avait entraîné, dans l'euphorie réformatrice de l'après-Libération, le recteur Sarrailh (cependant que Georges Canguilhem devenait un inspecteur général, aimé et redouté à la fois, des enseignants de philosophie), fit qu'il retrouva sans aucun plaisir le lycée, quand l'évolution politique l'y ramena.

Le refus patriotique qui fut le sien en 1940 se transforma, après la chute de l'hitlérisme, en un autre refus : celui de l'affairisme politicien qu'il vit naître, dès les premiers jours de l'ère nouvelle, et bientôt triompher des espoirs (qu'il est de bon ton de qualifier d'utopistes) de la génération résistante, la sienne. Mais il n'y avait pas d'autre voie possible que ce refus, en tout cas pour lui.

18 Parmi quelques rares papiers surnagés des désordres et des désastres

Parmi quelques rares papiers familiaux surnagés des désordres et des désastres de dizaines d'années, un nom un jour le frappa : Catherine Argentin. Il ne retrouvait pas ce nom dans sa mémoire généalogique directe. Et cette tache aveugle de ses souvenirs était comme la marque d'une amputation sans remède : la mort prématurée de ses parents. Ce nom féminin inconnu occupa d'autant plus aisément une telle place qu'il lui était (et est encore en 1990) constamment rappelé par une homonymie : son intérêt pour les sports l'amenant à suivre à la télévision et dans les rubriques sportives des journaux la carrière d'un coureur cycliste italien nommé, aussi, Argentin.

J'entends cette insistance. Je la retrouve, en y réfléchissant, très loin en arrière dans mes années. Elle marque, à sa manière, une essentielle dissymétrie parentale : car ma famille maternelle (les « Molino ») était omniprésente dans notre vie (et les deuils, qui l'ont durement affrontée, proches, avant de devenir contemporains). Mais de l'autre « côté » il n'y avait que des absences, énumérées, comme autant de pierres tombales, par des noms.

Je n'ai pas de curiosité généalogique. Une vogue récente a jeté ces derniers temps des centaines de chefs de famille sur les traces plus ou moins bien enfouies de leurs ancêtres. Les mairies sont inondées de demandes d'extraits de naissance, les églises de certificats de baptême. On publie même des guides pour ce nouveau type de chercheurs d'or. Certains se lancent dans la quête dans l'espoir de découvrir parmi leurs ascendants quelque nom fameux, ou simplement notoire du passé (peu importe la raison, même infâme, de cette survie dans les corridors de la postérité), leur permettant de partager, ne serait-ce que dans le cercle de leurs connaissances, quelque apparence de ressemblance avec les vraies gloires modernes, les vedettes de la télévision.

79

D'autres encore espèrent (stimulés par quelque histoire de ce genre parue dans les journaux) identifier un grand-grand-oncle d'Amérique dont le fabuleux héritage, laissé en jachère (le grand-grand-oncle n'ayant jamais pu, pressentant ce qui se passerait, se résoudre à épouser une étrangère et étant mort « intestat », comme disent les notaires de romans policiers), se trouverait ainsi en mesure de tomber, enfin, dans leurs mains légitimes. La plupart, bien sûr, le font par simple curiosité moutonnière (c'est une « chose qui se fait », comme dit Françoise Rosay à Michel Simon dans *Drôle de drame*).

J'ai ainsi reçu, il y a peu, une lettre d'un Roubaud de Nice, qui avait vu mon nom dans *Télérama* (pas parce que je suis une vedette de la télévision, mais à l'occasion d'une émission sur Raymond Queneau, mon maître vénéré), et qui m'envoyait son « arbre », pour savoir si, par hasard, nous n'étions pas « cousins » quelque part. Si j'avais répondu, j'aurais répondu que non, pas à ma connaissance. J'aurais ajouté que Roubaud n'est pas un nom bien rare en Provence. Il y en a trente-trois dans l'édition 1987 de l'annuaire téléphonique de Paris. Il y a même un vin du Gard qui s'appelle le château-roubaud qui fait de temps à autre des efforts méritoires de publicité, mais n'a pas encore réussi à se hisser à un très haut niveau dans la hiérarchie vinicole. Et il y a, surtout, entre la côte et Porquerolles, parmi les îles d'Hyères, deux îlots assez dangereux nommés île du Grand (resp. Petit) Roubaud (que les cartes s'obstinent à appeler « Ribaud », comme me le fait remarquer Pierre Oster). J'abandonnerai volontiers le vin à mon « collègue » niçois, s'il consent à me laisser ces récifs comme cousins. Je les trouve d'excellents candidats au rôle d'ancêtres éponymes de mon père.

Il me semble que cette brusque flambée d'intérêt pour les ancêtres est en fait un signe, entre autres, d'un inintérêt général pour le passé vivant, celui qui est tissé par la transmission directe, de génération à génération, des gestes, des souvenirs, des récits. La généalogie de papier, de nature essentiellement archivale, conduit uniquement à imiter, à l'échelle individuelle, la représentation de l'histoire que donnent les revues et livres à grand tirage, et qui se substitue au

« savoir » scolaire unanimement méprisé (de même que la participation, active ou passive (devant l'écran) aux « championnats de France d'orthographe » dispense de connaître la langue, de la parler autrement que comme les présentateurs du « journal de vingt heures », de lire ses littératures en reconnaissant la différence entre celle qui l'élève et celle qui l'avilit).

Mais, dans le même moment, la mémoire individuelle est devenue infiniment sourde et courte. Les souvenirs et les curiosités sont frappés d'une obsolescence de plus en plus rapide, d'une « rotation des stocks » qui n'affecte pas que les livres dans les librairies, les films dans les salles obscures et les musiques dans les « Walkmans », mais au moins aussi rapidement les marques de yaourts, les idées, opinions et convictions, les théories scientifiques, les espèces animales, les amitiés, les amours. La plupart de ces arbres généalogiques rejoindront dans les poubelles surchargées des villes les témoins d'autres vogues aussi passagères quand ceux qui les avaient établis (presque tous gens du « troisième âge » plus ou moins confusément sensibles aux effets peu exaltants de l'accélération des « mouvements de société ») auront perdu de leur ardeur (en passant au « quatrième âge », puis au cinquième et dernier, celui du tombeau). Il y a vingt-cinq ans ainsi, on découvrit la disparition proche des langues minoritaires, notablement l'occitan (qui est toujours pour moi le provençal). Il s'ensuivit une sorte de floraison tardive, bien vite, hélas, passée.

C'est pourquoi, ne voulant en aucune manière me laisser aller à cette pente générale, je m'inquiète de l'incertitude que je découvre en moi, en faisant surgir (et en détruisant, en brûlant) l'image centrale du figuier de Toulon, qui a suscité cette « esquisse d'un portrait de mon père », sur tous ces noms qu'il a voulu préserver de l'oubli, et transmettre. D'autant plus que je m'aperçois qu'en fait ma sœur et mon frère en ont retenu encore moins que moi, comme si c'était implicitement moi qui étais chargé de la transmission, et que je m'en montrais peu digne. Il n'est peut-être pas trop tard.

Le **Projet** qui était le mien, et son double, **Le Grand Incendie de Londres** (pas celui que je pousse maintenant, ligne à ligne et jour après jour, mais un ambitieux roman abandonné), en rencontrant, doublement donc, à la fois métaphoriquement et directement, et narrativement, autant que rythmiquement abstrait et transformé, le figuier-image, en lui faisant subir une mutation formelle qui le dispersait puis l'entrelaçait à leurs architectures propres, étaient déterminés aussi, sans que j'en reconnaisse, comme aujourd'hui, l'évidence (mais il a fallu, sans doute, qu'ils s'effondrent pour que je le comprenne), par l'obscure, l'odorante, la bénéfique-maléfique ombre du **figuier** où bougeait, enfermée, mon <u>avant-vie</u>.

Chapitre 3

Rue d'Assas

19 **Le jardin était fermé de murs.**

Le jardin était fermé de murs. En chaque endroit de ce lieu, de ce territoire, de cette possession, **presque en chacun de ses points,** pendant plus de six années, plus de deux mille jours, **j'ai été** : de ciel à terre, de soleil à pluie, de jour à nuit, d'hiver à automne, dans son plein espace, dans son volume clos, croisé et recroisé par les mouvements du corps, par le regard, le regard sans cesse bougé, déplacé, mouvant ou immobile, attentif ou distrait. Atomes du regard, en son mouvement brownien, en son agitation thermique, heurtant les murs, parois de cet espace : un monde dans le monde. Petit monde. **Vers lui je vais, d'une chambre nocturne à un jardin ; jardin ensoleillé, mais jardin fermé, *hortus conclusus*, selon un parcours de mémoire à partir d'un centre ; parcours, mais parcours labyrinthique.** Je tire le fil, mais le fil **est** le labyrinthe.

Comment atteindre ce lieu, depuis la vitre froide abandonnée aux dernières lignes de mon chapitre premier ? d'où s'immerger pour le dire ? Or il y a deux voies :

— La première : passer le carreau de la fenêtre, sortir de la chambre, au deuxième étage de la maison : c'est un jour ordinaire, dans le soleil ordinaire. Décrire ? Mais de là-haut on ne voyait pas tout le jardin ; et on voyait plus que le jardin. **Je voyais bien au-delà, par-dessus les murs, vers d'autres jardins, une pente, qui bientôt s'accentuait, jusqu'à l'Aude.** Descendre, alors, en l'air jusqu'au sol, par les airs, et changeant de direction, pour tourner le mur, regardant autour de soi ;

parcours impossible, d'un être impossible ? J'ai le souvenir, en vérité, d'une telle lévitation, souvenir de ces miracles imaginaires et répétés : multiplication des points de regard, nage dans l'air brusquement porteur, maritime.

— Ou bien tourner le dos à la fenêtre (seconde voie), sortir de la chambre, descendre les escaliers. Voilà ce qui est pour mon récit l'endroit emblématique d'une hésitation, par conséquent d'un choix. Car je peux « me » suivre, selon un chemin, ou l'autre. Or je veux suivre les deux. J'ai choisi de commencer ce chapitre selon la première voie ; mais je suivrai également l'autre, et je l'offrirai, dans ce livre également, comme un parcours de lecture alternatif, comme une insertion dans le récit, pas une insertion brève, momentanée, une incise mais une seconde espèce d'insertion, que je nomme bifurcations. Les deux chemins diffèrent radicalement : car le premier, celui que je choisis ici, est non seulement imaginaire mais quasi instantané : je sortirais de la vitre, je bondirais en l'air, je flotterais, je tournerais le coin de la façade, je me poserais, je me pose. Dans le second parcours, j'ouvrais la porte au fond de la chambre, je sortais, je descendais l'escalier, je traversais la maison, de haut en bas. J'étais inclus dans le temps, je prenais le temps nécessaire. J'ouvrais les portes de chaque pièce, une à une, j'entrais : **j'ai été là.**

Une fois dans le jardin, comment me déplacer ? Suivre les limites, de l'intérieur du territoire (les murs, la maison, le portail), les toucher, vérifier le réel de mon enfermement dans le lieu, le réel des pierres, réel parce que solide, de la persistance protonique de la matière, aussi durable que l'univers : avancer d'un mouvement circulaire, dans un sens, ou l'autre, faire le tour, revenir vers le centre, mais quel centre ? Or il y avait un centre ; je m'en souviens maintenant. Je peux partir de là. Parce que je m'identifie comme situé en ce centre, spontanément, au moment même où je me demande d'où partir, pour décrire le jardin, c'est-à-dire au moment où je fais apparaître sur l'écran les lignes de cette interrogation, contemporaines de l'interrogation même. (Et j'agis selon une règle explicite de la composition de mon récit, respectée dès son premier moment : inclure les circonstances de sa composition)

84

Ce centre était un lieu d'espace révolu occupé par le corps immobile ; la position du corps (le mien) y était la suivante : genoux contre le sol, où s'incrustaient les petits cailloux du sol, mêlés à la rugueuse poussière ; coudes sur la surface horizontale du banc, mains sur les yeux ; et les mains appuyaient sur les yeux ; de la paume de chaque main j'appuyais sur mes yeux qui s'emplissaient de lumière, d'une sorte de *piezo*-lumière traversée d'éclairs et de couleurs au sein d'une obscurité momentanée et voulue. Centre donc, mais <u>centre aveugle</u>. Pour voir, il fallait retirer les mains de devant les yeux, après un intervalle de temps réglé par un compte, un compte à haute voix. (C'est la règle d'un jeu. C'était le centre d'un jeu.) (Mais maintenant je n'entends rien : la voix, ma voix s'en est évaporée.)

<u>Règles simples de ce jeu</u> : le guetteur était dans la position que j'ai décrite (le guetteur était moi, moi ou un autre : un de mes frères, ou ma sœur, un de mes cousins, ou ma cousine, des camarades de nos classes respectives, un des enfants Picolo, des visiteurs...). Pendant le temps du compte, où les yeux du guetteur restaient voilés par ses mains et fermés (s'il ne trichait pas), les autres joueurs se plaçaient en un endroit de leur choix, dissimulé et plus ou moins lointain : être proche était avantageux, comme la suite de la règle le montre, mais plein de dangers. On peut être invisible loin. Mais on est loin. Tel était le dilemme du joueur. Le nom de ce jeu (que serait-il sans une nomination ?) était, est :

S'avancer-en-rampant.

<u>Règle (suite)</u>. Au bout du compte (disons 33, par exemple), le guetteur enlevait sa ou ses mains de devant ses yeux, les ouvrait, et s'efforçait d'apercevoir les joueurs : ou ils se cachaient, où ils bougeaient. Les joueurs bougeaient : ils pouvaient rester cachés, invisibles. Mais alors, s'ils ne pouvaient perdre, ils ne pouvaient gagner. Il s'ensuit qu'ils perdaient. Le guetteur devait **voir** les joueurs, ses adversaires, et le dire. Ce **dire** était rituel, faisait partie de la règle. On disait : « <u>X à tel endroit</u> » : « derrière le pin ! », « dans le lavoir ! »,

« derrière l'abricotier ! ».... Si la déclaration était exacte, le joueur désigné était aussitôt **hors-jeu**, avait perdu. Les autres continuaient.

Le guetteur pouvait se tromper de deux manières :

— Il n'y avait personne à l'endroit désigné, qu'une ombre, qu'une branche bougée par le vent. Personne alors ne sortait de la cachette.

— Ou bien celui qui s'y cachait n'était pas X, mais Y. Y ne bougeait pas. Et le guetteur, même s'il comprenait alors qu'il s'agissait d'Y, ne pouvait répéter son annonce en changeant de nom. Enumérer simplement les joueurs aurait rendu le jeu impossible. (Il était sûr pourtant qu'il y avait bien là quelqu'un.)

Règle (fin). D'ailleurs il n'en avait guère le temps : le but du jeu était d'atteindre le banc sans avoir été vu, mais surtout sans avoir été dénoncé vu. Aussi tous avançaient, tentaient d'avancer, en échappant au regard. Ils rampaient sur les cailloux, sur les aiguilles de pin, ils bondissaient, couraient d'un couvert à un autre, par les buissons, les arbres. Ils franchissaient les distances. Et parfois le guetteur n'avait même pas à dire où se trouvait X, qu'il désignait, car X était surpris en mouvement, à découvert, sans que nul obstacle ne s'oppose au regard du guetteur, et la rencontre indéniable des regards, la loi du « retour inverse des regards » était, d'un accord commun, preuve de son exactitude : le guetteur et X se voyaient. Donc X était vu. Mais même si X était vu et le savait, s'il était vu voyant et courant vers le banc, d'une proche cachette, cela ne suffisait pas cependant pour le renvoyer parmi les vaincus. Car le guetteur devait dire non seulement qu'il voyait, mais qui il voyait. Et s'il apercevait X se précipitant vers lui, il pouvait en être surpris (il s'était attendu à voir Y, et non X, il avait, par déduction ou intuition, deviné Y derrière les buis, le lavoir), hésiter, hésiter trop. Et X alors avait le temps d'atteindre le banc, de le toucher. Et s'il touchait le banc, il était trop tard pour le guetteur. C'est lui qui avait perdu, et devait céder la place. (L'instant de ce toucher, de la main sur le bois du banc, son antériorité par rapport à la nomination, voilà des sources nombreuses de contestation, de disputes. Et pourtant le jeu réussissait à surmonter ces obstacles.)

Les autres joueurs alors sortaient de leur dernière cachette : ils étaient donc là !. Le guetteur avait bien vu bouger à gauche, mais il ne pensait pas que c'était..., il croyait plutôt que c'était... Chaque joueur avait ses itinéraires. Mais il lui fallait les varier, et dissimuler les particularités révélatrices de ses vêtements, changer sans cesse d'habitudes. Les coalitions n'étaient pas encouragées par la règle. Cependant elles n'étaient guère prouvables. Mais peu importe, car elles n'étaient pas utiles, puisqu'il n'y avait qu'un vainqueur. On pouvait, par exemple (et cela se produisait de toute façon très naturellement, sans desseins préalables, sans alliances) parvenir à deux ou trois assez près pour bondir, se précipiter ensemble, submerger le guetteur qui ne pouvait pas répondre assez vite, désigner chacun. Et que faire si deux joueurs touchaient le banc au même instant ? ; qui gagnait alors ? Je ne sais plus. Mais cela a dû arriver, sans doute.

20 Si je me place, mentalement, en situation de souvenir volontaire

Si je me place, mentalement, en situation de regard volontaire, et si je me pense existant en ce jardin, **je me retrouve à peu près invariablement en ce même point : à genoux sur le sol caillouteux, au milieu du banc, les coudes appuyés sur le banc, les yeux fermés, dans la position de guetteur du jeu ; entre toutes les localisations possibles de mon corps jouant, mon souvenir choisit de préférence à toute autre celle-là (je sais que je ne peux me trouver là que pour cela : jouer à « S'avancer-en-rampant »)** ; je n'atteins, spontanément, aucune des cachettes ordinaires d'un joueur en mouvement (qui furent pourtant souvent les miennes) ; une sorte de pilote automatique de la vision se met en marche, qui me dirige vers le banc.

Or je ressens, et je décris ceci comme une **image**, image rendue interne de ce que je vois quand mes yeux sont ouverts (mais ils sont fermés), image donc d'une scène que je ne vois pas, de quelque chose que le joueur que j'ai été ne voyait pas, ne devait pas voir, sinon intérieurement, se concentrant sur l'anticipation de l'instant qui allait suivre la fin du compte, et intérieurement voyant parfaitement le sol et le banc, de les avoir tant de fois vus, en des circonstances identiques. (Elles ont favorisé, sans doute, la netteté, et l'insistance de mon image actuelle. Cette netteté, cette intensité de l'image est indiscutable puisque, selon la hiérarchie, conforme à mon expérience, d'une **méditation des cinq sens**, elle va jusqu'à me restituer aussi quelque impression du toucher : la rugosité de la terre sèche.)

Je suis devant le banc en aveugle, et cependant **je vois ; je vois et sens le sol sur mes genoux, le bois du banc sous mes coudes, et la pression de ma main sur mes yeux ; je vois**, si je le **veux, en même temps les lieux focaux du jeu, les cachettes possibles des joueurs, leurs itinéraires, leurs visages (je les reconnais toutes, et tous).** Si voir est toujours un savoir immédiat de la mémoire, si le souvenir me restitue toujours en position de voir me souvenant, ici simultanément je suis en mesure de voir avant de revoir, de voir ce qui allait être vu. Je ne suis pas précisément surpris d'un tel dédoublement du voyeur (paradoxal seulement pour la conception « naturaliste » du souvenir), mais plus de ce que la réflexion alors appelle.

Car l'image initiale du récit de cette branche présente une analogie substantielle avec la situation du guetteur dans le jeu : je suis, alors, face à la vitre couverte de la respiration du gel, à la nuit, aveugle à ce qui se trouve de l'autre côté de la vitre, que pourtant je peux voir, dehors dans la hauteur, dans l'air hivernal, au-dessus du jardin neigeux. L'image du jeu n'est cependant pas une **image première**. L'image première est celle de la vitre, pas seulement parce que je l'ai posée telle dans le récit. Même si elle ne se situe pas nécessairement avant les autres (l'image de la vitre peinte de la Défense passive, par exemple, ou l'image de la vitre de train couverte d'un noir de fumée (et ces images elles-mêmes présentent également ce caractère de « vue aveuglée »)), même si je peux aller vers elle à partir d'autres visions, dans un parcours de mémoire indifférent en fait à la chronologie, elle est celle qui surgit premièrement quand je pense ce passé, celle qui a surgi, effectivement première, quand j'ai commencé à l'écrire, **pour** que je commence à écrire.

Mettant en relation, en une certaine abstraction, tous ces exemples (il s'agit d'une mise en relation, par ressemblance, non des choses vues, mais de quelques éléments significatifs dans les situations respectives du voyeur), je ne manque pas d'y discerner une ressemblance plus vaste : car chaque fois que je m'efforce de faire avancer ce « traité de mémoire » (comme j'ai, ailleurs, désigné '**Le grand incendie de Londres**', et il est cela, au moins en partie), il m'est pratiquement impossible de le faire en dehors de conditions matérielles précisément étrangement semblables (du point de vue de la même abstraction) à celles qui accompagnent toutes les images en question : il faut que je me trouve, physiquement, dans une avant-nuit, l'obscurité régnant au-delà des vitres (en ce moment, au présent qui entoure ces mots, il fait nuit à ma droite. Les seules lumières qui m'atteignent sont celles de la lueur minimale de la lampe près du lit (elle a deux intensités possibles, et j'ai laissé se répandre celle de la veilleuse, la plus faible), et celle de l'écran du Macintosh Plus où je fais surgir ma narration).

Ce n'est pas l'obscurité totale, réellement effective (ce serait stupide) mais une obscurité aussi profonde que possible et surtout métaphorique, allégorique peut-être même de l'ensemble de mon entreprise (dans cet aspect-là tout au moins). Ce qui fait d'ailleurs que, réversiblement, le noir prématinal où je m'exerce à la prose a peut-être produit, en une sorte de réverbération, la sélection narrative de ces images-là avant toutes les autres (contemporaines d'un rêve et de la séquence pseudo-axiomatique qui suit sa déposition en prose : les fragments singularisés dans l'écriture macintoshienne **« en gras »** sont des descriptions d'**images pures**, ou de courtes séquences d'images, dont le dépôt est contemporain de la chaîne de déductions fictives posées en élucidation du rêve de la branche un, chapitre 5).

Comme j'avance très difficilement, désespérément lentement dans ce chapitre, en ces premiers jours de juillet 1990, rue d'Amsterdam, j'ai essayé de me persuader que la raison, toute

89

simple, de mon quasi-surplace était, plus que la fatigue et saturation d'une année universitaire finissante et légèrement dispersée par toutes sortes de labeurs, une difficulté d'ordre climatique, qu'il faisait jour trop tôt, tout bonnement, et qu'ainsi l'irruption intempestive du jour dans la pièce (je ne dis pas la chambre, puisque je vis maintenant dans une pièce unique, où je ne fais pas que dormir) et plus encore la certitude de cette irruption ne me laissant que peu d'heures après mon réveil, constituait à elle seule une excellente cause de mes hésitations, une justification, donc, de mon « retard ».

Mais la situation analogique que je viens de découvrir conduit à une hypothèse narrativement plus satisfaisante (sinon plus vraisemblable) : qu'il s'agit d'une résistance profonde au dévoilement (par la mise en rapport avec les images-souvenirs) d'un fonctionnement plus profond, plus généralisé de ce qui ne m'apparaissait précédemment que comme une préférence contingente absolument pour certaines bizarres conditions de travail. (En témoigne, au chapitre 1, pour rappeler cette particularité de la composition de mon livre, le vocabulaire de la dilection (en des mots qui eux-mêmes répètent à peu près des mots semblables de la branche un) : « je n'aime pas... m'éveiller dans le jour », « j'ai besoin de la nuit finissante, précaire, celle qui n'est à personne... »))

Il s'agirait, dans ce cas, d'une répétition obligée. Je n'aurais pas, en somme, choisi ces dispositions ; elles ne me seraient pas apparues comme convenables par fantaisie, elles n'auraient pas été renforcées, elles ne seraient pas devenues indispensables par une très longue pratique, par habitude. Elles étaient nécessaires. Elles faisaient partie des conditions initiales de ma mémoire, depuis son origine. L'hypothèse englobe alors un autre élément circonstanciel, que je retrouve aussi dans les alentours de chacune des images concernées : le sentiment de protection. (Branche un, chapitre 1, § 1 : « j'ai besoin d'être dans la nuit finissante mais profonde pour trouver le courage minimal d'avancer, même inutilement, ceci »). L'obscurité externe me garantit d'une menace imprécise, indéchiffrable. Telle l'autruche de la « sagesse des nations », je plonge la tête dans le sable de la nuit, réelle ou inventée (je trouve un mot entre tous

les mots, je le choisis et l'exhibe : *sable,* parce que le mot
« sable » tel qu'on l'emploie dans les blasons désigne la couleur
des nuits). Je m'enferme dans la nuit (Empédocle prudent : une
légende, qui fait de lui, plutôt que Simonide de Céos, l'inventeur des Arts de la Mémoire, prétend qu'il s'était crevé les yeux,
pour ne pas être aveuglé par les images du présent). Je
m'enferme dans la nuit : pour **voir.**

21 La difficulté principale pour le guetteur

La difficulté principale pour le guetteur du jeu était que le
lieu du guet, le banc, le centre du jeu, était un centre : ce qui
veut dire qu'il y avait de l'espace, une aire de jardin, autour,
tout autour. Il fallait surveiller un horizon entier, en tous ses
360 degrés. Mais voir partout à la fois est impossible : il
faudrait non seulement avoir cent yeux, comme Argus, mais il
faudrait avoir des yeux derrière la tête (propriété cependant
acceptée comme toute naturelle par les « guetteurs des souvenirs »). Je sens en ce moment même derrière ma tête (en ce
moment de « diction »), inconfortablement, la menace d'une
brusque « attaque » imprévue d'un joueur enfantin, j'anticipe
le sursaut désagréable au contact d'une main posée brusquement sur mon épaule.

Une telle éventualité, pourtant, dans les conditions réelles du
jeu, était peu vraisemblable. Car le banc, parallèle à la façade
principale de la maison, était séparé d'elle par une terrasse en
contrebas (d'une soixantaine de centimètres, en trois marches,
il me semble). Et la bordure de brique (?) (de faux marbre ? de
ciment ?) de cette terrasse, revêtue de carreaux rouges (?) et
surmontée de pots de fleurs, laissait entre elle et lui une petite
allée. A moins de se glisser sans être vu au moment d'y
pénétrer, ou de s'y être installé pendant les secondes aveugles
du guetteur, ce qui pouvait être perçu au son des pas ne
s'éloignant que peu, descendant, il était pratiquement impos-

sible d'arriver, de là, au banc, en escaladant le rebord entre les pots de fleurs, et même dans ce cas l'assaut ne pouvait être directement vers l'arrière de la tête veilleuse, puisqu'il y avait là le **puits**. Il aurait donc fallu monter au pas de course les quelques marches en l'un des deux accès, à droite et à gauche du banc ; et dans ce cas on n'y serait pas parvenu par l'arrière, mais par un côté, dans le plein champ d'une vision non paradoxale du guetteur, comme dans la plupart des cas ordinaires.

En outre, cette issue, arrière gauche par rapport au banc, était la plus distante, et très à découvert. Quant à l'accès à la terrasse sur le flanc droit du banc, il se faisait par un troisième système de marches descendantes aboutissant, lui, depuis la partie « potager » et « agrémentale » du jardin (celle que dominait la chambre d'où je me suis, fictivement, élancé, pour une lévitation tournante, au début de ce chapitre). Elle était véritablement peu propice à la dissimulation. Le guetteur pouvait donc être à peu près certain de n'avoir rien à craindre d'une attaque surprise à partir de ces régions. Pourtant, je viens de l'éprouver, l'appréhension demeure, après tant d'années. Peut-être est-ce de la maison, obscure et silencieuse, que me vient la vague menace, une superstition d'ombres ? ou bien du puits, séjour mythique de la vérité ? ombre, mais de quelle vérité ?

Ayant choisi le banc comme centre (ou ayant été placé, sans l'avoir réellement choisi, en ce centre de la mémoire), je vois le jardin. **Je vois le jardin** d'une manière plus entière que, je le sais, je ne pouvais le voir effectivement : un rayon visuel multiple « tourne le coin » des arbres, des murs, des feuillages (« passe » les feuillages comme s'ils étaient transparents. Et ils l'étaient, en effet, par absence, en hiver). Mais cette vision est plus encore différente de la vision réelle, possible selon l'optique et le raisonnement. Car selon elle le jardin n'est pas ce morceau d'espace euclidien amorphe, immobile, peuplé d'objets eux-mêmes stables, tranquilles, tel qu'une (ou une famille de) **« piction(s) »** exacte(s) (aquarelle(s), photographie(s)) le « présenterai(en)t » au regard d'aujourd'hui, et tel qu'on se persuaderait volontiers alors, devant l'évidence, le revoir, le reconnaître, falsifiant en fait paresseusement le surgissement bien plus étrange, bien plus « tordu », des souvenirs.

Dans l'œil du jeu les **points vifs** du paysage étaient très différents : c'étaient ceux où il se passait, où il pouvait se passer, s'être passé, quelque chose de significatif, ludiquement parlant. Ces points marqués, au sens d'une Théorie du Rythme « étendue », imaginairement, à l'espace, aux espaces (cachettes, élans surprise gravés en images, découvertes soudain), semblables à des étoiles de magnitude élevée et variable dans un ciel d'observatoire nocturne, étaient ceux qui se trouvaient à la fois plus vraisemblablement et plus rapidement rejoints par le regard que les autres (il y a même des zones véritablement quasi désertes dans cette « carte » du jardin, partant presque infiniment éloignées (éloignées, on peut le dire, comme à l'infini dès lors que le retour au passé ne les retrouve pas, « puits » contenant de l'inconnu, dont la lumière-souvenir ne peut pas sortir)).

D'où il résulte que les trajets du regard pour les atteindre étaient mentalement plus courts que ceux qui le conduisaient à des points indifférents, à des points de moindre poids ludique pourtant beaucoup plus proches, selon la conception physique ordinaire des distances. D'une manière légèrement pédante je dirais que la métrique du jardin, vu selon le jeu, n'était pas la métrique habituelle, qu'on appelle euclidienne ; et qu'une carte du jardin établie selon cette neuve métrique apparaîtrait très déformée, confrontée à celle d'un relevé topographique. (Mais, j'y songe, les principes de ces métriques-là ne sont, au fond, peut-être pas si ésotériques.

Un journal du matin a, en effet, récemment publié une carte d'Europe selon un principe voisin (quoique d'inspiration apparemment moins subjective) : les grandes villes de cette entité géographique étaient représentées de manière à ce que leurs distances respectives sur le papier ne soient pas les bonnes vieilles distances kilométriques d'atlas fournies par le sol, celles qui nous viennent des approximations de la géologie, mais celles qui résultent de leur « temps d'accès » depuis un centre, en l'occurrence Paris, par les Trains à Grande Vitesse, tels qu'ils existeront sans doute à l'aube du troisième millénaire (si les millénaires ont des aubes). On obtenait ainsi la

« vision » assez étrange d'un continent reconnaissable selon nos habitudes des cartes, mais déformé, comme si on nous invitait à une plongée dans un âge révolu de la Terre (dans ce cas, au contraire, futur), avant ou après forte dérive de plaques tectoniques, ou, plus ressemblante encore, d'une de ces cartes médiévales construites peut-être implicitement selon des contraintes topologiques semblables (les distances associées aux durées des voyages). (Si on avait tenu compte des autres villes, celles absentes du réseau, où ne s'arrêtaient pas les Trains à Grande Vitesse, la « figure » de l'Europe ainsi construite aurait été plus étrange encore, irreprésentable en fait dans un plan, et plus proche de celle qui est la mienne dans le jardin.))

Mais la distance à l'œil n'est pas le seul paramètre affecté dans la vision du jardin (ce que je dis là, bien sûr, est en fait largement généralisable. Je prends cet exemple parce qu'il est non seulement très net, mais aussi parce que le jeu et le lieu dont je parle ont un rôle métaphorique-allégorique dans mon pseudo-roman, que vous lisez, **'Le grand incendie de Londres'**). Une sorte de renversement des zones lumineuses et sombres se produit (ce que mon manuel « Macintosh » appellerait un passage vidéo-inverse) : car les endroits marqués pour le jeu sont surtout ceux qui étaient cachés au regard, qui dissimulaient les joueurs. Et les endroits ensoleillés au contraire étaient presque sans importance. Le regard du guetteur ne les percevait pour ainsi dire pas.

Il y a ainsi des régions « blanches » de la carte (régions de ténèbres au souvenir), de celles qu'autrefois, dans les atlas Vidal-Lablache, on signalait comme inexplorées, *terra incognita*. Et il y a, plus exceptionnels encore (et la comparaison, là, doit de nouveau recourir aux cartes du ciel), de véritables « trous noirs ». Un troisième paramètre, présent au jeu, mais le débordant largement, et venu du « jeu » central de la vie, un paramètre émotionnel, rend quelques-uns de ces lieux comme « interdits » à la contemplation. Il en est un particulièrement, un lieu occupé d'une lumière intense d'été, mais devenu de « lumière noire » à ma mémoire. Il se situe à gauche, à quelques pas et un peu en arrière du banc. Je ne l'affronterai pas maintenant du regard (et en tout cas pas dans cette branche-ci).

22 A genoux devant le banc vert, les genoux nus

A genoux devant le banc vert (je ne le vois pas vert, je ne vois pas de couleur, mais je le sais (?) vert, et ainsi le désigne vert), **les genoux nus** (puisque je sens le sol, sol de terre et de cailloux), **entre les lattes de bois du banc je voyais les feuilles vertes, plus vertes, plus sombres que le bois peint griffé, écaillé, du banc, les feuilles en coquilles des buis, les feuilles vernies des fusains, du haut massif de fusains dressé devant le banc parallèlement à la terrasse, parallèlement élevé tout contre le banc, entre les deux allées.** (J'écris « haut » mais tout cela était de dimensions réelles nécessairement beaucoup plus modestes que celles d'une vision restée figée dans un corps enfantin. De plus, je ne vois pas à proprement parler le banc, je ne parviens pas à me reculer suffisamment pour le voir entier. Le moment générique du guet, concentré d'innombrables moments effectifs en cette position, attire et absorbe la vue. Et comme la couleur physique échappe à l'image, le mot « vert » ajouté à « banc » me paraît collé sur lui, tel une étiquette.)

Pendant le jeu, la masse serrée des fusains faisait obstacle à la vue du guetteur : un mur troué, peu opaque, insuffisamment opaque pour dissimuler les mouvements, assez pour ralentir l'identification des contours, des silhouettes, des visages, fait pour le jeu. A l'exception des territoires légumiers, fruitiers, floraux ou animaux (lapins, cochon) de la moitié droite du jardin strictement interdits (en principe), ou (partie gauche) de la terrasse, du lavoir ou du « garage » (sans voiture) en partie partagés avec des adultes (aux conceptions plus limitées, plus utilitaires, de l'emploi des lieux), le territoire entier, entre les murs (tout était entre murs), du sol aux dernières branches accessibles des pins, était **en jeu.** Le, les jeux décident des chemins de ma reconnaissance, aujourd'hui.

Dans le temps du jeu, spontanément, **je regardais d'abord à gauche ; j'enlevais les mains de devant mes yeux, j'ouvrais les yeux depuis le banc, je parcourais l'espace circulaire d'un regard, rapide mais continu,** en un mouvement que je dirai

95

« temporel » (au rebours du sens dit « trigonométrique » qui me paraît cependant, par longue habitude mathématique, plus « naturel ». Je comprends bien que les exigences mécaniques aient jadis « forcé » la traduction spatiale du temps mesuré dans les horloges par un mouvement circulaire de balayage, d'avalement-effacement sans cesse recommencé des minutes et des heures, et que le modèle du mouvement choisi ait été celui, apparent, de l'ombre sur les cadrans solaires, mais je me serais, je crois, très bien converti à un alignement du mouvement des aiguilles sur celui d'un vecteur tournant dans le sens mathématiquement dit « positif »).

A gauche, une allée ; de l'autre côté de l'allée, un autre massif végétal ; comme le massif à bordure de fusains qui faisait face au banc (mais le banc, en fait, lui tournait le dos, c'est dans le jeu seulement que les fusains et le banc se faisaient face), **il ne venait pas, il ne descendait pas jusqu'à la terrasse (toutes les régions plantées de buissons et d'arbres étaient des collines (modestes)) ; à son bord inférieur gauche** (pensez-le dessiné sur un plan), **à la limite du mur, contre lequel étaient les arbres les plus hauts, plus hauts que le mur, il parvenait jusqu'au figuier** (le figuier, grâce auquel on sortait de la maison sans passer par la porte, n'en fait pas partie) **; son bord est (l'allée centrale) était marqué par des *pulumussiers*** (êtres végétaux en buissons semi-sphériques d'une espèce végétale d'importance suffisante pour avoir mérité un nom autre que leur nom commun dans la langue, que d'ailleurs je ne parviens pas à retenir).

L'allée centrale le contournait, à sa limite « nord » le séparant de l'autre « colline », à la latitude du rond-point central. Il y avait quelques marches, pour s'élever jusqu'à une première « station » du regard : le bassin adossé au mur, fermé d'une paroi mince, en forme d'oméga adouci. (On y parvenait, alternativement, à travers la jungle végétale, **sombre des arbres et du mur, sombre de feuilles vernies au vert taché de blanc, comme marbré, sombre surtout du noyer dont l'ombre était humide, et noire, et amère**, par un sentier certainement non prévu à l'origine (il fallait s'y baisser)) **; le fond du bassin était habillé de feuilles mortes ; je peux y faire jaillir de l'eau, depuis le mur, éclaboussant les feuilles.**

Si, du banc, mon regard va d'un seul coup jusqu'à ce bassin

(par l'un, ou l'autre des chemins : contournant le massif, ou le traversant, incliné sous les branches des grands arbres) c'est, bien sûr, que le souvenir du jeu favorise un endroit où on pouvait, aisément, se dissimuler (mon regard, aujourd'hui, accompagne volontiers ce déplacement imaginé, **voit le bassin, voit le fond du bassin, trempé et ocre de feuilles mortes, d'aiguilles de pin**). C'est un point fixe, un point vivant sur la carte du jardin, selon le jeu. Mais il y a d'autres jeux, qui animent d'autres points, ou les mêmes, différemment. Et ce point-là est le lieu unique d'un autre jeu, un jeu de point fixe, un jeu de l'immobilité.

Le bord du bassin était très étroit mais on pouvait, avec une adresse minimale, l'escalader, et s'y tenir debout; j'avais inventé de m'y tenir ainsi : debout, et immobile, d'une immobilité absolue, comme si j'étais devenu une pierre, une statue, semblable à une de ces statues qui ornent les fontaines des jardins ornementaux, leurs bassins; je me tenais sur le bord étroit de la pierre, et je m'efforçais d'atteindre à la rectitude interne du non-vivant, à la fixité sectaire des figures minérales; je me livrais avec fanatisme à cette immobilité. On plonge bientôt (je m'en souviens) dans une ivresse vide, dans une exaltation désertique, une catatonie jubilatoire.

Ma première expérience de statue, certainement celle qui signa l'invention de ce jeu (je ne la retrouve pas telle, mais je la déduis de ses conséquences) produisit, en se prolongeant (la longue durée en est la contrainte essentielle) un effet tel sur ses spectateurs (mes frères et sœur, plus jeunes que moi) qu'ils s'en allèrent faire part à nos parents de l'inquiétude résultant de cette subite apparente privation de mes facultés locomotrices (cet événement devint, ensuite, un récit : « ainsi, comme on dit dans le *Lancelot en prose*, ainsi le savons-nous encore »). Le plus insolite, certainement, dans cette pétrification, tenait à l'étrangeté inconfortable de la position. Ce n'est pas ainsi qu'on dort, et le sommeil est la seule immobilité naturelle (on ferme les yeux du mort pour qu'il dorme, en un simili-sommeil on le naturalise). D'ailleurs, le joueur-statue devait garder les yeux ouverts.

L'imitation de l'immobilité fait partie de l'art du mime. Au coin de rues très passantes, sur des places de marché, de temps en temps, de loin en loin, des mimes grimés en figures de cire, en personnages de musée Grévin, de « Mme Tussaud » (sur les marchés aux puces londoniens) resurgissent, fascinant les promeneurs crédules. Mais mon jeu n'était pas celui-là : pas un jeu de déguisement, de « singerie » plutôt une profession de foi, l'affirmation d'une vocation érémitique momentanée. En lisant, plus tard, la description des « stylites », ces ermites ornementaux du désert alexandrin s'immobilisant en statues de sel de la contemplation, j'ai reconnu une intention confusément voisine. Cependant, s'ils se donnaient, eux, ainsi en spectacle, c'était pour un spectateur unique mais intérieur-extérieur, Dieu. Nous ne jouions, nous, que pour nous-mêmes.

23 « Jamais l'aube à grands cris bleuissant les lavoirs »

« Jamais l'aube à grands cris bleuissant les lavoirs / L'aube, savon perdu dans l'eau des fleuves noirs... » Avec ces deux alexandrins de Robert Desnos me viennent, en foule dense des images. Ces vers sont de souverains effecteurs de mémoire ; (et je les ai déjà d'ailleurs cités, précisément comme liés à la même famille d'images, à la branche 1, § 142, en commentaire au « savoir du rêve » (une incise du § 60 de cette même branche, dont ceci est donc une « variante ») (une nouvelle variété « théorique » de prose se révèle ici !) (mais c'est peut-être, plutôt qu'une variante, une « expansion ») (je ferai, ailleurs, la « théorie », ou plus exactement ce que j'appelle la fiction théorique de ces entités). Pourquoi ? (et pourquoi à plusieurs années de distance, de manière quasi semblable ?) peut-être parce que ce sont des vers. Peut-être parce que je les ai appris, par cœur, et retenus, parce que je les ai appris très tôt, parce qu'ils sont de Desnos, un des poètes que j'ai aimé il y a longtemps, et continue à préférer parmi les surréalistes, peut-être encore parce que, parmi les très nombreux alexandrins de Desnos que je connais, ils ont une rapidité particulière (véritablement

« hermogénienne ») qui suscite d'autant plus efficacement le tourbillon d'images irrésistibles que leur sens déclaré appelle directement, peut-être enfin parce qu'ils commencent cette prolifération d'images sans l'achever vraiment, parce que les deux autres vers du quatrain affaiblissent pour moi son début, particulièrement le dernier (« L'aube ne blanchira sur cette nuit livide / Ni sur nos doigts tremblants, ni sur nos verres vides » (je n'ai jamais les doigts tremblants à la fin d'une nuit, et je ne vois certainement pas l'aube blanchir sur un verre vide)). Ils laissent (dans ma vision interne du quatrain) les deux premiers en suspens, sur une élévation de la voix, annonçant d'autres continuations mystérieuses, poétiquement plus justes, mais qui ne seront jamais écrites.

Parmi ces images il y a, extricable et identifiable, celle du lavoir : le lavoir de ce jardin de la rue d'Assas où je « suis » en ce moment, par le souvenir. Sur le cadran d'horloge de la représentation mentale du jardin, que je parcours en pensée selon le sens temporel, celui « des aiguilles d'une montre », il est midi au lavoir (il pourrait être minuit, puisque les horloges identifient, absurdement, en un seul apogée, les deux moments extrêmes, antithétiques, des révolutions solaires, le blanc et le noir. Mais je pense plutôt à midi). (Il aurait été alors, au cadran fictif, six heures du matin pour le guetteur, dans la poussière au pied du banc, et neuf heures pour le « stylite » précairement debout sur le rebord étroit du bassin, pétrifié au passé dans son jeu de l'immobilité.)

La lumière, réfléchie intérieurement et déversée sur ce lieu par le souvenir (une bien étrange lumière que celle-là !) **fond incessant dans l'eau bougeante, comme un savon noir ;** (cette assimilation est presque absurde, je le sais, mais je ne cherche pas ici un effet stylistique particulier, et certainement pas un effet « poétique ») **je vois le nuage de lumière envahir l'eau, l'éclairer troublement ; je le vois comme une sorte de lumière matériellement incarnée, coagulée en la substance d'un savon, un savon brun noir translucide qui en fondant, en se délitant, bleuissait l'eau du premier des deux bassins (bacs) dont se composait le lavoir.**

Le lavoir était fait d'une substance grise, d'un pseudo-

99

marbre mat, luisant, poli par l'eau et les savons ; sur la surface légèrement en pente de ses bords usés par les lavages, par les coups (les « cris » du poème ?) des battoirs en bois sur le linge ; l'eau débordante, perpétuellement en course, venait prendre la lumière et la plonger en elle, fondante, comme née du savon, de l'aube, fraîche plus que froide ; l'eau froide et vive, sur la surface glissante de savon des bords du lavoir, je sais que je la sens sur ma main quand je la trempe, les doigts gourds, à côté du bruit du linge plongé, tordu, retiré, battu, replongé, rincé ruisselant ; ce sont les « grands cris » du linge, des draps blancs au jour surgissant de la nuit savonneuse noire ; l'eau en devient bleue.

Le lavoir était au bout et à gauche de l'allée centrale, qui séparait la moitié droite utile du jardin (celle des légumes, des fruits et des animaux comestibles) de sa moitié gauche, autrefois « jardin d'agrément », abandonnée ensuite à peu près sans réserve aux barbarismes enfantins (la première occupant le demi-plan d'abscisses « positives », dans la représentation « cartésienne », la seconde à premières coordonnées « négatives », selon la même répartition). La moitié ludique était elle-même divisée en quatre par des allées en forme de croix. Le lavoir était construit en bordure d'une petite « colline », semblable à celle, encore plus basse, qui était placée devant le banc, semblable aussi à celle qui séparait le figuier du bassin (au-dessus du bassin (« plus haut », ou « plus au nord », selon la représentation choisie), on voit la quatrième colline, la plus marquée), derrière lui le mur, puis, derrière le mur, la rue, la rue d'Assas.

Dans l'eau je vois le ciel, malgré le toit ; un ciel parsemé de flocons de nuages ; dans l'eau également les bourgeons violets, légèrement sucrés, qui tombent de l'arbre de Judée ; je vois l'escadre fragile de bateaux de papier : feuilles de cahier arrachées, copies d'anciens devoirs (exercices d'anglais, dissertations philosophiques notées, annotées, périmées) ; demi-feuilles, quart de feuilles pliées selon une procédure immuable (les premiers gestes du pliage des feuilles sont communs à la fabrication des navires de papier et à celle des pseudo-moteurs d'avions) ; journaux réquisitionnés pour la construction des grands « cuirassiers » lourds, bientôt imbibés d'eau, prenant l'eau, effondrés en masses molles, gluantes, informes, de papier à mauvaise odeur de mauvais papier de mauvaise imprimerie de guerre, où les marques d'identification majuscules des « bâtiments » d'une flotte guerrière disparaissaient, brouillées, bues par le papier, ruinées par l'eau des lessives, par les éclaboussures de l'eau tombant avec violence dans les bassins, par les bombardements allégoriques des canonnières imaginaires disposées sur leurs bords savonneux.

La présence d'un toit, la certitude de l'existence présente d'un toit sur le lavoir rend la vision des nuages dans l'eau douteuse, mais cette vision n'est pas moins certaine. En fait la position respective des deux m'échappe. Il ne s'agit pas, de toute façon, d'un bâtiment-lavoir, comme sur des places méditerranéennes de village, mais d'un simple abri, contre la pluie, pour le séchage du linge. Je ne sais pas exactement « où le mettre ». Il me semble qu'il s'appuyait, sur un de ses côtés, contre le mur de la rue. Et il ne couvrait peut-être même pas entièrement le lavoir proprement dit.

Ma vision qui ressuscite est non seulement composite, mais sélective. Bien que je m'imagine, comme j'ai dit, contre toute vraisemblance physique, avoir une vue « aérienne » d'ensemble du jardin (et dans ce cas une reconstitution par déduction géométrique place le centre de cette vue en l'air, au-dessus du « potager », quelque part entre la fenêtre de notre chambre et le sol, et plus bizarrement encore oblige l'œil qui « voit » à se mettre devant une surface qui serait presque « debout », comme en un de ces moments de voyage aérien où l'avion s'incline et tourne, avant de descendre sur la piste), la complétude « photographique » d'une telle vue est largement fallacieuse, car en fait la moindre attention arrêtée sur un « détail » fait apparaître des manques, des vagues, de véritables « trous », comblés seulement par le travail mental d'une suture grise, d'une grise matière « philosophique », sans le moindre « accident » précis. (J'écarte, pour le confort du récit (mais, bien sûr, je ne pourrais, s'il s'agissait d'un exercice « sérieux » d'introspection, éliminer cette hypothèse), le soupçon que la vision de mes, de nos navires de papier dans l'eau bleuissante vient d'ailleurs, d'un autre endroit d'espace-temps, et s'est introduite ici sous un faux prétexte mémoriel.)

L'eau disparaissait par la bonde, engloutie dans un tourbillon s'engloutissant lui-même pour laisser enfin les bateaux échoués sur le fond ; je guettais l'instant d'apparition de ce « maelström » miniature (dont la contemplation, par l'imagination d'un changement énorme d'échelle, était capable de provoquer, en « sympathie », une identification frissonnante avec les héros de la nouvelle de Poe, *Une descente dans le Maelström*), **j'attendais l'instant où l'eau se creusait en un sphincter vertigineux** (à volonté effaçable), **l'hésitation à son bord des « navires », des morceaux de bois, des coques creuses végétales plantées d'une brindille-drapeau** (catalpas), **des insectes, des fleurs éparpillées ; les blancs nuages du ciel léger eux-mêmes semblaient devoir s'évanouir ainsi ; je les suivais jusqu'à la seconde finale du mirage de leur disparition, pour les retrouver l'instant suivant, immédiats, intacts et tremblants au plus profond de l'image inélastique, inabsorbable, du ciel.**

24 des fleurs, des fruits, des feuilles et des branches

« Voici des fleurs, des fruits, des feuilles et des branches » (dit le poète (comme on écrivait jadis scolairement et parenthétiquement quand on citait des vers)), des légumes surtout (en y incluant les fruits assimilables aux légumes par leur mode de production, comme les fraises et les melons), dans le rectangle utilitaire et en grande partie « réservé » (c'est-à-dire interdit aux incursions enfantines), constituant la moitié droite du cadran (le jardin à la droite du banc), grand rectangle divisé en plus petits (comme pour un dessin didactique, expliquant une « sommation » en vue du calcul d'une « intégrale de Riemann »). Ce sont les « planches » légumières, elles-mêmes tirées, creusées de lignes droites où se déversaient en chuintant doucement les eaux d'arrosage, qui noircissaient la terre jamais rassasiée (la terre de l'Aude est sèche. Il ne pleut pas beaucoup, pas souvent dans les zones frontières de ce paysage, proche de la Méditerranée).

Je ressuscite aisément une vision de petits pois, de haricots verts ou blancs (apparentés aux petits pois par le réceptacle), de tomates, de melons, de courges énormes, de fraises : leur maturation, leur survie, leur abondance étaient des affaires sinon vitales, du moins de grande importance dans l'ordinaire d'une famille qui en avait, comme tant d'autres, besoin. Ces années furent des années de faim, aux hivers d'autant plus redoutables que la terre n'y produit pas. Chaque espèce-légume crée un foyer de vision conservée intense, accompagnée de couleurs et presque d'odeurs ; je peux quasiment suivre à l'œil (intérieur) la maturation d'une tomate sous ses feuilles, du vert au rouge volumique par le rose et le jaune, parfois, en un étalement du spectre coloré qui donne à chaque teinte une taille propre, croissante, et un poids. La dimension même des plants et des fruits (excessive selon une mesure actuelle), les environs variables mais identifiables de la vision (le lavoir à gauche, ou une allée, l'abricotier, ou la treille de vigne) placent et datent cette sorte de « film » accéléré et discontinu. Je peux même porter le panier, le poser sur la table, prendre une tomate, la mordre.

Symétriquement, le peu de souvenir que j'ai des fleurs (pourtant très présentes) a peut-être pour origine la même cause : les roses sont, mais ne se mangent pas. En particulier, je ne vois pas de roses. Pire : j'ai l'intuition de la non-existence des roses. Et comme la rose est une denrée française (je veux dire « rose », dans la langue, donc dans la poésie de cette langue, le français, « rose » est une denrée française, telle que Dominique Fourcade nous l'a montré, et il ne s'agit pas de « *rose* », syllabe autrement prise dans la langue anglaise, qui est, elle, une denrée poétiquement anglaise, comme l'a déclaré définitivement Gertrude Stein). Je suis, j'ai été un enfant sans roses, c'est-à-dire un mauvais petit Français, poétiquement parlant. Il me faudra en parler. (Les fleurs de l'arbre de Judée, en revanche, me suivent encore, comestibles, sucrées, pendant leur enfance de bourgeons.) Je ne vois que les dahlias (et je les vois semblables aux têtes plumeaux, aux têtes « balais O'Cedar » de certaines jeunes filles « punk »). Et il me semble, qui plus est, que je ne vois les dahlias que pour une raison « parasite », qui tient à ma rencontre avec une des marques les plus caractéristiques de la singularité du vers dans la langue. Le mot « dahlia » est en effet, pour moi, un éponyme de la diérèse. Je m'explique : il y a deux sortes de « dahlias » ; les uns sont les noms de ces fleurs que je vois dans le jardin, vers 1940, les autres occupent la première moitié d'un vers de Max Jacob : « Dahlias, dahlias, que Dalila lia. » Ces seconds « dahlias » sont trisyllabiques (« dah-li-a ») et les premiers sont des disyllabes seulement. Ce n'est qu'en un vers aussi convaincant que celui-là que Dalila (spécialiste, on le sait, des bouquets, témoin celui, célèbre, qu'elle composa avec la chevelure de Samson) peut lier ensemble, subliminalement, les deux syllabes de « li-a » pour en faire ces fleurs, les seules que je n'ai pas oubliées.

« Jardin potager », « le potager » était le nom du rectangle de terrain, plus allongé que l'autre, quasi carré, qui était celui du jeu. Il se poursuivait le long de la façade de la maison où était la chambre, après la « serre » (vitrée, comme la « véranda » de la maison de mes grands-parents, à Lyon). De ce côté-là (un côté court du rectangle) un mur, pas très haut, mais suffisamment pour interrompre la vue, séparait d'autres jardins. Derrière l'autre mur il y avait la rue. Une allée principale médiane (dans le sens de la longueur) ; deux allées aux pieds des murs, une troisième, plus large, parallèle, descendait par des marches (trois ?) jusqu'à la terrasse en contrebas, devant la façade principale de la maison. C'est au long de cette allée-là que se dressaient deux rideaux de vigne, chargés, à la fin d'août, en septembre, d'une cargaison infiniment précieuse de grappes à grains lourds.

Reste à élever un dernier mur, pour clore entièrement de mots le jardin, comme il l'était réellement, d'un bord de page en pierre. (Je pense ici (c'est-à-dire en ce point de la prose et en cet instant de composition) qu'il serait bon d'achever ce chapitre, si je parviens à l'amener « hors les murs », ce que j'espère, d'un plan du lieu, qui permettrait à la fois au lecteur de se reconnaître dans ce qui n'est, au fond, qu'une très longue description (la description n'est aucunement une photographie mais une narration topologique), et à moi de vérifier si les omissions (les « blancs » de la description par rapport au réel révolu mais plein) volontaires et involontaires sont bien adéquates aux mystères que la mémoire y a ménagés. (Une telle « carte » offerte au lecteur s'apparente d'une part à celles des « utopies », des contrées imaginaires de la fiction, et de l'autre à celles (en fait parentes) des romans policiers à « énigmes » de la tradition anglaise de l'entre-deux-guerres.)

Le long de ce mur était le « poulailler ». Il était génériquement et pragmatiquement destiné aux poules, engeance que nous considérions comme fort peu sympathique (que je considère toujours comme très peu sympathique) malgré son évidente utilité. Mais sa vertu principale à mes yeux était de contenir aussi les clapiers, demeures des tranquilles et sympathiques lapins. Notre anthropomorphisme enfantin spontané assimilait tous les animaux, plus ou moins (aussi bien les « parents » animaux que leurs enfants) à des individus de notre âge (dépendants, eux aussi, des humains adultes. La différence la plus indiscutable entre eux et nous étant que le pouvoir parental sur eux comportait le droit de vie et de mort). Nous les soumettions du coup, et sans hésitation, à des jugements de valeur aussi bien intellectuels que moraux. Les poules étaient bêtes et méchantes. Les lapins sympathiques, sinon très doués pour le calcul. (Cette prédisposition, résistante à toute scolarité, et fortement encouragée aujourd'hui par différentes publications ou émissions télévisées, persiste volontiers dans l'âge adulte, se dénaturant parfois (généralement avec les premières atteintes du troisième âge) jusqu'à des extrémités redoutables. Elle sévit chez les électrices parisiennes de monsieur Chirac, par exemple, atteintes de cette maladie de l'âme qu'on pourrait appeler le « syndrome Brigitte Bardot », du nom de cet ex-symbole érotique de cinématographe pour les mâles de ma génération (« mademoiselle Bardot », comme dit Jean-Claude Milner) devenue, elle qui fut érotiquement « BB », une fois retraitée des écrans, « Mère Teresa » protectrice gaga-gâteau des bébés-phoques.)

Nous avions une passion sentimentale, immodérée, pour les

lapins. Leur fourrure beige, ou grise, grise-rousse, épaisse, chaude, frémissante sous les moustaches, n'y était pas pour peu. **Nous collions notre visage aux grillages du clapier** (je dis « nous » parce que dans l'image qui m'en vient je vois, périphériquement, que je ne suis pas seul) **jusqu'à sentir sur le nez les museaux familiers, le doux mouvement perpétuel de leur incessant et innocent froncement ; impossible, malgré tous nos efforts, de remuer le nôtre aussi vite ; ou bien, de la main, offrir une tige verte de buis, de fusain** (ces fusains aux feuilles très sombres qui étaient plantés juste devant le banc du jeu), **jusqu'à ce que les dents, en rongeant, viennent saisir le doigt ; les dents des lapins dépouillaient prestement les tiges de leur enveloppe verte, humide, fraîche, laissant le bois blanc humide aussi, luisant de sève.** (Mais l'éclat mouillé des tiges blanches ne durait pas, elles ternissaient et jaunissaient très vite en séchant, comme les galets blancs translucides, sortis de l'eau de mer, ternissent en se revêtant d'un film de sel.) Elles créaient cependant un moment de fascinantes sculptures lapinières sur bois. (Mon père, transposant, comme je m'en suis plus tard aperçu, la baudelairienne *Invitation au voyage*, avait composé un poème familial à notre intention dont j'ai retenu ces vers qui me restituent instantanément et très exactement cette vision tactile, sensuelle :

> Des meubles luisants
> Polis par les dents
> Décoreraient notre chambre)

J'ai mentionné le « droit de vie et de mort » que les parents possédaient sur les animaux. Ce n'était pas du tout une simple manière de parler. Les lapins sympathiques, autant que les poules qui ne l'étaient point, étaient élevés pour être mangés. Non seulement les civets qui apparaissaient parfois sur la table de la salle à manger ne laissaient aucun doute à ce sujet, mais de plus mon père n'encourageait guère, du moins en ce qui me concerne (moi, l'aîné) l'oubli sentimental et ambigu des circonstances qui étaient à l'origine d'une telle transformation. Il était l'exécuteur des lapins. Il les tuait d'un coup sec sur la nuque, pendant que je leur maintenais les pattes pendant les convulsions. (Et c'était moi qui devait l'assister dans cette tâche, parce que ni ma mère ni Marie ne résistaient, physiologiquement, à la vue du sang.)

Il les saignait ensuite (le sang coulant dans une assiette creuse, le soir même cuit en « sanguette », pour être mangé avec du persil et du sel). Il coupait d'abord la tête aux belles oreilles soyeuses, cisaillait la peau juste au-dessus des pattes, détachait d'un seul coup la fourrure, ouvrait le cadavre. Le ventre maintenant à nu, gonflé, veiné (comme un beau mollet de femme un peu lacé de bleu) fumait légèrement en perdant sa chaleur. Mon père vidait les entrailles, isolait avec soin le fiel vert amer, séparait le foie, le cœur et les rognons, découpait le reste en morceaux qui prenaient place dans la bassine, dernière étape avant quelque provençale cuisson (pour laquelle le thym, les herbes, certes, ne manquaient pas). Je ne peux m'empêcher aujourd'hui d'associer, en une déduction-comparaison visuelle, les fusains dévêtus par les dents de leur peau humide et vivante et ces lapins morts, chauds encore, vaporeux et pâles sur la table de la cuisine, en 1942 ou 43.

25 La semi-fraternité des enfants et des animaux familiers incite à une interprétation fictive de la fascination qu'exercent certaines légendes comme celle de saint Nicolas.

La semi-fraternité, dans la fréquentation quotidienne, des enfants et des animaux familiers, incite à une interprétation fictive (que je trouve séduisante) de la peur délicieuse, de la fascination qu'exercent certains contes cruels, certaines légendes, comme celle de saint Nicolas ou celle de l'Ogre et du Petit Poucet. Entre les animaux compagnons mais comestibles et les enfants, se situent, dans l'échelle des êtres ceux, comme chiens et chats, qui ne sont pas naturellement destinés à être mangés. Je dis « pas naturellement » car, au moins en ce qui concerne les chats, il me semble qu'ils s'étaient singulièrement raréfiés dans le paysage urbain, à cette époque. En tout cas, nous n'en avions pas chez nous. (Nous n'avions pas de chiens non plus, même pas un chien de chasse.) Or, le sort ultime, tragique et nécessaire, des lapins, nourrissait (si j'ose dire) (en même temps que les bruits qui couraient sur les disparitions trop explicables de certains chats) une inquiétude latente et informulée, jamais amenée à la surface ailleurs que dans l'identification pleine d'émotion avec les enfants de la légende, d'être, à notre tour, victimes d'un cannibalisme imposé par la dure Loi de la Survie (et la pure méchanceté du monde).

Dans la « chanson de saint Nicolas » (souvenez-vous : « Ils étaient trois petits enfants / qui s'en allaient glaner aux champs... » ; ma grand-mère chantait volontiers cette chanson) j'ai particulièrement retenu le visage (présent sur une illustration patibulaire) du « ... boucher méchant / qui tient dans sa main le couteau tranchant ». Avant la fin heureuse, sur intervention du *sanctus ex machina* qui ressuscite les chères têtes blondes, l'aventure cathartique nécessite leur passage (transitoire, certes, mais quand même !) par le saloir, à l'état de jambon (roses, frais parfumés y sont les jambons, comme les chairs des enfants). (En plus, de jambons nous ne rencontrions guère.)

Un épisode de ces années, à dénouement heureux (pas pour tous les protagonistes) et culinaire, se présente alors, illustré d'un local voisin du poulailler, un appentis (c'est bien la première fois, il me semble, que j'ai jamais employé ce mot, qui m'est venu tout naturellement, mais dont j'ai dû vérifier l'orthographe et la définition, pour être sûr qu'il convenait. Et il convient en effet, dans son sens second qui est, selon le « petit Robert » : petit bâtiment adossé à un grand, et servant de hangar, ou de remise (j'ai failli mettre qu'il convenait « presque », car il était « adossé » seulement au mur du jardin. Mais en fait il me semble (mais en fait je suis sûr) que le mur, là, était un mur de la maison voisine)), où se déroula la saga du cochon.

Les menaces sans cesse résurgentes de famine familiale incitèrent un beau jour mes parents à franchir les frontières de la légalité (légalité vichyssoise moralement récusée mais d'autant plus redoutable) pour une action clandestine (peu dangereuse en principe (ils n'étaient pas les seuls dans le quartier) mais indirectement plus risquée dans leur cas, puisqu'ils étaient au même moment engagés dans une beaucoup plus sérieuse clandestinité), en achetant et en entreprenant d'élever un cochon. Un jeune et mince cochon (une cochonne en fait, du beau nom de Gagnoune : mais c'est là un pur hasard, nullement le signe d'une quelconque « misotruie ») vint donc s'établir en secret dans l'appentis, l'emplissant de son odeur acide, de sa pateaugeante bouillaque et de ses grognements caractéristiques (bien que relativement à l'abri des regards, nez et oreilles indiscrètes). Il fallut alors s'efforcer de réduire sa minceur et de l'amener, au contraire, en un temps raisonnable, à un raisonnable « poids de forme » qui permettrait de le (la) convertir avec profit, comme fait des trois petits enfants le boucher de la chanson de saint Nicolas, en cochonnailles diverses.

C'était une entreprise plus facile à concevoir qu'à mener à bien. S'il y avait très peu à manger pour les humains, il n'y avait guère à manger non plus pour les animaux. La cochonne eut droit à un régime très largement feuillu et herbu, avec pour plats de résistance les seaux d'épluchures (de pommes de terre, fanes de carottes, trognons de choux...) en provenance du jardin potager. Elle avalait tout. Mais peut-être ce régime la laissait-elle sur sa faim, car elle accueillait ma mère, quand elle lui amenait sa « portion », avec une formidable impétuosité agressive. Nous restions prudemment à distance pendant que notre mère, ouvrant puis refermant derrière elle la porte de l'enclos grillagé qui englobait l'appentis (un sas de sécurité contre les tentatives d'évasion) se préparait, tel le toréador dans l'arène, et tenant le seau de nourriture le plus éloigné possible de son corps, à la charge grognante du rose animal. La cochonne avait en effet, il me semble, au-dessus de son groin, la paire de petits yeux enfoncés les plus porcins et les moins amènes qui aient jamais échu à un cochon ; et ma mère a toujours affirmé que cette bête lui en voulait, à elle personnellement, et qu'elle se montrait au contraire toute sucre et toute miel avec mon père quand il allait, lui, la nourrir, ou bien quand il la douchait au tuyau d'arrosage pour la décaper de la bouillaque dont elle se salissait porcinement avec abondance et délectation, et dont elle souillait constamment sa litière, son auge et sa mangeoire. Le rose cochon de sa couenne n'était qu'alors, après sévère immersion, et dans toute sa pleine candeur de bébé, visible.

Gagnoune, la cochonne, en dépit de son appétit féroce (elle était très consciencieusement cochonne, il faut le reconnaître) n'atteignit jamais un poids énorme (j'ai retenu le chiffre de 80 kilos. Avec une alimentation normale, elle aurait certainement fait beaucoup mieux). Elle prospéra cependant raisonnablement et le jour arriva enfin de son exécution tant salivairement attendue. Je dis le jour mais ce fut, en fait, une nuit. Car la clandestinité de son séjour dans notre jardin impliquait nécessairement celle de sa mise à mort. Et pour cette besogne il fallait un vrai professionnel. Il en vint donc un, escorté de voisines réquisitionnées pour toutes les tâches annexes, expertes au traitement traditionnel des différents morceaux. Le bourreau opéra donc vers minuit, après négociations serrées sur le paiement de ses « honoraires » (en nature évidemment). Le cri de mort de Gagnoune s'entendit jusqu'à Limoux.

La première « préparation » des cochonnailles dura jusqu'au matin. Bientôt émergèrent rituellement, de l'affairement et des conversations animées d'un laboratoire bavard, des chaudrons, des cuissons, des bassines, les boudins et saucisses, les *cansalades* et fritons et gratons, les bocaux de graisse, les côtes et côtelettes, les pures tranches blanches de lard. Vinrent les jambons enfin, fortement salés et poivrés pour résister aux attaques humides du vent dit « marin ». A presque cinquante ans de distance, le simple surgissement immatériel de ces vocables sur mon écran me donne faim. Pas une faim assouvissable, une pure faim évocatoire, réminiscente. Très longtemps après la fin de la guerre, contre toute évidence gustative, j'ai continué à me jeter avec voracité sur le porc, en toutes ses formes, et je n'ai qu'avec réticence et très lentement reconnu, inéluctable, la disparition de son goût ancien, conséquence désastreuse de l'élevage industriel. Côte de porc-purée — tel était le menu (de choix ?) qu'invariablement j'offrais à ma fille Laurence, en ses premières années, quand nous dînions seuls ensemble.

Je suis sorti de l'enfance avec la conviction de la perfection absolue du porc, en tant qu'animal intégralement transformable en produits utiles à l'humanité : car j'avais appris que non seulement il était en très grande partie comestible (jusqu'à ses os rongés par les chiens) mais que de ses soies naissaient des brosses, de sa dure peau de souples sacs, bourses et bagages ; bref que ma passion alimentaire pouvait se soutenir d'une bonne conscience humaniste. Je n'ai appris qu'assez tard l'existence des tabous religieux qui le frappent. Et je me suis alors senti (pour donner à mon tour à ma préférence une justification « théologique ») en assez grande affinité païenne avec les Celtes qui avaient, dit-on, le cochon en très grande estime. Le fondateur légendaire de l'abbaye de Glastonbury n'avait-il pas choisi ce lieu en l'honneur de sa victoire sur un cochon fabuleux (une truie !) ? Et comment oublierais-je de saluer en cette page le grand sanglier mystique Twrch Trwyth, héros des *mabinogion* gallois ?

C'est peut-être une résonance, lointaine, de cet événement marquant de notre enfance qui a inspiré chez ma sœur Denise un désir de possession, qu'elle a assouvi une ou deux années : rêve de la possession d'un cochon, « son » cochon. Ce ne fut qu'un demi-cochon seulement puisque, ne vivant pas dans le Minervois, elle en a partagé la propriété avec Gérard et Marie-Cécile. Mais elle n'a pas manqué de se rendre sur place au moment décisif de la transformation en saucisses et jambons, exécutée selon les meilleures traditions locales, à Moussoulens.

26 « Mon grand père avait l'habitude de dire :

« Mon grand père avait l'habitude de dire : " Il faut arriver à temps dans une gare, pour rater le train précédent. " » En commençant par cette citation, apocryphe je l'avoue, un « moment de repos en prose » (le premier) d'un livre de poèmes intitulé *Autobiographie, chapitre dix*, je rendais en fait un double hommage à mon grand-père, à travers deux des traits caractéristiques de sa vision du monde que je lui ai empruntés : la difficulté à être en retard, et la passion ferroviaire. La maxime ci-dessus frappée les unit, et il m'arrive souvent de l'appliquer à la lettre (spécialement gare Saint-Lazare, où je vais prendre le train qui m'amène à mon lieu de travail, station « Nanterre-Université »).

Or dans notre jardin, rue d'Assas, poussaient de nombreux palmiers, de taille modeste (et non producteurs, hélas, de dattes), répartis à peu près également sur les quatre « collines » plantées de buissons et d'arbres que délimitait la croix des allées. Même réunis par un « or », ces deux « instants » immédiatement consécutifs de prose que vous lisez ne semblent pas avoir entre eux de rapport très évident. C'est vrai. Mais permettez-moi de prendre un peu de temps pour en établir un. Or, dis-je, les petits palmiers du jardin avaient pour feuillage des palmes (ce qui pour une fois est conforme aux déductions que l'on peut faire du nom) en éventail de longues feuilles au bout d'une tige solide et souple (propriété qui nous intéressera également). Chaque vaste feuille, d'un vert assez sombre, était elle-même articulée en deux longues lamelles partiellement repliées autour d'une tige personnelle, subdivision de la tige principale, mais plus mince.

Or, il n'était pas difficile de détacher les palmes les plus basses du tronc velu et ocre-roux de l'arbre, d'en arracher ou découper une à une les doubles feuilles, d'y séparer de leur tige chaque moitié, et d'obtenir ainsi une quantité fort raisonnable d'assez longues lanières (de trente centimètres à un mètre de longueur) qui, assez aisément nouées l'une à l'autre par des nœuds résistants, donnaient naissance à de très satisfaisantes cordes végétales ponctuées de nœuds. De ces métrages de cordes, en les suspendant par de convenables accrochages aux branches des pins, aux poteaux des fils de fer en bordure des allées potagères, ou à ceux des fils de séchage du linge, je créais (avec l'aide d'une main-d'œuvre fraternelle et sororale efficace) un réseau quadrillant l'espace polygonal du jardin.

C'est là que je rejoins l'introduction en apparence tout à fait arbitraire à ce développement. Car, sur une feuille de cahier symbolisant la surface du jardin, en dressant la carte des lignes palmières effectuant des liaisons entre des lieux choisis, et désignés par des noms inventés à cette occasion, j'obtenais une assez bonne approximation de ces autres cartes qui figuraient, fascinantes pour tout amateur de trains, sur les premières pages des « Indicateurs de chemin de fer » les « Chaix », et que je retrouvais également lors de nos voyages hebdomadaires à Toulouse, à l'extrémité des wagons, sur le mur en face des W.-C. On y lisait les noms des villes « desservies » par la SNCF, les lignes principales y étaient figurées par des traits, et les lignes secondaires en traits moins épais, avec leur numéro de ligne, qui permettait de les identifier ensuite dans les pages de l'Indicateur.

La géographie ferroviaire ainsi créée (grâce aux palmiers) et transportée sur le papier à la satisfaction générale, je pouvais entreprendre avec les meilleures chances de succès la deuxième étape, qui consistait à établir les horaires des trains fictifs (à matérialisation le long des lignes essentiellement mentale, je ne cherchais pas à imiter les trains concrets) qui allaient parcourir, en rapides, express ou omnibus, munis chacun d'un numéro d'ordre, mon réseau fictif. Armé d'un vieux « Chaix » grand-paternel (il en avait toujours un dans ses bagages, et j'en possédais, offert par lui, un périmé), ayant attribué des distances kilométriques suffisantes aux mètres du terrain où opérait ma « compagnie », je combinais des heures d'arrivée et de départ, et surtout d'innombrables « correspondances » (dont l'importance vitale dans l'organisation d'un bon réseau n'a pas besoin d'être soulignée).

Je constituais ainsi, à l'usage des différents utilisateurs (peu nombreux, certes, mais de qualité), un véritable « Chaix de jardin » : un rapide parti, mettons à 6 heures 53 du matin de « Lavoiro Salo » (tel était le nom, je m'en souviens (c'est le seul qui m'est resté) attribué à la gare dont le lieu était le bassin où se passait le « jeu de l'immobilité ») et en direction de la buanderie, pouvait, par exemple, au moyen d'un changement confortable au Pin Parasol et d'un second, plus acrobatique, dans l'allée centrale, permettre d'atteindre, à 14 heures 19, par un omnibus à l'itinéraire signalé en plus petits caractères, la station « l'Abricotier ». (« Le train rapide 101 en provenance de Lavoiro Salo et se dirigeant vers la Buanderie entre en gare au quai n° 6. Retirez-vous de la bordure du quai, s'il vous plaît. Correspondance pour l'Abricotier à 11 heures 14 quai n° 9 ; ce train desservira les gares de... »)

Le banc du jeu principal, **« S'avancer-en-rampant »**, était bien entendu un « nœud ferroviaire » important dans cette organisation nouvelle de l'espace du jardin. Mais, selon la Théorie du Rythme (en fait, comme il s'agit non d'une séquence, mais d'une surface, il faut envisager une extension de cette théorie à un espace « multilignes », au moyen, par exemple, de la « théorie des ondelettes » (elle-même convenablement généralisée), cela créait malgré tout une représentation imaginaire très différente du lieu. Car les points fortement marqués d'intérêt, les points vifs, n'y étaient pas forcément les mêmes que dans les autres jeux. Le temps de passage d'un point à un autre changeait aussi, déterminé, non par le regard, mais par des mouvements corporels (beaucoup plus lents, même s'ils étaient fortement accélérés par la mégalomanie irrésistible d'une identification à la locomotive ; et surtout non discontinus).

La pertinence de l'indicateur ne durait pas. Car il y avait, d'un côté de la comparaison, le fait que les horaires changeaient (horaires d'hiver et horaires d'été, par exemple, ce qui nécessitait la confection d'un nouveau « Chaix »). Mais aussi, de l'autre côté, cet autre fait que les cordes de palmier matérialisant les lignes vieillissaient rapidement : elles jaunissaient, se défaisaient, étaient rompues par des accidents extérieurs... Et le jeu lui-même lassait vite, comme tous les jeux. Il était oublié brusquement, des bribes végétales de corde continuaient à pendre çà et là, lamentables. Jusqu'au moment d'une nouvelle résurgence (à la suite d'un séjour de vacances, par exemple, qui avait remis les trains à l'ordre du jour).

Voilà, j'espère, pleinement justifié le lien entre chemins de fer et palmiers dont j'étais parti. Il reste que ce lien était assez abstrait. (Les jeux enfantins le sont plus souvent qu'on ne pense, encore plus que strictement imaginaires.) Le réseau des cordes suspendues pouvait servir aussi de façon beaucoup plus directe, et concrète. Tout simplement en devenant support d'une transmission de messages, selon un code. Aux derniers temps de notre séjour dans la maison, le téléphone apparut, susceptible d'une interprétation très simple en termes palmistes, et partant prétexte à annuaire (symétrique d'un indicateur de trains). Mais je n'eus pas le temps d'apprivoiser vraiment ce nouveau concept avant notre départ à Paris. En fait, je n'y suis jamais complètement parvenu. Et c'est pourquoi je n'aime toujours pas le téléphone.

27 Dans ce jardin, je n'étais pas seul.

Dans ce jardin, je n'étais pas seul. Pourtant, ma description dans ce chapitre ne sort pas des règnes minéral, végétal et animal. Et les humains, les humains enfants ? Ces ombres de joueurs qui sont là, à côté de moi, à chaque moment ou presque, devant le banc, le lavoir, le grillage des cages à lapins ? Je n'en parle que de manière très indirecte. Mon semi-silence, cependant, n'est pas un solipsisme. Mais en dire plus se heurte à deux difficultés : la première est que ce territoire partagé du passé n'est évidemment plus commun, aujourd'hui. Les souvenirs des uns, nécessairement et de plus en plus, divergent de ceux des autres. J'essaye de rester, autant que possible, par discrétion autant que par incapacité, extérieur à ces autres visions. La seconde raison est beaucoup plus forte, agit sur la totalité de ce que j'écris : une absence, un absent. (J'écris « raisons » : mais ce ne sont pas des raisons, des constatations tout au plus. Les difficultés sont réelles : la première n'est sans doute qu'un masque de la seconde.) Je resterai donc encore ici avec les animaux.

Les poules et poulets, les lapins, le cochon étaient enfermés. Ils n'avaient pas la liberté de circulation dans le jardin. Mais la famille de canards qui vint brusquement partager notre existence ne fut pas, elle (je ne sais pas d'ailleurs pourquoi), soumise à cette restriction. De ce seul fait découlait déjà la plus grande élévation des canards dans l'échelle des êtres : leur supériorité, en tant qu'espèce, sur les poules et cochons, et même sur les lapins. J'ai acquis, alors, cette intime conviction. Et je la conserve encore, intérieurement, au moins sous une forme ludique : j'aime et estime les canards. Je ne manque pas une occasion de faire leur éloge, oral, poétique, ou fictionnel.

Acquisition fut donc faite d'une famille de canards : des canards sans père. Au début, d'ailleurs, ce n'était qu'une famille potentielle : une cane vint dans un panier, accompagnée de ses enfants futurs, sept œufs à couver, et à éclore. La finalité nutritive de cette acquisition était comme celle des lapins, et de la cochonne, sans aucune ambiguïté. La cane mettrait au monde ses sept petits, les élèverait avec soin (les canards élèvent leurs petits avec le plus grand soin), jusqu'à ce qu'ils atteignent leur poids comestible. Elle-même ensuite pondrait des œufs, jusqu'à sa fin prévue également dans une casserole. Mais il n'en alla pas tout à fait ainsi.

Remarquons pour commencer que **Bacadette,** mère cane et héroïne principale de cette aventure, appartenait à l'une des deux espèces de canards qui habitent le Carcassès (principalement la région de Castelnaudary, patrie d'une des trois versions concurrentes du « cassoulet ») : les « mulards » et les « musqués ». Les *mulards* sont les plus gros, les plus gras, de plumage terne. Leur goût n'est pas extrêmement raffiné. Leur voix est criarde, leur allure pataude, même sur l'eau. Les *musqués* au contraire sont plus minces, plus fins de bec, plus élégants d'allure et de plumage et de couleurs (vert et noir), parlent peu et à voix douce (« musqué » veut dire, selon mon souvenir ancien, non vérifié, « muet »), sont d'une virtuosité extrême dans l'eau, et intellectuellement beaucoup plus vifs (tel est mon jugement, partial). Une cane mularde aurait certainement offert l'espérance d'une quantité plus substantielle de chair. Pourtant, on le devine, Bacadette était une « musquette ».

On installa la future mère dans la « serre », où nous allions la voir, déjà dans l'admiration de ses manières, de sa discrétion, de son plumage, de son bec : sentir le bec d'un canard qui saisit un grain de maïs ou une miette de pain dans la paume, quel chatouillement délicieux ! Si chaud, si doux était le duvet de son ventre, quand on la soulevait pour vérifier l'état d'avancement de la couvée. Les enfants naquirent, minuscules, hésitants, pépiants, attendrissants, jaunes et noirs. La question onomastique se posa immédiatement, que mon père (dont c'était la prérogative : le pouvoir de nomination) résolut sur-le-champ : ils étaient sept, mais ils ne resteraient pas nains. Ils s'appelleraient donc respectivement **Lundi, Mardi, Mercredi, Jeudi, Vendredi, Samedi** et **Dimanche.**

Respectivement, certes, mais qui s'appellerait comment ? Et comment les distinguerait-on ? (Rien ne ressemble autant à un bébé canard qu'un autre bébé canard.) Après une période de flottement et d'observation, où nous scrutâmes la petite troupe tremblante sur ses petites palmes pour tenter d'identifier les signes physiques distinctifs et (Lavaters du département de l'Aude) les indices physiognomoniques de leurs caractères futurs, les petits enfants canards furent baptisés, et entreprirent de ressembler le plus possible à leur patronyme. Et c'est ainsi que les plus beaux, les plus entreprenants, les plus brillants furent (conformément aux préférences des écoliers) **Jeudi** (alors jour de repos des classes, comme l'est aujourd'hui mercredi) et **Dimanche** (notre famille était laïque, et le dimanche n'était pas chez nous un jour triste, à l'anglaise, ni exagérément familial ou théologique. C'était par excellence le jour ludique).

Mais les maladies infantiles, qui affectent les canards comme les humains, menaçaient. Malgré les soins, certains moururent : **Mercredi** et **Samedi** assez jeunes, il me semble. Bacadette accueillit leur mort avec stoïcisme (selon notre interprétation, qui récusa avec indignation l'accusation d'indifférence). Les autres survécurent, quoique inégalement : **Mardi** était assez disgracié, un peu boiteux. Quant à **Lundi**, il resta, malgré tous nos efforts, minuscule, mystère d'un véritable canard bonsaï (car il se nourrissait avec autant d'enthousiasme que ses frères). Je n'ai pas conservé de souvenir très net de **Vendredi**. **Jeudi** et **Dimanche**, je l'ai dit, étaient les phénix de cette splendide famille, avec peut-être une légère supériorité, dans l'ensemble, et c'est dans l'ordre, pour **Dimanche.**

117

Pendant toute leur enfance et adolescence, la question de leur sort final ne venant pas explicitement à découvert, beaucoup plus que Bacadette, assez réservée face à l'affection exubérante de la horde enfantine, les petits « musqués » furent de merveilleux compagnons de jeu ; courant bec en avant sur la terrasse, sautant les escaliers, nageant souverainement, sous la conduite de leur mère, dans le lavoir, puis sortant, en file sévèrement et maternellement contrôlée, secouer leurs plumes et se sécher dans les allées ensoleillées, bavardant du bec. Quel progrès sur les bateaux en papier que ces barques vivantes, leurs coups de pattes palmées plus puissantes que des rames, les fines têtes astucieuses qui plongeaient et ressortaient ruisselantes mais pas mouillées, les mouvements et claquements des becs qui buvaient, les couleurs irisées à la lumière vive (vert sombre, un peu violet, du soleil sur les plumes).

Nous avions (nous étions quatre) chacun le « nôtre », notre frère parmi les survivants (je ne dirai pas lesquels). Nous discutions avec véhémence de leurs exploits, de leurs mérites respectifs, de leur développement physique et sentimental. Nous étions inséparables. Nous leur offrions des friandises (des vers de terre capturés dans les mottes bêchées, par exemple, des limaces d'après les pluies). Nous les embrassions sur le bec, sur leurs tout petits yeux, sur leur plumage. Nous imitions leurs courses comiques vers la pâtée, vers le lavoir. Nous les prenions sur nos genoux. Ils étaient gais, remuants, familiers, imperméables. Le temps passa.

28 Le temps ayant passé, l'inévitable en vint à ne plus pouvoir être évité

Et, le temps ayant passé, l'inévitable en vint à ne plus pouvoir être évité ni retardé. Les canards étaient destinés à être mangés, et ils furent mangés (ce récit n'est pas un conte de fées). Je me souviens des assiettes contenant **Jeudi** (les morceaux séparés et rôtis de **Jeudi**. Pourquoi lui particulièrement ? peut-être parce que son « jour » est aussi le jour dont les écoliers pleurent (pleuraient) le plus la mort), et des larmes de Jean-René, notre plus jeune frère. Peut-être pleurions-nous aussi. Nous pleurions et mangions. Nouveaux et diminutifs Gargantuas, nous pleurions en mangeant et mangions en pleurant. Telle fut la fin de la **Semaine de canards.**

Bacadette resta seule à représenter chez nous le peuple canard. Une sorte de componction un peu mélancolique, une composante de tristesse noble dans son déhanchement sur palmes, une propension certaine à éviter d'être mêlée à nos jeux les plus hurlants et les plus désordonnés, firent rapidement d'elle une figure respectable mais un peu lointaine de la famille (un peu comme une cousine des parents, réfugiée après quelque deuil, en ayant revêtu les couleurs invariables). **Je la vois (je la vois bien), le jour souvent immobile au soleil sur la terrasse, dans une allée, les pattes disparues sous elle, le plumage vert sombre et lisse, les petits yeux calmes, posée comme une barque, sans hâte, confortablement sur le sol empoussiéré.**

Elle avait pris du goût pour l'intérieur sombre du rez-de-chaussée, pour la salle à manger surtout au moment des repas, entrant silencieusement et sans hésitation dans la pièce et se hissant sur le fauteuil, où elle s'installait placidement, jouissant avec une évidente bienveillance de notre turbulente compagnie, ainsi que de la douceur des coussins. Elle semblait écouter avec soin la radio (on disait la TSF), peser le pour et le contre (il y avait Radio Paris, mais il y avait aussi, écoute clandestine, « Londres »), sans indiquer clairement ses préférences. Mais un jour, alors que résonnait dans la pièce la voix sénile et sinistre du maréchal Pétain, elle descendit dignement de son fauteuil et se dirigea vers la porte laissant, au moment de sortir, s'échapper de dessous sa queue agitée d'un coup d'éventail rapide une large crotte liquide, brune, glaireuse, en guise de commentaire.

La tâche essentielle de Bacadette, qui absorbait une grande partie de son énergie interne (et, nous allons le voir, était aussi le motif de ses préoccupations) était de pondre. Elle pondait chaque jour un et parfois deux de ces œufs lourds, précieux, riches, savoureux, infiniment à nos yeux plus savoureux que les œufs uniquement utilitaires des imbéciles poules, par la couleur, la forme, la taille, la densité du jaune plus sombre et plus intense, du blanc plus compact. Aussi chaque œuf de Bacadette était-il un trophée, destiné en principe à la consommation seulement en une circonstance exceptionnelle (fête, maladie, récompense, anniversaire).

Or Bacadette ne pondait pas, bêtement, monotonement, tous ses œufs au même endroit, ni à la même heure du jour. Elle ne les mettait pas tous dans le même panier. Elle s'efforçait, au contraire, de les placer sans cesse dans des lieux différents, et même, en fait, de les dissimuler. Je ne sais si ses tentatives de dérober ses productions à nos investigations avaient été la règle dès le début ou si elle avait réagi à notre irrépressible indiscrétion (désirant pondre tranquillement, à son heure, considérant la ponte comme une affaire sérieuse, et privée, qui n'avait aucun besoin de nos regards). Quoi qu'il en soit, elle prit l'habitude de pondre de plus en plus tôt dans la journée, et de changer le plus souvent possible de cachette. Il y avait là, on s'en doute, tous les ingrédients voulus pour un jeu.

Le but du jeu était, bien sûr, de découvrir l'œuf de Bacadette, et de le poser sur la table de la cuisine, avant l'heure du petit déjeuner. Le jeu, alors, se subdivisait en deux sous-jeux. Le premier était celui qui nous divisait en deux équipes : Bacadette *versus* tous les enfants. Bacadette cachait, les enfants cherchaient. Le deuxième sous-jeu était celui qui opposait chacun de nous aux autres : être le premier à apporter le trésor enfoui, l'or de l'œuf, l'œuf d'or. J'avais un certain avantage : d'une part j'étais l'aîné. De plus, je me levais facilement très tôt (à la différence de ma sœur Denise). Une situation vexante était celle où, non seulement je ne découvrais pas l'œuf, mais où il tombait par hasard, plus tard dans la journée, un autre jour même, entre les mains de mon père ou de ma mère au cours d'une opération jardinière, par exemple, sous une courge, au pied d'un dahlia. Le triomphe, au contraire, était de découvrir Bacadette en train de pondre, et de saisir l'œuf tout chaud, directement sorti du four (si j'ose m'exprimer ainsi). Elle fut une fois, au tout petit jour, tellement prise par surprise qu'elle se mit aussitôt en fuyant à pondre un deuxième œuf, pas encore vraiment prêt, dont la coquille était toute molle encore.

Mais il fallait le plus souvent pour découvrir l'œuf caché une très longue quête. Bacadette était d'une ingéniosité prodigieuse (c'est à l'échafaudage de stratégies nouvelles de dissimulation, soyons-en sûrs, qu'elle se livrait, en une concentration acharnée, les après-midi, posée au beau milieu d'une allée, le bec sur la poitrine, sans même bouger quand nous passions près d'elle à toute allure sur nos bicyclettes ou tricycles). La serre, le potager, les buissons, la buanderie, les plants de tomates, le toit du lavoir permettaient une large gamme de variations, et elle ne répétait jamais le même choix à des intervalles rapprochés. Dans un tout petit réduit, un ancien placard à outils de jardins désaffecté situé derrière un pin dans le coin gauche du mur d'enceinte (coin de la rue d'Assas et de l'« enclos du Luxembourg », à midi moins dix environ sur l'horloge spatiale que j'ai imaginée pour la description), elle n'« inventa » ainsi pas moins de douze cachettes distinctes (ce qui supposait de sa part un grand réservoir de « lieux de mémoire » pour éviter de se répéter à intervalles trop rapprochés).

Cependant son exploit le plus spectaculaire fut d'une grande simplicité : une aube d'été, s'introduisant dans la maison par la porte que j'avais laissée ouverte en me glissant sans bruit dans le jardin pour la surprendre, elle s'en vint pondre son œuf sur le fauteuil de la salle à manger, où Marie ne le découvrit pas avant le milieu de la matinée (nous tous partis à l'école et nos parents au lycée). Je demeure persuadé qu'elle avait lu, dans l'édition cartonnée vert-gris des œuvres de Charles Baudelaire, et sérieusement médité, ce jour-là, la leçon de *La Lettre volée*.

Bacadette fut-elle finalement, comme elle aurait dû l'être, et comme le furent ses enfants, mangée ? Je répondrai en temps utile à cette angoissante question.

29 Je sors du jardin dans la rue, vers l'Aude

Je sors du jardin dans la rue, vers la droite, vers l'Aude ; je ne sors pas par le portail, au bout de l'allée principale de la partie « ludique » du territoire ; il est toujours fermé, sous le grand pin parasol où guettent et se moquent les pies ; je sors dans la rue par la porte ouverte du « garage », de la buanderie, ombreuse, pleine de bois, de charbon ; (l'anthracite en boules ovales, qui nourrit le poêle, l'hiver. Ce n'est pas l'hiver, mais mon parcours est, dans une simultanéité absolue, construit d'images nées en plusieurs saisons), je sors sous le grand soleil plat, dans la nappe éblouissante du toujours silencieux soleil sur la rue vide ; un peu de goudron a fondu ; j'y trempe un doigt de pied (je suis pieds nus, la corne sous mes pieds est une dure semelle, je ne sens pas les piqûres du gravier) ; la lumière est forte ; comme la lumière est forte ! et réelle !

Cette lumière vient de plus loin que toutes les galaxies. La lumière qui nous arrive, celle qui excite les astronomes, venue des plus lointaines galaxies, est partie depuis infiniment plus longtemps que cette lumière-là, c'est vrai. Mais je ne l'ai pas vue s'en aller, d'une étoile, d'un soleil, d'une nova. Personne ne l'a vue, ne la verra partir. La lumière d'enfance, elle, continue à partir, part et repart toujours, toujours : jadis, hier, maintenant. Quand je la pense, elle part, éblouit la rue, la rue d'Assas qui descend vers l'Aude, mon pied nu touchant le goudron brûlant, le gravier semé sur la surface fraîchement goudronnée, le caniveau de ciment, le trottoir. Elle vient, puis cesse. Quand je la pense, je la vois. Puis elle cesse.

La lumière, le soleil dans le ciel ne trompent pas. Il fait chaud. La rue descend raidement sur la droite (quand on sort de la buanderie). En face, un mur haut et aveugle, continu jusqu'en bas, le mur de la caserne. A droite quelques maisons, mais je suis placé de telle sorte que je ne les regarde pas, que je ne les vois pas. Il n'y a personne dans la chaleur, de début d'après-midi, de sieste d'été. (En écrivant cela, brusquement,

« j'entends » une radio à droite, mais sa voix est purement juxtaposée au silence, à la lumière insistante, où je suis seul.) Il est dans la nature du récit que je sorte ainsi dans une rue vide, inoccupée, solaire. Être hors-les-murs c'est être dans un puits de solitude. Au bas de la rue, une bifurcation. D'un côté, à gauche, la rue d'Assas (peut-être sous un autre nom, je ne sais plus) remonte aussi brusquement qu'elle est descendue. A droite, par des escaliers envahis d'herbes, d'orties, de graminées on descend vers un sentier, vers la rivière. Je n'irai pas maintenant.

La solitude, dans la lumière palpable, sous le soleil éclatant, considérable, est sans menace (de la durée, du départ); ni joyeuse ni triste; ni mystère ni mélancolie d'une rue; l'ombre qui viendra sera celle du soir, pas l'ombre ni l'ombre de l'ombre tombant sur les marches de l'escalier, pas l'ombre noire en carrés aveugles, ni l'Ombre qui sur tout est par l'état du monde; une ombre première simplement, le soir qui s'avance en rampant; quand le soleil devient ocre, le ciel vert aux hanches des maisons, quand la poussière blanchit, quand le goudron se fige; quand il fait plus frais.

Derrière le banc vert, au milieu de la bordure de la terrasse, entre les deux accès aux allées, le **puits** condamné offrait le mystère de sa margelle, de sa nappe d'eau invisible, de son odeur d'ombre humide, fraîche, dangereuse. Dans un puits un peu profond on peut, en se penchant au bord, apercevoir, très loin, son visage comme découpé sur le ciel et, l'eau troublée d'un caillou dérangeant le silence caverneux de son écho, se voir soudain osciller avec le retour pendulaire de petites vagues, d'ondelettes lentement assoupies (**il y avait un puits semblable, à ciel ouvert, au « jardin » d'Antoine, à Villegly; un autre au bas d'une vigne de garrigue, à « Carrière Blanche »; là, comme sur l'arrière de la cuisine de la maison de l'oncle, à Saint-Jean-du-Var se levait un figuier, arbre de ma mémoire, arbre de ma vérité; mais il n'y en avait pas aux côtés de ce puits-là, dans le jardin, près du banc**).

Dans un poème médiéval au titre mystérieux, le **« Lai de l'Ombre »** (que je ne peux pas me redire sans penser entendre son titre autrement écrit, « Lait de l'ombre », combinaison de mots qui en redouble l'étrangeté), l'image dans l'eau de l'anneau que tient l'amoureux assis sur la margelle vient brusquement se placer comme d'elle-même au doigt de reflet de la dame, pour annoncer que le monde, impossible ici, de l'amour, est au contraire réel dans l'au-delà du miroir de l'eau. Et toujours, en ouvrant le livre qui contient ce poème (une édition célèbre de Joseph Bédier, intitulée *La Tradition manuscrite du Lai de l'Ombre*, dont la finalité n'est pas la restitution du texte, mais une interrogation sur les principes mêmes de toute restitution), je me suis trouvé malgré moi face à l'image inventée par ma mémoire du puits ouvert, regardant. (Et parfois je me demande, si peut-être, aux premiers jours de notre arrivée à Carcassonne, le puits n'avait pas été, en fait, ouvert, et fermé ensuite par prudence par mon père, pour en anéantir les dangers.)

Je regarde dans le puits et j'y vois l'ombre entière de la maison, devant moi (dans la position qui serait alors la mienne, je tournerais cette fois le dos au banc, qui serait juste derrière moi, comme si, délaissant le jeu, j'avais effectué, toujours à genoux, un demi-tour, pour m'accouder au rebord, très bas, du puits) **; je vois le toit et les fenêtres ; je vois le long balcon à droite et, se penchant sur mon épaule, remuant de quelque souffle tiède de vent, je vois les pins emplir l'eau de leur feuillage, et les très sombres fusains.**

C'est une image sans inquiétude, tranquille. Est-ce parce que je la pense inventée (retravaillée d'autres regards dans l'eau d'un puits dont je n'identifie plus la position ?) que je me sens comme détaché d'elle, inconcerné, comme « en tiers » dans sa vision ; ni vraiment derrière mon visage d'autrefois ni mêlé à son reflet ? Alors que toujours, au centre du jeu, mais hors-jeu, face au banc, au centre d'une très grande multiplicité de souvenirs réels, je ressens l'appréhension irraisonnée d'une vague menace, de « quelque chose » qui me ferait, soudainement, sursauter.

Mais pourquoi ?

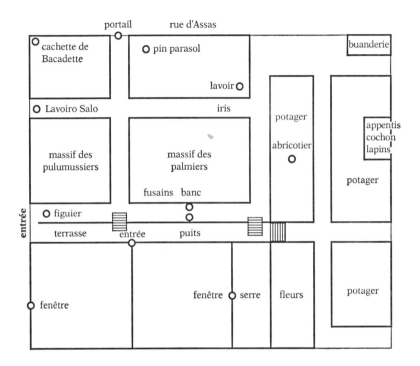

un plan du lieu, qui permettra au lecteur de se reconnaître dans ce chapitre qui n'est, au fond, qu'une très longue description

Chapitre 4

Parc Sauvage

30 Devant cette maison, tout près, s'étendait le Parc Sauvage

Devant la maison, tout près, s'étendait le **Parc Sauvage**. Je donne à chacun de ces deux mots une majuscule, comme s'il s'agissait d'un nom propre, d'un nom de personne (nom+prénom : nom : « Parc », prénom : « Sauvage »). Un peu aussi comme si je désignais de cette expression un « lieu-dit », un lieu de cet endroit des Corbières, qui aurait été dit « Parc Sauvage ». Et dans ce cas la forme linguistique marquerait simplement une distinction accordée à un nom commun (un groupement commun : nom+adjectif), par cette désignation transposé en nom propre. Mais il serait le bénéficiaire d'une nomination privée, absente de toute carte. Dans la sphère privée des nominations, cette portion d'une propriété des Corbières, dont le nom public était Sainte-Lucie, aurait reçu un nom : **Parc sauvage** (avait reçu : le conditionnel porte sur le statut de la nomination, non sur sa matérialité. Je ne l'invente pas aujourd'hui, comme nom propre d'un territoire de souvenirs. Ma mémoire en hérite).

J'ai écrit cette fois l'adjectif « sauvage » sans majuscule. La caractéristique de mon appropriation du lieu pourrait être alors celle-là : une « promotion » de l'adjectif. (Faudrait-il créer dans un tel cas une catégorie grammaticale encore inconnue, celle de « l'adjectif propre », à l'imitation de celle du « nom propre » ?) Cette nomination, Parc sauvage (avec s minuscule), purement descriptive à l'origine, partagée et reconnue entre les quelques personnes appartenant en ces années à la sphère privée des habitants de Sainte-Lucie, dans les Corbières, je l'avais reçue (oralement), en venant dans ce lieu. Je l'avais adoptée et transformée pour moi-même, privément aussi, mais cette fois dans un espace privé absolu, purement individuel. Je l'avais transmuée d'abord pour mes jeux, puis dans mes souvenirs, enfin pour la mémoire, en un Nom : **Parc Sauvage**. De telles nominations laissent des traces momentanées chez un petit nombre, traversent des récits oraux, figurent dans des correspondances, puis disparaissent. Je l'offrirais ici, nom propre de ces souvenirs, contre l'oubli. Cette interprétation n'est pas fausse.

Pourtant, je ressens ce nom comme plus et autre qu'un nom propre. Ou encore : je voudrais lui donner un statut linguistique (fictif) particulier, supposer qu'il constitue un élément essentiel dans la construction d'un langage impossible, un langage absolument privé (celui qu'un seul individu aurait en lui, langage solipsiste le plus souvent et parfois, dans la situation utopique idéale de la création d'un monde amoureux possible, « biipsiste » (ce sont de tels « mots » qu'on désire donner à qui on aime)). Ce serait dans ce cas non pas un « sur-nom » (le néologisme « sur-nom » étant ici inutilisable, non seulement parce que trop voisin du mot non coupé « surnom », qui est indisponible parce qu'il a déjà été inventé, et a, dans ses emplois courants, glissé sur une pente péjorative (il devrait être plutôt qualifié de « sous-nom »), mais aussi parce que la surcharge affective et sémantique que je cherche à marquer porte plutôt sur le deuxième terme, « propre », du terme « nom propre »), non un « sur-nom », donc, mais un « nom sur-propre ». C'est pour cette raison que je lui réserve un rôle narratif qui excède les exigences de la simple préservation d'un souvenir heureux et marquant.

On arrivait par la **grande allée de cyprès et de pins majestueux ; de très grands pins, immenses ; plus immenses encore et plus larges étaient les pins-parasols (pins à « pignes » et partant à pignons) ; allée jonchée d'aiguilles de pin, de pommes de pin (pignes) ; leur tapis brun, un peu rouille, d'aiguilles de pin sous les roues des vélos ; j'entends tout un chuchotement de roues.** L'allée s'ouvrait à un bout sur la route, une route des

Corbières, vers un village, Saint-André-de-Roquelongue (à gauche quand on sortait, sur une route descendante, le village à un kilomètre environ), à l'autre extrémité sur la cour, une grande cour devant l'entrée principale de la maison, celle qui était tournée vers l'extérieur, vers la route : Sainte-Lucie.

Du côté de l'entrée principale de la grande maison, dans la cour, il y avait généralement toute l'animation d'une « propriété » faite de vignes, d'arbres fruitiers, d'animaux domestiques (des poules, des canards, des pintades... des chiens et chats). Il y avait une fontaine dans la cour, autour de laquelle s'affairaient les volailles et les seaux. Et une pente descendait, très loin (vastes étaient les terres de Sainte-Lucie) vers **un ruisseau « frontalier », souvent à sec, comme tous les ruisseaux méditerranéens, ruisseau bordé d'une plantation de tomates, d'aubergines, de poivrons (grosses tomates extrêmement rouges ; petites tomates ovales rouges ou jaunes : des « olivettes »).** Nous n'y allions pas souvent. Il y avait là pour notre sauvagerie propre toujours trop de monde, connus ou inconnus. Mais il n'y avait jamais personne dans le **Parc Sauvage.**

Une allée ensablée, bordée d'ifs : ifs très sombres comme pour une évocation de deuil anglais ; ifs aux minuscules feuilles elliptiques, très épais de feuilles, droits ; rectitude sévère, calviniste, funèbre, des ifs ; et les boules rouges de leurs fruits bougies, comme bougies dans un arbre d'anniversaire ; ce sont des fruits qui ne sont pas des sphères, plutôt des manchons cylindriques, à peu de substance autour d'un noyau dur ; fruits tentants mais interdits de consommation (« poison ! » nous disait-on des fruits de ces arbres mortels) ; fruits de l'if très peu durs, et si écrasés entre les doigts laissant sur les doigts leur substance translucide, visqueuse ; fruits de l'if à la couleur rouge sombre ; sur l'arbre luisants avec un éclat sombre, grave mais, une fois cueillis, vite ternis, impossibles à conserver tels, frais et luisants, car ils se ratatinaient presque aussitôt, ridés, ternes.

L'allée des ifs était la plus à gauche, perpendiculaire à la façade privée de la maison, qui ne s'ouvrait pas sur la cour ; l'allée était donc parallèle à l'allée ornementale qui servait d'entrée majestueuse depuis la route ; et les ifs épais, sur son

bord gauche (contre une grille ? un mur ? la grande allée en contrebas ?), isolaient le Parc Sauvage ; il commençait là, touffu, serré, à quelques mètres seulement de la maison ; entre le parc et la maison, je vois une étendue de gravier ; je vois une autre allée à droite, parallèle à la première, contre un mur, un assez haut mur. (Derrière ce mur il y avait une vigne, qui était une vigne pour raisins, pas pour le vin.) (Par la succession énumérative sans verbes, et le maintien d'une particularité de ponctuation, je « soutiens » (et parfois remplace) les occurrences répétées de « je vois », le « signe » que j'ai choisi (accompagné, à l'écran, d'un mode particulier d'expression des caractères) pour manifestation d'une famille d'images-mémoire.)

Dans l'allée, dans le sable ensoleillé, au pied d'un if, le plus sombre, une colonne de fourmis noires ; avec un petit seau d'eau, un seau à sable de plage, et de l'eau prise dans la cour, à la fontaine, l'obstacle d'une flaque interrompait les lignes militaires de transport des fourmis ; je troublais, nous troublions l'affairement des fourmis transporteuses de graines, les fourmis des régiments d'un « génie fourmilier », pontonnières en brindilles ; mouvement perpétuel de circulation fourmilière dans les deux sens ; croisements, mots de passe, reconnaissance d'antennes ; concentrations, coagulations noires autour d'une énorme guêpe morte (comme des lilliputiens autour du géant entravé, Gulliver). Cette image a un nom : l'If aux Fourmis. Elle a produit une provision d'images-fourmis pour toute mon existence.

Or j'avais choisi cette image-là pour une image de début, au cours d'une première tentative d'écriture du Grand Incendie de Londres (roman). Mais, conformément à ce qui me paraissait être l'un des plus stricts principes de la transposition romanesque d'événements appartenant au réel biographique d'un auteur, j'avais prêté cette vision à un personnage différent de celui qui devait être envahi par le « moi fictif » du romancier, dont cette version (que je décidai ensuite, après l'avoir abandonnée, « naïve ») était encombrée. Il y avait une « raison » stratégique, très consciente, à ce déplacement. Mais les répercussions de plus en plus nombreuses et de plus en plus lointaines de mon choix, les cercles concentriques des réverbérations de cette grosse chute de pierre dans l'eau mentale, se révélèrent assez vite dérangeantes. Mon « moi romanesque » s'en trouva, peu à peu, désarçonné.

31 Je ne sais pas de quel arbre, de quels arbres, vers le fond du parc

Je ne sais pas de quel arbre, de quels arbres, vers le fond du parc (d'une espèce de conifère certainement, pin certainement pas, mais sapin, mélèze ou « spruce », épicéa ? je ne les « vois » plus. Je les ai cherchés, je ne les ai jamais retrouvés, jamais nulle part reconnus : ou bien il s'agissait d'une espèce rare, ou bien, plus vraisemblablement, mon esprit a effectué une telle translation, et métamorphose de la vision, du goût, irréversiblement, que la conséquence en a été en fait la perte de toute reproductibilité réelle de l'expérience de cette image, dont l'attribut essentiel était attaché en fait à un seul sens, peu fiable dans mon cas, celui du goût), je ne sais de quel arbre les aiguilles avaient une saveur enchanteresse, imprévue. J'en avais fait la découverte, au fond solitaire et caché du **Parc Sauvage**, et je lui avais donné un nom, un nom propre : **Oranjeaunie.**

C'était le nom que je m'étais choisi pour ces aiguilles, et c'était surtout le nom de leur saveur. **Oranjeaunie** n'était pas l'aiguille tout entière, en fait, pas toutes les aiguilles de ce, de ces arbres ; mais **des aiguilles les plus récentes, jeunes, tirées de leur fourreau résineux et mâchées, seule comptait la partie profonde, cachée, seule leur couleur, un jaune pâle, et leur goût, un goût d'orange ; oranjeaunie ; Oranjeaunie.** Il est vrai que je ne sais pas si leur goût était, vraiment, proche de celui de l'orange. Mon crâne ne conserve pas l'image de cette saveur. Sans aucun doute, l'imagination d'une telle parenté fut à la source de mon « invention » linguistique. Le germe tendre et secret de ces aiguilles avait un goût d'orange, mais pas la couleur. J'avais inventé un mot-valise, conflagration d'une saveur (orange) et d'une couleur (le jaune).

Mais si je n'ai retrouvé plus tard, en aucun conifère, la moindre trace de ma révélation, est-ce seulement parce que mon souvenir s'en est perturbé au point de ne plus permettre la reconnaissance ? Ce n'est pas sûr. Car il est clair que l'identification conduisant à la nomination, à l'occasion d'un quelconque des essais de saveurs auxquels nous nous livrions sur toutes espèces végétales, à l'exception des quelques rares identifiées après avertissements de parents ou d'instituteurs comme dangereuses (à tort ou à raison : était-ce le cas des baies de l'if ? était-ce le cas de l'**Oranjeaunie** elle-même, poison personnel, et secret imprudent ? Je ne le savais pas mais je gardai ce possible, cette menace, dans le jeu), l'identification reposait sur une imagination-souvenir de ce qu'était une orange. Et l'orange était un fruit qui avait totalement disparu de mon expérience gustative depuis, au plus tard, l'automne de 1940. La stabilité d'une telle mémoire des saveurs peut être mise en doute.

Plus précisément, même si mon identification d'une parenté entre le goût de la racine d'aiguille et l'agrume avait quelque chose de légitime, alors, il n'est pas du tout certain que cette parenté-là ait pu être préservée, après des années, avec continuité. En premier lieu parce qu'il m'aurait fallu, entre tous les essais de bouts d'aiguilles auxquels je me livrai assez systématiquement pour retrouver l'**Oranjeaunie** (surtout aux premiers moments du **Projet** et du **roman**, parce que je désirais lui donner un grand rôle), et c'était donc bien longtemps après la fin de la guerre, séparer de façon irréfutable cette affinité partielle, peut-être à l'origine déjà assez distante et fragile, entre « orange » et miette végétale (dont la consistance, de toute façon, était très éloignée de celle d'un fruit), de cette autre, beaucoup plus évidente, qu'entretiennent, dans l'âcreté, toutes les aiguilles de conifères entre elles. De plus, je n'étais pas préparé à faire ce genre d'expériences, n'ayant aucun entraînement au sens du goût comme en ont, par exemple, les dégustateurs de vins.

En second lieu parce que, quand je me suis avisé de tenter,

pour les besoins de la prose de roman et simultanément comme stimulus de compositions poétiques, de retrouver l'arbre de l'**Oranjeaunie,** je me guidai tout naturellement sur l'expérience de l'orange-fruit, redevenu depuis longtemps abondant, et même banal (je ne tiens pas compte, ici, de sa chute de qualité due à la commercialisation quasi industrielle, dont j'ai pu constater, par contraste, l'ampleur quand nous avons, Alix et moi, rendu visite à ses parents à la Noël de 1981, en Tunisie où les avaient conduits les hasards administratifs de la diplomatie canadienne). Or l'**orange** introduite par effraction dans l'**Oranjeaunie** n'était, elle-même, qu'une orange de mémoire, et, plus significativement encore, quand elle nous était présentée dans les récits de ma grand-mère, un symbole. Elle était, majusculée, l'**Orange,** à la fois le symbole de l'abondance perdue, celle de l'avant-guerre, et celui de l'abondance future espérée dans la liberté, incarnée par l'Amérique (une Amérique d'ailleurs elle-même racontée), où elle nous serait de nouveau offerte, fruit ruisselant de la paix, luxe aigu de la soif.

Dans chaque aiguille précautionneusement tirée de sa base résineuse, j'isolais le tout début tendre et pâle, cela, une « oranjeaunie », et je le mordais, en prenant bien soin de ne pas empiéter sur la partie verte et proprement conifèrienne dont l'âpreté aurait entièrement oblitéré l'essence subtile, émouvante, l'« esprit » orangé sur ma langue ; la moindre erreur était fatale, et je ne pouvais alors retrouver le goût d'Oranjeaunie qu'après m'être débarrassé de celui, pas désagréable mais différent, trop puissant, tenace, de sapin (j'écris « sapin » par abus de langage, puisque il ne s'agit sans doute pas d'un sapin, mais la saveur est à peu près la même dans toute cette famille végétale).

Du côté de l'autre extrémité de l'**Oranjeaunie** (en tant que réel physique), de son immersion dans le corps de l'arbre, il y avait une autre substance à éviter, la résine. La moindre trace de résine devait être, dans l'**Oranjeaunie,** aussi impérativement absente que la moindre parcelle de vert végétal. Car la résine n'était pas plus « orange » que le vert de l'aiguille, et son goût pas moins dominateur. Or j'avais une attirance violente pour la résine. J'aurais voulu passionnément qu'elle fût aussi comestible qu'était saisissante son odeur, transparent et lucide son surgissement naissant d'une blessure des branches, du tronc, étrange son durcissement-assombrissement en un ruisseau figé, puis en gouttes de gomme brunes que je grattais de l'ongle sous l'écorce. Pourquoi ? parce que la famille des résines avait une parenté de consistance, de luminosité, d'écoulement lent réticent avec une autre denrée précieuse disparue aussi depuis les temps de l'abondance : le miel. Il y avait, en arrière-plan de la parenté **orange-Oranjeaunie** une autre assimilation, de même nature émotionnelle, une équation **résine = miel**, qui ajoutait à son intensité métaphorique. (Je ne dis pas du tout que cela avait joué, de manière consciente, dans mon invention langagière. Je pense cette correspondance maintenant, écrivant.) (Si aucune expérience d'orange n'a été contemporaine de mes recherches sur l'**Oranjeaunie**, j'ai eu, en revanche, une rencontre que je dirais extrême, avec le miel, dans le refuge d'espace-temps qu'entoure et symbolise le **Parc Sauvage**.)

Plus tard, pendant les années qui me parurent d'exil, à Paris en 1945, à Saint-Germain-en-Laye, puis de nouveau à Paris, dans le XIXe arrondissement, c'est-à-dire avant que la notion même d'exil achève d'être caduque, quand il fut clair qu'il n'y aurait jamais pour moi d'autre condition, qu'il n'y aurait donc pas de « retour d'exil », le **Parc Sauvage** devint, par métonymie, le lieu de l'enfance. L'**Oranjeaunie**, alors, en même temps qu'un trésor caché, en fut le nom, le nom propre, le titre. Au début du **Projet**, j'avais pensé à prendre ce mot comme titre pour le livre de poèmes que j'ai achevé et publié sous un autre (le *« livre dont le titre est le signe d'appartenance »*). Mais j'hésitai, penchant plutôt finalement pour son emploi dans une des parties du roman, **Le Grand Incendie de Londres** : je n'aurais pas, dans le roman, directement élucidé le mot. Il aurait fait partie des mystères romanesques qui seraient nés par la « chute » de ce qui devait être l'énigme constitutive du **Projet**. L'image de l'**Oranjeaunie** et l'image des fourmis dans l'allée des ifs en route vers la masse obscure d'une porte (images qui devaient se trouver associées dans la constitution de ces mystères) s'y seraient trouvées toutes deux occuper les foyers d'une ellipse narrative, à centre absent.

Plus récemment, quand j'ai entrepris, ayant renoncé au **Projet** et au roman, ce qui est maintenant ce commencement d'une forêt interminable de pages que j'écris, j'ai de nouveau été tenté de nommer **Oranjeaunie** une branche de mon livre, puis, abandonnant aussi cette idée, un seul chapitre, ce chapitre. Mais je n'ai même pas été capable de maintenir cette intention. (Je laisse ici cette « impuissance » sans explication. Toutefois je me promets d'y remédier, comme d'habitude, plus tard (je ne suis pas avare de promesses narratives).)

32 Ma vision passe sans explication ni transition aucune

Ma vision passe alors sans explication ni transition aucune de l'**Oranjeaunie** au **Vieux Bassin**. Elle franchit, mais très difficilement toutefois (et uniquement à l'aide de la désignation : c'est un passage déductif de terme à terme) un fossé de pur oubli. C'est un passage qui est comme une esquive. Ce temps, sa résine, sa glu, me résistent. Je sais (mais comment ?), que le **Vieux Bassin** se trouve au-delà du fond du **Parc Sauvage**, et la géométrie naturelle du monde supposé euclidien m'enseigne qu'il devait se situer aussi en deçà de la route descendante, celle qui conduisait à Saint-André-de-Roquelongue. Mais je le vois entièrement isolé, sans qu'aucun de ses accès ait en apparence laissé en moi le plus modeste point de pénétration. Je n'arrive pas à recomposer la moindre bribe d'un « entre-deux ». Le **Vieux Bassin** est un monde dans le monde du **Parc Sauvage**, mais autonome, comme plus éloigné encore dans le temps que le parc lui-même. En plus, je le vois de l'intérieur. **Je suis** au fond du **Vieux Bassin**, depuis très longtemps sans eau, puisque envahi d'une végétation effervescente, sa maçonnerie crevée, ruinée.

Or la responsabilité de cette destruction m'apparaît devoir être entièrement assumée par les figuiers. **De grands figuiers sur les bords du bassin ; un figuier même a poussé au fond,**

dans un coin (si ma vision est exacte, cela signifie que le **Vieux Bassin** est depuis très longtemps à l'abandon). C'est là que l'instant pérénnisé de l'image rejoint celui, non moins figé dans son illusoire identité éternelle, du figuier de Saint-Jean-du-Var. **Des grands figuiers au bord du bassin brûlant tombent les figues brunies de soleil, les figues resserrées sur elles-mêmes autour du sucre et du soleil, les figues pennèques de septembre.**

Et la figue pennèque est l'aboutissement parfait du fruit. C'est là une vérité que je reçus de mon père à Toulon en 1942, une vérité familiale donc, à laquelle mon goût adhéra sans réticence, entièrement et définitivement (j'ai abandonné bien des croyances, que je croyais raisonnables, pas celle-là). Les figues pennèques au fond du bassin de Sainte-Lucie, dans les Corbières, en septembre de 1943, constituèrent la vérification expérimentale de cette vérité. La figue est par excellence un fruit intransportable, presque inséparable de l'arbre. On ne peut la plupart du temps le manger qu'immédiatement cueilli. Rien n'est plus éloigné du fruit réel, rien n'est plus pitoyable qu'une « barquette » de figues offertes à des naïfs sur un marché parisien. Encore peut-on envisager (et cela se rencontre effectivement) de mettre de telles choses fades en vente (elles trouvent même de malheureux acheteurs, qui ne se doutent de rien). Mais je n'ai jamais vu nulle part vendre de figues pennèques. Il s'agit bien là d'une singularité irréductible (plus infranchissable encore que celle de la mûre de ronces, qui partage pourtant avec elle le trait de non-rentabilité (on élève, on vend des mûres d'élevage, qui ont de la fadeur et surtout, symboliquement, poussent sur des ronces « sans épines » !), qui à mes yeux en fait un fruit symbole de la saveur intransmissible du passé. (Le seul devenir parallèle de la figue est la figue sèche, qui constitue (comme l'est la datte telle que nous la connaissons) une mise en « herbier » de la saveur : brune comme la datte, à même distance qu'elle du fruit, de teinte grise-brune à l'opposé de la figue vraie, « blanche » ou noire, tels le coquelicot noir ou le bleuet fané entre les pages d'un cahier. Mais la *pennéquisation* est de beaucoup supérieure à l'assèchement, parce qu'elle conserve plus d'humidité, et la

135

consistance vivante du fruit, toujours fragile, mais plus fragile encore dans la proximité de la dissolution.)

Comme échappés des larges feuilles vert sombre des figuiers, ou comme issus par génération spontanée des crevasses du sol et des parois du Vieux Bassin, de grands lézards vert violent, abasourdis de chaleur et de lumière, régnaient sans concurrence, même pas effrayés par ma présence, qui restait prudemment distante, à cause de leur réputation (peut-être imméritée) de combattants aux morsures redoutables ; l'un d'eux me regardait ; il me regardait, il me regarde, se secoue un peu de sa torpeur, et s'enfonce dans la ténèbre maçonnière, ou disparaît vers le haut, vers la jungle de ronces, de graminées et de fenouils où se découpait le Vieux Bassin ; dans chaque fissure plus petite, lèvres minces dans la maçonnerie, un régiment de petits lézards gris espiègles et une cohorte de couleuvres ; aux bords des rides de fissures, les petits lézards vifs et gris me regardaient, me regardent, la gorge palpitante, pâle, curieux. Les couleuvres glissent, chuintent.

Parc Sauvage, Oranjeaunie, Vieux Bassin, dessinent un triangle onomastique où chaque mot majuscule est à fonction symbolique, presque allégorique (« Vieux » dans Vieux Bassin n'est peut-être même pas un antonyme de « nouveau », par exemple. Je n'identifie, dans le monde révolu du Parc Sauvage, aucun autre bassin, aucun « nouveau bassin » ayant remplacé celui-là, pour réserve d'eau et arrosage) : allégorie de l'enfance, de l'enfance dans l'enfance, enfance absolue. Car tout ici est plus rare, plus parfait, et plus parfaitement passé qu'ailleurs : la « campagne » autour du **Parc Sauvage** (on nomme ainsi, dans l'Aude, ce qui ailleurs est dit « ferme »), la durée (quelques semaines en peu de séjours, des vacances, que pour les besoins du récit, mais pas seulement, je condense ici en un seul, une fin d'été, un début d'automne), la surabondance ivre de liberté, de soleil (dans les Corbières encore presque inhabitées : un contraste avec la ville), le grand mystère aventureux de l'endroit.

J'avais peuplé le **Vieux Bassin,** le territoire le plus secret du **Parc Sauvage,** plutôt que de la luxuriance totalement inimaginable dans le décor sévère des Corbières du *Livre de la Jungle* de

Kipling (il ne m'a jamais persuadé, avec ses boas et panthères aux dimensions excessives, ses *bandarlogs* bavards, et son ridicule et inepte enfant sauvage, Mowgli), du danger imaginaire des cobras (dont le rôle pouvait être facilement tenu par les pourtant inoffensives et très timides couleuvres), et de leur ennemi mortel, le héros d'une de mes nouvelles préférées : *Rikki-Tikki-Tavvi* (pour ce rôle j'avais choisi un grand lézard vert à l'allure décidée, baptisé, au moyen d'une distorsion beaucoup plus grande, mangouste). Je faisais vivre le drame, jusqu'à ce que l'excès de soleil et de figues me chasse, vers l'ombre des ifs, ou les raisins.

Sainte-Lucie avait dû être antérieurement une propriété plus vaste, mieux entretenue, plus riche. Le **Parc Sauvage**, et le **Vieux Bassin** étaient sans doute les vestiges d'un « jardin d'agrément » et de l'eau avait probablement autrefois rempli le bassin, alimentée par un savant système de captation des sources et pluies, des rigoles et des inclinaisons de dalles de pierre sèche dans les chemins y persuadant toutes les eaux de ruissellement (comme il en existait un peu partout, en Provence, en Catalogne, en Languedoc, avant les ruines successives et conjuguées du dépeuplement rural, du tourisme et des « demeures secondaires », ce cancer dans l'art de la mémoire des paysages). Il y avait aussi, séparée des autres par sa topographie (entre l'arrière de la maison, le Parc et un petit bois de pins), une vigne de dimensions modestes mais entièrement plantée de ceps producteurs de raisins nobles, des raisins élevés non pour le vin, mais, selon l'expression consacrée, pour la table. C'était, pour nous, **La Vigne** (« La », article-adjectif, mieux, article-propre, troisième terme de mon invention linguistique, nécessaire pour la « lecture » de la langue dans la poésie).

Elle suffisait, presque seule, avec les figuiers, à nous nourrir. Car, en dehors des tomates et de quelques autres fruits, quelle autre nourriture aurions-nous pu trouver en abondance que le raisin ? Il était notre sucre, nos vitamines. Il comblait l'insistante faim laissée par les « rations » insuffisantes, par les trop rares volailles, l'absence presque absolue de viande, le mauvais pain. **Tels des moineaux, telles des grives nous allions plonger nos visages sous les feuilles, cueillir, ou mordre à même les** grappes, allonger nos jambes nues couleur de terre sur la terre sèche, brûlée, des sillons entre les ceps, et manger, jusqu'à plus soif, jusqu'à l'ivresse, les raisins chauds, sucrés, liquoreux, lourds ;

triangle de couleurs des grappes : muscats ; muscats noirs, muscats blancs, aramons roux ; « olivettes » blanches presque vertes au goût énervant, accrocheur ; nouveaux jeux : égrener la grappe ; prendre tous les grains d'une lourde grappe dans les mains, les frotter de la poussière, les faire briller, billes, luire ; peler les grains un à un avec soin, les épépiner des dents sans détruire la consistance du raisin, cracher les pépins, laisser couler le jus sur la langue, avec une lenteur fébrile, une lenteur d'animal du désert, de gerboise, manger la chair, mais garder la peau de chaque grain dans un coin de la bouche, dans la joue, comme font les hamsters ; conserver dix, vingt, cinquante peaux de grains de raisin ; résister au désir, au besoin de les manger ; puis les manger d'un seul coup. Enfin.

33 Je suis resté, dans cette description, entièrement en dehors.

Je suis resté, dans cette description, uniquement attaché à quelques lieux, et entièrement **en dehors.** Je ne suis pas entré, par exemple, dans la maison. Je ne vois la maison, d'ailleurs, que dans un contexte hivernal, de froid relatif, parce que l'hiver m'y enfermait, parce que je ne pouvais pas, alors, faire autrement, par défaut en somme. Je ne m'en souviens que comme partie d'un autre monde, qui n'est plus celui du **Parc Sauvage**. Comme si j'établissais spontanément, en retrouvant les années, une cloison entre intérieur et extérieur (parallèle à celle qui existe dans la mémoire) qui bornerait aussi des pays saisonniers, aux communications rares.

Mais c'est, plus décisivement encore, qu'en fait mon souvenir est presque entièrement enfermé dans les quelques images que j'ai décrites (et de très rares autres dont je vais parler dans les prochains « moments » de ce chapitre). Elles sont intenses, mais fixes, mais quasiment isolées, chacune d'elles strictement autonome, liée seulement aux autres par un effort volontaire, actuel, de connexion narrative, non par les sauts inévitables d'un cheminement spontané dans le labyrinthe des souvenirs.

Le contraste est absolu avec l'image de la fleur de gel qui commence mon chapitre premier : l'image, dans ce cas, ne « reste pas en place » ; elle suscite une arborescence profuse d'autres visions, dont j'ai choisi de ne décrire, alors, qu'une très petite partie.

Plus net encore est le contraste avec un territoire au moins superficiellement comparable, celui du jardin qui est le décor unique du chapitre 3. Le jardin n'a pas de nom « propre », mais je peux le « voir » dans son ensemble (même si cette vue est nécessairement fictive, physiquement une impossibilité). Je n'ai au contraire aucune vue générale du **Parc Sauvage** ; mais uniquement de sa lisière, des ifs...

Est-ce parce que la totalité de ces souvenirs est restée enfouie sous leurs noms, **Parc Sauvage, Oranjeaunie**...? simplement parce qu'ils avaient reçu des noms ? parce que l'attribution de noms les fixait, mais les isolait en même temps les uns des autres ? et tranchait dans le mouvement continu qui, dans le jardin de la rue d'Assas ou dans ma chambre hivernale, par exemple, m'envoyait sans cesse « ailleurs » ?

Je m'objecte aussitôt que dans le chapitre du jardin j'ai eu affaire aussi à des noms, et surtout à celui d'un jeu, **S'avancer-en-rampant**, qui appelle la vision du banc (vision à la fois « aveugle » et voyante !). Mais la situation est différente. Le nom du jeu n'est pas celui d'un endroit. Il suppose même au contraire une multiplicité d'endroits, et une multiplicité de déplacements entre eux. La singularité du **Parc Sauvage** demeure.

Il n'est pas impossible non plus, et ce serait en accord avec mon « hypothèse » de l'affaiblissement, puis de la destruction-reconstruction des souvenirs par l'évocation et encore plus par la fixation sur le papier, que je l'avais presque oblitéré déjà dans ma mémoire quand j'ai tenté, à plusieurs reprises, de faire servir ces images au roman et aux poèmes du **Projet**. C'est cela qui a eu également pour effet d'effacer (ou de rendre momentanément inaccessibles, sans « sésame ») les autres images, voisines (peut-être pas aussi nombreuses que dans le cas du jardin pour des raisons tenant aux durées inégales des séjours respectifs, mais certainement présentes, et variées, à l'origine), en rompant les liens d'association.

Il reste cependant (en contradiction nette avec l'hypothèse d'affaiblissement) que ces images sont restées très fortes. Je peux supposer (position sceptique spontanée) que cette intensité est illusoire, qu'elle tient à l'intensité d'autres moments, ceux de la composition poétique où l'**Oranjeaunie**, par exemple, autrefois, devait, magnifiée, symbolique, iconique, apparaître. Je ne l'exclus pas.

Je préfère cependant une autre interprétation, qui est bien mieux en accord avec la direction générale de ce chapitre : que la force initiale de ces visions était très grande ; qu'elles restent donc intenses encore aujourd'hui. Et j'y vois pour « preuve » l'intervention des sens, pour moi, rarement réévocables intacts dans le temps : le toucher, le goût. Et la présence vive des couleurs : couleurs propres.

34 De la Rue d'Assas (Carcassonne) à Sainte-Lucie

De la Rue d'Assas (Carcassonne) à Sainte-Lucie (nom « public » de ce qui était pour moi, avant tout, le **Parc Sauvage**), la distance par la route, à vélo, était d'une cinquantaine de kilomètres. Faire le même parcours par le même moyen serait, aujourd'hui, un véritable supplice, et une expérience dangereuse, en tout cas pendant toute la première partie du trajet qui suivait, par Trèbes, Capendu, Barbaira, Moux, la « Nationale » (qui ensuite s'en va vers Lézignan-Corbières, et plus loin encore, Narbonne). On bifurquait sur la droite, on traversait Fabrezan (village natal de Charles Cros : l'Aude est un département de poètes : Reverdy (Narbonne), Anne-Marie

Albiach (Moux)). C'était la plaine fluviale encore. Mais très vite la route entrait dans les vraies Corbières, avec conséquences immédiates et perceptibles pour le cycliste : on montait.

Les années 40-45 furent des années bénies pour le vélo. Les routes étaient presque entièrement libres de voitures. Notre première visite à Sainte-Lucie eut lieu pendant les vacances scolaires de 1940 ou 1941. J'avais juste huit (ou neuf) ans, mais je trouvais naturel de faire ces quelques dizaines de kilomètres sur les routes en déplaçant une machine plutôt rudimentaire (les « changements de vitesse », par exemple, lui étaient inconnus. Je ne parle pas de son poids ! N'importe qui, aujourd'hui peut commander à un vélo à peine plus lourd qu'un paquet de cigarettes, qui se met en mouvement, semble-t-il, sur une simple poussée du doigt et roule presque sans contribution aucune des muscles), pour un trajet à peine plus long que celui que je parcourais parfois, en croisant et recroisant dans les allées du jardin, rue d'Assas.

Il y avait malgré tout, une fois entrés vraiment dans les Corbières, quelques montées redoutables. Des moments d'arrêt, de repos après efforts intenses, peut-être, m'en ont préservé trois visions, dans chaque cas peut-être aussi le contraste brusque de leurs images avec le décor habituel et attendu au déroulement de la route. Pour la première certainement l'étrangeté, la sauvagerie de l'endroit. Sauvagerie qui a facilité l'annexion de cette image à l'ensemble de celles, distantes de plusieurs kilomètres selon la topographie réelle, qui constituent la configuration dans ma mémoire de ce que j'ai nommé **Parc Sauvage**. L'« adjectif propre », le sur-adjectif, **« Sauvage »,** unifie (l'oubli ayant englouti presque entièrement les paysages intermédiaires de vignes, trop familiers), « raboute » ainsi des lieux éloignés, supprime toute discontinuité, impose un espace connexe de souvenirs, et une autre continuité, une autre topologie (comme les jeux agissant sur celle du jardin).

Premièrement donc **un village, le nom d'un village : Villerouge-la-Crémade ; un arrêt de fin de matinée sous un ciel couvert (rareté d'un ciel bas dans les Corbières) presque froid ; quelques maisons ; partout l'argile ; argile rouge ; le rouge propre, rouge même, vraie couleur ; quelques maisons en bord** de route, en pente brusque ; le vélo posé contre un muret, en haut de la côte ; arrêt, prolongement naturel de l'instant de suspension, à vitesse nulle, avant l'ivresse de la descente, à l'air abandonné, ruiné, sévère, nullement paisible ; silence sans soulagement ; Villerouge la « brûlée » ; privé de sa violente lumière ordinaire, désert, l'instant du passé semble d'après incendie ; et rien ne le repeuplera.

Je l'ai, longtemps, mise au centre d'imaginations fictives « stevensoniennes » (le Stevenson sévère qui écrivit *Le Maître de Ballantrae*, pas celui, plus séduisant, de *L'Ile au trésor*), nourries du récit des grands bandits, Mandrin, Cartouche, Rocambole. *L'Auberge rouge*, c'était là (j'en demande pardon à ses honorables pacifiques vignerons habitants d'autrefois, et d'aujourd'hui, s'il en reste). Le rouge de Villerouge était un rouge sombre, sanglant, comme d'un sang versé, ancien, bruni, comme l'argile venue d'une saignée de la terre, dans l'orage, et pétrie et calcinée pour en faire ces murs quasiment sans ouvertures, sans yeux bleus.

Je m'éloigne encore et **je vois,** en une deuxième vision, **je ne sais quand ni par quel chemin, à grande distance, depuis la hauteur, la mer (La Mer)** (avec article-adjectif, qui est son « article propre », véritable même cette fois) ; **comme une « écume bleue » son scintillement lointain dans le soleil immatériel, retrouvé, incessant.** La mer inaccessible, mais espérée pour plus tard, « après la guerre » ; **je ne vois qu'une goutte étroite de mer, une goutte bougeante, petite, écumeuse et bleue ; elle est à peine une discontinuité scintillante dans l'océan de l'horizon, l'océan-ciel, presque imperceptible entre les rochers, les collines chutant l'une sur l'autre jusqu'à l'imprécision due à l'air, à l'air trop clair, au soleil-brume.** Le futur alors, la paix, étaient ainsi.

Paix enfin, paix absolue du troisième de ces moments, dans **l'abbaye de Fontfroide** dont je demeure encore, aujourd'hui, voyant : ces trois visions ont une communauté d'approche, le mouvement du vélo dont l'allure n'est ni celle de la marche qui laisse trop de temps pour s'habituer, qui atténue la surprise, ni l'excès de rapidité de l'automobile, instrument de la boulimie touristique aveugle, qui troue l'étoffe des paysages, déchire les lieux de leurs abords (d'où quelque chose non d'une déception mais du sentiment d'un manque de transition quand pour la première fois dans l'après-guerre je repassai par Fontfroide, en route vers Agde, avec les Harnois, c'était l'été de la mort de Staline, nous avons appris sur la route l'arrestation du sinistre Beria).

Oasis de fraîcheur réelle, mais au moins autant suscitée par le nom, par l'appel d'eau de « Font- », qui est « fontaine », et par l'offre d'une délivrance de la canicule que promet « froide », mot non « valise » mais de fusion, **Fontfroide; fontaine de silence dans l'assourdissement des cigales, des criquets, des pneus de vélo crissant de freins sur le chemin tournant, descendant, poussiéreux, dans la lumière poussiéreuse et bruyante d'août; ombres médiévales invisibles à déambulation rectangulaire, ombres silencieuses protégées par la pierre, par le trésor de l'eau nourrice de paix, par la pierre vertueuse protectrice des contemplations muettes.**

Et les murs entiers du quadrangle intérieur, de l'espace géométrique réservé à la lente séculaire circulation méditative étaient couverts de glycines; un parfum invraisemblablement intense rayonnait de leurs grandes grappes bleues; pas le bleu de la mer tel qu'en ma deuxième vision, **un bleu plus clair; ni le bleu un peu violet des iris, mais un bleu bouclé, léger et froid comme une eau sortie en mousse d'une bouche de fontaine (parfum comme chargé du sucre enclos dans le nom mouvant de la plante qui rampait sur les murs, qui se faisait robe des murs, à grappes d'un raisin de fleurs,** hors du passé glauque, **glycine).**

J'avais gardé ces trois visions parce qu'elles faisaient partie évidente du **Parc Sauvage,** parce qu'elles s'ajoutaient par la menace désolée, terrible, ou bien l'espoir, ou l'enchantement, à la découverte secrète de l'**Oranjeaunie** (et chacune en était comme une face, un déploiement de possibles associés à mon invention). Elles ont fait partie, je le vois, du monde, du mien mais, dirais-je, elles ont plus été monde que le monde même. Elles me présentaient, même si je ne le savais pas, tout ce que le monde tenait pour moi en réserve de merveilleux, de rare et, inséparablement, d'inquiétant.

35 Sainte-Lucie appartenait à Camille Boer.

Sainte-Lucie appartenait à Camille Boer. L'emploi de Camille, comme prénom masculin (c'est aussi le deuxième prénom de mon père) est, je crois, plutôt une caractéristique méridionale en France, et datée. Je vois, dans sa « romanité » un des poteaux-frontières entre l'oc et l'oïl, pas tellement que le nom soit si souvent donné aux filles, dans les pays au nord de la Loire, aujourd'hui (je ne l'ai jamais rencontré chez mes étudiantes de Nanterre : je regarde toujours l'évolution générationnelle des prénoms, année par année, en corrigeant mes copies de « partiels »), mais à cause d'une délicieuse chanson du XVIIIe siècle, que j'ai apprise enfant (et je ressens le XVIIIe siècle, je ne sais pourquoi, comme emblématique de l'irréductible étrangeté en moi du « français ») : « Camille, un jour à son amant / Qu'elle adorait à la foli i i i yeu / Donna un rendez-vous galant / pour satisfaire son envi i i yeu/... »

En fait, Camille Boer était catalan. Il avait, avant la guerre (la guerre d'Espagne), possédé une petite industrie d'instruments orthopédiques (héritée ?), et quelque fortune. Anarchiste, comme on croit que le sont volontiers les Catalans, même quand ils ne le sont pas, il avait consacré la totalité de ses ressources catalanes à financer l'achat d'avions de combat pour la République, en pure perte d'ailleurs, à cause de l'infâme « non-intervention » qui les avait bloqués à la frontière. Il racontait son entrevue avec Léon Blum, qui refusait obstinément de les laisser partir clandestinement, disant, d'après lui « je ne peux pas ! je ne peux pas ! », pleurant presque (et le républicain Boer racontait cette scène avec indignation et mépris, comme preuve d'une lâcheté et veulerie invraisemblable chez un Premier ministre du Front populaire, récit qui me fit une impression d'autant plus forte que ce n'était pas, mais pas du tout son habitude de porter de tels jugements sur les êtres humains (je n'en excepte même pas les franquistes et les nazis, car il croyait à l'humanité des humains, en général)). En 1939, il s'était réfugié de l'autre côté de la frontière, dans cette « campagne » qui était à lui par sa femme, Laurentine, une Narbonnaise. Il avait d'abondants cheveux blancs dans un visage très brun, très rond et il était donc grand-père, un grand-père jeune, enthousiaste. Nous l'appelions, comme ses petits-enfants, comme tout le monde parmi ses proches, Camillou.

Sainte-Lucie, je m'en rends compte en raisonnant mes souvenirs (l'existence même du **Parc Sauvage**, du **Bassin**, de **La Vigne**, et l'ampleur des bâtiments, l'étendue des terrains plantés en vignes, les dimensions de la cour centrale, le nombre des personnes qui travaillaient et logeaient sur place) avait été, et était encore une « grande propriété ». Camillou y avait recueilli et y employait des ouvriers agricoles, pour la plupart catalans et anarchistes comme lui (les hommes petits, brûlés, sauvages, leurs femmes ou amies petites, brûlées, sauvages, à la voix rauque, avec d'extraordinaires prénoms bien peu anarchistes parfois : Concepcion, Esperanza, Incarnacion !), et il faut bien dire que la situation de « patron » ne lui convenait pas du tout, ni idéologiquement, ni humainement, ni moralement, ni pratiquement. Mais dans les conditions précaires, autarciques et faméliques de la guerre, l'arrangement « fonctionnait » tant bien que mal. (Et pour nous, enfants citadins livrés à cette bienheureuse atmosphère, invraisemblablement bien.)

Sainte-Lucie ne survécut pas longtemps à la Libération. Camillou dut vendre, tenter sa chance dans de nouvelles « affaires », où sa croyance jamais démentie, « rousseauiste » au sens banal du mot, en la bonté intrinsèque de la nature humaine, jusques et y compris (ce qui est plus difficile encore à soutenir) et à de très rares exceptions (toujours les franquistes et nazis, et jamais individuellement) incarnée en des êtres humains réellement existants (comme on parlait, il y a encore peu d'années, de « socialisme réellement existant »), lui valut d'innombrables et sans cesse renouvelées désillusions. Il eut confiance en des mines de soufre (trop longtemps), en l'aménagement du Languedoc (trop tôt) dont plus tard se fit gloire son « ami » Philippe Lamour. Il vivait alors à Toulouse, venait parfois nous rendre visite à Saint-Germain-en-Laye, où nous allions dans le jardin à sa rencontre avec les cris d'une joie non feinte : « Camillou ! Camillou ! » Comment dire ? Si sa croyance au bien dans le monde peut paraître, sous l'éclairage de la raison, indéfendable et naïve, il y avait au moins un être au monde pour la justifier par l'exemple : lui-même. Il était bon.

Sa bonté n'avait pas seulement le fondement théorique d'une mise en conformité de sa vie avec sa pensée. Elle coulait de source. La bonté était en son être, en chacune de ses attitudes, de ses comportements. Et cela était particulièrement visible dans ses rapports avec les enfants. (Je me demande aujourd'hui, bien sûr, si l'aspect essentiellement bénéfique d'une telle unité morale n'était pas en partie limité à ses échanges avec l'enfance.) Les enfants l'adoraient : ses petits-enfants, d'abord, les fils de sa fille Noëlle, « petit Jean » et « les jumeaux ». Et nous, mes frères, ma sœur, et moi, bien sûr, dès l'instant où nous l'avons connu. Son indulgence était tellement peu démagogique que nul n'en abusait. Il était naturellement et sans hésitation de plain-pied avec les enfants comme avec tout être. Et les enfants s'approchaient de lui avec une confiance immédiate, instinctive, animale.

Quand il arrivait, revenait dans la voiture à gazogène (l'invraisemblable ersatz de l'essence « réquisitionnée »), c'était immédiatement la joie et la fête. Il arrivait avec des cadeaux, ou il arrivait sans cadeaux, mais la joie était toujours la même, cris, rires, embrassades, danses. A l'un de mes derniers séjours à Sainte-Lucie, en 44 vraisemblablement, il m'emmena un jour avec lui à Narbonne. Nous sommes revenus avec des huîtres, d'incomparables huîtres, comme à Saint-Jean-du-Var. Nous avons ouvert des huîtres dans l'immense salle à manger froide, dans la lumière blanche de l'hiver.

Quand la question du destin ultime de notre cane, Bacadette, se posa, quand il devint clair pour tous qu'il serait impossible, faim ou pas faim, de l'immoler (et quand par ailleurs, notre départ de Carcassonne s'annonçant, il apparut qu'il ne serait pas envisageable (nous l'envisagions très bien, nous !) non plus de l'emmener avec toute la famille à Paris), la solution se présenta d'elle-même : Sainte-Lucie. Mon père prit son vélo, mit Bacadette dans un panier sur le porte-bagages, nous embrassâmes avec ferveur, avec émotion, le bec, le cou, les palmes, les douces plumes du dos, le duvet du ventre, les grandes plumes du gouvernail arrière de notre vieille amie, et elle partit pour sa retraite, parmi d'autres canards, canetons, poules et poulets, dindes et dindons, pintades et pintadeaux de ce refuge, où nous la laissâmes aller en toute confiance, puisqu'elle s'y trouverait sous la protection de notre ami, en qui nous avions entière foi, Camillou. Un an plus tard, en effet, mon père rendant visite, toujours à vélo, à ses amis Laurentine et Camille (aux derniers temps de leur séjour), descendit de sa machine dans la cour devant l'entrée de la maison, défit les pinces au bas de son pantalon, posa la bicyclette contre le mur et sentit un bec lui saisir la cheville, comme une petite pince : C'était Bacadette, accourue de la troupe des canards, qui le saluait ainsi.

J'arrive ainsi à la dernière image de ce chapitre, la dernière qui s'attache, se fond dans le territoire à la fois vrai et utopique du **Parc Sauvage** (qui est à la fois lui-même et par lui-même une image concrète, une, unique, mais aussi la mutiplicité des autres images que son nom appelle, qui ne se comprennent et ne se justifient que de lui. Je les énumère encore, sept jusqu'ici (qui font huit) : L'**If aux Fourmis**, l'**Oranjeaunie**, le **Bassin**, **La Vigne**, **Villerouge-la-Crémade**, **La Mer à Leucate**, **Fontfroide**). Cette dernière, ultime image, je la nomme aussi. Je la nomme : **Cingle.** Et voilà achevé un monde entier, construit de neuf images en tout et pour tout. J'en prends ici congé.

Le **Cingle** était une autre « campagne » des Corbières, dans un endroit plus lointain encore, plus sauvage si possible, plus élevé, propriété d'une amie des Boer, des terres que Camillou aidait à cultiver. Je ne pourrais aujourd'hui la situer sur une carte (c'est peut-être de là, de ces hauteurs que j'ai vu, très loin, cette goutte d'eau bleue écumeuse que j'ai nommée **La Mer**, sans doute du côté de Leucate). Avant d'entrer au **Cingle** nous avons longé, Camillou, mon père et moi, **un champ semé de plantes rugueuses à fleurs bleues, mais d'un bleu humide, un bleu de montagne déjà** ; quel était le nom de cette plante ?

147

bourrache. C'était de la bourrache que j'avais devant les yeux ;
je voyais une pente livrée à la luzerne et à la bourrache ; plante
rêche et raide ; rêche et bleue.

Nous sommes entrés. Sur une table de bois, on m'a servi du
miel dans une assiette, du miel comme je n'en avais jamais vu,
comme je n'en verrai jamais plus, le miel du Cingle, liquide et
transparent, intensément savoureux, glissant sur le disque de
l'assiette inclinée sans se plisser, sans se presser.

Il y avait là aussi une petite fille blonde.

Chapitre 5
Place Davila

36 La forme d'une ville

« ... la forme d'une ville / Change plus vite, hélas, que le cœur d'un mortel/... » Si le jardin de la rue d'Assas me reste protégé intérieurement, dans une relation d'identité profonde avec lui-même entre ses murs, parce que je n'y aurai plus jamais accès (je ne pénétrerai plus dans l'espace qu'il continue pourtant à occuper, contemporainement (car la maison, et le jardin apparemment, existaient encore la dernière fois que j'y suis passé, il y a trois ans)), il n'en est pas de même de la plupart des lieux publics carcassonnais. La **place Davila** porte toujours le même nom, mais je me refuse à le lui reconnaître. J'ai essayé, mais je n'ai pas pu. Ce n'est pas seulement de bouleversements horizontaux et verticaux qu'elle a souffert. Son individualité sonore, « génie » du lieu, a été détruite. Les quatre vents (le *cers* surtout, leur « maïstre », comme le mistral l'est des vents provençaux (c'est « maître » que veut dire son nom)) ont beau s'y engouffrer de partout comme autrefois, du canal, des « allées », de la grille orthonormée des rues centrales, froisser l'air tel un énorme papier, leur voix désuète, passéiste, païenne, est couverte, ridiculisée par la grosse prédication hystérique automobile. Ils ne s'entendent plus souffler. Et seule une espérance millénariste, que je n'ai pas, pourrait me laisser croire que « Le temps va ramener l'ordre des anciens jours » ou que « La terre a tressailli d'un souffle prophétique ». Je passe sur le trottoir, je me bouche les yeux et les oreilles, je restitue

149

un moment, contre la « métaphore » des camions, les oracles de mes dieux anciens.

C'est là, au bord de la place, qu'ils régnaient. Il y avait un marchand de pommes de terre (entre autres denrées ? Mais **je ne vois, aujourd'hui, que les sacs de jute brune, bistre, rêche, sur un sol de terre battue.** Il y a vingt-cinq ans ma mémoire y engrangeait, aussi, des épices. Une tramontane d'oubli, depuis, a soufflé sur la cannelle, sur le safran). C'était la « maison » Gleize (disparue quelque temps après la guerre. En 1967 le poète des cyprès, Jean Lebrau, de Moux, s'en souvenait). J'en avais fait, à mon usage strictement personnel, un Hadès, au-delà de ses portes inventé un antre obscur peuplé d'Esprits, de Formes, d'Idées, d'Anges, d'Archontes (dirais-je aujourd'hui), mais qui étaient alors, plus simplement, plus purement, des Noms. Un souterrain communiquait par des voies frayées, instaurées de manière uniquement prescriptive, avec l'établissement de mon ami M. Dupuis, le tonnelier de la rue d'Assas. Je ne les ai identifiés que tardivement comme étant des Dieux (après découverte livresque de l'Olympe). Mais Dieux ils étaient, sans aucun doute : dieux nominaux cependant, privés de tout sauf de l'être, de la singularité et de la résidence, étants d'un « être-là » seulement, dégagés de toute intention bénéfique ou maléfique, sans pouvoirs, sans figures, ontologie, philogénie, transcendance, essence. Sauf qu'ils étaient. Ils étaient, voilà tout. S'il est un, ou des Dieux, je serais tenté de ne réclamer de Lui, d'eux, que cela.

Certains de leurs Noms étaient secrets. Secrets, ils étaient imprononçables, tant et si bien que je les ai oubliés. Je les savais encore il y a dix ans. Je sais que je les savais encore il y a dix ans. Je pouvais les dire. Je me souviens de cela. Mais aujourd'hui leurs Noms, non, je ne les sais plus. Selon Éléazar de Worms, quand le nouveau-né vient au monde, son ange gardien lui flanque une baffe sur l'aile du nez, et il oublie tout : tout ce que son âme éternelle était à même de savoir et dont il ne retrouvera ensuite, pendant son séjour sur terre, par *anamnèse*, que des bribes, des fragments, des lueurs. Et pourquoi l'ange se comporte-t-il ainsi ? parce que sans ce geste « compassionnel » l'enfant verrait ce qui l'attend ici-bas et il

150

refuserait de souffler son premier souffle, de pousser son premier cri. Mais peut-être faut-il supposer aussi qu'à tout moment de naissance au cours de notre vie (de re-naissance après quelque espèce de mort, en nous-mêmes, mort d'un espoir, de quelqu'un), notre ange gardien intervient à nouveau, pour nous faire oublier un savoir de prescience qui rendrait le futur trop insupportable.

Il y avait bien une vingtaine de ces dieux, mais il n'en est survécu qu'une demi-douzaine. Et un seul conserve quelque consistance. C'était le plus grand de tous (il y avait entre mes Noms divins une certaine hiérarchie). Et c'était peut-être un dieu chasseur : Son Nom était Garenne. Son Nom à lui, je pouvais le prononcer (il semble que je ne m'en privais pas). Et lui-même possédait des paroles, que pour simplifier (et sous l'influence « fenimorienne » du *Dernier des Mohicans*) j'assimilais à des cris de guerre, mais qui étaient seulement un appel, une injonction à des dieux inférieurs. Ainsi : « **Trou**goudou ! **Ma**nana ! **A**ganu ! **A**gana ! » (dans cet ordre). (Je marque les syllabes initiales de ce qui était donc un tétramètre dactylique, mais composant aussi un alexandrin à rime intérieure, ou deux hexasyllabes rimants, conjonction harmonieuse et spontanée de la métrique française et du paganisme grec.)

Pour mon entrée au séjour des dieux (dont le nectar devait être la douce « patate », si rare alors), je leur fournissais (par télépathie) un mot de passe : « Glèzundown » (je m'efforce de noter le son de ce que j'« image » dans mon souvenir, et cela implique un net « anglicisme » phonique, qui laisse entrevoir le séjour géographiquement vraisemblable de ces « Champs-élyséens » : l'île Angleterre, mère de la Résistance à Hitler. Mais je ne l'avais pas, alors, reconnu ainsi, encore moins délibérément créé cette association).

A la fin de l'âge des contes, dit âge mythique, j'ai donné à mes dieux une langue, le Péruviaque. C'était une langue dont la morphologie souffrait d'une hypertrophie formelle de la flexion des substantifs et adjectifs. Les « cas » s'y multipliaient comme des petits pains, et il y avait au moins neuf déclinaisons ! En revanche le système du verbe y était assez peu imaginatif, souffrant sans doute de venir, dans l'exposé systématique de

« grammaire péruviaque » que j'entrepris un peu avant de quitter Carcassonne et qui resta tristement inachevé, après le nom et l'adjectif dans l'ordre raisonné des « matières » (il fut privé en outre de son pendant indispensable et annoncé comme tel dans mon cahier, l'*épitomé* des textes fondamentaux de la littérature d'inspiration divine, tant en poèmes qu'en récits mythiques (n'a survécu qu'un fragment d'une « Genèse » plus cosmogonique, hésiodique, énumérative que biblique, et largement incompréhensible, car le lexique associé a disparu)).

De l'autre côté de la place vivait quelqu'un, qui était jeune homme quand j'étais enfant, que je n'ai pas rencontré souvent, qui avait quelque lien de parenté (disparu de ma tête) avec quelqu'un qui nous était proche (je ne sais plus qui), que j'ai oublié et que je ne reconnaîtrais pas. Mais je me souviens de son nom. Il s'appelait Prudent Padieu. Il me paraît aujourd'hui difficile d'imaginer que ce nom, que j'ai retenu, n'a pas joué décisivement dans la révélation des présences divines de l'autre côté, dans le temple des pommes de terre, situé là où n'habitait pas la famille Padieu. Puisque du « côté Gleize » ne se trouvait pas Padieu, je ne peux éviter d'en déduire aussitôt, avec toute l'irresponsabilité dans le maniement des démonstrations que je m'autorise de l'intérieur de l'activité narrative (ici plus proche du conte que du roman) à ma prescience enfantine de la logique intuitionniste : je n'aurais donc pas cherché la Voie de la Double Négation si je ne l'avais pas déjà, autrefois, trouvée !

Je vois la place Davila. Je ne vois aucun véhicule sur la place. Seuls les vents, le soleil, le vent, le soleil, le vent. Je me tiens debout, sous le soleil, entouré de vent, pris dans l'enveloppe du vent. Les portes de la « maison » Gleize sont ouvertes. De cette bouche d'ombre sort l'odeur du séjour des dieux, une odeur de terre et de pommes, s'échappe la couleur de ténèbre, et la parole des dieux, qui toujours parlent d'ombre, de ténèbre, d'oubli.

« Trougoudou ! Manana ! Aganu ! Agana ! »
J'en fis (qu'en faire d'autre ?) un poème (1963)

Sur la place vivait
où ? Prudent qu'emportèrent
vers les pommes de terre (?)
ses dieux moi j'esquivais

les grands tambours crevés
(car vingt vents les heurtèrent)
plume ! un hiver de guerre
où ? vaguant je rêvais

dissipant buissonneur
plus aux ronciers qu'aux heures
plus qu'aux bancs aux prunelles !

le ciel vélin vola
vers tes murs de cannelle
ô place Davila !

(J'ai rassemblé en ce « moment de prose » de quoi « éclaircir » ce sonnet de mon premier livre (ou l'obscurcir définitivement).)

37 La place Davila était la station centrale d'un trajet mille fois frayé

Or la place Davila était la station centrale d'un trajet mille fois frayé par la marche dans la ville, ponctué de tels lieux mémoriels, d'où viennent aujourd'hui les ondes mnémoniques que je capte pour la description. (L'expression « onde mnémonique » est d'Aby Warburg, pour caractériser les foyers iconologiques découverts par lui (en eux les ondes se concentrent), protecteurs de la survivance des dieux antiques. Il les avait assemblés en quelque « mille et trois » images rayonnantes, sur une grande toile noire, clés de cette bibliothèque de

153

mémoire restée à jamais inachevée, à la fois personnelle et collective, qu'il nommait **Mnémosyne**.)

A un bout la porte d'entrée de notre maison, à l'autre la librairie Breithaupt, rue de la Gare, temple de la lecture, sanctuaire dispensateur de livres (je les lisais pendant le trajet du retour). En sortant, à droite le long du mur du jardin, puis à gauche dans la rue d'Assas (bordée de la caserne), j'arrivais à ma première station, le palais du tonneau. M. Dupuis, le tonnelier, était mon ami. Je dirai d'abord ceci de son nom : que je n'en ai jamais su l'orthographe, ne l'ayant recueilli que par voie orale, et ne m'étant jamais occupé de l'écrire avant aujourd'hui. Peut-être était-ce Dupuy, ou quelque autre variante. Mais l'association la plus immédiate que suscitent ces deux syllabes est : « du puits ». Comme le puits du jardin, comme la maison des pommes de terre sur la place, la tonnellerie Dupuis était une porte s'ouvrant sur le territoire obscur et bachique des dieux, dont il était quelque chose comme le Vulcain bonhomme, l'Héphaïstos inoffensif.

Il était de taille réduite, peu bavard, de bonne humeur, rond par ressemblance naturelle, par imitation inconsciente, par assimilation (à mes yeux), le visage rougi intérieurement et extérieurement par l'élément vineux. Nous n'échangions jamais beaucoup plus de quatre mots. Mais il était mon ami, parce qu'il me laissait regarder, silencieusement, les opérations tonnelières, dont l'importance ne m'échappait pas (l'Aude est un département viticole). Tous les enfants de notre rue et des rues voisines avaient droit à cette même faveur, et il y en avait toujours une demi-douzaine agglutinés devant son autel. Entre ses mains les formes des tonneaux se défaisaient, se reconstituaient, se construisaient, révélant et enrichissant sans cesse l'Idée de Tonneau qui ne se confond avec aucun tonneau concret, mais les transcende tous.

Ce que j'aimais le plus, c'était les soins qu'il apportait à un tonneau vivant, mais malade. La bonde encore humide retirée, l'odeur sombre, rouge sombre, autobiographique et adulte du tonneau se répandait dans la pénombre, un esprit de vin, une âme. M. Dupuis desserrait lentement, avec d'infinies précautions mais autorité, les ceintures de fer, le grand cercle équatorial, les moindres cercles tropicaux, les inspectait pour déceler la rouille, la fêlure, l'imperfection congénitale. Les lames de bois constitutives du corps du tonneau se séparaient alors, s'évadaient de leur conjointure aussi forcée, compressée que la poitrine d'une « beauté » 1900 dans un corset, et gisaient éparses sur le sol de terre imbibée de vin (libation divine), telles les tranches d'une orange pelée, puis défaite sur une assiette.

Un instant, avant qu'il sépare les divers membres de ce corps pour inspection et évaluation, la forme restait implicitement inscrite dans les constituants, avec son système de coordonnées curvilignes, l'œil mental supposant la transformation topologiquement réversible et rhabillant, de ses vêtements tombés (comme ceux laissés aux pieds de la beauté 1900 léchée rose dans les cartes postales érotiques) la nudité de la masse absente du vin. Sous le métal, une tache laide devenue visible révélait la morsure d'une décomposition fongique. Il hochait la tête, hippocratiquement. La courbure interne des méridiens de bois montrait la couleur vineuse, trace du gonflement intime par le liquide qui maintient l'étanchéité du tonneau, invention celte.

La rue était en pente et le caniveau-ruisseau n'était presque jamais à sec, apportant, les jours de pluie, un affluent d'eau rougie aux fleuves sableux et boueux qui dévalaient torrentiellement vers le carrefour pour contribuer enfin, beaucoup plus loin, au débit de la rivière vraie, l'Aude. J'étais particulièrement attentif à la résistance à l'assimilation du ruisseau, rendue perceptible par ce « marqueur » qu'était le vin. Obligé par l'action conjuguée de la gravité et des services de la voierie de se mêler aux eaux dominantes d'une rue plus puissante (une avenue même), il refusait le plus longtemps possible d'abandonner son identité, gardant quelque temps son autonomie de veine rouge avant de se dissoudre définitivement dans le flot sans retour. Je sympathisais avec son effort et je disposais parfois des obstacles (des bâtons, des cailloux, mon soulier même) au confluent des deux branches, infléchissant leur cours, et prolongeant ainsi de quelques mètres son souvenir coloré. Puis je revenais en arrière car ce n'était pas mon chemin.

En bas de la rue je tournais à droite, dans la plus grande rue montante puis, face à la grille de la caserne, ou à peu près, de nouveau à gauche, après l'épicerie Agrifoul, dans la rue Dugommier. De la caserne, après l'Occupation, à la fin de 1942, de la zone dite « libre », sortaient régulièrement, au chant de « A ! i ! a ! o ! », des compagnies verdâtres de soldats allemands à l'exercice. Ils s'en allaient vers le bas, comme les eaux de la pluie, vers quelque champ de manœuvre en dehors de la ville. C'étaient des Allemands, des ennemis donc, je le savais, et je savais aussi qu'un jour ils ne seraient plus là. Je ne leur prêtais guère d'attention.

Dans la rue Dugommier habitaient, avec leur mère, Tante Jeanne, nos trois cousins : Jean Molino (« Jeannot », mon aîné d'un an), Juliette, ma quasi-contemporaine, et Pierre, qui avait à peu près l'âge de Denise, ma sœur (« Pierrot Molino », disions-nous, pour le distinguer de mon frère, dont le prénom est Pierre également). Nous parcourions souvent ce court trajet, dans les deux sens.

Je me déplace mentalement tout au long de cet itinéraire, de point d'arrêt à point d'arrêt : la porte d'entrée, le tonnelier, le coin au bas de la rue d'Assas (les ruisseaux), l'épicerie, le 20 de la rue Dugommier, et je le reconnais continûment, particulièrement en surface, à ras du sol, comme si je marchais les yeux baissés, pour ramasser un papier, une brindille, un sou. Il est vrai que le plus souvent possible j'allais pieds nus (enlevant, au besoin mes souliers en chemin pour les remettre au moment d'entrer dans les régions surveillées et civilisées (c'est la même chose) de l'école, du lycée). La « texture » du sol, alors, est de première importance. Il faut reconnaître et éviter :
— les régions récemment semées de petit gravier,
— les étendues de goudron mou et brûlant,
— les flaques de boue.

Au contraire rechercher les passages de terre meuble, de sable, les longues plaques de revêtement propre, les dalles d'ombre, fraîches, les tapis d'aiguilles tendres sous les pins, les touffes d'herbe qui essuient, les fontaines. J'ai emporté ma patrie d'enfance à la semelle, non de mes souliers, mais de la corne qui aguerrissait la plante de mes pieds.

38 Cet au-delà était un séjour de dieux sans ombres,

J'ai décrit deux portes de l'au-delà (et ce faisant identifié telle une troisième, le puits du jardin derrière le banc), mais cet au-delà était un séjour de dieux sans ombres, de divinités sans foudre, sans miracles, sans culte. Elles n'avaient pas figure humaine. Je ne les avais pas inventées ou découvertes à mon image, à l'image de personnes, de personne. Elles n'avaient pas d'icônes, ni aucun territoire spécifique dans le gouvernement des forces naturelles (quand j'ai connu l'Olympe j'ai été incapable de la moindre transposition, fonction par fonction, à mon équipe de Dieux. Les miens étaient plutôt « tous-terrains » ou, mieux même, n'avaient pas de terrain propre du tout). Dieux et déesses ne possédaient que des noms, une langue, des cris. Ils n'avaient pas affaire avec la mort. Car je n'avais pas affaire personnelle avec la mort, qui, pourtant, était omniprésente : dans les conversations des hommes, dans les voix venues d'outre-Manche, volets et portes fermés pour qu'elles ne s'échappent pas vers l'extérieur (« Défense passive » contre la propagande allemande), entre les lignes des journaux aux dimensions rabougries, à la langue mensongère, morte, entre les mains des soldats à l'exercice que je croisais, chantant, sur ma route de lycéen. Pourtant c'est là, sur la place, que je l'ai rencontrée : une mort civile, non guerrière, une mort semblable aux morts ordinaires de l'avant-guerre, ou de l'après.

Au bout de la rue Dugommier je tournais de nouveau à droite, dépassais la pharmacie Picolo, et tout au bout était la place, qui recevait avenues et vents de tous les côtés. Elle se tournait un peu pour les accueillir, se penchait, et à l'extrémité basse s'ouvrait sur la rue de Verdun, étroite, qui était celle du lycée. C'était un jour d'hiver très froid, de l'hiver le plus froid de la guerre, qui fut si dur. C'était le matin, avant le début des classes, et **la place était quasiment vide dans le jour brumeux de froid, à peine commençant, les réverbères encore allumés ;**

157

presque vide car j'étais, comme toujours dans ma vie, en avance, et plus encore en avance que d'habitude à cause du gel ; et j'avançais prudemment sur le sol glissant d'une eau de pluie ancienne devenue glace, en étendues menteuses recouvertes de poussières, de graviers, rayées de pas, bleues, solides, mais fausses.

Contre le mur nu à droite de la première maison de la rue il y avait une échelle, et sur l'échelle deux hommes, des couvreurs de toit, qui montaient ; j'ai vu alors l'échelle bouger lentement, j'ai vu le haut de l'échelle glisser latéralement contre le haut du mur, et ils sont tombés ; celui qui était le plus bas sur l'échelle, à mi-hauteur, s'est relevé, puis est retombé d'un coup, puis s'est assis en se tenant la jambe droite ; mais celui qui était le plus haut est tombé en arrière, quatre, cinq mètres devant moi ; il est tombé en arrière sur le sol gelé (il tombe en arrière sur le sol gelé, je le vois), il a comme bougé, tremblé, et j'ai vu, et je vois, ses yeux devenir vagues, brumeux, gelés ; un homme, un passant à bicyclette était arrivé sur la place presque en même temps que moi, il s'est précipité vers eux, il m'a crié de rester là, de l'attendre et il est parti en courant dans la rue ; le blessé était toujours assis, et répétait « oh la la, oh la la » ; ensuite d'autres passants se sont arrêtés, d'autres gens sont venus, et je suis parti.

J'ai vu la mort, si voir mourir un vivant est voir la mort, mais je ne me le suis dit que plus tard, ailleurs, quand je l'ai reconnue. Personne, alors, sur la place Davila glaciaire, ni le premier passant à bicyclette, ni son compagnon blessé, ni ceux qui sont venus au secours, avec des brancards, personne n'a dit, ne m'a dit, « il est mort », « la mort est venue et elle avait ces yeux ». Mais je l'ai su. Et je ne l'ai plus oublié.

Et voilà que par une coïncidence « géographique », que la mémoire rend aussi temporelle, j'associe à cette chute mortelle en silence (ils sont tombés, ils retombent dans ma tête, en silence, sur le sol gelé) une vision. C'est une vision plus tardive (1944) que je dirai « notoire », car je l'ai partagée sans doute avec des centaines de milliers d'autres, peut-être des millions. Aragon en a fait un poème, et de ce poème on a fait une chanson. Sur un mur de la place on avait collé cette affiche infâme, l'Affiche rouge, où des visages de « terroristes » aux noms inhabituels pour les provinces étaient projetés aux regards des passants avec haine, avec violence, pour une intimidation. J'ai vu, comme les autres, cette affiche, et si je lui ai donné un sens, c'est celui que, s'arrêtant avec moi devant elle, mon père lui a donné pour moi. Je n'en ai pas retenu les termes mais je n'ai pas oublié son expression.

Il y a peu d'années (en 1987 il me semble) j'ai participé, à Milan, au nom de l'Oulipo, à un hommage à l'un de ses membres, Italo Calvino. L'occasion en était la publication, hélas posthume, de la traduction italienne du « Chant du styrène » de Raymond Queneau, poème à la gloire de la chimie, dont Calvino avait fait, en accord avec l'inspiration « Renaissance » du texte, une *canzone*. Ce jour-là, pour la première et dernière fois, j'ai rencontré Primo Levi.

Je parle ici de Primo Levi parce que le « moment » de cette rencontre, et la forte impression qu'elle m'a laissée se sont présentés on ne peut plus naturellement à mon esprit quand ma mémoire, et mes doigts lui obéissant sur le clavier, ont réuni brusquement ces deux visions irréductibles de la mort, l'une concrète et « apolitique », celle du couvreur précipité sur le sol gelé par le hasard sans responsabilité d'une chute, et l'autre, abstraite et politique au plus haut point des résistants antinazis et « apatrides » sur l'affiche placardée aux murs de la place Davila. Spontanément, le nom de Primo Levi est venu établir un autre lien que celui de la quasi-coïncidence temporelle et spatiale entre ces deux visions. Je n'ai pas eu de mal à retrouver lequel.

Car Primo Levi, le chimiste, n'est pas seulement celui qui, avec Robert Antelme et François Le Lionnais, m'a donné le moyen du peu de compréhension que j'ai pu acquérir, depuis ma douzième année, de l'incompréhensible horreur des « camps » nazis et de cette sorte d'espérance collective, limitée, fragile, mais réelle qu'ils s'efforcèrent de transmettre, chacun à sa manière, par leurs récits. Il est aussi l'auteur d'un tout autre livre (tout autre au moins en apparence), d'une espèce au moins aussi rare, dont l'autre mort, inexorablement singulière, celle du couvreur, a pu malgré tout recevoir à mes yeux un début de sens. Le titre en est, dans la traduction française, *La Clé à molette*, et c'est un récit qui parle du travail de l'homme, je veux dire du travail manuel (infiniment plus « tabou » dans la littérature que n'importe quelle autre activité).

Et, bien sûr, et finalement, c'est la mort volontaire de Primo Levi lui-même, qu'il est difficile de ne pas recevoir aujourd'hui à la fois comme signe, comme commentaire, et comme pressentiment, qui mêle à nouveau et « tort » ensemble, inextricables, ces morts anciennes, ces instants morts de ma vie, en ce lieu consacré à mes dieux périssables, dans le bleu, le gel, et les vents. J'ai lu qu'en une interview publiée quelque temps avant sa disparition Primo Levi avait raconté comment, parlant devant des écoliers de son expérience de la guerre, cette vieille guerre de sa génération, il s'était trouvé face à une incrédulité inattendue et entière : ses auditeurs ne mettaient pas en doute l'existence des camps, la méchanceté des nazis. Ce qu'ils ne comprenaient pas, ne parvenaient pas à comprendre c'était comment, face au mal, il n'avait pas été capable, lui et les siens, de prendre sa mitrailleuse télévisuelle et de tirer dans le tas de ces sous-hommes, de ces monstres, bref de suivre l'exemple d'un quelconque Rambo.

39 Saint-Jean mil neuf cent trente-neuf

Saint-Jean mil neuf cent trente-neuf

Saint-Jean verveine à travers la couronne rouge
nul jamais plus ne bondira nul ne verra
ni l'œil-de-fumée ni l'œil-de-buis n'entendra
en aucune année les flammes du plus long jour

ce qui vivait à l'envers du cercle de flammes
avec l'ordre des flammes bougeant dans le noir
ce qui tremblait chaque année (une marque ? l'espoir ?)
ceci a cessé qui fut le possible la

moins lointaine prochaine nuit quand tous les feux
vacillaient et le sombre cercle des chants dis
ait : hier ô hier à la crête chaude des jeux

(lyre charbonneuse des braises qui se brisent)
et l'ongle du ciel en nous touchant dans la rue
nous couvrait d'étoiles sur la cour blanche et brune

Un poème (un sonnet composé en 1962) qui provient d'une
image-mémoire et reste associé à elle : mais je parviens mal à
« extriquer » le moment de cette image (à ma satisfaction, en
respectant les exigences d'un récit) pour une mise en mots
prosaïque. Je vois cette image, j'identifie son point de vue (la
fenêtre ouvrant sur l'enclos du Luxembourg), je ne peux pas la
redire seule, indépendamment des autres images en autres
mots qui s'entrelacent à elle dans le poème. Je découpe, au
mieux, une séquence, ceci :

> Saint-Jean
> à travers la couronne rouge bondir
> verra (voir) l'œil-de-fumée
>   les flammes du plus long jour
> envers du cercle de flammes
>   flammes bougeant dans le noir
> les feux vacillaient (vacillent)
>   sombre cercle des chants crête
> chaude des jeux
> charbon des braises qui se brisent
> ongle du ciel couvrant d'étoiles
>   la cour blanche et brune.

(résultat : une prosification quasi télégraphique, comme dans les
premières écritures mésopotamiennes).

L'été de 1939 commençait. Peu après (deux mois) ce fut la
guerre. Le « moment » de la guerre fut la déclaration conjointe
des gouvernements « alliés » (France et Angleterre), répondant
à l'envahissement hitlérien de la Pologne (j'écris cela et c'est

161

Hitler en personne qui envahit. **Je le vois sortir d'un cinéma de Varsovie, un Hitler « composé » de Charlot (celui du *Dictateur*) et de l'acteur vedette du *To be or not to be* de Lubitsch).** La guerre commence aussi pour moi ce même jour, devant notre poste de radio, la TSF. C'est le soir ; **je vois très distinctement et le poste, et Hitler entrant à Varsovie** (mon souvenir est aussi tranquillement anachronique qu'une reconstitution d'historien). Si j'ai retenu l'importance de ce moment, c'est qu'elle nous (me) fut signalée. Mon père le commenta pour nous (c'est-à-dire, en fait, seulement pour lui-même, pour Marie et pour moi, qui avais presque sept ans). Il dit que c'était bien. Il fallait arrêter Hitler (je pense qu'il ne se doutait pas de ce qui allait suivre). J'ai retenu cela. J'ai retenu surtout l'intervention de l'Angleterre. Autrement dit, après coup, de temps à autre, maintenant, j'ai marqué, je marque dans mon souvenir, l'entrée en guerre de l'Angleterre. Mon « anglomanie » colore ce souvenir qui, vraisemblablement, a été un facteur contribuant de cette même anglomanie. Si je n'avais pas appris à me méfier (sous le regard de la véridicité) de tels aller-retour du passé au présent, de cet empilement d'instants futurs s'agglutinant sur n'importe quel instant passé, le définissant comme changeant (c'est ce que j'appellerais le confort autobiographique. Il resurgit sans aucun contrôle chez le romancier), je crois que j'aurais pu me laisser aller à sincèrement écrire : ce jour-là j'entendis la voix de Winston Churchill et j'en ai été transformé pour le restant de mes jours.

L'année sans doute la plus dure de la guerre fut l'année scolaire 41-42 (pour l'écolier, pour l'étudiant, pour l'enseignant encore, le temps des calendriers est sans cesse syncopé : l'année civile et l'année didactique ne coïncident pas). Car un triple fardeau pesait sur elle :

— c'était ma première année de lycée, autrement dit celle d'un arrachement (prématuré peut-être : j'avais moins de neuf ans !) au confort de l'école, quasiment « arcadienne », où j'avais passé quatre années ;

— c'était l'année en apparence la plus favorable à Hitler (en apparence seulement, car Moscou n'avait pas été prise, et l'Angleterre, « mon » Angleterre, n'avait pas été envahie). Tout espoir semblait vain (je n'étais certainement pas en mesure de penser cela, mais l'atmosphère générale était lugubre);

— c'était l'année où la faim fut la plus palpablement présente.

La faim de la guerre passa en effet cette année-là par une sorte de maximum. Il y avait eu d'abord la raréfaction des denrées, le rationnement : lentement mais sûrement s'étaient fait sentir les effets du pillage allemand (qui ne cessa de s'accélérer ensuite avec les difficultés rencontrées par les armées hitlériennes), de la production alimentaire diminuée, des échanges réduits entre régions. La théorie « provincialiste » vichyssoise, mère de la décentralisation (dite aujourd'hui « délocalisation ») et des bavardages « antijacobins » des années quatre-vingt, voulait que chacune de ces entités historiquement vénérables, les vieilles nobles provinces françaises d'avant 1789, d'avant les horreurs républicaines et révolutionnaires, se suffise à elle-même (et c'était une sorte d'expiation pour les péchés de la France, la punition de son « hédonisme », de sa mollesse, de sa paresse, de son irrespect, de son irréligion, de son abandon des « vraies valeurs » sous l'influence délétère des instituteurs laïques, désignés comme responsables (je n'invente rien) de la Défaite). Mais bien peu de choses poussent spontanément dans l'Aude. Il en résulte que dans les villes, à Carcassonne en particulier, on eut très faim.

Sous l'action simultanée de toutes ces causes, et spécialement de la dernière, aux conséquences physiologiques directes (dirais-je dans un roman dont je serais personnage, ou, ce qui revient au même, dans une autobiographie, genre qui est un des derniers refuges du déterminisme mécaniste), je me consacrai à ma vocation poétique avec plus de constance, de concentration et de conviction qu'à l'étude : La folie de la poésie (n'est-ce pas une folie ?), folie « douce » et plutôt inoffensive (dans mon cas), comment ne pas la supposer née d'un dérangement du cerveau, d'une anémie du « principe de réalité » suscitée par une carence de l'organisme manquant de quelques nourritures minérales essentielles, de quelques protéines animales, ou enzymes ?

Mon père, en tout cas, sensible aux risques de la sous-

163

alimentation pour notre avenir physique, guidé par l'analogie entre enfants et plantes (pour ne pas dire légumes qui pourrait sembler péjoratif) dont le parler ordinaire porte la trace (on parle de « croissance », de « belle plante » ou, au contraire, d'êtres rabougris), s'efforçait de remédier au vide des boucheries et des marchés par l'arrosage du potager et l'élevage clandestin autant que par des expéditions vélocipédiques dites de « ravitaillement » dans les régions les mieux fournies en haricots secs, pommes de terre et œufs de l'Aude pyrénéenne et même de l'Ariège (il s'en servit aussi, dès 1943, comme « couverture » d'autres activités).

Il était particulièrement attentif, dans cet homomorphisme structurel de plante à enfant au transformé de la tige, du tronc, des branches, c'est-à-dire au squelette (comme le faisait d'ailleurs la tradition langagière médicale parlant, par exemple, de « fracture en bois vert »). Malheureusement, l'élément considéré comme essentiel à la constitution du squelette enfantin, le lait, manquait presque absolument. Et il n'était pas possible d'abriter, incognito, comme la « cochonne », une vache dans notre poulailler. L'inquiétude parentale, palpable, face à la friabilité supposée inévitable de nos jambes et bras (qui fut confirmée par les deux fractures du poignet que je m'empressai de réussir, par respect filial, et dont la responsabilité fut attribuée à un déficit en laitages et fromages), donnait au lait frais, plein, non écrémé, une vertu quasi mystique. Grand-maman, en nous décrivant, à son retour du Massachusetts, l'ice-cream américain comme totalement exempt de la moindre molécule d'eau, enleva au sorbet tout prestige, et je n'ai jamais pu le prendre le moins du monde au sérieux.

Nous grandissions cependant, animaux physiologiquement optimistes, en dépit de tous les obstacles de la privation. Sur le montant de la porte de notre salle à manger, au rez-de-chaussée de la maison, des traits horizontaux au crayon, accompagnés de dates et d'initiales, mesuraient nos progrès végétatifs. Les talons joints, le dos droit, un dictionnaire horizontalement réduisant l'élévation trompeuse des cheveux, nous participions avec componction à la cérémonie trimestrielle de la mesure et contemplions ensuite, ébahis (et assez

fiers) les effets d'une accumulation de modifications journa-
lières imperceptibles de notre corps (dans cette dimension-là
au moins), et presque incroyables, tant profonde était la
conviction spontanée intime de notre (de mon) identité persistante inchangée et absolue.

**40 Comme une alimentation convenable en laitages était
impossible,**

Comme une alimentation convenable en laitages était impossible, mon père se rabattit sur le deuxième pilier du modèle
scandinave. Le modèle scandinave, suédois ou finlandais, dans
les dernières années de l'avant-Seconde Guerre mondiale,
n'était pas, comme on pourrait, anachroniquement le croire,
un « modèle de société », ce capitalisme tempéré de trade-
unionisme qui fut longtemps la référence (ou l'alibi) des partis
sociaux-démocrates européens dans leur longue querelle avec
les communistes et les différentes variétés d'extrême gauche.
C'était un modèle « hygiénique ». Il prolongeait à sa manière,
moderne, l'idéal non moins hygiénique de mes grands-parents
instituteurs.
Mais il s'en séparait sur un point, que mon père jugeait
essentiel. L'école primaire (et ensuite le lycée) républicaine et
laïque avait beaucoup trop négligé, selon lui, l'éducation
physique, le sport. Trop préoccupée d'alimentation saine, non
« échauffante » d'un côté, de grammaire et de calcul de l'autre,
elle avait négligé les stades. Or, et c'était là tout le « nœud » de
l'affaire, le « modèle » suédois unissait en une conjonction
physico-esthético-morale éblouissante de blondeur neigeuse (et
non nazie, ce qui ne gâtait rien) le lait et le sport. Nous n'avions
plus de lait, il nous restait le sport.
Pour mon père, que tous les sports intéressaient, le sport
collectif par excellence était le rugby, le sommet des sports
individuels était l'athlétisme (suivi de peu par la natation). Le

rugby (si on en juge par le régime des grands rugbymen des équipes de Toulon ou de Toulouse) n'avait guère affaire avec l'hygiène ni avec la croissance des enfants. Mais il se trouvait que le modèle suédois, soutenu de laitages et de courses de fond avait eu deux effets spectaculaires que mon père ne manquait pas de rapprocher, didactiquement, pour nous exhorter. Le premier était que la taille moyenne des jeunes Suédois et Suédoises (ainsi que celle des Hollandais et Hollandaises, des Danois et des Danoises, des Norvégiens et Norvégiennes (ces derniers et dernières infiniment sympathiques en 1941 pour des raisons non toutes hygiéniques (les Finlandais-Finlandaises du maréchal pro-allemand Mannerheim étaient plus douteux))), soumis à ce double régime, avait spectaculairement crû en moyenne en une génération. Et mon père souhaitait évidemment, en patriote, pour la France libérée, un progrès de même nature (en dépit des difficultés en apparence insurmontables, mises sur notre route physiologique par la guerre, nous lui avons donné sur ce point (celui de la taille) toute satisfaction, mes neveux et nièces (les enfants de mon frère Pierre surtout) renchérissant encore, jusqu'à des hauteurs hyper-scandinaves, au point d'inquiéter ma mère).

Mais surtout, comme les derniers jeux Olympiques des années de la paix (ceux qui s'étaient tenus, honteusement, à Berlin) l'avaient prouvé, il avait permis à ces petits pays une « percée » spectaculaire dans les courses à pied, dans les plus aériennes des épreuves, le demi-fond (800 et 1 500 mètres), le fond (5 000 et 10 000) (et le lancer du javelot). Mon père avait pour nous, je ne dirais pas des ambitions olympiques, du moins l'espoir de nous voir réussir honorablement dans les disciplines de l'athlétisme. Il nous emmenait aux matchs de rugby mais aussi aux « réunions d'athlétisme » (d'athlétisme uniquement, car l'absence générale de piscines avant les années cinquante ne permettait pas à la natation de faire, collectivement, le moindre progrès. C'est dans l'Aude que nous avons appris à nager).

Je me souviens du luxueux volume commémoratif des Jeux de Berlin, avec ces photographies des moments les plus significatifs des épreuves (et surtout les résultats chiffrés, qui m'offraient des occasions spéculatives innombrables pour des jeux imaginaires avec éliminatoires, quarts et demi-finales, et finales à médailles enfin) (on y voyait l'admirable Jesse Owens, vainqueur de trois épreuves, 100, 200 mètres et longueur (avec un bond de plus de huit mètres), auquel Hitler refusa de serrer la main parce qu'il était noir).

Mon père racontait les exploits de Ladoumègue, de Nurmi. Aucune « discipline » ne lui était indifférente, ni le triple saut, ni le marteau, ni le *steeple*. Il voyait avec la plus grande faveur les prémices, encore timides, de l'athlétisme féminin. La *vox populi* audoise était nettement plus réservée. Quand une des premières championnes de course à pied, « Claire » Bressolles (qui avait été dans la classe d'anglais de ma mère) se découvrit, un peu tardivement, garçon, les ménagères, au marché, à l'épicerie Agrifoul, à la boucherie Safon, hochèrent la tête d'un air entendu. C'était un avertissement à toutes les mères de famille : voilà ce qui arriverait à leurs filles qui continueraient à prétendre faire de la course à pied.

Puisque le lait nous était quasiment interdit, nous devions redoubler d'efforts athlétiques, par compensation. Il était à peine nécessaire de nous recommander de courir. Courir, nous n'arrêtions pas de le faire. Nous allions à l'école en courant, nous courions et sautions dans le jardin, dans la rue, dans la cour de l'école, puis du lycée, dans les vignes, dans les fossés de la Cité, dans les bois. L'ivresse du « second souffle » ne nous était pas inconnue. Les tours de stade n'étaient que des friandises. La course, dans ce pays rendu aux piétons et aux cyclistes par la guerre, était un mode naturel d'expression de notre liberté enfantine. On courait partout, sans entraves.

En se guidant sur l'exemple des enfants et des animaux, certains théoriciens de l'athlétisme accordaient une valeur particulière à des épreuves qu'ils considéraient comme « phy-logéniquement » pures (inscrites dans l'histoire de l'espèce, dont l'enfant, selon eux, retrouve spontanément les leçons) : le saut à pieds joints, sans élan (en hauteur comme en longueur), mesures de la détente absolue, sans aide de la vitesse, une qualité intrinsèque du corps jeune qu'il partage avec le chat, ou le chien. Et, plus originalement encore, ils plaidaient pour la

167

course à quatre pattes. Mon père était très favorable à ces innovations (qui ne se sont jamais imposées, il faut le dire). Nous étions d'excellents performers à quatre pattes.

Toujours dans la perspective d'un développement harmonieux et compensatoire des privations de notre être physique, il mettait par-dessus toutes les épreuves d'athlétisme celle du décathlon, avec son « panaché » de courses, de sauts et de lancers, et ses tables subtiles d'équivalences entre des dimensions apparemment incommensurables (dix secondes au cent mètres « valant », par exemple, huit mètres en longueur). Cela supposait qu'aux qualités intrinsèques, naturelles, de l'athlète (mélange d'hérédité et de prédilection) devaient s'ajouter les rigueurs de l'entraînement, l'acquisition de techniques qui ne permettaient pas seulement de se surpasser (sauter plus haut, lancer plus loin, courir plus vite) (la technique est indispensable car, comme chante justement Brassens : sans technique un don n'est rien qu'un' sal' manie) mais aussi, mais surtout d'acquérir une maîtrise plus grande de ses mouvements, une plus grande résistance (que l'histoire humaine pourrait rendre bien utile), un accord plus profond avec son corps, avec soi-même.

41 Sur le mur de la salle de classe

Sur le mur de la salle de classe, au fond de la salle, à ma gauche et derrière moi (une salle de premier étage, un cours de mathématiques, et je m'étais tourné en partie vers le mur, cessant d'écouter), **un soleil pâle** (c'était l'hiver) **éclairait la surface tourmentée du mur où je lisais, dans la torpeur chaude du radiateur tout proche de moi, de semaine en semaine, toujours la même carte de l'Union soviétique, animée de la rumeur des batailles dont l'air bruissait partout.**
Puis l'air chaud, le ronronnement de la voix professorale à

ses raisonnements algébriques ou géométriques, les rêveries héroïques nées des configurations imaginaires du mur et des syllabes slaves des combats terrestres lointains transportées entre les brouillages par les radios allemandes, italiennes, françaises, par la BBC, me plongeaient dans un engourdissement optique ; alors je voyais couler le long du mur mais de bas en haut comme une fontaine inverse l'air en veine fluide, en volutes liquoreuses ; j'étais béni d'une vision (vision de ce que la poésie japonaise nomme *kagero*, l'effet de vitre interne des différences de température qui met l'air en mouvement, mouvement visible, reflet de soi-même) ; l'air chaud grimpait sur la paroi de la salle de classe et la voix didactique ne me parvenait plus que de loin, comme un murmure venu de l'autre côté d'une cascade étourdissante.

Ce fut une époque héroïque, simplement et purement héroïque peut-être pour ceux-là seuls, enfants comme moi, qui en recevaient le murmure à travers la fontaine impalpable d'air chaud des imaginations, derrière le miroir d'air sur air coulant à l'inverse de la gravité du réel réellement dangereux, irréversiblement mortel. Je savais, et je ne savais pas, ce que les adultes de mon entourage faisaient, qui avait affaire avec les nouvelles lointaines de la guerre, avec Stalingrad, avec la faim, avec les bombardements de Londres, avec les tanks de Rommel dans le désert de Libye, avec les soldats allemands sortant de la caserne en chantant « A ! i ! a ! o ! ». Je savais, tout en ne sachant pas, et je ne peux me souvenir aujourd'hui <u>comment</u>, que ceux que la radio et les journaux de Vichy appelaient des « terroristes » étaient, selon une alchimie mystérieuse, de nos amis. Ma représentation héroïque de l'histoire avait plutôt pour modèles Walter Scott (*Quentin Durward*) ou Fenimore Cooper (*Le Dernier des Mohicans*).

Mais cette identification pressentie de ma famille à la Résistance (et confirmée, sans surprise excessive, quelques semaines avant la Libération) ne m'empêcha pas (ne nous empêcha pas, mais la crédulité de mes frères et sœur, beaucoup plus jeunes, n'a rien d'étonnant) d'accepter sans la moindre difficulté les explications invraisemblablement tirées par les cheveux (je les ai totalement oubliées) qui nous furent données

169

d'incidents parfaitement inexplicables en dehors d'un contexte de clandestinité. Je sélectionne, pour le récit, deux « scènes »-images significatives (qui de plus font intervenir dans des rôles fort différents, mon grand-père et ma grand-mère), mais je les retranche de la **séquence des images-souvenirs** constitutives de ma **mémoire** que je commente dans cette **branche** (c'est la raison d'être de cette branche, qui s'inscrit dans un mouvement de plus d'ampleur). Car leur dépendance de l'« après-coup », de leur <u>futur antérieur</u> (narré) y est, là, entièrement explicite (elle est toujours présente, et toujours mouvante, mais dans les autres images-souvenirs elle est restée voilée, et permet la déduction narrative).

Nous étions, un jour, à déjeuner, dans notre salle à manger, rue d'Assas. Il y avait là mes parents, Marie, nous quatre (les enfants), et deux invités, si familiers qu'ils faisaient partie, comme Bacadette, de la configuration familiale : Georges (Morguleff) et Nina, sa sœur. Georges et Nina étaient là en clandestins (doublement dissimulés des polices, puisqu'ils étaient recherchés comme juifs, et comme résistants). Cela, bien sûr, ni moi, ni mes frères, ni ma sœur, ni les canards, ne le savions. Ils étaient là, ils déjeunaient, ils parlaient avec mes parents, ils partageaient notre repas presque inexistant, ils jouaient avec nous, ils étaient de la famille. On frappa un coup à la porte.

Alors nous avons vu ces jeunes gens de bonne famille, distingués, d'une politesse exquise et russe d'ancien régime, jamais énervés, souriants, toujours calmes, se lever d'un bond, courir dans le jardin et sauter par-dessus le mur avec une agilité admirable mais totalement incompréhensible pour nous. Cependant le coup de sonnette impérieux qui avait retenti n'était nullement celui qui annonçait la catastrophe toujours redoutée d'une invasion policière mais provenait plus banalement de mon grand-père, revenu de sa visite à nos cousins de la rue Dugommier et qui, en proie à un accès de sa distraction coutumière (généralement associée à une inspiration d'inventeur), avait oublié de signaler sa présence selon le code convenu.

Quelque temps auparavant (ce devait être avant, puisque la

présence de Nina chez nous était obligatoirement postérieure à son départ de Lyon, suivant l'arrestation de Marc Bloch), sortant du lycée et descendant la rue de Verdun, j'avais rencontré inopinément dans la rue ma grand-mère : une rencontre, certes, banale, mais qui aurait été réellement banale si je n'avais pas été dans l'ignorance la plus absolue (jusqu'à l'instant de notre rencontre) de la présence de ma grand-mère dans notre ville. Elle n'était pas descendue chez nous, elle n'était pas non plus chez Tante Jeanne, où j'avais été la veille. Bref, je fus plutôt surpris de la rencontrer là. Mais je conclus aussitôt (ce qu'elle s'empressa de confirmer) qu'elle venait d'arriver de Lyon, par le train. C'était l'hypothèse la plus vraisemblable. Sans doute (mais je n'y fis pas attention) il était curieux qu'elle soit là, dans la pleine matinée, rue de Verdun, sans la moindre valise, sans ma mère, que personne (et en particulier aucun de nous, ses petits-enfants des deux maisons) n'ait été l'attendre à la gare. Je proposai de l'accompagner chez nous, pour leur faire la surprise. Mais elle répondit que non, elle n'allait pas habiter chez nous, ni d'ailleurs chez nos cousins, mais chez une amie, parce qu'elle devait se reposer. Elle viendrait plus tard. Et tout cela me sembla (m'est apparu, à ce que le récit postérieur, d'après la guerre, en rapporte), parfaitement naturel.

Ma mère, bien sûr, n'ignorait rien de la présence de la sienne en ces murs. L'arrestation de Marc Bloch à Caluire avait mené tout droit la Gestapo au 21 rue de l'Orangerie, où habitaient mes grands-parents. Ils ne l'avaient pas attendue. Ma grand-tante Jeanne, sœur de ma grand-mère, avait aussitôt prévenu par télégramme légèrement sibyllin, où les prénoms de mes grands-parents se trouvaient déguisés à peine : « Amis sont venus chercher Albert et Angéline — stop — Ont promis de les rejoindre bientôt — stop. » Ma mère logea sa mère chez une vieille amie anglophile, Mlle Miailhe, d'où elle était sortie, au mépris de toute prudence, le jour où je la rencontrai. (Mais où était donc mon grand-père, pendant ce temps ? je ne sais plus, je ne sais pas. Peu importe.)

En inscrivant le nom de Mlle Miailhe dans ce récit, il me revient brusquement qu'elle était parente de ce jeune homme qui habitait sur la place et s'appelait Prudent Padieu : dernier cadeau au souvenir de mon dieu de guerre, Garenne, avant que je referme à jamais la porte pour lui ouverte sur la place qui fut hospitalière à mes divinités.

Chapitre 6

Hôtel Lutetia

42 « Le soleil se lève à l'ouest, le dimanche »

« Le soleil se lève à l'ouest, le dimanche. » « Je répète : Le soleil se lève à l'ouest, le dimanche. » Comme des pluies d'étoiles filantes, les « messages personnels » se mutipliaient, pendant les premiers jours de juin 44, après les « informations » de plus en plus triomphales, à la radio de Londres. Paroles et énumérations énigmatiques, sentences aphoristiques sans références, chargées d'un sens impénétrable à presque tous, elles étaient l'exemple même de cette « poésie en actes » rêvée par les surréalistes, qui en avaient été, comme les cubistes du camouflage selon Picasso les « plagiaires par anticipation ». Et ce message-là, que mon père avait choisi et transmis à Londres, était celui qu'en retour il reçut, deux ou trois soirs de suite avant le 6 juin : il annonçait l'ouverture tant attendue du « second front », le débarquement des Alliés sur la côte normande. L'atmosphère de fête était palpable (nous en ignorions, nous, enfants, les raisons). Mais dès le lendemain mon père était parti sur les routes (à vélo) et nous, nous étions, par prudence, expédiés chez Marie, à Villegly, dans le Minervois. D'ailleurs je m'étais cassé le bras en sautant en hauteur dans la cour du lycée, et l'année scolaire était de toute façon pratiquement finie.

Deux mois plus tard la plaine comme la ville, et la Route minervoise, tous les itinéraires de passage des armées allemandes en retraite apparurent à leur tour aussi dangereux que la ville. Nous nous mîmes donc en route, grands-parents, mère et enfants (mon père avait disparu, sans explications : c'était un de ces faits étranges dont l'époque était prodigue, dont le sens pressenti mais encore vague était maintenant en cours de justification). Je laisse ici écrire mon grand-père (souvenir externe) :

Départ pour l'Aveyron Nombreuses valises et paquets car la durée de notre séjour qui dépend des événements militaires pourra être assez longue.

Voyage du jeudi 10 au samedi 12 août
De Carcassonne à Laissac.

Véritable petite Odyssée ! d'abord 7 ^{h} d'attente à la Gare (joli record). Arrivée à Beziers à 20 ^{h} 30. Coucher à l'hôtel du Midi.

Le lendemain à 6 ^{h}, départ en camionnette. Arrivée à Ceilhes (gare) à 9 ^{h} – De nombreuses personnes, avec leurs bagages, attendent comme nous. La ligne de Béziers est coupée à 10 ^{km} au sud de Ceilhes. Elle l'est également entre Millau et Séverac (*tunnel bloqué par une rame de wagons que les FFI ont fait dérailler*). [J'admire le changement d'écriture que mon grand-père introduit dans cette parenthèse. Le texte courant est écrit en lettres penchées, et ce que je viens ici d'inscrire en italiques est chez lui en minuscules droites. La lisibilité, inversement proportionnelle à celle des missives de son épouse, est toujours parfaite.]

Il faut donc faire un transbordement par dessus le tunnel (dos d'âne et chemin pierreux). Heureusement, des porteurs bénévoles nous déchargent d'une partie de nos colis (5 sur 9) [« 5 sur 9 » ! je ne doute pas qu'il y ait eu neuf colis et que cinq aient été pris en charge par des mains charitables. Grand-papa, je t'adore !].

Je vois la montée au-dessus du tunnel, les voyageurs, la locomotive qui attend, en bas, de l'autre côté.

Néanmoins, les 800 ^{m} de trajet ont été durs. Coucher à Séverac. Pierrot, tjrs malade, salit ses draps – Petite misère. Départ à 8 ^{h} ; arrivée à Laissac à 9 ^{h} – Chaleur torride. Enfin, détente et repos – L'odyssée se solde par ailleurs avec la perte d'une valise renfermant des vêtements et des objets de toilette, en majorité à Suzette. Elle prend ce petit malheur avec son courage habituel. Je me reproche de n'avoir pas assez surveillé nos colis.

Séjour à Laissac.

Suzette et les 4 enfants occupent 3 chambres au 2e étage d'une villa à 500 ^{m} de l'hôtel où nous ne prenons que nos repas. Presque à l'opposé du village, nous avons, maman et moi, chacun une chambre plus confortable que celle de Suz. Échange impossible : notre proprio ne veut pas d'enfants.

L'hôtel Salignac est tenu par une veuve et ses deux filles. Elles viennent de perdre leur unique garçon (FFI de 20 ans), tué par les Allemands au moment où il négociait avec eux un échange de prisonniers. Nous admirons leur courage devant leurs obligations professionnelles.

Une grande partie de la région est contrôlée par les FFI et il y a eu déja de sanglantes échauffourées entre les envahisseurs et eux. [Contrairement aux prévisions, une partie des troupes allemandes choisit de passer précisément par ces régions pour tenter de rejoindre la vallée du Rhône. C'étaient des SS. Ils brûlèrent et tuèrent pas mal sur leur passage, mais ils choisirent une route à trois kilomètres plus au sud. Une journée entière cependant nous sommes tous partis dans les bois, en attendant que le danger soit passé.]

La nourriture de l'hôtel est assez bonne mais trop carnée. Maman et moi, nous serons vite obligés de laisser la viande du soir.

L'eau est rare. Hier, fermeture soudaine des conduites à 19 ^{h}. Pas de boisson pour le souper. il nous a fallu courir les cafés pour trouver à grand peine, bière et limonade.

Les journées sont torrides. L'Aveyron est bien à 2 ^{km} du village. Mais son eau est boueuse, herbeuse. On regrette l'Aude.

Le 17 août orage nocturne qui a bien rafraîchi la temp ^{r}e —

J'ai retrouvé des insomnies assez désagréables (de 2h 1/2 à 5 h avant-hier) —

La route montait en lacets dans les collines entre les châtaigniers, et nous avancions sous elle dans les sous-bois en contrebas ; il y eut un bruit de moteurs et dans le tournant descendirent trois camions ouverts, des FFI avec des brassards tricolores et des mitraillettes ; ils chantaient ; nous sommes partis en courant vers le village, dans un grand état d'exaltation.

Le lendemain, **sur la place, les FFI étaient là et parmi eux, en uniforme, un capitaine de la RAF ; et mon père à côté de lui.** Ce fut une révélation : s'expliquaient soudain lumineusement (et glorieusement à nos yeux) les disparitions et absences mystérieuses dans notre entourage, les remuements nocturnes, les chuchotements et les réponses évasives à des questions bien innocentes : moment de pur ravissement et fierté, hors de l'idée même de tout danger. Nous savions enfin. Et être libre, c'est aussi savoir.

Or, quand je rappelai un jour ce moment à mon père, il me fit remarquer que le fringant capitaine anglais qui nous émerveillait tant sur la place de Laissac avait été parachuté par « Londres » (comme on disait) pour servir de liaison avec ces maquis que mon père, de manière coïncidente, était en train de visiter. Et s'il portait son bel uniforme c'était pour se donner une chance (sans doute minime) de ne pas être tout de suite, selon les conventions dites « de Genève », massacré par les Allemands au cas où il aurait été fait prisonnier (ce n'est pas qu'il avait peur, il ne fallait pas manquer de courage pour être arrivé jusque-là : il avait des ordres, voilà tout).

Mais en même temps qu'il nous éblouissait et déchaînait notre enthousiasme (renforçant brusquement notre prestige auprès de nos compagnons de jeux, estivants plus ou moins « ordinaires »), il rendait indiscutable aux yeux de tous les assistants sur la place de Laissac, par sa présence, l'appartenance à la Résistance de ceux qui l'entouraient, et dont certains (dont mon père) devaient le jour même repartir vers des régions d'où les occupants n'avaient pas encore été chassés (et quand on connaît l'enthousiasme dénonciateur dont fit preuve alors une partie non négligeable de la population française, il y avait de quoi être très désagréablement surpris de cette initiative britannique). En conséquence, la rencontre entre ces représentants de conceptions guerrières peu compatibles s'était relativement mal passée.

Je comprends bien cela, et qu'il y avait de la méfiance (pour n'employer qu'un mot assez prudent) de la part des « Alliés » envers la Résistance de l'intérieur, méfiance qui a été en partie responsable du massacre des maquis du Vercors (où fut tué un autre normalien élève d'Alain, l'écrivain Jean Prévost). Mais pour moi, ardent « churchillien » de onze ans que j'étais, ce fut un moment pur, une joie sans mélange et, beaucoup plus que l'effervescence chaotique, parfois trouble, qui suivit le départ définitif des nazis, le signe sans ambiguïté des temps nouveaux : la Libération. Je le sens encore ainsi.

43 **Deux documents :**

Deux documents :

a) Du carnet de mon grand-père (suite), sous le titre général :

Notre vie familiale
Notes assez irrégulières prises pendant
les années 1942 à 1952.

....
(1944, septembre)
Maman et moi, nous désirons revenir à Lyon. Mais les trains ne dépassent pas Beaucaire et Pont-St-Esprit.

Grace à Lucien, nous aurons le moyen de revenir par la route.

Le 15 7bre, départ en auto de Carc. à Montp. où nous couchons.

Nous y trouvons M. Bellon qui dirige le journal : *Midi libre* : organe des Comités de Libération, installé dans l'immeuble du J^l réact. *L'Éclair*. Il y mène une vie enfiévrée et éreintante (extinction de voix).

Muni d'un ordre de mission, avec une auto du Journal, il nous mène, maman Jaqui et moi et 2 dames de ses amies qui rentrent dans le Doubs. Nous sommes bien serrés, mais nous ne nous plaignons pas.

Le 16 7bre Le temps est splendide. Le voyage sera fertile en incidents. On nous a conseillé de ne pas suivre la vallée du Rhône, mais de passer par le Puy et St-Étienne. Cet itinéraire doit nous éviter les coupures de routes. Pas tous, cependant, car au sud de Ruoms, nous voyons qu'un arche du pont sur l'Ardèche a sauté. Retour en arrière par un mauvais chemin où l'auto à gazo se conduit magnifiquement.

Assez bon déjeuner dans une petite auberge au-delà d'Aubenas.

Traversée du Puy vers 6^{h}1/2 du soir. On soupera à Yssingeaux. Nous y trouvons un restaurant, mais aussi des FFI soupçonneux dont le lieut' épluche nos papiers (on leur a signalé des collabos dans une auto semblable à la nôtre).

Nous réussissons enfin à les convaincre et nous soupons de bon appétit. Menu copieux : potage, truites, pommes de terre au gras, veau rôti, omelette, fruits.

Nous repartons vers 22 h — encore trois rapides vérifications par des FFI. Enfin, arrivée à Lyon par le pont de la Feuillée. Nous sommes chez nous à 1 h 1/2 du matin.

L'auto et nous, nous sommes fourbus !

b) Lettre de l'auteur à ses parents, datée du 18 septembre 44

(page 1) cher papa, chère maman, je suis arrivé à Lyon depuis trois jours déja — après un voyage extrèmement mouvementé. Nous sommes partis le jeudi matin à six heures de Montpellier ; La veille je ne m'étais couché qu'à onze heures et demie ayant diné à la préfecture chez le préfet. Nous sommes donc partis dans (avec, barré) un brouillard intense sur la route d'Alès. Nous étions sept. Monsieur Bellon, grand-papa, grand-maman, deux dâmes qui partaient retrouver leur famille dans la région de Besançon, le chauffeur, et moi. Nous n'avons pas suivi la vallée du Rhone parceque n'étant pas certains de pouvoir traverser le fleuve nous avons préféré monter par le Puy et St Etienne. Nous étions surs de pouvoir arriver car m. Bellon avait vu quelqu'un qui arrivait de Lyon par cette voie. Cela ne nous a pas empeché d'avoir beaucoup d'aventures pendant le chemin.

(page 2) Nous sommes arrivés à Alés vers 9 heures. Nous avons déjeuné et nous sommes repartis. Auparavant on nous a averti que nous allons avoir affaire à deux sérieuses difficultés. Les ponts coupés sont nombreux et nous allons avoir à faire des détours. Enfin, nous partons nullement refroidis. Le voyage commence vraiment bien. Le soleil danse sur la route et nous discutons fermement. De temps à autre un véhicule détruit git sur le bord de la route. a chaque village que nous rencontrons je bondis à la portiere et je salues tout ce que je voies, hommes, femmes enfants, chevaux, poules, canards, etc. J'obtiens souvent des jeux de physionomie ebouriffant. pour l'instant tout s'est passé sans aucune anicroche. C'est vraiment trop beau voici un croisement. M. bellon consulte la carte. par ici. la voiture s'engage sur un pont. Nous filons sur St Jean de Maruejols. Tout à coup, un croisement. Une des deux routes est barrée. l'auto s'arrête. D'un coté (page 3) c'est Uzès de l'autre c'est St jean. Le chauffeur descend. Tout près il y a un pont, celui de St. jean. Il est coupé. La voiture fait demi-tour. Nous repassons dans les mêmes villages, et nous voila sur la bonne route, cette fois. L'auto file maintenant vers Vallon, sur l'Ardèche. Avant d'entrer dans le village il y a un pont. Celui-ci est intact, paraît-il. Un officier y est passé ce matin. la voiture s'approche. Des fils de fer barbelés nous barrent la route. ça y est le pont est coupé. Inutile de tempêter. Qu'allons nous faire. Vallons n'est qu'à six ou sept kilomètres de Ruoms, prochaine étape où nous espèrons manger et il est dix ~~deux~~ heures et demi. Nous consultons la carte ~~Nous a~~ Nouvelle déception. Le ~~nouva~~ second pont sur l'ardèche se trouve à trois kilomètres de là, à vol d'oiseau. Mais par la route il nous faut faire au moins quarante kilomètres. Nous rebroussons chemin. Pour comble de malheur le chemin que nous

(page 4) devons prendre et horriblement mauvais. Et il monte, monte terriblement. Et nous ne savons pas si l'autre pont est toujours solide. Après la montée il y a la descente et celle-ci est encore moins commode que celle-là. Un brave paysan que nous manquons d'écharper nous affirme que le pont est debout. Rassurés nous repartons. Enfin nous retrouvons la bonne route. mais quelles angoisses quand nous passons un pont. C'est d'ailleur assez impressionnant, un pont par terre. D'habitude le pont n'est pas tout entier par terre mais c'est quand même un spectacle que je n'aurais pas voulu manquer. Nous nous sommes arrètès quelques minutes devant ce sale pont de Vallon et j'ai eu le temps de contempler les dégats. pour celui ci la cassure a été nette. En bas, d'en l'ardèche c'est un chaos inextricable de pierres en bouillies des blocs de terre ont été arrachés et se sont précipité dans le fleuve [un peu de précipitation dans l'écriture]. Une belle scène, quoi ! Avant d'arriver à Ruoms vers une

(page 5) heure nous avons contemplés les traces d'un bombarde-ment. l'objectif devait être une centrale électrique et un dépot de charbon. Au centre de l'objectif, Un tas de pierres et un pan de mur qui avaient du etre une maison. A coté un enchevêtrement de fils et un wagonnet renversé puis autour d'immenses entonnoirs. Il y avait partout des débris de fer calcinés. Une heure dix, nous entrons à Ruoms. Sur la place publique, deux Hotels. Dans aucun il n'y a à manger. On nous indique toutefois un petit restaurant au bout du village. l'auto continue. Au tournant m. Bellon fait signe d'arréter la voiture. Il a aperçu un bureau de tabac. Il descend et s'y engouffre. deux minutes. Trois minutes. Cinq minutes. pas de M. bellon. Enfin il sort une pile de journeaux sur les bras. On les distribue. les nouvelles sont bonnes. Pendant ce temps l'auto sort du village. Voici le restaurant. Il n'y a rien à manger.

(page 6) Découragés, nous continuons notre route. Et pourtant, nous avons bien faim. L'auto va s'engager sur un pont qui mène à Aubenas. Tout à coup, un homme sort d'une maison voisine et nous crie. Ne passez pas par là il y a des ponts coupés. prenez la route de droite, plutôt. Nous remercions chaudement le bonhomme et nous continuons. Le paysage est très beau. l'ardèche coule à nos pieds nous roulons sous une voute de rochers, c'est le défilés de Ruoms. Quelques minutes après nous débouchions sur la place d'un hameau. Il était deux heures et quart. A notre droite il y avait une auberge. l'auto s'arrèta et monsieur Bellon descendit. Peu de temps après il revenait. Nous pouvions manger. Après avoir dévoré à belles dents l'auto nous montions dans l'auto et nous reprenions notre marche en avant Nous n'avions pas faits vingt mètres que, crac!, l'auto sarrêtait. Un pneu crevé. Nous en n' avions pour vingt minutes. Aussitôt, comme il fait chaud tout le monde sort

(page 7) de la voiture. M. Bellon qui a encore faim et encore soif décide de chercher un café dans le village. Et il s'éloigne, accompagné d'une des deux dâmes qui voyagent avec nous. Grand-maman et l'autre dame discutent au pied d'un arbre, à l'ombre. Quand à moi je vais d'un coté, de l'autre, sans but précis. Tout en me promenant je calcule le nombre de véhicules allemands détruits que j'ai aperçus depuis Beziers. 127. Enfin, le pneu est réparé et nous montons dans la voiture. Nous pensons retrouver Monsieur Bellon et sa compagne en passant lentement. La voiture longe les maisons. Nulle trace de café. Nous sortons du village et nous faisons un km sur la route. Toujours rien. Nous rebroussons chemin, et les voilà qui apparaissent, discutant tranquilement. Aussiôt une vive discussion s'engage. Et l'auto repart. N'ayant pas beaucoup dormi la nuit dernière je somnole, sur les genoux de grand-papa. Aubenas. j'ouvre les yeux

(page 8 et dernière) la voiture s'engage dans une grande rue extrêmement animée, plus que carcassonne. je salue des militaires, de temps à autre. La foule décroit, les maisons aussi et nous voila sur la route du Puy. Nous longeons lentement la vallée de l'Ardèche. L'auto est engagée dans une conversation animée. M. Bellon consulte la carte. L'auto monte maintenant sans arrêt. La même route en lacets qui d'un tournant à l'autre ne semble pas grimper beaucoup... quand on est bas. Au pied du rocher grimaçant, la voiture s'arrête. le chauffeur descend pour mettre du charbon. Puis nous repartons. La montée est interminable. mais enfin nous arrivons au bout un vent glacial nous accueille puis la voiture commence une descente rapide.

Le Puy, 17 km. la borne passe rapidement devant mes yeux. Je suis attentivement, grisé de vitesse la descente de l'auto vers le Puy. 16 km, 15 km ; 14 km. Nous avançons toujours La route se déroule........ (La fin de la lettre manque.)

44 Je remarque avec une certaine satisfaction, dans cette lettre,

Je remarque, avec une petite satisfaction, dans cette lettre, des particularités orthographiques qui ne m'ont plus jamais abandonné : un certain désintérêt pour les majuscules au début des phrases (sans doute une préparation à l'exercice de la poésie moderne), un léger dédain pour les règles les plus assurées de la ponctuation académique (je veux dire postérieure au XVIe siècle), une tendance très nette à distribuer ici ou là des accents circonflexes avec une générosité due à l'incertitude sur leur position réelle, par exemple. C'est l'omission d'un de ces beaux signes, si menacés par les réformateurs de l'orthographe, qui m'a valu la perte d'un (unique) quart de point (sur 10) à la dictée du « concours d'entrée en 6e », en 1941. Je m'empresse d'ajouter que je n'avais pas grand mérite : l'examinateur était un homme charmant qui prononçait distinctement toutes les finales (« les faucheur-s fauchai-eu-n-t ») (il exagérait simplement outrageusement une particularité carcassonnaise, que je m'amuse à attribuer, en un raisonnement pseudo-linguistique, à la proximité de la Catalogne : on ne dit pas la « nui » mais « la nui-t »), et aplanissait ainsi pour nous, pauvres petits, la plupart des difficultés. Mais il ne put rien faire pour me prévenir de ce méchant circonflexe, dont je n'avais pas la moindre idée. C'est sans aucun doute, n'est-ce pas, à partir de cette expérience traumatisante (la perte d'un quart de point à l'examen d'entrée en sixième) que je pris l'habitude, par compensation, de mettre des circonflexes en quelques endroits imprévus (ainsi, plus haut, page 7 de ma lettre, sur « dâmes »). Cette stabilité, sur un demi-siècle, a je ne sais pourquoi quelque chose de rassurant : la persistance du « circonflexe flottant » est une assurance d'identité relative. Voilà la preuve que je ne suis pas le couteau de Lichtenberg.

Je remarque aussi que dans ces écritures mon intérêt est déjà marqué pour les dénombrements, plus généralement pour toutes les indications chiffrées que produit le monde à nos yeux, là répandues sur les bornes, les poteaux, avec leurs distances kilométriques. Je m'étais antérieurement attribué, dans un début d'autoportrait, la qualité caractéristique « d'homme numérique », de « compteur » (trace d'une relative avance dans l'échelle de l'hominisation, mais peut-être néanmoins archaïque, insensible au progrès de la mécanisation, puis de l'ordinateurisation qui rendent le maniement mental des nombres *obsolete*) et j'ai ici même (plus loin dans le texte linéaire) identifié imaginairement le lieu de ma découverte des nombres. J'avais donc la certitude interne de ma constance numérologique, mais je ne suis pas mécontent de la voir, elle aussi, confirmée par un document « historique », un objet du présent qui ne parle que du passé, et que rien de son futur ne pénètre. Ce n'est donc pas un trait que je me suis attribué après coup, en reconstituant le passé à l'aide du présent : encore un élément, minuscule mais indiscutable, de certitude.

Je vois là, ce qui paraîtra peut-être étrange et confirmer l'adage des « raisins verts » (« Ils sont trop verts, et bons pour des goujats », comme dit le renard de La Fontaine au pied de la treille inaccessible de muscats), je vois là, dis-je, dans la perspective de cette branche de mon traité, une raison pour ne pas aujourd'hui regretter l'absence de ces « journaux » que je n'ai jamais tenus (j'ai essayé parfois, il me semble, mais je ne suis jamais allé plus loin que ce *day-book* de quatre-vingts pages, vers 1947, glorieusement inauguré par ce mot resté unique sur sa première page, sans date : « Aujourd'hui »).

Cette lettre, les pages du carnet grand-paternel sont-ils effecteurs de mémoire ? pas vraiment. J'avais pris le soin de rassembler, en pensée, j'ai noté avant de lire la lettre et le carnet, mes souvenirs de ce voyage vers Lyon (et auparavant de celui de Laissac). Ils n'ont pas été augmentés ni modifiés par ma lecture, comme j'aurais pu l'espérer (ou le craindre).

Je vois une rivière avec des tanks calcinés sur ses bords ; je vois un pont écroulé.

Je vois grand-maman immobile, debout, au bord d'une route, entre des platanes, dans une longue robe noire, son « fichu » noir sur les épaules, d'autres silhouettes éloignées, indistinctes ; et je vois, à ma grande suprise, qu'elle est en train, ainsi, debout, de « faire pipi » (c'est cette expression que j'aurais employée, alors, et c'est elle qui accompagne, spontanément, le souvenir).

Je possède quelque part le « cadre » chronologique de ces images, assurant une transmission par « continuité » depuis ce temps-là (continuité de plus en plus « érodée » dans la durée, parce que la continuité, elle, n'est pas renforcée par la pensée s'attachant au passé (il s'y introduit aussi des erreurs, mais, dans l'ensemble, avant de retrouver ces documents et de les lire je les situais assez bien)). Comme il s'agissait de jours qui furent marquants pour la collectivité tout entière, les « placer » n'était pas trop difficile. Cependant tout se passe comme si les deux « sources » de restauration partielle du passé que j'ai confrontées ici appartenaient à deux mondes irréductibles l'un à l'autre mais, en même temps, non isolés.

Un autre « moment » du voyage m'est réapparu, confusément, et j'ignore, bien sûr, s'il ne s'agit pas d'une reconstruction après lecture : c'est celui de notre « arrestation » momentanée par ces FFI soupçonneux (il est vrai que notre ami, « M. Bellon » (ce n'était pas son vrai nom) avait un accent qui pouvait passer pour « étranger »). Nous fûmes donc soumis à une « vérification d'identité » par la Résistance exactement comme, à peine deux mois auparavant, nous aurions pu l'être

183

par la Milice vichyste, ou les Allemands. C'est que la mutation qui, en quelques journées, transforma la France officielle, vichyste, pétainiste, en une France différente, pas moins officielle, mais gaulliste, s'accompagna, presque du jour au lendemain, pour certains (assez peu nombreux : ceux qui s'engagèrent, en prenant des risques, dans un camp ou l'autre de cette lutte, ne furent jamais qu'une minorité), d'un changement de rôles : les clandestins sortirent de l'ombre, les plus compromis (ou les moins protégés) de leurs adversaires tentèrent de s'y plonger à leur tour.

Obligé, trois ou quatre jours avant la Libération de Montpellier, d'effectuer un trajet de « liaison » en sens inverse du reflux des armées allemandes, mon père trouva un chauffeur volontaire dont l'audace lui plut. Car quelque part sur la route, entre Pézenas et Béziers, ils croisèrent sur une dizaine de kilomètres une colonne d'infanterie allemande non signalée, sans doute égarée et pleine de lassitude, dont les soldats parfois, pour améliorer leurs capacités de fuite, s'emparaient des rares véhicules qu'ils rencontraient sur leur chemin. Ils faisaient signe à la voiture de s'arrêter et chaque fois le chauffeur, comme dans ces films de « gangsters » américains qui allaient bientôt être le symbole d'un envahissement d'un autre type, ralentissait comme pour obéir puis accélérait de nouveau brusquement à quelques mètres des soldats, échappant miraculeusement aux rafales de balles que, par acquit de conscience, ils se sentaient obligés de lui adresser.

Mais ce chauffeur héroïque était, comme on le découvrit peu après, un « collabo », et pas des plus inoffensifs : c'était un tueur, un « milicien » qui avait fait ainsi, au dernier moment, une tentative audacieuse pour échapper au sort qui l'attendait. Et tout, alors, devenait une question d'identité. L'Occupation avait multiplié les « papiers » de toutes sortes, et les contrôles incessants : cartes de rationnement, de « priorité », laissez-passer, cartes d'identité surtout. Et les faux papiers s'étaient multipliés aussi. Chaque résistant, chaque clandestin avait ainsi, successivement et parfois même simultanément une, deux ou même plus de deux fausses identités authentifiées par de plus ou moins « vraies » fausses cartes (les « vraies-fausses » étant celles qui étaient, le plus légalement du monde, délivrées par des policiers résistants). Il fallait maintenant, au grand jour, procéder à la réduction d'urgence de cette prolifération anti-occamiste de « nominaux », autrement dit de noms, surnoms et pseudonymes : faire savoir que M. X, dit Y, était en réalité M. Z, même si les papiers en sa possession le présentaient comme s'appelant T. Toujours dans mon « tiroir à mémoire externe », parmi mon lot de papiers et photos de toutes sortes j'en ai trouvé un qui présente, sous forme presque caricaturale, cette version particulière du vieux problème philosophique de la permanence des identités :

IVᵉ RÉPUBLIQUE FRANÇAISE

LIBERTÉ ———— ÉGALITÉ ———— FRATERNITÉ
COMMISSARIAT DU LANGUEDOC-ROUSSILLON

Monsieur ASTIER porteur de la carte d'identité N° 14606 au nom de BLANC Louis et de la carte d'identité de Français BR 56651 au nom de ROUBAUD Lucien est Président du Comité Régional de Libération du Languedoc-Roussillon. Les autorités civiles et militaires FFI lui doivent aide et protection.

Montpellier, le 26 août 1944.

Et voilà qu'en bas de page, à côté du tampon du « Comité Régional de Libération du Languedoc » figurent, manuscrites (je reconnais l'écriture et la signature de mon père), ces mots :

Le Président du Comité Régional de Libération
Astier.

!!!

185

45 Lyon extraordinairement belle en septembre 44.

(suite du carnet grand-paternel)

du 17 au 23 7bre. Nous parcourons Lyon avec sa nouvelle physiono-mie : tous les ponts du Rhône ont une arche démolie par l'explosion des mines boches.

30 000 m² de vitres brisées, 15 km de vitrines et de devantures démolies.

En compensation, atmosphère de détente, de liberté, d'espoir sur la fin prochaine de la guerre et le retour à une vie normale.

On lit les journaux ; on écoute la Radio ; on se réjouit des succès rapides des Alliés, presque toute la France libérée, les Russes sur la Vistule, et les Balkans.

Chaque jour, on publie de longues listes des martyrs de l'Occupa-tion, la haine monte contre les Allemands et leurs aides félons, miliciens ou collabos.

Lyon était extraordinairement belle en septembre 1944. La beauté de cette ville est pour moi liée à ces semaines d'après la Libération. Sans doute l'eau sortait des robinets avec une odeur et un goût de pétrole, sans doute il y avait les ruines, le Rhône, la Saône étaient presque infranchissables. Mais les ruines mêmes étaient belles, et leur beauté venait des circons-tances exceptionnelles, exaltantes, de leur apparition. Sans doute on mangeait peut-être plus mal encore qu'avant. Mes grand-parents découvraient peu à peu les morts, les fusillades, les disparitions, les trahisons, les déportations (dont l'aboutis-sement sinistre n'était pas encore imaginé), tous les boulever-sements survenus au sein de leurs relations depuis leur fuite devant la Gestapo en 43.

Mais tout cela me parvenait réfracté, assourdi, transfiguré. Je n'entendais que le chant héroïque, et je n'éprouvais que le sentiment de liberté associé à celui de vacances se prolongeant, dans la vacuité des rues encore chaudes, mais sans menaces, sans couvre-feu, sans la tension de vagues catastrophes (vagues pour une conscience enfantine) possibles et sans cesse auparavant redoutées (arrestations, bombardements).

Or une des toutes premières conquêtes de la Libération fut... le western. Lyon n'était pas débarrassée depuis trois semaines de ses Panzers que les cinémas rouverts autour de la place Bellecour affichaient déjà dans leurs programmes « permanents » quelques-uns de ces films de légende, au goût « d'avant-guerre », aux génériques fabuleux.

Bien sûr, en septembre 44, le choix en était encore limité, les copies (probablement prêtées par l'armée américaine) souvent interrompues par des pannes des appareils de projection ou des coupures de courant. Qu'importe ! je n'avais jamais vu spectacle plus éblouissant. J'en ai retenu un seul, comme étant le premier de tous, mon premier western : *Pacific Express* (de Cecil B. de Mille, 1938, d'après le vieux *Dictionnaire des films* de Georges Sadoul, avec Barbara Stanwyck, Joel Mc Crea et Akim Tamiroff). Il y avait là la Belle, le Bon et le Méchant.

Mais ce ne fut pas principalement pour eux que je m'enflammai. Car il y avait surtout, donnant son titre au film (et je ne revois presque plus que cela) une magnifique locomotive. (Au-dessus de mon évier métallique aujourd'hui, sur le mur blanc, à droite de la lampe, entre la lampe et le sèche-vaisselle suspendu en plastique, blanc aussi quoique un peu couvert de suie (je vois tout cela en ce moment, vous pouvez me croire), se trouve le portrait-affiche de celle qui fut, vers 1870, la « star », la « Barbara Stanwyck » des locomotives sur les lignes anglaises Southern Railways, la Bournemouth Belle.

Nous descendions, mon grand-père et moi, vers le Rhône, prenant avant d'arriver aux quais du fleuve et au tramway par la Montée de la Boucle, le chemin des « traboules », ces labyrinthiques tunnels et couloirs dans le ventre des maisons qui faisaient de tous les enfants lyonnais des écureuils. Grand-papa, armé du journal, *Le Progrès*, consultait la courte liste des « programmes ». Nous choisissions.

Et parfois, saisi d'une véritable ivresse, quand nous sortions d'un cinéma de la rue de la République, il m'emmenait brusquement vers un autre, dont il avait (signe de préméditation ?) noté aussi les horaires.

187

Le retour rue de l'Orangerie fut pour mon grand-père un véritable soulagement : c'était un homme paisible, pacifique, que les erreurs et horreurs du monde ne cessèrent pas d'étonner et d'indigner, et il rêva toujours de les voir annulées par les efforts raisonnables d'hommes de bonne volonté (en France, par exemple, par « l'Union de la Gauche sans exclusives ». Il n'arrête pas d'y réfléchir dans ses « carnets »). Dans sa maison enfin reconquise, il reprit possession de son atelier de menuiserie où, entre autres inventions destinées au concours Lépine, il se consacra de nouveau à la quête d'une perfection inatteignable, toujours espérée, entr'aperçue, mais évanouissante comme un *boojum*, le « graal » de la chaise longue inrenversable. (Pour le révérend Milton, grand-père maternel d'un de mes romanciers préférés, Anthony Trollope, le graal avait été aussi été un rêve de stabilité, celui de la diligence inrenversable.)

46 Questionnaire :

Questionnaire :

Yad Vashem, Institut de Commémoration
des Martyrs et des Héros
B.P 84 – JERUSALEM

PRINCIPAUX DÉTAILS DEVANT ÊTRE COMPRIS DANS LE TÉMOIGNAGE

A. *Renseignements sur le témoin, le sauveteur et la personne sauvée*
   1. Nom et prénoms (en caractères latins)
   2. Age
   3. Adresse actuelle
   4. Occupation actuelle
   5. Lieu d'habitation durant la guerre (en caractères latins)
   6. *Curriculum vitæ* durant la guerre (occupation, situation économique, ghettos, camps, exode, résistance, etc.)

B. Circonstances du sauvetage
1. Comment fut établi le lien entre le sauveteur et le sauvé.
2. Description de l'action du sauveteur — caractère général de son action et détail des faits.
3. Mobiles du sauveteur (récompense matérielle, amitié, amour du prochain, etc.)
4. Dangers encourus par le sauveteur.
5. Conduite des membres de la famille du sauveteur (citer leurs noms).
6. Conditions spéciales et aspects caractéristiques.

Le témoin a le choix d'écrire son témoignage dans la langue qu'il manie le mieux. Il est important d'indiquer toujours dates et lieux exacts. Le témoin est prié également de communiquer les nom et adresse d'autres témoins pouvant certifier son témoignage ou y ajouter. De même, il est prié si possible de joindre des documents ou des photographies ayant trait au témoignage ou bien de signaler le lieu où on peut les obtenir.

Département des « Justes ».

Le retour à Lyon fut pour ma grand-mère, au contraire, la fin d'une aventure, la fin de ce qui fut la période la plus intensément « publique » de sa vie, plus exactement emplie du sentiment d'agir, et de manière juste, au sein d'une entreprise collective, la Résistance. Car tel est le sens de la présence dans mes papiers de ce « questionnaire » qui s'éclaire de ceci que j'extrais du même « dossier » : une Attestation (en français, et en hébreu, français à gauche, hébreu à droite. Je ne reproduis que le texte français)

Le présent Diplôme atteste qu'en/
sa séance du 28 février 1967/
la Commission des Justes près /l'Institut/
Commémoratif des Martyrs et des Héros Yad Va-/
shem a décidé, sur foi de témoi-/
gnages recueillis par elle, de rendre/
hommage à défunte/BLANCHE MOLINO/

189

qui, au péril de sa vie, a sauvé/
des Juifs pendant l'époque d'ex-/
termination, de Lui décerner la/
Médaille des Justes et/
d'autoriser (suscrit) les membres de sa famille à planter un ar-/
bre en son nom dans l'Allée/
des Justes sur le Mont du/
Souvenir à Jérusalem./
Fait à Jérusalem, Israël, le/
1er décembre 1967/

C'est l'aboutissement de ce qui fut certainement une longue procédure, à l'initiative (malgré tout assez tardive, semble-t-il) de mon oncle Walter (je lis au bas de la copie d'une lettre de confirmation de Jérusalem, à lui envoyée et transmise à ma mère ces mots : « chère Suzette,

just to let you know that our efforts for Bonne Maman were successful ») mais qui n'aurait sans doute pas pu être envisagée du vivant de ma grand-mère. Cette reconnaissance me fait plaisir (je n'y suis pour rien bien entendu, mais cela m'a fait plaisir et m'a même donné, pourquoi pas, de la fierté. Je le dis d'autant plus volontiers que je n'ai gardé qu'une affection assez relative pour ma grand-mère).

J'attribue cette démarche de Walter comme étant, de sa part, un cadeau à sa femme, ma tante Renée, en même temps qu'un hommage rendu à celle qui lui sauva vraisemblablement la vie en 1940. Mais c'est aussi (il me semble que la date le montre) un acte qui n'est pas totalement indépendant des convictions sionistes de mon oncle, convictions qui ne sont évidemment pas les miennes. Pour grand-maman, en tout cas, la manière dont elle avait agi lui avait semblé toute naturelle, et il n'y avait rien de plus à en dire, le danger passé et cette époque sinistre révolue définitivement (pensait-on) que pour le plaisir des récits, et la transmission, nécessaire, de quelques idées morales fortes à ses descendants.

Au moment où j'écris, moi, ces phrases qui la concernent, il semble malheureusement redevenu nécessaire d'affirmer la valeur des principes qui furent les siens, et avec quelque

insistance. Car j'ai bien peur que le rappel de ces impératifs
éthiques ne soit loin d'être désuet, et pour longtemps, particulièrement en France. (Dans le « long terme » des comportements collectifs, il est clair que le fait que les Français (à la
spectaculaire différence des Danois, par exemple) aient été,
non pas tous (je trouve la « théorie », fort répandue, qu'exprime l'aphorisme « tous des lâches, tous des salauds » non
seulement fausse, mais répugnante) mais majoritairement
pétainistes, et bien longtemps après Stalingrad et Pearl Harbor
(prêts, donc, un peu point majoritairement mais à peine, à
admettre comme naturel l'antisémitisme empressé des autorités de Vichy), n'a pas cessé de se « réverbérer » dans ce
pays.)

Ma grand-mère ne fut pas directement une combattante.
Mais si elle choisit d'agir principalement pour arracher aux
nazis leurs victimes désignées, je remarquerai cependant que
pour elle (comme pour mon grand-père qui, sans être directement associé à toute son action l'approuva (mes parents étaient
aussi entièrement et pleinement en accord (le problème de
savoir qui devait dire quoi à qui n'a jamais eu de solution
facile))), il n'était pas question essentiellement d'amitié ou de
charité (même laïque). Le « Questionnaire » que j'ai reproduit
plus haut fait significativement le silence, parmi les raisons
supposées des actions de ceux qui sont candidats au titre de
« juste », précisément sur celle-là : résister. Il « tord », ce
faisant, la vérité. Grand-maman avait conservé, cachée au fond
du jardin de la rue de l'Orangerie, parmi d'autres « témoignages », la carte d'identité du résistant Marc Bloch (elle disait
parfois que, s'il avait choisi, le matin fatal de son arrestation,
de descendre par les « traboules » au lieu de suivre le chemin
ordinaire de la « Montée de la Boucle », il aurait certainement
échappé à la Gestapo). Je complète et j'éclaire tout cela par un
témoignage (toujours pris dans le même dossier assemblé par
mon oncle).

Renseignements sur le témoin

MORGULEFF Nina
née le 14 mars 1915 à Leningrad
Habitant actuellement 77 rue des Pyrénées Paris 20ᵉ France
Profession : Ingénieur
Habitant pendant la guerre principalement 21 rue de l'Orangerie
Lyon France.

Renseignements sur le sauveteur

Mme MOLINO Blanche, directrice d'école publique à la retraite
née le 25 avril 1880
décédée le 22 septembre 1964
habitant pendant la guerre 21 rue de l'Orangerie à Lyon
ou chez sa fille et son gendre M. et Mme Roubaud Lucien
7 rue d'Assas Carcassonne Aude France.
aidée par son mari M. MOLINO René, inspecteur primaire retraité
né le 7 juin 1877
même adresse.

Je soussignée Morguleff Nina certifie exacts les faits suivants qui montrent le dévouement envers mon frère et moi-même de Mme Molino Blanche

Témoignage :

Mon frère Georges, et moi-même, habitions la banlieue de Lyon (Champagne) au début de la guerre. En août 1942, lorsque les arrestations de Juifs ont commencé dans la région lyonnaise, les gendarmes français du voisinage nous ayant prévenus que nous courions un danger immédiat, nous sommes venus nous réfugier chez Mme Molino qui nous a recueillis dans sa maison.

Mme Molino essaya de nous faire passer en Suisse. Au cours de cette tentative une lettre ouverte par la censure amena au 21 de la rue de l'Orangerie une perquisition de la police française. Grâce au courage et la présence d'esprit de Mme Molino, nous avons pu échapper à une arrestation certaine.

La perquisition n'ayant apporté contre elle aucune preuve concluante Mme Molino a continué à s'occuper de notre hébergement, entre autres chez sa sœur à Marseille, chez une amie à Carpentras. Quand il n'y avait pas de danger immédiat nous revenions très fréquemment rue de l'Orangerie quand nous ne savions pas où aller et Mme Molino n'a cessé de nous soutenir de toutes les manières.

En liaison avec Mme Mallen et son mari Me Mallen, avoué, elle fournissait régulièrement des faux papiers (avec tous les risques que cela comportait pour elle), papiers qui ont sauvé la vie à de nombreux juifs. Je ne puis évidemment me rappeler le nom de tous, et certains m'étaient totalement inconnus, mais, parmi les plus marquants, je peux citer M. René Mayer, ancien président du Conseil, le Dr Caroli, actuellement médecin à l'Hôpital Saint-Antoine, à Paris, le professeur Lévy-Bruhl. En ce qui nous concerne, les premiers faux papiers qui nous ont permis de survivre ont été fournis par elle en septembre 1942.

Pendant tous nos séjours chez Mme Molino, nous avons été constamment témoins de l'aide apportée par elle à grand nombre de Juifs : aide dans la recherche de travail et de logements, secours en argent (grâce à une collecte de fonds effectuée par elle aux États-Unis lors d'un séjour dans les milieux universitaires de Cambridge, Massachusetts, et de New York, pendant l'hiver de 1941). Je ne puis citer que les noms de ceux que nous avons connus directement : J.-Cl. Weill, C. Hagenauer, J.-G. Cahen, fusillé par les Allemands à Montluc au printemps 1944, M. et Mme Pavlovsky de Nancy.

Des faux papiers qu'elle avait ainsi fournis à une personne en danger ont amené chez elle une deuxième visite de la police française qui aurait immanquablement causé son arrestation si, par miracle, une complicité amicale dans la police ne l'avait sauvée, elle et M. Molino.

Lorqu'en 1943 je suis devenue secrétaire du Pr Marc Bloch alors chef régional du Mouvement de résistance Franc-Tireur, j'ai été quotidiennement témoin, puisque j'habitais chez elle, du soutien constant qu'elle lui a apporté jusqu'au jour de son arrestation en mars 1944 (liaison épistolaire avec sa famille habitant la Creuse, logement procuré par elle dans la maison contiguë au 21 rue de l'Orangerie, repas pris ensemble, écoute de la radio, réconfort amical, etc.).

C'est l'arrestation même de Marc Bloch qui a déclenché une

troisième perquisition policière, cette fois celle de la Gestapo à la recherche de Mme Molino en personne. Heureusement elle venait juste de quitter la ville pour se rendre chez sa fille à Carcassonne.

Je témoigne aussi que, pendant les nuits qui suivirent l'incendie de la Synagogue ou des Juifs avaient été rassemblés, plusieurs de ceux qui avaient réussi à s'échapper ont trouvé refuge dans la maison de Mme Molino.

47 Nommé, au titre du Mouvement de libération nationale,

Nommé, au titre du MLN (Mouvement de libération nationale), à l'Assemblée consultative provisoire instituée par le général de Gaulle, mon père dut s'installer à Paris (et nous, sa famille, par la même occasion). L'Assemblée siégeait au Palais du Luxembourg (où se réunit encore aujourd'hui, comme sous la Troisième République, aussi poussiéreux qu'elle, le Sénat : le lourd manteau noir rugueux, vieux de naissance, qu'il acheta à cette occasion fut aussitôt baptisé « manteau de sénateur ». Je l'ai porté moi-même plus tard, pendant mes hivers d'étudiant, à la Sorbonne puis à l'Institut Henri-Poincaré). Sa déception politique fut immédiate et intense, quand il se trouva en présence de la morgue autoritariste du Général, de son évident mépris pour la Résistance intérieure (qui avait été menée, pour l'essentiel, par des civils), et dans une certaine mesure, pour la forme républicaine de gouvernement du pays. Il n'avait pas déjà été facile pour un pacifiste antimilitariste de l'avant-38 (avant « Munich ») de s'engager dans la lutte (où le risque était mortel) sous une telle bannière (celle d'un officier supérieur dont les idées de « droite » étaient notoires). Mais découvrir, dès son premier discours devant les députés « consultants » qu'il était en apparence resté exactement tel qu'il avait été « avant » parut à mon père insupportable et impardonnable. (Il lui a pardonné, cependant je crois, mais bien plus tard, après sa mort.)

Nous nous sommes installés dans une rue homonyme de la précédente, rue d'Assas, dans le VIᵉ arrondissement, non loin du Sénat. En sortant de la maison, et en traversant la rue, il y avait un jardin, le jardin du Luxembourg. C'est à peu près tout ce que les deux lieux d'habitation avaient en commun : le nom de la rue, et la présence d'un jardin. Mais dans la maison nous n'avions cette fois qu'un appartement, en étage, et le jardin était un jardin public, fermé de grilles, fermé la nuit, qu'on partageait avec des inconnus, où on ne pouvait presque rien ramasser, toûcher, où des régions entières étaient interdites d'accès. Il n'était pas question d'y circuler pieds nus (d'ailleurs il y faisait, trop souvent, froid et mouillé). C'était un beau grand jardin, je n'en disconviens pas, mais il témoignait d'une idée de jardin inhabituelle pour nous, et peu sympathique. Je n'ai jamais pardonné au genre « jardin à la française » cette mauvaise surprise initiale, ce désarroi.

Et les arbres n'étaient pas les mêmes. Je n'y ai retrouvé, en abondance, que les catalpas (?) qui plus tard (au printemps) jonchaient le sol des allées de ces coques légères (présentes aussi dans le jardin Canguilhem, à Castelnaudary), qui avaient fourni tant de navires minuscules aux escadres de notre lavoir. Mais comment ressusciter ces flottilles hirsutes, essentiellement privées, dans le bassin du Luxembourg, parmi les navires jouets des enfants sages, bien peignés, et dédaigneux ? La seule richesse nouvelle était celle des marrons d'Inde, à l'automne, surtout ceux extraits, tout neufs, des bogues piquantes comme des hérissons mécontents, pour la jouissance brève d'un éclatant vernis, semblable à celui des bois cirés de la rue de l'Orangerie, mais infiniment précaire, terni à l'air avant même le retour à l'appartement.

En sortant dans cette nouvelle et médiocre rue d'Assas, à gauche, à quelques pas commençait une petite rue, la rue Duguay-Trouin (elle y commence toujours). C'était une rue extraordinaire qui s'en allait d'abord droit devant elle, comme toutes les rues, mais qui brusquement changeait d'avis, tournait vers la droite de presque quatre-vingt-dix degrés, sans changer d'identité, d'être, sans cesser d'être la même rue, et revenait rejoindre la rue d'Assas, dont elle était issue. C'est d'elle, de son caprice quasi londonien (les rues de Londres nous en font voir bien d'autres !), autant que l'invraisemblable longueur, révélée par l'altitude atteinte dans sa numérotation, d'une rue comme la rue Vaugirard (qui ne se rencontrait pas loin) qu'on prenait la mesure de la différence de nature entre Carcassonne (où les rues, du moins dans la partie centrale, sont rectangulairement, sagement disposées, selon une grille rectangulaire, rectiligne), et Paris, la grande ville.

Certes, il y avait le métro (le premier métro de ma collection intérieure, presque cinquantenaire maintenant, de métros), et je ne peux cacher qu'il nous impressionna, lui, favorablement. Pour commencer, il avait énormément de mal à se mettre en marche, à quitter les stations, tant ses rames étaient rares, hésitantes, et bourrées de voyageurs. Le « chef de train » alors, majestueux, responsable, souverain, las et blasé sous sa casquette, descendait de son poste de commandement dans le premier wagon, s'approchait des portes d'où pendaient des membres, des paquets, des bas de robe, des parapluies, et poussait jovialement, pour les faire rentrer à l'intérieur du wagon, ces hernies intestinales de voyageurs. On partait. Devant moi, sur le haut de la porte, entre les têtes adultes, j'apercevais le célèbre distique métropolitain, un alexandrin suivi d'un octosyllabe (disposition noble, puisqu'elle se rencontre dans les « stances » les plus émotionnelles des tragédies classiques) dont la pertinence se trouvait vérifiée expérimentalement par les attentes avant chaque nouveau départ :

« Le train ne peut partir que les portes fermées.
Ne pas gêner leur fermeture. »

Il y avait aussi que pas mal de stations, fermées pendant l'Occupation, n'avaient pas encore été rouvertes (certaines ne devaient jamais l'être !) et je regardais avec émerveillement, pendant le lent passage du métro le long de leurs quais abandonnés, ces îles désertes aux noms prometteurs de mystères « à la Fantômas » (auteur, vous ne l'ignorez pas j'espère, d'un spectaculaire vol de métro) : Cluny, Rennes, Croix-Rouge... Nous « prenions » le métro volontiers, seuls, pour le plaisir (et, je le crains, souvent sans ticket). Il semble que l'idée d'insécurité en était totalement absente (comme si la délivrance du territoire national avait inauguré des temps de tranquillité générale, de concorde pacifique et absolue : « O patrie, ô concorde entre les citoyens » (Victor Hugo)). Mon plus jeune frère, Jean-René, « Nanet », y était particulièrement adonné. Et il n'avait pas six ans.

Notre appartement, inoccupé comme d'innombrables autres (qui le sont toujours : une grande proportion du Paris noble est vide) avait été « réquisitionné », au nom des intérêts supérieurs de l'État républicain renaissant (la célèbre et interminable « crise du logement » commençait). Mes parents auraient pu y rester, jusqu'à leur retraite. Mais, conformément à des principes qu'ils estimaient également républicains (il y a là une ressemblance très nette, malgré la différence de génération, de mon père avec mon grand-père. Et Pagnol aurait pu leur dire, comme dans *Topaze* : « D'où sortez-vous ? » « De l'université. » « J'aurais dû m'en douter. »), dirent à la propriétaire, une dame bien mise et bien dévote, comme il en pleut dans ces parages que, bien entendu, quand son fils, prisonnier en Allemagne, serait de retour et voudrait s'y installer, au bout d'un délai raisonnable (le temps de trouver autre chose), ils le lui restitueraient. (Bien entendu également, le fils ne vint aucunement y habiter et la dame loua aussitôt l'appartement, prélevant au passage sur les finances du nouveau locataire ce qu'on appelait un « pas de porte », une somme considérable pour l'époque.)

Notre départ définitif de Carcassonne eut lieu à la frontière des années 44 et 45. Je ne crois pas, tant il y avait d'effervescente nouveauté dans ce départ (la découverte du métro, par exemple, et la lecture du *Canard enchaîné*, denrée presque aussi mythique que les oranges de l'avant-guerre (attention : je ne suis pas en train de préparer le jeu de mots que vous craignez : « *Canard enchaîné*... à l'orange »)), que nous ayons pris tout de suite conscience de ce que nous perdions au change. (Plus tard, dans les années embrouillées de l'adolescence, la rue d'Assas (Carcassonne) devint la figure d'un paradis perdu, le vert paradis de l'enfance, et la rue d'Assas (Paris) celle d'un

197

Purgatoire (on aurait difficilement pu la qualifier d'Enfer).)

La France était libre, mais nous, nous avions perdu une grande partie de l'immense liberté dont nous avions profité dans les derniers mois de l'Occupation. Nous nous sommes trouvés, par force, civilisés en souliers, en horaires disciplinés et scolaires (beaucoup plus anonymes, contraignants que ceux de nos écoles carcassonnaises). Il faisait froid. Il faisait toujours froid. De l'enfermement des classes nous sortions pour retrouver l'enfermement des pièces de l'appartement (d'où nul ne pouvait, en enjambant tout simplement un balcon, ou le rebord d'une fenêtre, fuir, en se laissant glisser le long du figuier, vers l'aménité végétale d'un jardin familial protégé ou, plus loin encore, se perdre entre les perdreaux dans les vignes, les thyms, les garrigues). Nous nous sentions perdus. Comme des animaux en pareil cas, bien entendu, nous nous sommes mis à grogner, à bouder, et à mordre (métaphoriquement, je le précise). Je retrouve, et je cite en une incise quelques fragments d'un « Traité des disputes » que j'ai composé, en quelques semaines, en février 46, avant notre départ salvateur pour Saint-Germain-en-Laye. Son inspiration auto-thérapeuthique est évidente. Mais il montre, en même temps, que ce souvenir d'une époque désagréable que j'ai conservé correspondait à quelque réalité contemporaine.

48 La vérité de cette loi de l'âme.

Mais il y avait une autre raison encore, plus particulière, plus personnelle, à mon désenchantement (c'est bien d'un désenchantement qu'il s'agit : l'exil hors d'un jardin, ensuite imaginé édénique). Décrivant ma lecture avide de *Rocambole*, et particulièrement de la lettre d'amour reçue par l'anti-héros, quelques semaines avant les événements rapportés ci-dessus, j'ai écrit (ou j'écrirai, cela dépend du point de vue auquel on se place : l'événement de lecture en question est antérieur, dans la chronologie

« réelle » du temps rapporté. Je l'ai déjà écrit alors que j'écris ceci. Il est toutefois postérieur si on suit le déroulement linéaire du livre. Mais il est, en un autre sens encore, de nouveau antérieur, puisque la première Bifurcation, où il figure, s'insère, dans ma composition narrative, entre les chapitres 1 et 2 de la partie « récit ». Enfin, il est antérieur ou postérieur dans une autre lecture, la vôtre, selon le mode de parcours du livre que vous choisirez),

j'ai donc écrit (pour prendre place dans cette Bifurcation) : « Je me pénétrai avidement de cette loi de l'âme : " six pages serrées ! Elle m'aime ! ", moi qui, bien qu'amoureux, n'étais guère en mesure de recevoir de tels gages. »

En 1943 Marie (Noilhac), qui avait veillé sur nous, enfants, depuis Tulle, était devenue (tout en restant toujours pour nous Marie) Mme Bonafous, s'étant mariée et étant partie vivre dans le Minervois. Antoinette (Hernandez) la remplaça. C'est d'elle que j'étais, ou rêvais d'être (ce qui y ressemble beaucoup), amoureux. Elle n'avait pas vingt ans. Elle était venue à Paris avec nous, mais pour peu de temps. Elle allait partir, car elle était fiancée. Tel était le nœud fatal de mon drame intérieur.

Il y avait pire encore : la diminution sévère de notre espace vital qu'avait entraînée notre transfert de l'une des rues d'Assas à l'autre avait eu pour conséquence qu'il m'était devenu impossible, la nuit, de sortir de mon lit pour aller dans le sien, ce que je faisais on ne peut plus tranquillement à Carcassonne, n'ayant pour cela qu'à ouvrir la porte de la chambre et sortir sur le palier. Antoinette n'avait jamais eu dans sa famille de chambre à elle et les ténèbres sous le toit la trouvaient modérément rassurée : des pies, des écureuils marchaient parfois au-dessus de sa tête, je ne parle pas des orages galopants. Nous avions eu ainsi avantage à ce partage, quoique dans des dispositions d'esprit fort différentes.

Je n'avais pas dissimulé à Antoinette l'intensité incandescente de mes sentiments, puisant chez Walter Scott, Hugo ou Théophile Gautier les modes d'expression indispensables, dans le registre stylistiquement évidemment le plus élevé et le plus vague, ce qui ne surprendra pas, étant donné les modèles à ma disposition. Elle riait. Cela me vexait beaucoup. Mais j'avais onze ans, et elle riait. Je n'ignorais pas (après discussions approfondies à l'école ou au lycée avec des camarades qui étaient tous plus âgés que moi) qu'il existait d'autres aspects, très différents, des relations amoureuses. Mais mon peu d'années et l'état pré-matrimonial de l'objet de ma passion sentimentale m'interdisaient d'aspirer à la plupart d'entre eux.

Il me semble que je n'étais pas jaloux du fiancé. Certes, c'était un Espagnol plutôt farouche et peu causant. Et comme nous allions tous les trois ensemble au cinéma, les samedis ou dimanches après-midi, je servais de petit frère de rechange et de chaperon, ce qui ne devait pas me rendre très sympathique à ses yeux. Antoinette s'asseyait entre nous. C'est elle qui choisissait les films. Ce furent les premières expériences cinématographiques de mon existence. Son choix se portait invariablement sur des films sentimentaux, et dans ce registre sa préférence allait, non moins immanquablement aux triomphes de l'époque, les grands « romans-photos » animés autour de chansons, les succès de Tino Rossi : j'ai vu *Marinella* trois fois, et *Naples aux baisers de feu* au moins quatre. J'entends fort bien à cette minute l'impérissable voix sirupeuse glouglouter dans mon oreille : « Marinella, / reste encore dans mes bras / avec toi je veux jusqu'au jour / danser cette rumba d'amour/... ». Ah Tino ! Ah la voix de Tino ! ses yeux de merlan frit ! sa voix couleur de gomina argentine !

Je ne cacherai pas qu'une fréquentation aussi assidue et à mes yeux excessive des aventures tinorossiennes me posait quelques problèmes esthétiques (le fiancé était, lui, carrément exaspéré et portait sur le chanteur des jugements qui, tout exprimés en la langue espagnole qu'ils fussent, ne me paraissaient pas échapper entièrement au registre de la grossièreté, ce dont Antoinette le punissait en boudant et en me prenant par la main dans les allées où nous marchions ensuite). Il y avait une nette distance entre la flûte de la *Suite en si* d'un côté et « Elle n'a que seize ans mais / faut voir comme / elle affole déjà / tous les hommes / oh Catarinetta belle / tchi tchi... », de l'autre. Je ne pouvais éviter de situer (adorable Antoinette ! *sed magis amica veritas !*) la voix du grand charmeur dans une catégorie musicale que mes parents désignaient du terme de « dégueulando ». (Ce qui ne m'empêchait pas d'avoir de l'indulgence attendrie pour les murmures *marshmallow* des *whispering barytones*. Il est vrai qu'ils chantaient, eux, en anglais et qu'alors, pour moi, tout ce qui était britannique était sacré.)

(Mon dédain s'étendit d'ailleurs très vite beaucoup plus loin, à toutes les « chansons d'amour » du répertoire français (y compris donc, à Charles Trenet, et je fus fort surpris plus tard de découvrir que les surréalistes avaient de l'admiration pour lui.) C'est de ma part un jugement qui ne devait peut-être pas tout à l'influence parentale directe. On m'a rapporté (souvenir externe donc) qu'à quatre ou cinq ans, quand ma tante Renée (alors dans une période adolescente et sentimentale) chantait, dans les intervalles oscillatoires entre son régime et ses chocolats, avec justesse mais conviction un air passablement dix-huitième dont les paroles commencent par « Au bord d'une fontaine / Tirsis brûlan-ant d'amour / Contait ainsi sa pei-ei-neu / aux échos d'a-a-lentour / Félicité passé-é-eu / qui ne-eu-peu-eut revenir-eu / Tourment de ma pensé-é-é-eu / que n'ai-ê-je en vou-ous perdant / perdu le sou-ouvenir ! / », je ponctuais son exécution, infiniment convaincue et langoureuse, de deux miaulements hyperaigus, l'un à la fin du deuxième vers, « brûlant de miaou » et l'autre, redoublé, à la fin finale de la strophe « perdu le sou-ouve-miaou-miaou », ce qui avait pour effet, sans doute recherché, de torpiller son élan (heureusement, car il y avait de nombreuses autres strophes dans la chanson).

Mais en 1944 je ne manquais pas une seconde des longs baisers « sur la bouche » qu'échangeaient, dans *Naples aux baisers de feu*, Tino et la volcanique, tumultueuse Viviane Romance. Ils ne cessaient d'enflammer de leur lave mon imagination. Et voilà que, dans le froid comprimé de notre inhospitalier appartement, sous les cieux froids et lourds, sous le couvercle pluvieux des rues parisiennes, il me fallait dire adieu au soleil, à Tino, à Antoinette. J'avais le spleen.

49 L'an se rajeunissait

Je me souviens encore d'un sonnet de Ronsard, appris il y a très longtemps. Je me le récitais pendant l'hiver de 45-46, en traversant le jardin du Luxembourg. Il faisait froid, les fontaines même avaient gelé. Je ne l'avais pas découvert moi-même : nous étudiions Ronsard dans ma classe de seconde du lycée Henri-IV, où Guy Harnois, le meilleur ami de mon père, était professeur de première. Il m'avait fait lire ce poème, et récita pour moi quelques vers d'un autre (ce n'étaient pas les premiers du poème), ce qui fait que j'ai mis très longtemps à les retrouver, et à comprendre pourquoi ils s'attachaient irrésistiblement à l'image du bassin du Luxembourg. Les voici :

> Et rompant leurs cheveux, frappèrent leurs poitrines
> Sur le haut d'Hélicon languissantes d'émoi
> Et pleurèrent le jour qu'elles furent divines
> Pour ne savoir mourir de douleur comme toi.

(Tels il les disait, ou tels je crois me rappeler qu'il les disait.) Ils figurent dans l'épitaphe d'une dame nommée Artuse, prénom que Ronsard associe à la nymphe Aréthuse, et le poème commence ainsi : « Ci-gît, qui le croira, une morte fontaine... ». Là, vraisemblablement, est le pourquoi de mon association, face à l'eau morte de la fontaine sous le gel.

Le sonnet

> L'an se rajeunissait en sa verte jouvence
> Quand je m'épris de vous ma Sinope cruelle
> Seize ans étaient la fleur de votre âge nouvelle
> Et votre teint sentait encore son enfance.
>
> Vous aviez d'une infante encor la contenance
> La parole et le pas votre bouche était belle
> Votre front et vos mains dignes d'une immortelle
> Et votre, œil, qui me fait trépasser quand j'y pense.

Amour qui ce jour-là si grandes beautés vit
Dans un marbre en mon cœur d'un trait les écrivit
Et si pour le jour d'hui vos beautés si parfaites

Ne sont comme autrefois je n'en suis moins ravi
Car je n'ai pas égard à cela que vous êtes
Mais au seul souvenir des beautés que je vis.

Je le recopie ainsi dans un cahier où je l'ai retrouvé récemment. Et c'est ainsi que je l'ai gardé en mémoire. Je ne le présenterais pas aujourd'hui de cette façon. Je respecterais l'orthographe de l'original, je rétablirais la ponctuation (je n'ai utilisé que des points dans ma « version », ou presque, en accord avec les habitudes de la poésie dite « moderne » (à l'exception des deux virgules du vers 8)), je supprimerais les blancs dix-neuviémistes entre les strophes et leurs alignements verticaux. J'ai devant moi le tome X de l'édition chronologique monumentale « Laumonier », où le sonnet apparaît, au second livre des Meslanges, à la date de 1559. Les vers 4 (« Et vostre teint... ») et 8 (« Et vostre œil... ») sont des innovations de la version de 1560. Ce sont eux qui m'enthousiasmaient le plus à l'époque, peut-être parce qu'il est possible de leur donner une coupe hugolienne, anachronique, que j'ai toujours adoptée pour ma récitation intérieure : « Et votre teint / sentait encore / son enfance ».« Et votre œil / qui me fait trépasser / quand j'y pense » (d'où la notation des deux virgules qui constituent, en leur interprétation rythmique, une infraction, également moderniste, à la loi sévère des césures). Hugo était alors ma référence presque unique.

Le trajet le plus ordinaire de la rue d'Assas au Lycée, situé si noblement sur la montagne Sainte-Geneviève, derrière le Panthéon, supposait la traversée du Luxembourg. Immédiatement à droite dans l'allée, après la porte d'entrée, se trouvait une petite cahute à bricoles, qui vendait des cartes postales, des jouets minuscules, des babioles destinées à la population enfantine du jardin, et surtout, surtout des bonbons. C'était un lieu béni pour apaiser une faim irrépressible de sucre, inassouvie pendant plus de quatre ans. **Je vois les bonbons aux fruits, translucides, parallélépipédiques, que je conservais comme un trésor dans mes poches, parfois s'incrustant de fragments de laine, et dont la carapace dure, cristallisée, laissait en fondant la langue pénétrer la masse interne douce, agglutinante, fruitière, sirupeuse.** C'était une sorte de protection enfantine contre la rudesse du climat lycéen.

En ces années, et dans cet environnement, où je ne connaissais personne, où l'espèce de famille étendue qu'avait été pour moi l'École annexe, ou même les petites classes du lycée de Carcassonne ne me protégeait plus, ma jeunesse excessive (j'avais deux à trois ans de moins que la plupart de mes condisciples) devint brusquement désagréable. Je me sentis à part, écarté, dépassé, sans doute moins intellectuellement que socialement (je parle de la société lycéenne). J'étais isolé, je le restai, je me mis à rêver d'un ailleurs, je me réfugiai dans la lecture, je me persuadai du caractère nécessairement séparant de la poésie, que j'avais déjà choisie comme activité, comme discipline, comme ambition, comme monde. Je me contentai d'une activité scolaire moyenne, sans efforts, sans brillant. Je devins incapable de travail efficace, soutenu, tenace (avant, jusqu'à la classe de troisième, je n'en avais pas ressenti le besoin). Je ne fus pas un mauvais élève (cela aurait été une position trop dépendante de l'institution elle-même, génératrice de conflits innombrables, beaucoup trop absorbants), je fus plutôt un élève indifférent.

Je marque une exception notable à cette règle du moindre effort (qui fut la mienne, hélas, très, trop longtemps). Pendant quelques mois de l'année scolaire 45-46 (ma première classe de seconde, que mes parents me firent redoubler à Saint-Germain-en-Laye, ayant réfléchi aux défauts de mon « avance » scolaire, voulant les corriger, mais ce fut sans grands effets bénéfiques, car je m'ennuyai alors scolairement encore plus), je vécus une expérience véritablement extraordinaire, due à la personnalité exceptionnelle (et quasiment pathologique) d'un professeur de français-latin-grec. Il s'appelait Chauvelon. Son originalité spectaculaire était son attachement maniaque, sa passion débordante pour la tâche qui était la sienne, dont il comprenait les exigences bien au-delà de ce que le plus fanatique des chefs d'établissement ou des inspecteurs généraux aurait pu réclamer de lui. Mais le mieux est que je décrive, simplement, les mécanismes de sa méthode, sur un exemple.

Il nous donnait, disons, une version latine (en classe, un jour de composition, ou à traduire à la maison). Nous traduisions, nous remettions notre copie (nous devions remettre notre copie : si nous n'avions pas fini pour le jour prévu, qu'à cela ne tienne, ce serait la fois suivante. Il l'attendait, et la réclamait). Il corrigeait nos copies, nous les rendait avec la note, proposait, oralement une solution aux différents problèmes posés par le texte de César, de Tite-Live, de Tacite même. Rien, jusque-là, ne s'éloignait du commun (sinon peut-être, la fréquence impressionnante des épreuves). Nous emportions nos copies et (c'est là que les choses commencent) nous devions ramener, une semaine plus tard par exemple, une nouvelle copie de la même version, corrigée au mieux de notre compréhension de nos fautes, et de ses éclaircissements. Il emportait cette nouvelle copie, la corrigeait, nous la rendait avec ses observations. Si l'état obtenu était jugé par lui satisfaisant, parfait, ce travail-là était terminé. Sinon, eh bien, il fallait recommencer, recommencer encore. Il ne relâchait jamais son attention. Il ne faisait grâce d'aucune étape, d'aucun stade dans l'approximation sans cesse croissante de la perfection. Comme nous avions à faire non seulement des versions, mais des thèmes, non seulement des versions et thèmes mais des dissertations françaises (pour lesquelles le « graal » de la perfection était encore plus insaisissable), on peut imaginer la somme d'efforts que cela pouvait représenter pour nous.

Il appelait cela des « Petits Travaux ». Aucune tactique dilatoire (rendre la même copie, donner des mots d'excuse, être absent) ne le détournait de son but : nous obliger à achever, au point voulu par lui, la mise en forme des « petits travaux « , de tous les « petits travaux ». Il venait en classe avec des valises, dans lesquelles chaque épreuve, chaque état individuel d'une épreuve était classé. Il n'oubliait aucune copie, il savait à tout moment où exactement en était chacun de nous. Il relisait nos méchantes écritures lentement, minutieusement. Il était fou.

205

(J'ai su par notre ami Harnois, son collègue, qu'on le trouva un jour, en pleine nuit, égaré au milieu de ses « petits travaux », ne s'y reconnaissant plus, et pleurant. Telle fut sa fin.)

Je ne sais quelle fut son influence sur ma manière d'écrire, en prose française (je pense qu'elle fut maigre, que je suis resté réfractaire à son idéal stylistique, un peu brutal). Mais mes progrès en latin furent prodigieux. Je ne vivais plus qu'en latin. Et un jour, pris d'une frénésie passionnée pour les tournures les plus compulsives du style de Tite-Live, j'entrepris de composer à mon tour une « Histoire », en latin, que j'ai encore (ou encor).

50 Une, deux, trois ou quatre fois l'an je pose ma valise

Une, deux, trois ou quatre fois l'an je pose ma valise dans la chambre haute, étroite, de cet hôtel de Londres, Cartwright Gardens, toujours le même, et je regarde par la fenêtre le demi-cercle de rue où le lendemain matin pendant une, deux ou trois semaines je passerai avec le *Times* un, deux ou trois étages plus bas, à l'heure vide où les cartons de lait viennent d'être déposés devant la porte des maisons, des hôtels, de cet hôtel, toujours le même, où je viens, quand je viens à Londres. Dans la dernière des rues que je prends, en revenant de la British Library, Marchmont Street, il y a un pub, le Lord John Russell. Il a des tables de bois sur le trottoir, un, deux ou trois verres de bière tiède pas tout à fait vides, abandonnés sur les tables quelques minutes avant la fermeture, *closing time*, des fauteuils bas, de très basses banquettes crevées où on s'assied entre les vieux gentlemen locaux presque inaudibles et quasi inarticulés, et deux ou trois copines habillées de verts et de roses inimaginables qui bavardent avec la serveuse dans le même style. Je regarde la mousse grise et brune de la Guinness qui a coulé sur la table basse, la couleur du bois est celle du *best bitter* ou bien le *best bitter* a donné au bois sa couleur de bière, semblable à celle de deux ou trois *pennies* restés sur la table. Je marche jusqu'à la porte de l'hôtel dans la nuit indécise d'août, sous les arbres feuillus et sombres.

Je pose sur le lit étroit de la chambre haute, étroite, les sacs plastiques pleins de livres que je viens d'acheter, chez Dillon's, ou Waterstone, Books etc., ou Murder one, ou Foyle's, je sors un à un les livres en m'allongeant, sur le lit, la tête sur l'unique oreiller étroit appuyé verticalement contre le papier peint du mur, les livres disposés sur le sol au pied du lit bas juste devant la porte. J'éteins la lampe et je regarde le plafond à la lueur du demi-cercle de nuit dans la chambre, dans la vacance et la vacuité paisible de la nuit j'entends la voix distante et pour moi seul de Big Ben, une, ou deux, ou trois, quatre fois ses quatre notes, une seule fois descendantes. Telle est, du moins, ma routine habituelle.

Mais hier au soir j'ai allumé la télévision, présence nouvelle et innovation récente due aux ambitions dangereusement modernisantes de la jeune Mrs. Cockle qui dirige maintenant, en collaboration avec la propriétaire de toujours, Mrs. Bessolo, les destinées du Crescent Hotel. J'ai allumé la télévision et j'ai regardé, sur le mouchoir de l'écran, dans la nuit d'août, une longue suite d'images-souvenirs, d'ersatz d'images cinématographiques, presque toutes blanches et noires, et muettes : des bouts de films d'amateurs tournés par six soldats de la Wehrmacht pendant leur campagne de Russie, entre 1941 et 1944, conservés par eux dans leurs boîtes à souvenirs pendant quarante et quelques années, montrés et commentés par eux aujourd'hui devant les caméras discrètes de la BBC. J'ai vu les lourds et vieux visages d'aujourd'hui devant les jeunes et indélébiles visages des vaincus et des vainqueurs, devant les ruines, les blés, les neiges, les fleuves, les canons, les nuages, les prisonniers, les trains de permissionnaires, les régiments en marche sur les ponts, les chars incendiés, les morts, la terre noire, et la boue, la boue, la boue. J'ai vu un avion russe tomber du ciel dans un champ resplendissant, ensoleillé, immobile. J'ai vu des jeunes hommes blonds s'éclabousser en riant dans la mer (Crimée, 1942). J'ai vu des femmes vieilles et jeunes jeter cadavre après cadavre dans une fosse, jeter des pelletées de terre sur des cadavres de soldats russes, ukrainiens, soviétiques, leurs maris, leurs frères, leurs voisins, leurs amants, sans lever les yeux un seul instant, sans regarder vers nous, vers le devant de l'écran coloré futur. J'ai vu le vieil homme dans son magasin de jouets, tranquille dans son fauteuil, aujourd'hui, qui avait filmé, tranquillement, cela.

Un de ces films était en couleurs : les couleurs étranges d'une pellicule allemande de 1938, saisies par des caméras anglaises de 1987 filmant le film de l'hiver russe de 41-42, restituées sur un écran de télévision d'hôtel à Londres en août 1991. Et pourtant rien ne pourrait m'apparaître comme plus véridiquement peint des couleurs du passé. Et des deux côtés d'une route déserte on voyait, à perte de vue une neige : éblouissante, cotonneuse, fumeuse, et jaune.

De cette image, de cette neige du fond de la guerre, à la fois irréelle et irrécusable, je retourne à celle, pas moins irrécusable, pas moins irréelle, enfermée, contemporaine de l'autre, dans ma tête et rayonnant, arrosant de son incessante lumière, de son illumination ininterrompue le début de ce récit. Je mets ces neiges en parallèle. Le hasard essentiel créé par MMrs. Cockle et Bessolo dans la chambre 37 du Crescent Hotel met ces deux neiges en parallèle. La neige paisible du jardin de guerre à Carcassonne est-elle, comme la neige jaune du soldat, une neige-écran, le masque d'autres souvenirs ? Je ne crois pas. Mais ce qui est là, sans cesse, sous la lumière neigeuse de mon souvenir, quand je descends, par lévitation, dans l'air pur et froid du jardin, depuis la chambre à la vitre revêtue des fleurs du gel, c'est bien cette autre neige, la neige de guerre, mortelle et trempée de sang : celle de Leningrad, Stalingrad, Orel, Koursk, Velikie-Louki, Briansk.

Et ce n'est donc pas seulement le départ de Carcassonne, l'abandon de ce jardin qui définit pour moi les limites, les murs du théâtre de ma mémoire enfantine, dont j'ai disposé ici les lieux. Quand de son arrangement de places et d'images j'ai bâti autrefois l'architecture du **Projet**, je ne me suis pas arrêté (chronologiquement) à ce qui fut la cause directe de mon départ, de mon exil, la Libération, ni à l'instant de ce départ lui-même, au dernier regard jeté sur le portail refermé, sur le grand pin, mais je suis allé, comme je vais le faire dans ce récit, un peu plus loin, aux premiers jours de mai 1945. Le 8 mai 1945 est la date, conventionnellement choisie pour marquer la fin de la guerre. Mais ce n'est pas non plus là que je m'arrêterai.

Le 1er mai de cette année-là j'ai participé à ma première manifestation de rue. Ce n'était pas une manifestation protestataire, mais la marche d'une foule immense, joyeuse, inconsciente, de la place de la Concorde à celle de la Nation : l'unique fois, sans doute, dans ce pays où, à cette date, commémorative des luttes ouvrières d'un autre siècle, il fut donné un sens plus vaste (certains, dans cette foule, pensaient, illusoirement, que c'était le même). Et ce fut comme la floraison ultime de l'idée de « premier mai » (malgré le froid inhabituel : il tomba même quelques flocons), avant que les métastases du cancer stalinien, lentement mais sûrement, n'achèvent de le priver, peut-être pour toujours, de tout sens. (C'est aussi pourquoi je m'arrête dans les environs de ces journées, que je ne poursuis pas jusqu'à l'éclair terrible, les « mille soleils » d'Hiroshima, dernier acte de la guerre contre l'Axe, premier acte de la « guerre froide », ni jusqu'au célèbre « Discours de Fulton » où Winston Churchill inventa la métaphore, stratégiquement géniale, du « Rideau de fer ».)

C'était ma première manifestation sur la voie publique, et on y conduisait les enfants. Nul ne s'y opposait. C'était la deuxième à laquelle j'assistais. Mais je n'avais vu la première, place Davila, que de loin, depuis les Allées. J'avais admiré les manifestants antipétainistes de 1942, devant le monument aux morts, bien moins nombreux, certes, que ceux du 1er mai d'après la Libération (et à cette cérémonie-là on n'avait pas amené les enfants) : une manifestation organisée par notre ami Albert Picolo, qui lui avait valu d'être arrêté par la police vichyste et exilé, en résidence surveillée (cette résistance, encore balbutiante, n'avait pas paru trop dangereuse). Mais il avait continué dans la même voie. Et cette fois, ce furent les Allemands qui l'arrêtèrent, et l'envoyèrent à Buchenwald.

En avril 45, les premiers déportés survivants des camps nazis commencèrent à arriver. Et ceux qui étaient à peu près capables de tenir debout étaient reçus à l'hôtel Lutetia où leurs familles, ou leurs amis proches, venaient les reconnaître (il fallait, parfois, les reconnaître, comme on vient à la morgue dire d'un noyé, d'un suicidé : c'est lui), et les ramener parmi les vivants. Et c'est ainsi (et disons que c'était dans le beau mois de mai) qu'un jour mon père apprit qu'Albert Picolo était parmi ceux-là. Il est allé à l'hôtel Lutétia. Il m'a emmené avec lui. Il voulait que je voie. **J'ai vu.**

Insertions

incises

(du chapitre 1)

51 (§ 1) un réseau végétal tout en nervures, une végétation de surface, une poignée de fougères plates... La carte, le réseau sensible des lignes de la main ne s'y imprimait pas.

L'image appelait cette comparaison, image sur image, et je ne l'ai pas refusée. Car la comparaison elle-même appelle une autre branche de cet ouvrage, dont le titre général est '**Le grand incendie de Londres**' (ce que vous lisez est la branche deuxième) : « **carte routière d'un pays..., réseau hydrographique... squelette..., nervure dans la feuille verte** ». Dans ce contexte-là, c'est une image, & aussi une imagination de l'ouvrage entier qui m'apparaît, du '**grand incendie de Londres**' comme parcours dans le **Projet** (ce **Projet** dont la branche un entreprend de raconter, et raconte (en partie) la **destruction**). Il me fallait le signaler ici, en vertu de cette sorte de pacte que j'ai signé (unilatéralement, je l'avoue) avec mon lecteur. Mais comment ?

La branche un de mon livre séparait du **récit** proprement dit deux espèces d'**insertions** : les **incises**, et les **bifurcations** (« chaque fois que je rencontre des voies divergentes (dans le récit), et une fois choisie la principale, celle le long de laquelle je vous conduirai d'abord sans interruption, je prépare... des insertions ») (j'en étais venu, après quelques hésitations à les nommer ainsi) (elles étaient typographiquement et géographiquement isolées du récit lui-même).

Mais ce que j'écris maintenant peut-il être une incise ? et si oui, où la placer ? si oui, elle devrait apparaître ici, bien sûr (et ce serait un fil « remontant » sur la très grande feuille de papier mural où je vous invitais à vous représenter '**Le grand incendie de Londres**' écrit en sa totalité (les **insertions** y étaient signalées par des fils-flèches de couleur), mais aussi dans la branche un elle-même (ce serait une insertion réversible, une double flèche), ce qui suppose (et vraisemblablement de plus en plus, à mesure de l'avancement du récit) des additions à la branche un (comme ensuite aux autres), contrairement à l'affirmation (répétée) de son écriture au présent (sans préparation et sans repentirs), & donc de son achèvement, puisqu'elle est maintenant, non seulement achevée, mais publiée (il en serait de même des autres branches, dès qu'elles seraient achevées et publiées)).

Il est vrai qu'il s'agit d'une addition minimale (l'indication d'une incise nouvelle). Il est vrai aussi que cette contradiction est également potentiellement présente dans la branche un, telle que je l'ai composée et publiée, puisque j'annonce beaucoup plus d'insertions qu'il n'en apparaît dans le volume. Je pourrais aussi, un peu spécieusement, décider que des additions minimales de ce genre (pourvues d'un renvoi chiffré, indiquant une « adresse » dans le livre entier, où seraient toutes les branches) ne mettent pas en cause la véridicité de mon affirmation (je prétends, je le rappelle pour mes lecteurs anciens, je le signale pour mes lecteurs nouveaux, à la contemporanéité du récit et de son écriture) (à cela je pourrais aussi me résigner). Mais en fait il me semble que je dois malgré tout, dans ce cas précis (c'est le premier du genre) renoncer à donner à cette incise le statut, simultané, d'**incise dans la branche un et dans la branche deux** (c'est une **incise** tout naturellement, dans la branche présente, au présent de la composition de cette branche, puisque je l'ai rencontrée comme quelque chose que j'avais à dire, quoique non principalement, à cet endroit du texte) : car, dans ce moment-là du récit, elle était, et reste, en l'absence d'un développement explicatif qui est, très précisément, de ceux que je refuse (rien n'est « à l'avance », mais rien non plus n'est « après coup » dans mon livre), quelque chose de surajouté.

Cela veut dire qu'il me faudra peut-être introduire un troisième (ou quatrième) type d'insertions : les **notes** (je n'aime pas beauoup employer un tel mot ici, car il s'agirait encore d'insertions, qui ne seraient donc nullement hors texte. Je choisis une désignation provisoire). D'ailleurs, même si je n'ai pas eu recours à des notes dans la première branche, j'ai parfois ressenti, sinon le manque de notes au sens ordinaire, qui ne racontent pas, mais informent, expliquent, précisent (et sont donc hors récit, hors le temps du récit), du moins la vraisemblance de leur commodité. Je vérifie (en cet instant) que je n'ai pas, alors, exclu le recours à d'autres espèces du genre « insertion » que les incises et bifurcations (branche un, § 14 : « Ces bonds continuels dans mon livre que représentent virtuellement les bifurcations, les incises, toutes les espèces du genre insertion, sont l'équivalent d'un des privilèges absolus de la lecture : pouvoir, en ouvrant un livre, être aussitôt n'importe où... »). J'avais là, sans trop y réfléchir, renoncé à l'emploi de notes, à la fois pour ne pas ajouter à la complexité de la composition du livre (puisque cette branche allait devenir livre), mais en même temps pour ne pas risquer de gommer, en ayant recours à un procédé aussi traditionnel, le caractère très particulier des deux premiers types d'insertions (ce ne sont pas des notes. Ce ne sont pas non plus des gloses, des fragments, des variantes, ni des restes, ni des ruines, elles n'ont rien d'un *pan perdu* de prose).

A la **branche un**, dans le livre futur achevé, le développement présent pourrait être une note, apparaissant comme telle dans le texte, modifié et très légèrement alourdi de tels renvois, si jamais d'autres branches que la branche un s'achèvent, et si, achevées, elles sont conduites jusqu'à l'impression (cela reste aussi incertain que l'était la réponse à la même question en ce qui concerne la branche un elle-même, pendant que je l'écrivais) (disant cela, je parle d'une incertitude plus profonde que celle, banale, qui tient au fait qu'avant de finir un livre, on ne l'a pas terminé, et qu'avant de le publier, il n'est pas paru : je n'avais pas décidé de l'achever, encore moins de le publier, tout simplement parce que je ne savais pas (jusqu'au moment où cette décision fut prise, devenue évidence à un certain moment du récit (et cela était alors une conséquence nécessaire des « axiomes » de la composition) quelles devaient être les conditions de son achèvement))).

52 (§ 2) des phrases comme « je pensais que... », « je croyais que... » (si elles se présentent comme immédiates) me repoussent.

J'ai plus de difficulté encore à comprendre ceux qui écrivent : « l'enfant pensait que... », ou (ce qui me paraît presque pire) « l'enfant pense que... » (au présent). Loin de consolider l'effet de vérité, indispensable à l'adhésion du lecteur (ce qui semble être l'intention de leurs auteurs), il me semble que de telles expressions le mettent brutalement en présence d'un des procédés les plus éculés de la fiction romanesque : inviter à se glisser « dans la peau du personnage ». Et plus l'enfant est présenté comme jeune, plus l'impossibilité est manifeste. (Il y a, j'insiste, toujours impossibilité. Mais le pacte fictionnel entre auteur et lecteur consiste précisément à ruser avec des impossibilités, à les rendre acceptables un moment, le temps de la lecture. L'efficacité de ces ruses varie notablement avec les époques.) Un narrateur de cinquante ans, un lecteur d'âge et de sexe quelconque s'installant dans le corps, « derrière » les yeux d'un petit garçon ou d'une petite fille de cinq ans, se superposant à eux, quel encombrement invraisemblable ! Dès qu'une telle invitation m'est faite, je pense à la panique qui saisit, précisément, un très jeune enfant dont un adulte, par jeu, prétend, au moment de sortir dans la rue pour une promenade, revêtir par erreur le manteau au lieu du sien.

Il ne s'agit là, sans doute, que de la version « naïve » de l'auteur de « mémoires », romancier d'autant plus débutant qu'il s'imagine n'avoir besoin d'aucun « savoir-faire » de la fiction. Mais bien des stratégies d'apparence plus « sophistiquée » sont aussi insatisfaisantes : reconstituer, par exemple, un raisonnement tenu par l'enfant (et surtout par soi-même, enfant) (je pense au Sartre des *Mots*, à Leiris) affronte un autre type, pas moins gênant pour moi, d'impossibilité.

Si j'interroge en effet mes souvenirs, je ne vois pas du tout comment un raisonnement quelconque peut sortir en aucune manière de son présent. Toute chaîne de déductions est pensée, pensée au présent, toujours : parce qu'elle est, essentiellement, répétable à l'identique. On ne peut pas, en vrai, penser un raisonnement ancien. Cette impossibilité est dissimulée quand il s'agit d'un souvenir adulte, parce qu'on peut croire les façons de déduire stables. Et il y a du « vraisemblable » (pas plus, j'insiste) à dire, dans ce cas : j'ai pensé (il y a un mois, un an), j'ai raisonné ainsi. Mais la pensée retrouvée (soi-disant) d'un enfant, quelle chimère !

Les récits de souvenirs d'enfance s'apparentent au roman historique ; et, dirais-je, au roman historique sous sa forme historiquement commençante, la plus naturellement imprudente, celle de *Quentin Durward*, des *Trois Mousquetaires* ou du *Capitaine Fracasse* (je ne mets pas en cause le charme, le très grand charme de ces livres. Je les ai cités à dessein). Si on les situe dans les rangs de la littérature dite « enfantine », c'est, en fait, pour nous inviter, sans doute avec raison, à élever, pour eux, le seuil d'incrédulité. Leur invraisemblance (au regard du réel de l'histoire) tient beaucoup moins à leurs « aventures » qu'à l'anachronisme criard de la langue dans laquelle ils sont écrits.

Le présent de la langue est inexorable. Les efforts pour introduire l'idée de passé plus ou moins lointain (dans les variétés premières de ces romans, auxquels appartiennent ceux que j'ai cités : le xve siècle pour Walter Scott, le xviie pour Dumas et Gautier) sont, comme ceux, à peu près contemporains, de Viollet-le-Duc sur la cité de Carcassonne (ou des Préraphaélites sur la Béatrice de Dante et la *Monna Vanna* de Cavalcanti), essentiellement de nature « lexicale » : on puise dans un dictionnaire d'objets (ou de mots) anciens. Mais le passé dans la langue est au moins autant celui des phrases, des paragraphes, des enchaînements, que celui des mots. Il s'ensuit que le roman historique est une littérature-musée (d'où, peut-être, son extraordinaire faveur présente, parallèlement à l'encombrement des lieux de villégiature du regard que sont devenus les musées).

Sous une forme moins immédiatement apparente mais pas moins réelle, les « souvenirs » se heurtent à un obstacle langagier du même ordre. On ne parle pas, on n'est pas dans la langue aujourd'hui comme il y a cinquante, vingt, dix ans même. La moindre phrase, la moindre pensée (et les pensées ne sont rien si elles ne traversent la vitre des phrases), le moindre raisonnement se trahit comme présent, et s'il s'affirme passé, est pur anachronisme. (Je ne parle même pas des « discours enfantins », proches le plus souvent de ceux de Tarzan ou d'Indiens de westerns.)

53 (§ 52) un très jeune enfant dont un adulte, par jeu, prétend revêtir par erreur le manteau au lieu du sien

Dans le jeu, adulte, du souvenir, il y a quelque chose de cette violation, comme une vengeance contre l'évanouissement du temps. Je n'oublie pas que la terreur de l'enfant confronté à cette plaisanterie, comme d'ailleurs l'impulsion, symétriquement, de l'adulte, peut s'interpréter d'une autre manière, assez évidente, assez banale (la fiction, précisément, d'un viol). Mais je préfère en retenir une indication supplémentaire de la différence, irréductible, entre les deux états d'une même personne : donc entre « moi (maintenant) » et « moi (alors) ».

La crainte de la pénétration dans les manches du manteau, formulée par exemple en : « non ! tu es trop grand » ou « non ! je suis trop petit (petite) » (et non « il est trop petit ») pourrait montrer, non pas une identification de soi à l'objet extérieur (une analogie) (c'est ainsi qu'on raisonne habituellement), mais une conception différente de ce que sont l'intérieur et l'extérieur de soi : pas « le manteau est comme moi », ni même « le manteau c'est moi » mais « le manteau est non seulement à moi, mais il est moi, il fait partie de moi » (voilà, direz-vous, que vous faites ce que vous reprochez aux autres, que vous raisonnez comme si vous étiez cet enfant : non. Je ne prétends pas qu'il en est ainsi. Je raconte. Je ne reproche rien d'autre aux récits d'enfances que de ne pas avouer ou, avec assez d'ingéniosité dissimuler, leur caractère fictif. N'étant pas ici dans un rôle de romancier, je préfère reconnaître tout de suite ma situation de fabuliste).

J'imagine, donc, chez le « moi » que je suis, enfant (et la peur de l'envahissement du trop petit manteau en sera un indice) une perception différente de ce qu'est le corps, de ses limites, de ses surfaces, perception plus conforme à la conception épicurienne du corps (au sens de la tradition philosophique, pas à celui de la polémique chrétienne passée dans le vocabulaire courant) qu'à celle, apprise et éprouvée, qui est la mienne maintenant. Il y a une limite vers laquelle je tends, de l'intérieur de moi (je me situe au moment de l'invention d'un « moi » ancien, ancien aux deux sens du mot : dans l'avant de ma vie, et dans l'avant de l'humanité (Épicure)), limite qui, franchie, me mène à l'extérieur de mon corps. Mais cette « frontière du moi », cette surface faite d'invisibles lignes sans épaisseur qui entoure mon corps, ne doit pas être localisée de manière précise et stable (et en tout cas pas où elle est à l'instant présent).

Qui plus est, elle tend à englober toutes mes « possessions » : mes vêtements, mais aussi mes pensées, mes émotions, mes rêves, mes souvenirs (qui sont inscrits, comme toute chose, dans l'espace). Loin d'être (ou d'être seulement) signe d'un narcissisme (les objets qui font partie de mon corps, comme ce manteau, comme mon « double » totémique en peluche, me les arracher c'est m'amputer, me couper d'une partie de moi), cette idée interne du corps témoigne d'un moi beaucoup plus central, beaucoup plus stable, assuré, qu'il ne le demeure après les années (et l'adoption de la théorie consciente) : au plus intime de mon être, il est la quatrième substance, l'âme de l'âme, l'*akatonomaston*. Grandir, c'est le perdre, et partant, s'enfermer dans un corps désormais beaucoup plus strictement limité.

Dans l'histoire de ma famille, dans sa tradition orale, s'est conservé un « mot » attribué à ma nièce Marianne. Très jeune, accueillie à la table de ses grands-parents paternels (mon père et ma mère), elle s'insurgea un jour contre une invitation à s'asseoir offerte à quelqu'un (un de ses frères peut-être) par cette affirmation : « *Pas là! c'est montaplace.* » L'histoire est toujours racontée avec une majuscule (orale) sur « mon » : Montaplace ; et quelque temps le surnom de « **Mon***taplace* » (insistance et élévation de la voix sur le « mon ») fut, avec une tendresse admirative mais simultanément légèrement moralisatrice (trait familial omniprésent), attribué à Marianne.

Mais il faudrait plutôt (dans la perspective de ce qui précède, avec un déplacement d'accent) « entendre » : « mon " **Taplace** " » ; ce qui signifie : « Ce lieu est mien, comme étant une partie de mon corps. Quand mon corps n'y est pas, il est, pourquoi pas, " tien ". C'est " Taplace ", quelque chose comme " Paris " ou " le buffet ". » Il ne s'agit donc pas là d'une annexion, d'une négation des droits des autres corps, d'une incapacité à reconnaître l'Autre qui, au contraire, est parfaitement reconnu, armé des mêmes droits : ce morceau de *lalangue*, « taplace », dans la bouche de Marianne, n'aurait pas dû être interprété, comme le fit le récit familial, en une simple citation d'un discours autre (fraternel ou grand-parental) mais comme la constatation d'une similitude et la revendication d'un droit des corps, justifié par le réel physique : ils ne peuvent coïncider « *at the same time in the same place* ».

54 (§ 53) **les objets qui font partie de mon corps, comme ce manteau, comme mon « double » totémique en peluche.**

D'un corps discontinu, qui se rassemble au moment du sommeil, qui doit se réunir pour franchir cette frontière incompréhensible, le « nounours » traditionnel, dans ses différentes incarnations, assume la représentation : dans la journée ce morceau du moi, ce **faisant-fonction-de-moi** continue à dormir, et ainsi assure ma continuité temporelle. Car les limites de « maintenant » sont aussi incertaines que celles de la chair. La nuit, avec son accompagnement de sommeil, paraît un trou scandaleux dans la fabrique du monde, qui devrait coïncider incessamment avec lui-même. Il n'y a pas de temps puisqu'il n'y a que « moi » et un incertain « non-moi », autour de moi, indistinctement encore séparé de moi dans l'espace. Mon « absence » momentanée au monde alors ne m'effraiera plus, puisqu'elle en deviendra illusoire, puisqu'un morceau de moi sera resté, le « morceau-ours », pendant que le reste se laissait oublier, telle ma main gauche que j'ignore pendant qu'agit ma main droite. Quand je suis éveillé, il dort. Quand je dormirai, il veillera. Ainsi mon unité sera préservée. J'habite des régions alternatives de ce qui est, toujours, mon corps.

C'est ici, sans doute, le lieu de faire une « théorie » (c'est ce que depuis un moment je recherchais, à la périphérie de ma conscience de la prose : un « lieu d'insertion » pour quelque chose que je savais vouloir dire. Est-ce une vacillation dans ma soumission stricte à la

« méthode » de ce livre ? une nouvelle variante de son fonctionnement ? je ne sais). Cette « théorie » est la **Théorie du gniengnien.**

En 1968, à la suite d'événements qui ne nous retiendront pas maintenant, j'habitais, dans la capitale burgonde, Dijon, une unique pièce minuscule, meublée d'un lit et d'une chaise en plastique jaune, au 11 de la rue de Fontaine. C'est une rue qui monte, pas trop loin de la gare, vers la commune limitrophe de Fontaine-lès-Dijon. Sur le même palier, un appartement de taille raisonnable abritait la famille Lusson. Cette famille, déjà complète (je parle par comparaison avec le moment de mon récit, l'automne de 1989) se composait de cinq personnes : les parents, Claire et Pierre, et trois enfants : Mathieu, l'aîné, Cécile, et Juliette, la benjamine. Juliette, si je ne m'abuse, avait vers la fin de 1968, un peu moins de trois ans. Elle n'était donc alors pas, mais pas du tout, et d'aucune manière prévisible devant devenir, l'apprentie biochimiste qu'elle est devenue depuis, à l'indignation profonde quoique involontaire de ma mémoire, qui ne s'adapte qu'assez mal à l'absence de stabilité, de rigidité en son image, de la jeune femme autrefois bébé bien connu de moi (le « même » moi qu'aujourd'hui !) que continue à désigner son nom.

(Il n'y a pas bien longtemps téléphonant, un peu après huit heures du matin, je fus surpris d'entendre sa voix me répondre et je lui dis : « Comment se fait-il que tu sois réveillée si tôt ? » (Le « non-lever-tôt » faisant partie de la définition, des caractéristiques de la Juliette que je connais depuis toujours, d'où mon étonnement, d'où ma question.) « J'étais réveillée encore bien plus tôt, me dit-elle ; à six heures du matin. J'arrive de Blanc-Mesnil. » « Comment, dis-je alors imprudemment et sans réfléchir, que faisais-tu à une heure pareille à Blanc-Mesnil ? » « Mais ça ne te regarde pas, Jacques Roubaud », dit-elle. Et en effet, cela ne me regardait pas le moins du monde. Mais ma stupéfaction s'exprimant de cette manière irréfléchie n'était que l'expression d'un « moi » désarçonné, d'un « moi » gardien de ma conservation, garant du maintien intact de cet être immobile, identique à soi et paradoxal, celui qui, quinze ou vingt ans auparavant, se serait, en effet, étonné à bon droit de voir une petite fille de trois, quatre ou six ans arriver au matin dans la maison de ses parents, venant d'une lointaine banlieue.

A première vue, la réaction de Juliette semble, elle, parfaitement contemporaine de l'instant : il est tout à fait normal qu'une jeune fille réagisse avec vivacité à ce qui ne peut manquer d'apparaître comme une curiosité déplacée à l'égard de ses faits, gestes et déplacements de la part, tout spécialement de la part d'un vieil ami de son père. J'ai été, comme on disait autrefois, « remis vertement à ma place » et je n'ai plus jamais commis la même erreur. Il me semble cependant que Juliette, la Juliette d'aujourd'hui, qui exprime, certes, avec une absence remarquable de réticences, sa pensée à qui que ce soit, « sans mettre de gants », n'a pas l'habitude de me parler sur ce ton. Et ce ton, au contraire, est précisément celui qu'elle aurait aisément pris avec mon « moi » ancien, le « Jacques Roubaud » de 1968 ou 1969 qui, brusquement et intempestivement, se manifestait à son oreille, et que la Juliette d'il y a vingt ans, tapie au fond d'elle comme « je » le suis en moi, reconnut spontanément. Tout cela constitue, en somme, une excellente « expérience de pensée » (espèce chère aux philosophes et aux physiciens) (bien qu'il s'agisse plutôt, en l'occurrence, d'une expérience de non-pensée)).

Mais je reviens au **gniengnien**. Le bébé Juliette avait en 1968-1969, en sa possession, un objet précieux, un rose, un rosissime morceau d'étoffe qu'elle appelait son **GnienGnien** (majuscule sur chacun des « gnien »). C'était son trésor, la prunelle de ses yeux. Elle l'aimait comme « un autre soi-même ». Elle ne s'endormait pas sans lui, se consolait en sa présence, ne laissait personne s'en emparer, craignait que des brigands quelconques (frère-et-sœur, visiteurs, amis, père-et-mère même (père plutôt que mère d'ailleurs, l'exception unique, il me semble, qui en était la protectrice en même temps que l'intendante, la gardienne)) ne cherchent à le lui dérober. Bref, elle l'investissait d'une manière on ne peut plus nette, flagrante, absolue, de cette fonction de « représentation de soi » que j'ai, dans un premier temps sommaire, accordée au « nounours ». En fait, c'est le gniengnien, quand un enfant l'invente et le nomme (tous les enfants ne le font pas), qui, bien mieux que le « nounours » devient cette partie de son corps qui le défend, selon les modalités dont j'ai commencé à parler un peu plus haut dans l'échelle des insertions, des paradoxes spatio-temporels dont le monde menace son sens, tout leibnizien, de sa propre identité (être, sans interruption, indiscernable de soi-même, être soi dans tous les mondes possibles, c'est-à-dire un seul, le sien).

55 (suite du § 54) **Je donnerai le nom générique de gniengnien**

Je donnerai le nom générique de gniengnien (la différence avec la désignation originelle, la suppression des deux majuscules indique le passage du particulier au général) à ce type d'objet qui se rencontre chez de nombreux enfants, et dont j'ai cherché avec quelque attention les propriétés en observant, expérimentalement même, dirais-je, Juliette et son GnienGnien pendant quelques mois rue de Fontaine, un été à Saint-Félix, dans le Minervois, chez mes parents, puis à Bourg-la-Reine quand Pierre Lusson, à la faveur des « événements » de 68 et de leurs effets universitaires eut réussi, quelque temps avant moi, son « retour d'exil » dans la région parisienne.

J'avais découvert l'existence du « genre **gniengnien** » chez mes parents, en observant mon neveu François et sa « **Keture** ». (Laurence, ma fille, n'avait pas, à ma connaissance, d'objet semblable en sa possession.) La **Keture** de François (le nom est une abréviation de « couverture », vraisemblablement, et indique l'origine lointaine de cet objet, devenu rapidement indéfinissable d'aspect) possédait une « partie active » un endroit particulièrement précieux dans ce trésor : c'était le reste soyeux d'un ruban, bord de l'étoffe. Dans la manipulation de, et la communion avec sa Keture, François (qui n'avait pas encore, loin de là, le mètre quatre-vingt-dix-huit qui lui appartient en propre aujourd'hui, et n'étudiait pas sur place « l'économie invisible » du tiers monde à l'aide de son ordinateur Toshiba à écran pleine page portable), caressant d'une main le ruban, passait en même temps un ou deux doigts de la même main sur ses cils. (Juliette, elle, tenait son GnienGnien dans sa main gauche, suçait son pouce, et passait un doigt méditatif sur son nez. Elle est encore parfaitement capable, aujourd'hui, m'a-t-elle confirmé au téléphone il y a peu, de reproduire avec exactitude ces gestes.)

C'était un rituel immuable, une préparation au sommeil ou un retour réflexif sur soi après la promenade, la nourriture, le jeu. Tout **gniengnien** (je parle maintenant de l'espèce) suppose de telles cérémonies. Dans ces cas précis c'est par le sens du toucher (la main, le doigt) qu'était assurée la transition corporelle entre deux régions extrêmes et sensibles de l'être, que passaient les messages de l'une à l'autre, ce que j'appellerai le courant de l'identité : car c'est bien entre ces presqu'îles les plus nettement périphériques du corps, cils, sourcils, cheveux, ongles d'une part (nez encore) et les artefacts du monde, d'origine humaine, et les moins éloignés de lui, qui le couvrent, langes, draps, couvertures (plus tard linceul), vêtements même que, les uns détachables comme débris inertes, les autres redoublant, doublant et approchant, enveloppante, la peau, la conjointure semble le plus longtemps possible entre intérieur et extérieur. Et elle est invoquée même pour survivre à la dissolution : les parents gardent, dans les années sombres, la mèche à l'odeur de miel de l'enfant disparu, l'amant la soie la plus intimement parfumée de celle qu'il ne touchera plus jamais.

Dans un registre moins grave je voudrais écarter ici une première voie sans issue de l'interprétation : certes, le rapport de l'enfant au **gniengnien** est très marqué de sensualité (pour employer un mot quasiment disparu du vocabulaire courant). Le rituel de la Keture que je viens de décrire aussi (et bien d'autres) ne laisse pas de doute à ce sujet. Mais je ne crois pas pour autant à une fonction principalement érotique. La plupart des enfants sont, on le sait, comme les animaux, des explorateurs intrépides, résolus, et non dissimulés de l'éros. Qui n'a jamais vu, une fin d'après-midi d'un dimanche d'hiver, dans une pièce familiale « conviviale » et chaude, pleine d'amis, de parents, d'enfants, de chats et de chiens, parmi le bruit des verres, des conversations, des jeux et disputes, une petite fille tranquillement, avec concentration, invention et subtilité (les chiens, eux, manquent résolument de subtilité dans ce cas) se branler dans un fauteuil, sur le tapis, au pied d'une chaise, entre des coussins sur un divan ou sur des genoux accueillants, manque, comme l'immense majorité des adultes, singulièrement d'esprit d'observation. Mais le **gniengnien** n'a pas de part à ces jeux.

Une autre erreur serait de le banaliser en le présentant comme dispositif de protection : protection contre quoi ? contre les menaces imprécises de la vie, qui est, comme nul ne l'ignore, *full of a number of things* ? Mais alors, en quoi serait-ce une protection ? ou bien encore, serait-ce une pure protection symbolique ? symbolique de quoi ? Le génial auteur de *Peanuts* à qui nous devons, il me semble, la première identification artistique du phénomène du **gniengnien** tombe dans cette erreur « behaviouriste » très américaine en nommant celui d'un de ses héros, Linus, *security blanket* (couverture de sécurité) (il est vrai que c'est un nom visiblement d'origine « externe », parentale, ou pire, fourni par un psychologue pour enfants !).

Non, le **gniengnien** n'est pas cela ! Il est l'invention matérialisée d'une première théorie, spontanée, du corps et du monde, & peut-être même un trait spécifique de l'hominisation, d'importance et de généralité comparables au *factum loquendi*, à l'outil, à la vie en société, au rire, à la pensée rationnelle, à l'inconscient et à la prohibition de l'inceste !

225

56 (seconde suite du § 54) **Pendant un long moment, j'ai caressé l'idée d'une étude**

Pendant quelque temps je caressai l'idée d'une étude du gniengnien, de ses modes, de sa genèse, de sa signification profonde pour une histoire de l'humanité (les lueurs singulières qu'il projette sur l'ontogenèse et la phylogenèse, le mythe de son invention par une petite fille « cro-magnon », qu'on appellerait une « cro-mignonne »). J'aurais recueilli des données approfondies sur quelques cas, puis obtenu des crédits pour une enquête scientifique, avec un questionnaire précis, un protocole expérimental draconien permettant de trancher, en une floraison poppérienne de « cas cruciaux » entre quelques sous-hypothèses d'abord indécises, puis de plus en plus nettes, & bien sûr falsifiables. J'aurais établi ensuite une typologie, selon la nature des objets représentatifs, selon les rituels, les nominations. J'aurais distingué le gniengnien d'autres phénomènes cousins ou connexes : du nounours, du sucer le pouce, de l'indécelabilité chez certains enfants d'aucune de ces trois fonctions. J'en aurais déduit une classification précieuse des caractères enfantins, de leur persistance dans la vie adulte. Je serais devenu un nouveau Lavater. J'aurais rivalisé avec Galien et la théorie des humeurs. J'aurais ouvert des perspectives nouvelles à la psychologie enfantine, révolutionné bien des thérapies... Je n'ai rien accompli de tout cela, bien entendu.

Mais je vous ferai cependant part de quelques-unes de mes observations. En dehors de l'emploi premier, fondateur en quelque sorte, celui de l'effacement du gouffre conceptuel et existentiel entre veille et sommeil (sans le gniengnien il est strictement impossible à l'enfant de s'endormir), j'ai découvert qu'il y a un autre moment privilégié du gniengnien, et je le nommerai « **moment de l'inspiration** » :

C'est le soir, à l'heure dite entre « chien et loup », l'heure des chats gris et des mélancolies crépusculaires. La petite fille (disons que c'est une petite fille (j'ai une préférence « carrollienne » pour les petites filles)) a pris son bain. Elle a embrassé son père, revenu des exploits essentiels accomplis au-« dehors ». Sa mère s'affaire dans la cuisine. Le chien s'emmêle à ses jambes. Ses « frère-et-sœur » s'affairent à leurs devoirs. La chatte est étendue sur la plaque de protection du radiateur. Chacun attend l'annonce du dîner. Elle, entre les fenêtres à rideaux, les fauteuils et les chaises, parle. Elle parle pour elle-même, elle parle à son gniengnien, c'est-à-dire à elle-même, elle raconte, elle invente, elle réprimande, elle commente, elle interroge, elle improvise : une des sources majeures de la poésie orale narrative, épique ou lyrique, est là.

Il m'a été donné plusieurs fois dans ma vie d'assister, discret, ignoré, invisible, silencieux, ébloui, à de semblables « séances » inspirées. Je me souviens de Jacinta, la fille de Merche, oscillant autour d'elle-même debout, tel un derviche tourneur, sur un fauteuil, et, semblable au poète-radio transmettant les messages des Martiens que décrit Jack Spicer, ou à Michele Métail « performant » une des sections les plus rapides de son immense poème « Compléments de noms », ou encore à Tom Raworth lisant à Cambridge, elle émettait une stupéfiante poésie ininterrompue sur les mères, les fenêtres peintes et les fleurs, en un récitatif profond, un andalouisant *Sprechgesang*, pendant que l'air du soir, dans la pièce, s'assombrissait lentement autour de sa silhouette à la Miró.

Il s'agissait bien plus dans ce cas d'une danse que d'une méditation en dialogue avec le gniengnien, mais le principe est essentiellement le même : le gniengnien est un catalyseur de l'inspiration, dont le moment est celui de la disparition du jour, de la chute de lumière, la nuit et le sommeil dangereux approchant. Le poème oral shamanique qu'il suscite et approuve est le résultat d'une hallucination sans hallucinogènes, dont Jacinta obtenait l'équivalent par une ivresse de toupie lancée autour de soi.

Les quelques récits-poèmes de Juliette que j'ai entendus étaient, eux, sans la moindre extravagance verbale. Ils étaient précis, nets, répétitifs, fortement moraux. Ce serait, bien sûr, ici que je devrais prévoir et déduire la future vocation scientifique de leur auteur, mais je vous épargnerai cette épreuve.

57 (dernière suite au § 54) **Juliette, comme tout inventeur de gniengnien,**

Juliette, comme tout inventeur de gniengnien, y tenait beaucoup. C'est peu dire. Il était littéralement impossible de l'en détacher (sinon au prix d'un coup de force qui aurait été une véritable amputation). Pour mesurer l'intensité de son attachement (toujours dans la perspective, comparative, de mon GTg (Grand Traité du gniengnien)) j'avais essayé, à maintes reprises, de solliciter d'elle un prêt, momen tané, de son GnienGnien. Ce fut en vain. En dépit des relations amicales et confiantes qui étaient les nôtres, elle se montra sur ce point intraitable : pas de gniengnien pour Jacques Roubaud.

J'essayai la ruse, les promesses bonbonnières, le raisonnement, le chantage sentimental (que ne ferait-on pour la science !), elle fut intraitable, ferme, tranquille, même pas inquiète, encore moins troublée : c'était non !. Mais un jour (un jour de vacances, à Saint-Félix, chez mes parents), en une inspiration foudroyante, elle mit un point final à mes tentatives. J'avais expliqué à ma mère, et à tous ceux qui se trouvaient dans la grande pièce (je l'ai décrite en la branche un du présent traité) l'état de mes recherches sur le gniengnien (je n'avais encore aucune explication des faits, je me contentais de la collecte des exemples). Et j'essayai de nouveau, à l'appui de ma démonstration, de persuader Juliette, présente à la discussion avec son cher GnienGnien, de me le confier.

Comme d'habitude, elle refusait. Mais soudain, avec un sourire angélique et blond, retirant son pouce de sa bouche, elle tendit son GnienGnien à ma mère.

Telle fut la fin honteuse de mon Grand Traité. J'en rougis encore.

(Données recueillies au téléphone le 12 décembre 1989 : quelle fut la fin du GnienGnien ? Une décision de destruction par moi-même, dit Pierre L. « Je l'ai brûlé, inquiet de son infantile persistance. » « Mais pas du tout ! » dit Juliette intervenant indignée dans la conversation. « Il l'a mis à la poubelle un jour de vacances à Foix (c'est pendant ces mêmes vacances que j'ai appris à lacer mes souliers), mais j'ai tellement hurlé qu'il a été obligé de le ressortir de la poubelle. On l'a lavé (il en avait de toute façon bien besoin). Je l'ai abandonné volontairement un an plus tard. Mais on ne l'a pas jeté. Il était encore là, à Bourg-la-Reine, au moment du déménagement, mais il a disparu pendant l'épisode Plessis-Robinson. »

Puis, pendant que je dialogue téléphoniquement, avec P. L., sur les incertitudes de nos souvenirs, j'entends Juliette dire : « Qu'il n'oublie pas que GnienGnien s'écrit en un seul mot, sans trait d'union ; j'y tiens. » **Voilà le secret, pensai-je : le gniengnien, c'est l'organe primitif de lalangue.** Et je fus fier de cette découverte, pendant trente secondes au moins.)

58 (§ 3) La Voie de la Double Négation qui a ses variantes philosophiques, théologiques et même logiques

La voie logique, dite intuitionnisme, est récente. Mais j'ai eu le plaisir d'en découvrir un précurseur lointain : Nicolas de Cuse, en son *De Li non Aliud*. On peut penser son invention, la **« Voie de la Double Négation »** comme une variante « radicale » de la *via negativa*, issue elle-même du Pseudo-Denys.

Comment traduire le titre ? par **« De Pas-Autre »** ou **« De Pas-Autre même »**. « Li » est un article néolatin pourvu d'un charme tout spécial qui, dans sa simplicité première, représente une introduction courtoise au mot qui le suit. Mais au contact anoblissant du mystérieux **« Pas-Autre »** devient ce « même » qui le redouble, devient « l'être même » de « Pas-Autre », son Idée, l'Ange de sa définition, ange noir invisible, mais infiniment proche, collé au visage du défini.

« *Nikolaus* :
Ab te igitur in primis quaero : quid est quod nos apprime facit scire ?
Ferdinand :
Definitio.
(Je te demande, avant toute chose, qu'est-ce qui, mieux que tout, nous donne la connaissance ? – Une définition.)
Nikolaus :
Tu réponds correctement, car une définition donne l'essence de l'idée. Mais pourquoi une définition est-elle dite telle ?
Ferdinand :
Parce qu'elle définit, et il y a une définition de toute chose.
Nikolaus :
Parfaitement correct. Si une définition existe, qui définit toute chose, n'y a-t-il pas une définition de toute chose et de la définition elle-même ?
Ferdinand :
Sans aucun doute.
Nikolaus :
Ne vois-tu pas, alors, que la définition qui définit toute chose, n'est « pas autre » que ce qu'elle définit ?
Ferdinand :
Je ne te comprends pas.
Nikolaus :
Tourne l'acuité de ton regard vers « Li Non Aliud », « le Pas-Autre », et tu verras.

229

Ainsi le Cusain approche l'idée de Dieu même. Il montre qu'il est plus que non-non-p pour tout p (« p » désignant une propriété quelconque : être beau, être bon, grand, parfait...), non-non-p étant différent (supérieur), dans sa logique, de p.

Est-il le ciel, le bien ? Il n'est pas le ciel, le bien, il est plus, il est surtout « autre » que cela qui n'est pas le ciel, le bien (et c'est pourquoi il est « le ciel même », « le bien même »). Et ainsi de suite. On pourrait dire que Nikolaus se place dans une algèbre de Heyting de propriétés et que Dieu y est la borne supérieure, le « sup » de tous les non-non-p associées à tous les p, chacune de ces non-non-p n'étant pas elle-même p. Le Dieu du *De Li non Aliud* est le premier dieu intuitionniste (j'extrapole pas mal : non seulement il ne peut s'agir que d'un pré-intuitionnisme, pour des raisons évidentes, mais encore ce ne peut être qu'un quasi-intuitionnisme. Car « Nikolaus-Cuse » ne dit pas : « non-non », mais « non-aliud ». Cependant s'il y a « logique de la double négation » c'est bien d'une négation intuitionniste qu'il s'agit, car le « pas-autre » que le « pas-autre » est supposé implicitement identique au « pas-autre » lui-même). C'est, en somme, un Dieu **Catégorique** (au sens mathématique du mot : situé dans la Théorie des Catégories, « topossiste »), un Dieu des Preuves (selon la plus récente construction bénabouiste) ou, pour rester plus proche du point de départ de Nikolaus, un Dieu des Définitions.

Car si on revient au point de départ du dialogue, on voit que le « Pas-Autre », le « Non-Non », Dieu en somme (un « **Dieu non-non** ») est défini comme ce qui par essence et excellence définit. Or le mouvement de toute définition (cusainc) d'une chose **d** est de se placer dans ce qui n'est pas le défini **d** et d'en ressortir par un mouvement second de négation : **d** n'est pas cela, qui n'est pas **d**. Mais, s'il s'agit d'une chose quelconque, on n'atteint jamais **d** ainsi, dans l'espace intuitionniste des preuves de la définition. On en vient à presque-**d**, à quasi-**d** peut-être, mais pas à **d** même. Sauf dans le cas, unique, où d est la définition même, **D. D, Dieu,** est la **preuve même** de tout, l'absente de toute définition, de toute preuve : fleur inverse.

59 (§ 3) De cette floraison « hirsute », à l'évocation vibratoire du vers

L'adjectif, « hirsute », vient de Dante, au *De Vulgari Eloquentia* :

« *Pexa et irsuta sunt ille que vocamus grandiosa... et pexa vocamus illa que.* »

« Les **peignés** et les **hirsutes** sont ceux que nous appelons justement magnifiques... Et j'appelle **peignés** ceux-là qui trisyllabes ou tout proches du nombre trisyllabique sans aspiration ni accent aigu ou circonflexe, sans lettres à son double comme z ou x, sans liquides jumelles ou accolées à une muette mais en quelque sorte aplanies, quittant les lèvres avec une certaine douceur comme *amore, donna, disio, letitia, salute, securitate, difesa.*

J'appelle ensuite **hirsutes** ceux qui en plus de ceux que j'ai dits apparaissent nécessaires au Vulgaire Illustre ne fût-ce que pour l'orner. Et je dis nécessaires en vérité ceux que nous ne pouvons éviter comme certains monosyllabes, par exemple *si, no, me, te, sé, e, i, o, ù',* & les interjections, & maint autre.

J'appelle mots d'ornement toutes les syllabes qui se mêlent aux mots peignés, font une belle harmonie en leur assemblage, encore qu'ils aient âpreté d'aspiration et d'accents, de consonnes doubles, de liquides..., comme en *terra, speranza, impossibilità, sonomagnificentissimament,* lequel est hendécasyllabique. »

Dans tout récit, et particulièrement dans une prose de mémoire, le courant suave et noble des mots peignés a parfois besoin d'être interrompu dans son écoulement plat quoique majestueux : il faut placer des pierres d'attente dans le fleuve rapide, afin de lui redonner quelque impétuosité et vélocité, une écume. Un excès de continuité, de fluidité, en fait immobilise. Il faut que les aiguilles coupantes du gel interrompent le cours suave du ruisseau.

La poésie du **trobar clus** en avait fait un de ses principes formels majeurs, transposant dans les sons des rimes l'opposition des deux états de l'eau, liquide et glace. La fameuse *canso, L'Aura amara* (le vent amer), d'Arnaut Daniel, double antonyme par anticipation des *canzone* et sonnets peignés de Pétrarque à Laura (*L'Aura,* Laure) accumule ainsi les hirsutes en sa grille rimique et rythmique :

231

L'aura amara / fa-ls bruoills brancutz / clarzir / que-l doussa espeissa ab fuoills / e-ls letz / becs / dels auzels ramencs / ten balps e mutz / pars / e non pars .

(L'air amer./ fait les bois branchus / s'éclaircir / que le doux épaissit de feuilles / et les joyeux / becs / des oiseaux rameux / rend balbutiants muets/ en couples / et non couples.)

Le premier torrent que j'ai connu était un ruisseau des Pyrénées, dans la haute vallée de l'Aude, près du village de Camurac où j'ai été, quelques jours de 1942, à neuf ans, dans un « camp d'été », sous la tente, amoureux éperdu de la belle Marie-Thérèse, dite « Rê », notre « chef » (elle avait bien dix-huit ans ; elle était belle, et brune. Ses yeux étaient noirs). Il coulait en bas du pré, avec gros bruit, des hauts pics hirsutes dans le lointain proche, limpide, glacial, liquoreux de froid. Les pieds trempés y devenaient écarlates, et les avant-bras, jusqu'au coude. Les doigts s'y engourdissaient.

Je me souviens de myrtilles dans le sous-bois sombre, noires, yeux noirs : myrtilles : Marie-Thérèse.

Cet été-là je fis la rencontre, face à face, et dans toute mon ignorance enfantine, de l'éros mélancolique. A quelque temps de la Libération Marie-Thérèse épousa un Suisse. Elle vint nous voir (voir mes parents) une fois, avec son mari. Elle était devenue suisse, avec un passeport suisse, « bourgeoise » de son canton, par mariage, un canton d'alpes. Elle était encore plus belle, avec une peau de glaciers, caramel sombre. Lui avait l'air d'un bandit. J'entendis dire, à un autre moment, que c'était un contrebandier. Ils se sont tués tous les deux, peu de temps après, sur une route de montagne, en voiture.

60 (§ 4) Le futur, qui est futur antérieur sans cesse

J'enferme dans cette parenthèse, amplifiée de cette incise, non pas une théorie du temps, ce qui serait simplement ridicule, mais ce que j'appellerai une déduction du temps, & ce sera une déduction (comme mon « protocole » narratif me les autorise) sans responsabilité de vérité, une déduction fictive : une manière toute « linguistique », & tout individuelle, de résoudre les paradoxes de l'instant, tels qu'ils se sont présentés à tant de bons esprits dès les débuts de la philosophie et tels qu'ils l'accompagnent tout au long de son histoire, traînant avec eux, comme les paquets luisants d'algues s'accrochant à la barque qui descend le fleuve, leur cortège embrouillé de « solutions ».

Le paradoxe « générique » (en lequel tous les autres trouvent leur « germe ») est que l'instant n'est pas : car il diffère continûment de lui-même, et il s'ensuit qu'on ne saurait dire quand il cesse d'exister : cela ne peut se produire pendant qu'il est, sous peine de contradiction. Cela ne peut déjà avoir eu lieu, & cela ne peut survenir en l'instant suivant, car deux instants ponctuels ne sont jamais strictement contigus. Il faudrait donc qu'il cesse à quelque point marqué du futur, ce qui n'est pas moins impossible, car il devrait alors perdurer pendant une infinité (vraisemblablement non dénombrable) d'instants. Ce paradoxe est du « pur Zénon ». Aristote en sa *Physique* a dit tout cela mieux que je ne saurais le faire.

Ma « solution » a son histoire, que je rapporterai en quelques « moments ».

A son commencement se trouve la discussion d'un autre paradoxe, celui-là récent, connu sous le nom de paradoxe de l'induction, ou **paradoxe de Goodman**, du nom de son « inventeur », le « trouveur » logicien Nelson Goodman. Le temps est essentiel à ce paradoxe, mais comme réel non discuté, et ce n'est qu'après beaucoup de détours que j'ai extrait de sa « solution fictive » ma déduction du temps.

A Manchester, en décembre de 1982, dans la John Rhylands Library (qui n'est pas la John Rhyland's Library, comme je l'ai écrit par erreur, ô honte !, quelque part dans la branche un), Alix me dit qu'elle savait comment on pouvait, au moins dans le discours, le dissoudre, & elle m'en exposa, en quelques phrases, la trajectoire imaginaire, sur l'exemple favori des empiristes, le lever renouvelé, matin après matin, du soleil.

J'y vis une manière oblique de parler d'autre chose : il est parfois impossible de taire ce dont on ne peut parler, & quand on ne peut pas le montrer non plus, on peut essayer de parler ailleurs, par détours. Quelqu'un qui, frappé généralement d'insomnie mélancolique, ne s'éveille pour ainsi dire jamais après le lever du soleil, en ouvrant les yeux le voit là, présent. S'il, si elle, et tant qu'il, elle s'éveille. Deux ans plus tard, je l'ai écrit en une fiction : le paradoxe avait pris un nom, celui de son inventeur. J'ai fait de son nom le nom propre d'un personnage ; qui depuis m'accompagne ; c'est un personnage de prose, et un personnage temporel.

61 (suite du § 60) « La couleur des yeux de la femme de Goodman »

Tel est le titre. Il y a aussi un sous-titre :

« On being grue »

Goodman avait eu une jeune femme, qu'il aimait beaucoup. Tous les matins en s'éveillant (il s'éveillait tôt) il la regardait dormir, et, plus tard, quand elle s'éveillait à son tour, il lui disait : « Ce que j'aime par-dessus tout ce sont tes yeux ; tes beaux yeux bruns. » Elle souriait et ne disait rien.

Un matin, Goodman se sentit troublé. Sa jeune femme dormait, sous ses paupières ses yeux n'étaient pas visibles et il se dit : « Et s'il se trouvait que ses yeux fussent verts, ou bleus, je ne pourrais le supporter. » Elle s'éveilla, lui sourit, ses yeux étaient bruns comme tous les autres matins, mais il ne fut pas rassuré.

« Qu'as-tu ? » lui dit-elle à quelque temps de là ; car le trouble de Goodman n'avait pas cessé : il était devenu une angoisse qui ne lui laissait pas de repos.

« Je t'aime, lui dit-il. J'aime particulièrement tes yeux quand tu t'éveilles et que je les regarde pour la première fois de la journée. J'aime tes yeux parce qu'ils sont bruns. Mais comment puis-je être sûrs qu'ils le sont ? je n'aimerais pas découvrir qu'ils sont bleus, ou verts. »

« J'étais sûr, reprit Goodman, que tes yeux sont bruns parce que tous les matins, depuis que nous dormons ensemble, je les ai regardés et ils ont été bruns. Mais si **vreuse** était leur couleur ? »

« Vreuse ? » dit-elle.

« Je dirai que leur couleur est le **vreux** dans les deux cas suivants : il s'agit d'un matin passé, où j'ai vu tes yeux, et c'est alors la couleur brune ; ou bien il s'agit de demain et c'est le vert, ou le bleu. Tous les jours jusqu'à aujourd'hui, plus d'un millier, tes yeux ont été bruns, donc " vreux " : ils seront donc vreux encore demain ; c'est-à-dire verts, ou bleus. Je ne peux donc plus être sûr de cela, leur couleur. Voilà ce qui me trouble. »

Mme Goodman ne dit rien encore, mais cette nuit-là, le regardant à la dérobée, elle vit qu'il pleurait.

« Mes yeux, lui dit-elle le lendemain au réveil, chaque fois que tu les as regardés, ont été bruns ; tout ce qu'il te faut, tout ce dont tu as besoin d'être certain, c'est que demain, quand tu les <u>auras regardés</u>, ils auront été bruns. Appelons **bbrune**, si tu le veux bien, cette qualité de mes yeux. Appelons **vvreuse** cette autre qualité, celle que tu redoutes : que mes yeux ont été bruns et que demain, quand tu les auras regardés, ils auront été verts, ou bleus. Mes yeux, tu en conviendras, ont toujours été " bbruns ". Ils le seront encore demain. Ils ont aussi été " vvreux " ; ils le seront encore demain. Mais où est, pour toi, la différence ? S'ils sont encore vvreux demain, cela veut dire que demain, quand tu les auras regardés, ils auront été bruns, et que le jour suivant, après-demain, ils auront été verts, ou bleus. Mais qu'importe ?

« Mes yeux, peut-être, quand je dors, sont bleus, ou verts, ou d'une autre couleur, ou d'aucune, comme les objets, qui sont apatrides. Mais, sois-en sûr, toujours, quand je m'éveillerai pour toi, quand tu auras regardé mes yeux, ils auront été bruns. »

Ainsi parla la femme de Goodman, née Hume.

Et il en fut ainsi : tous les matins, tant qu'elle vécut encore, il regarda ses yeux au moment de son réveil, et ils furent bruns.

62 (suite 2 du § 60) Le paradoxe de Goodman est un paradoxe de sceptique

Le paradoxe de Goodman est un paradoxe de sceptique. Il utilise la certitude inscrite dans la langue pour la mettre en contradiction avec elle-même. La « solution », linguistique elle aussi, n'efface le doute qu'*a posteriori* : jusqu'à l'instant où les yeux s'ouvrent, ils peuvent encore être « vreux » (donc, en ce cas, bleus) ou bruns, ou encore « bbruns », ou encore « vvreux ». L'instant franchi, le vreux cesse d'être possible. Le bbrun et le vvreux demeurent, mais restent toujours futurs. La réfutation est en fait une réfutation sceptique. Elle ne restitue nullement la certitude première de l'induction, mais seulement une certitude **à la Merlin** : la vérité de ses « obscures paroles » ne se connaît comme telle que quand les choses prédites sont « advenues ».

Il faut remarquer que ce n'est que parce qu'elle introduit une dissymétrie entre les adjectifs qu'elle peut parvenir à ses fins. Le paradoxe construit le vreux en parallèle avec le brun. Le **bbrun** est bâti de même : sont bbruns les yeux qui demain, vérifiés par le regard, auront été **bruns**. Mais le **vvreux**, comment se dit-il ? Certainement pas comme la couleur d'yeux qui, une fois vus, auront été **verts**, car cette couleur-là n'est jamais apparue, et l'induction ne peut la confirmer. Sont vvreux les yeux qui, demain, auront été vreux. Et la certitude inductive de cette couleur-là est toujours rejetée vers le futur. Les yeux, plus tard, auront été vreux aussi.

S'ils s'ouvrent encore.

C'est d'un éclair goodmanien que Saul Kripke a reçu l'illumination qui l'a conduit à sa très personnelle interprétation du célèbre et difficile § 243 des Investigations philosophiques de Ludwig Wittgenstein ; connu comme introduisant « l'argument du langage privé » (c'est-à-dire l'affirmation que le langage privé est impossible). Selon Kripke, Wittgenstein est forcé à sa thèse pour s'être heurté à un « puzzle sceptique ».

Et ce « puzzle », c'est un doute surgi au sein de la certitude même, c'est-à-dire atteignant l'opération mathématique par excellence, l'addition : quand je produis le résultat de la somme 53 + 20, dit Kripke, pourquoi écris-je 73 ? Pourquoi pas 37, 37 étant le résultat de l'opération de quaddition, qui coïncide avec l'addition pour toutes les additions que j'ai effectuées dans le passé mais donne, précisément dans ce cas présent non encore rencontré, le résultat palindromique 37 ? (Je modifie, pour des raisons numérologiques, l'exemple concret donné par Kripke.) Au lieu de « plus » j'utilise en fait « quus ». Le sceptique qui sommeille en chaque philosophe s'exprime en langue goodmanienne — la langue goodmanienne est fortement carrollienne, par son emploi constant du mot-valise (Kripke fait ici implicitement un *portemanteau word*, à l'aide, hommage discret, du patronyme de Quine).

Il ne m'a pas fallu longtemps pour établir, à la lecture de Kripke, entre Wittgenstein et Goodman un lien émotionnel beaucoup plus fort, pour moi, que celui, intellectuel, d'une interprétation de la stratégie des *Investigations* : car Wittgenstein était la lecture principale d'Alix, qui influençait, plus encore que sa parole volontiers nette, très profondément la stratégie de sa « monstration photographique ». C'est pourquoi, malgré la fureur réfutatoire des gardiens du temple wittgensteinien, les Tweedledum & Tweedledee d'Oxford, MMr. Hcker and Baker, j'ai conservé une adhésion spontanée à l'hypothèse kripkéenne. Et elle m'est apparue, au fond, comme une sorte de plagiat implicite d'Alix, une survie de sa parole dans quelque chose comme « un monde possible de pensée ».

63 (suite 3 du § 60) **Longtemps, toutes les années paralysées du premier deuil,**

Longtemps, toutes les années arrêtées du premier deuil, je suis resté sur la formulation fabuleuse du texte qui relate une « aventure de Mr. Goodman ». Je n'ai pas pensé à utiliser, ailleurs, le même type de **déduction fictive**. Et singulièrement aux *Investigations* elles-mêmes. La cause principale de cette omission est que je n'ai aucune aspiration à penser philosophiquement.

Il est vrai que j'ai d'abord été malgé tout impressionné par l'ardeur de MMr. Hacker et Baker, l'avalanche luxueuse de leurs citations du maître, prises aux œuvres inédites, au *Nachlass*, autant qu'aux textes publiés, & qui ne pouvaient manquer d'affaiblir la lueur initiale, éblouissante (et sans doute, me disais-je, simplificatrice) de l'interprétation kripkéenne. Leur accent de conviction indignée, sans me convaincre tout à fait, m'avait quand même ébranlé. Je me disais seulement que, malgré tout, l'hypothèse d'un Wittgenstein troublé par le scepticisme restait séduisante, et un irresponsable philosophique comme moi pouvait la conserver pour son charme, sinon pour sa vérité.

J'en suis resté là même si, entre-temps, ma confiance (réticente et relative) en Hacker & Baker a été fortement entamée par d'autres développements troublants dans le microcosme du wittgensteinisme, sur lesquels mon attention fut attirée, comme en bien d'autres circonstances, par la lecture attentive du *TLS*. J'achetai donc un jour à Oxford, chez Blackwell (c'est-à-dire à la source éditoriale même) un livre de S. Stephen Hilmy (l'abréviation « S. », non « résolue » comme on dit dans les éditions critiques de manuscrits médiévaux, m'est mystérieuse, et je suis tenté, après lecture du livre de la traduire en « Saint »), intitulé *The Later Wittgenstein*.

Et je découvris que les dogmes de l'Église wittgensteinienne y étaient mis en cause par un Érasme du Nouveau Testament (les *Investigations*. Le *Tractatus* représentant l'Ancien, dont les carnapiens sont les cabbalistes), qui prenait même à l'occasion les accents d'un Luther. Le « retour au Big Tapuscrit », dont les Apôtres (sainte Anscombe, saint Von Wright et saint Rees) nous avaient « caché » non l'existence mais la décisive situation théorique (et ils avaient, en plus, omis de le publier) bouleversait, selon saint Hilmy, le sens de l'exégèse. Je ne sais encore aujourd'hui (par paresse) ce que les cardinaux Hacker & Baker ont répondu ni quelle est, sur ce point la position de l'Église gallicane (dont le primat est Bouveresse), mais je me suis senti, en somme, plus à l'aise dans mes divagations. Ce qui me ramène, laissant la « quaddition » en repos, au futur antérieur.

Le recours à ce temps si étrange de la « conjugaison » permet d'enfermer d'un seul coup passé et futur dans un présent de discours. Et on dispose précisément là d'un moyen tout simple de définir ce qui s'y trouve enclos, c'est-à-dire le **présent**. Tel est le secret, tout à fait modeste, de ma « découverte ». A vrai dire, je suis en train de glisser sur quelques difficultés, par exemple sur la distinction, nécessaire et difficile, entre instant et présent ; mais je ne veux pas compliquer inutilement ma démonstration pour le moment. Je suis parti du « paradoxe de l'instant présent », je m'y tiendrai.

L'instant présent est celui qui aura été tel instant passé à tel instant futur. C'est un événement (je ne dis pas ici qu'il est « ponctuel »), dont un événement futur strictement distinct aura gardé la mémoire. (Ainsi ai-je réglé son compte, à ma propre satisfaction sinon à la vôtre, au taraudant paradoxe de l'instant.)

64 (§ 5) **Les recettes des Arts de la Mémoire que le Moyen Âge, puis la Renaissance, inventèrent**

La tradition s'en poursuivit bien au-delà de la mort au feu de Giordano Bruno. On sait (par les savants travaux de M. Paolo Rossi & de Dame Frances Yates) que Leibniz adolescent y joua. Plus tard, rendues suspectes aux lettrés par le triomphe des inventions ramusiennes (qui furent celles des écoles, imposant rigueur, système et méthode au lien entre mémoire et savoir, avant que la Pédagogie ne les détruise à son tour, au nom de la spontanéité, pour prêcher, avec les résultats que l'on connaît, la liberté du souvenir), elles entrèrent dans une sorte de clandestinité, côtoyant la « magie », les « tours de carte » et les « voyances » dans ces zones du petit commerce crépusculaire où la crédulité des uns rencontre la roublardise des autres (qui d'ailleurs, ce qui ne gâte rien, souvent eux-mêmes y croient).

A près de quatre-vingts ans mon grand-père, toujours désireux de s'instruire (ou peut-être de lutter en lui-même contre un affaiblissement, léger mais désagréable, de ses pouvoirs de mémorisation) s'était ainsi enthousiasmé pour une annonce, parue dans de nombreux journaux. Elle commençait par un récit digne de Simonide de Céos : on décrivait la rencontre du témoin et d'un noble et mystérieux personnage, brûlant de modestie et de fascination par le regard et par la barbe, dans un compartiment de chemin de fer (une *captatio benevolentiae* terriblement efficace, quoique vraisemblablement involontaire, auprès de mon grand-père, grand amateur de déplacements ferroviaires). Empruntant, en guise d'entrée en matière, le journal du voyageur qui lui faisait face, l'énigmatique et bienveillant Scandinave (l'homme dont la science est venue du froid) y jetait un coup d'œil rapide, à la fois perçant et négligent et, le lui rendant, en récitait aussitôt l'éditorial, à l'endroit et à l'envers. (à l'envers surtout, c'est plus impressionnant).

Car il y avait un Secret : que l'on pouvait se procurer en envoyant, le plus rapidement possible une somme, modeste, aux éditions Aubanel, en Avignon. Ce que mon grand-père s'empressa de faire (il ne désirait pas ce secret seulement pour lui-même mais aussi pour le partager avec nous, ses petits-enfants, variablement aux prises alors avec nos examens scolaires et universitaires respectifs). Il reçut peu après une brochure dans laquelle il se plongea avec avidité. Mais sa déception fut vive : la Méthode secrète, cette Voie d'accès au Graal de la Mémoire, une fois réduite à ses fort rares indications précises, n'était, en fait, qu'une variante abâtardie de celle que j'ai désignée comme « méthode des parcours ».

Le principe, on le sait, en est fort simple : associer à chaque <u>station, un lieu</u>, d'un chemin familier (promenade dans un jardin, trajet dans sa propre maison, de la cave au grenier), des fragments des choses à retenir (des textes, des raisonnements, des narrations, sous forme d'<u>images visuelles</u>), qui se trouvent ainsi comme posées sur des portemanteaux à souvenirs. Il suffit alors, quand on en a besoin, de refaire le chemin et de prendre (par la pensée) sur leurs patères ces manteaux d'idées, ces parapluies-vers, ces écharpes-cartes géographiques, ces chapeaux-listes d'empereurs romains ou des petits-os-de-la-main, qui attendent sagement, là, le marcheur en son esprit. (Il n'est, bien entendu, au moins en principe, si on a monté l'escalier avec « Booz endormi », pas beaucoup plus difficile de le redescendre en le récitant, cette fois, à l'envers.)

Je ne dis pas que la méthode est stupide ; ou inefficace. Mais elle demande, tout comme l'apprentissage du « par cœur », un long entraînement, le recours à des techniques particulières (pour s'assurer que les choses à retenir vont bien rester, inaltérées, en le lieu choisi pour elles, ne vont pas s'envoler au vent de l'oubli), à des exercices gradués, etc., que les virtuoses du XVIe siècle possédaient sans doute

(Giordano Bruno certainement), mais dont le secret s'est perdu (comme celui des merveilleuses « bouffettes » de Mens (Isère), ces friandises dauphinoises que nous apportait autrefois Jean Rolland, dont le dernier pâtissier possesseur refusa de se dessaisir et qu'il ne voulut pas transmettre avant sa mort).

Le mage mystérieux séducteur de grands-pères avides de savoir, au nom de tennisman suédois, n'en savait, sans doute, guère plus que ce que je viens d'en dire (et ignorait visiblement l'origine même de cet « art »). La déception de mon grand-père fut vive, mais brève. Nous nous sommes moqués (gentiment, je pense) de lui et de nous-mêmes (son enthousiasme s'était montré contagieux). Il renonça à l'espoir de progrès tardifs mais décisifs dans la connaissance de la Physique théorique ou des Langues étrangères et il se replongea dans une autre quête beaucoup plus ancienne, et plus fondamentale pour lui, d'un très différent Graal : la construction du prototype enfin parfait de **chaise longue inrenversable.**

65 (§ 6) **La course inverse du train vers Castelnaudary**

On s'arrêtait parfois dans cette petite ville. Les parents Canguilhem y habitaient. Le père Canguilhem (comme disait le mien) était, je crois, tailleur. Peut-être était-ce le jeune frère qui était tailleur, ou les deux, je ne sais plus. Quoi qu'il en soit, **il y avait un jardin, et dans ce jardin je vois un arbre que j'aimais immensément** (un catalpa ? on en trouve dans le jardin du Luxembourg) ; **après les fleurs, après les fruits de cet arbre, il restait en fin de printemps comme des demi-coquilles de noix vides, d'un brun assez clair, partagées en deux par la ligne d'une étrave, qui se terminait d'un gouvernail pointu ; légères, légères ; et ce mode de description indique assez à quelles fins je destinais ces coques-barques, dont je remplissais mes poches pour le retour : être navires dans le lavoir de notre jardin ; escadres dans les caniveaux les jours de pluie, levant l'ancre pour d'imaginaires, exotiques et arcadiens Tropiques.**

Les Canguilhem avaient une ferme ariégeoise (possession infiniment précieuse en ces temps de faim extrême). Et un jour mon père m'y emmena pour « faire les battages ». Le blé moissonné, on « battait » les épis, et le grain tombé s'en allait, par pleins sacs, dans le grenier. Tel était le principe de l'opération qui, pour moi, représentait surtout une longue succession de jeux dans les meules, les foins, les poussières de blé, la fascination des ruisseaux céréaliers coulant sous la main, les chevaux, les roues de charrettes, les sommeils dans la paille. Des mois plus tard, à l'automne, des « barbes » d'épis, des pailles sortaient encore de la laine de mes pull-overs, de manière imprévisible, soudain, dans mon cou à l'école, telle une restitution, involontaire et tardive, de souvenirs.

Et le plus mémorable de ce séjour, c'est qu'on mangeait. Jamais les paysans de ces régions ne se sont nourris aussi abondamment, ardemment, démonstrativement, ostentatoirement, qu'en ces années où les habitants des villes mouraient, eux, parfois littéralement, d'inanition. Je dévore aujourd'hui encore le menu de ces vocables sensuels : « pain blanc », « porc », « haricots secs », « lard d'oie » (image d'épaisses lanières très denses, très blanches, suprêmement savoureuses) : une grande table dans une salle basse, tous les « gens du battage » ensemble et la phrase du fermier à la fin du repas, roulée en lourdes syllabes occitanes mais déjà non méditerranéennes, retenue par mon père et souvent redite plus tard par lui, si bien que je pourrais me souvenir de l'avoir entendue : « Si ça continue comme ça, on va tous mourir de faim ! »

J'éprouve, venue de l'enfance, une fascination effrayée pour la philosophie. Canguilhem et mon père étaient probablement pour moi alors, non des philosophes (ce que mon père a toujours nié être) (les philosophes appartenaient à une autre époque, ils étaient grecs, et morts depuis plus de deux mille ans : je raisonne par analogie avec cette lettre reçue récemment d'un petit garçon, où je prends ceci :

« Bonjour Jacques Roubaud,

Je m'appelle Étienne et j'apprend des poésies de toi à mon école. Nous avons déjà appris avec la maîtresse : Le poeme du chat, le rhinocéros, les dinosaures, l'escargot (un e, barré), la marmotte et puis c'est tout.

Mon papa, la semaine dernière m'a dit qu'il avait été quelque part où tu récitais des poémes avec ton ami Pierre l'artigue (c'est aussi son ami). Moi je croyais que tu vivais à l'époque de Victor Hugo, et je ne voulais pas le croire. »)

Non des philosophes donc mais quelque chose de très honorable et constamment vérifiable : des professeurs de philosophie.

Le moment de ce fragment de prose coïncide, dans le temps extérieur, avec le projet, né au Collège international de philosophie (où cette fascination m'a conduit cet automne de 1989, avec plus ou moins bonne conscience (je ne me sens pas plus philosophe qu'à sept (je le sais, puisque c'est alors que j'ai décidé d'être poète))), d'un

241

hommage à Canguilhem. J'ai vu avec amusement que ses plus respectables anciens élèves se demandaient, avec inquiétude, comment « il » allait réagir, et qui prendrait sur lui d'aborder le sujet.

66 (§ 7) Le récit du souvenir aurait un besoin inépuisable des ressources d'une rhétorique hermogénienne (la vitesse est un concept central du traité hellénistique dû à cet auteur)

Le conditionnel est trompeur; car il est de fait que '**Le grand incendie de Londres**', tel qu'il s'écrit, est fortement influencé par le *peri ideon* d'Hermogène le Rhéteur. Il serait plus exact de dire que c'est moi qui ai choisi l'« Idée » hermogénienne de vitesse (aussi qualifiée de « vélocité », « *rapidity* », « *celeritas* », « vivacité », ou « *prestezza* » par les différents commentateurs de la Renaissance), pour lui faire jouer un rôle central dans ma stratégie rhétorique. En premier lieu, c'est vrai, par curiosité, parce qu'elle est selon toute vraisemblance une innovation d'Hermogène, un de ses apports les plus marquants à la tradition, ce qui lui donne l'attrait indéniable de la rareté. Mais aussi, mais surtout parce qu'elle a été sentie telle à la Renaissance, dans la poésie anglaise et italienne où j'ai d'abord (dans mon ignorance honteuse de l'Antiquité gréco-latine) découvert son existence (et en premier chez Giulio Camillo Delminio, auteur d'un traité sur le « théâtre de la mémoire »). La place de cette Idée est d'ailleurs centrale aussi dans la géométrie de l'exposition rhétorique puisque, quatrième des sept Idées, elle est flanquée de deux triples : Clarté, Grandeur et Beauté à l'avant – Éthos, Vérité, et Gravité en arrière).

Une « vie brève » et fabuleuse d'Hermogène (genre par excellence du style de la vélocité), due à Philostrate (que j'accélère encore, et compactifie, tout en négligeant le fait qu'elle parle peut-être d'un autre Hermogène, dit le Sophiste, que M. Patillon ne veut pas confondre avec le Rhéteur) constitue une illustration de cette interprétation, & pleine de « suavité » (ou « *dolcezza* », ou « saveur » : une autre belle « idée » du *peri ideon*. Je m'autorise du traité pour la faire servir à l'*éthos* de mon ouvrage, comme « composant » de la véridicité) : « Hermogène, né à Tarse, avait à quinze ans une si grande réputation de sophiste que l'empereur Marc-Aurèle se déplaça pour l'entendre. Mais à vingt ans, il perdit d'un coup son don, en apparence de manière naturelle. " Où sont donc, lui disait-on, tous tes discours ailés ? Ne se sont-ils pas envolés de toi à la vitesse des oiseaux ? " Il mourut âgé, pauvre, inconnu, car on cessa de penser à lui dès que son art le quitta. Quand on ouvrit son cadavre, on vit qu'il avait le cœur plus gros que la normale, et couvert de poils. »

Sturm, traduisant Hermogène en latin en 1571, parle de l'idée de vitesse en des termes qui évoquent le courant impétueux du fleuve, et ses eaux « roides » (comme on dit dans le « Lancelot en prose »). C'est une qualité qui rend vivantes les eaux de la parole qui sans elle se transformeraient en mare stagnante. Mais comme il suffit parfois de regarder fixement le fleuve pour empêcher son image de couler, comme le courant, même rapide, fuyant trop lissement, à la longue semble lent et presque immobile, il faut l'interrompre par quelque interpolation d'« hirsutes », les mots et les sons par excellence de la *velocitas*.

Le XVIᵉ siècle y a vu le style du temps. Minturno, dans son *Arte poetica* cite un vers du « Triomphe du Temps » de Pétrarque comme son emblème, un vers qui, selon lui, dit avec une rapidité extrême la précipitation irrépressible de ce dont il parle : *« per la mirabil sua velocitate »*. Andrew Marvell signale à sa fuyante, réticente et phobique maîtresse, *« his coy mistresse »*, le chariot précipité du temps, *« Time's winged charriot hurrying near »*. Et plus intimement encore s'accorde à l'esprit de l'Idée hermogénienne l'apostrophe du Faust de Marlowe aux chevaux de la nuit : *« Lente, lente, currite noctis equi »* (vers accentué et insisté typographiquement ici ainsi que je l'entends). Chaque mot de ce vers est un mot de la vitesse, car dans la classification hermogénienne le mètre par excellence de cette Idée est le trochée, la succession trochaïque (la dipodie trochaïque particulièrement) qui sans cesse tombe de son haut (ici d'une hauteur accentuelle : c'est un vers latin, lui-même dit en anglais) et précipite la voix. Mais le redoublement de l'effet, son accélération, résulte d'un précipice sémantique aux deux premiers pieds, où se répète l'adverbe, comme expressément inventé pour un « paradoxe de Grelling » du temps : « *l*ente », « lent*e* ». (Tout cela a un sens très net en anglais où il s'agit de mettre en déséquilibre le déroulement du vers par rapport à l'environnement rythmique iambique ambiant. De la même manière le « vers libre international », le « vli » contemporain, pris aux Anglo-Saxons obtient l'effet voulu par enjambement perpétuel (voyez là une hypothèse sur l'origine du « vli » : importance de l'instabilité métrique).)

D'ailleurs tout dans la description du style véloce (par M. Patillon décortiquant Hermogène et ses démosthéniens exemples) m'explique après coup la séduction que cette Idée exerça instantanément sur moi : pas de pensée dans la vitesse ! Mots brefs, peu recherchés, figures qui enlèvent la platitude : incises, enchâssements ; & « l'incursive », cette merveille, celle qui entraîne (en cascade) d'autres « idées », les précipitant sur une distribution de rochers-conjonctions (les *hirsuta* de la syntaxe) ; commata en asyndète (mais oui !) ; variantes accumulées et rapprochées, proximités des apodoses (pas d'inquiétude à avoir, cher lecteur : selon ce terme, il s'agit seulement d'assurer l'arrivée immédiate de « l'idée qui doit suivre »), & les figures du discours concis mais qui ne le paraît pas (constructions obliques, enclaves), & les figures du discours qui semble concis mais ne l'est pas (associations), et celles du discours concis et le paraissant (tout de même !), *côla* brefs, pauses sans hiatus (pas de béances dans la voix) finissant sur une instabilité, & la dipodie trochaïque, bien sûr, *last but not least !* La brièveté des éléments, la rapidité des transitions inventent le mouvement *(kinei)*, multiplient les passages *(metabasis)*. Sa nécessité résulte de ce que « le discours morcelé, devenu plat, a besoin d'un correctif *(épanortosis)* sous la forme d'une mise en perspective logique (figure incursive) ou métalogique (remarque incidente). C'est ce que Hermogène appelle relever *(orthoun)* la platitude et réveiller *(diégeirein)* le discours ». En effet.

Mais c'est bien l'équation seiziémiste entre l'Idée hermogénienne et le topique du Temps qui lui donne sa nécessité propre dans mon entreprise : car je me suis, en décidant d'écrire au présent du récit, sans arrêts et sans retours, dans un « maintenant » dont l'épaisseur est, nocturne, enfermée en d'étroites limites horaires, voué à l'angoisse de l'instant évanouissant, dont je sais toujours quand il aura cessé d'être. Le salut (bien qu'illusoire) était dans la seule vélocité.

67 (§ 8) quelque chose comme le paradoxe d'Olbers

Olbers est l'astronome qui « découvrit » (dans les années de gloire de la cosmologie newtonienne (c'était vers 1820)), que le ciel de la nuit ne devrait pas pouvoir être noir. Bien au contraire, chaque point de l'univers centre d'un regard devrait être ébloui d'une lumière infinie.

Je m'imagine Olbers, d'après les notices savantes : toute la partie supérieure de sa maison avait été convertie en observatoire et il consacrait la plus grande partie de ses nuits à l'astronomie, s'intéressant particulièrement aux comètes et aux planètes mineures. Je le vois un peu comme un Mr. Pickwick danois (le héros du livre préféré de mon grand-père, qu'il relisait environ tous les deux ans), & un exemple parfait de ce que les Anglais appelaient autrefois un *natural philosopher*. Il devait nécessairement se passionner, comme Goethe, pour la classification des nuages (et pour la comparaison des mérites de celle de Lamarck avec celle qui est encore la nôtre, & qui nous vient du pharmacien quaker Luke Howard). Mais il réfléchissait surtout à cette difficile question : pourquoi le ciel de la nuit est-il noir ?

Admettons le principe cosmologique, à savoir que l'univers, à l'exception d'irrégularités purement locales, comme les galaxies, présente partout le même aspect. Considérons ensuite une très grande coquille sphérique de centre arbitraire, de rayon r et d'épaisseur dr (elle est pratiquement infiniment faible par rapport au rayon). Le volume de la sphère (4 pi que multiplie r au carré, que multiplie encore dr) sera supposé assez grand pour que la lumière émise par les étoiles qu'elle contient soit égale au produit de son volume (que je viens d'exprimer) par U, U étant le produit du nombre moyen d'étoiles dans une unité de volume par la luminosité moyenne d'une d'entre elles (ces notions « moyennes » ayant un sens de par le principe cosmologique pourvu que tout soit considéré à suffisamment grande échelle). Vous me suivez ?

Le lecteur (*natural philosopher* lui-même) :
Je vous précède : l'intensité lumineuse due aux étoiles, au centre de la coquille d'univers que vous imaginez, cette terrasse par exemple, est par conséquent Udr et est donc pratiquement indépendante du rayon de la sphère.

Un autre lecteur :
Vous supposez donc la condition suivante vérifiée :
condition i : La densité moyenne et la luminosité moyenne des étoiles ne varient pas dans le temps.

Premier lecteur :
Et la *condition ii* : Les mêmes quantités ne varient pas dans le temps.

Moi :
Olbers admettait également (cela va sans dire, puisque Lobatchevski ni Bollyaï n'avaient encore publié leurs hypothèses féroces sur la géométrie, et Gauss les gardait dans ses tiroirs) :
condition iii : L'espace est euclidien.
Mais même si on suppose l'espace lobatchevskien, le résultat n'en sera pas affecté, n'est-ce pas ?

Second lecteur :
Si vous le dites...
Premier lecteur :
Je le crois également. Cependant la
condition iv s'impose :
Les lois de la physique s'appliquent dans toutes les régions de
l'espace, et pas seulement sur notre globe terraqué. Dieu l'a voulu
ainsi.
Second lecteur :
Mais ajoutons aussi la
condition v, indispensable au raisonnement de votre héros :
Il n'y a pas de mouvement d'ensemble des étoiles.
Moi :
En effet. Tout est là.
On peut alors achever le raisonnement, jusqu'à la conclusion
troublante qui préoccupa grandement Olbers : l'intensité lumineuse
au centre, due aux étoiles intérieures à l'hypothétique coquille étant
fixe, entourons cette coquille, tel un oignon, par d'autres coquilles
d'égale épaisseur, concentriques à la première, la frontière extérieure
de l'une étant la face intérieure de la suivante. Alors chaque coquille
contribuera de la même manière à la radiation centrale. Comme on
peut ajouter sans cesse des coquilles à notre première sphère de
pensée, il s'ensuit que la densité de radiation ici même devrait être
infinie. Le Ciel serait plein d'infinie lumière.
Premier lecteur :
Ne pourrait-on supposer que la lumière est effectivement infinie sur
nos yeux, mais que nous lui sommes presque entièrement aveugles ?
Jacques Roubaud :
?
Second lecteur :
La gloire éclairant toutes régions
de l'intérieur de l'esprit
divin la vue
s'arrête à l'enveloppe
et se retourne
vainement
vers l'intérieur
de soi.
Jacques Roubaud (moi) :
? ? ? ?
Premier lecteur :
N'est-ce pas la preuve d'une intervention surnaturelle ?

246

<u>Un troisième lecteur</u> :
La lumière infinie est, précisément, le noir.

<u>Moi</u> :
Olbers postula, plus prosaïquement, un gaz ténu absorbant les radiations, des cheveux d'ange flottant dans la gelée de l'éther.

<u>Second lecteur</u> :
Pourquoi ne pas laisser tomber la *condition iv* : Les lois de la physique pourraient n'être que locales.

<u>Premier lecteur</u> :
Soyons sérieux !

<u>Moi</u> :
En fait, si j'ai bien compris ce que dit l'astronomie moderne, on garde l'universalité des lois de la physique, et le principe cosmologique. La jeunesse de l'univers n'est pas non plus envisageable. Reste l'hypothèse de Hubble, qui est, ou a été de bien d'autres manières confirmée depuis : la *condition v* est en défaut. L'univers est en expansion.

Je pensais donc à quelque infinitude paradoxale de la lumière de neige dans le jardin hivernal ; et ensuite, par association, me rappelant une image de biologiste comparant les souvenirs à une neige tombant sans cesse, en couches cristallines, quelque part dans notre cerveau, à un univers en expansion de la mémoire nous évitant d'être aveuglés par l'infinitude des atomes de notre passé, un mouvement qui aurait pour nom, dans l'univers provisoirement en expansion de notre existence : l'**Oubli**.

(du chapitre 2)

68 (§ 10) Je vois aussi des mûriers, aux fruits rouges explosés sur le sol, comme de vin, de sang

Ce passage, comme plusieurs autres semblables dans le chapitre premier de cette branche (d'autres encore suivront, dans d'autres chapitres, des incises, des bifurcations, dans d'autres branches, & dans ce *no man's land* de prose articulée que j'appelle « entre-deux-branches ») est isolé typographiquement du reste du texte, singularisation qui se retrouvera, d'une manière ou d'une autre, dans une hypothétique version imprimée (j'obtiens pour le moment cette singularisation par une « sélection » (en jargon macintoshien) du fragment, qui apparaît alors en noir sur mon écran. Je « clique » ensuite, dans la colonne « format », sur l'indication « gras » qui, en vertu des redondances amicales de mon « traitement de texte » m'apparaît précisément douée de cette caractéristique « stylistique », **être en gras**. Le fragment ainsi isolé prend aussitôt la qualité voulue : la même). (Le jargon enfantino-franglais de ces machines a de quoi faire frémir d'horreur les amateurs de belle prose.)

Le premier trait commun des fragments ainsi singularisés est d'être descriptions effectuées, le plus scrupuleusement possible à partir d'images pures ou de courtes séquences d'images, caractérisées par un recours minimal à de la recomposition déductive, et assignables par moi à des moments de l'enfance (et en tout cas antérieures aux premiers mois de 1945, où se situe, sans que je puisse lui donner une date précise, la dernière d'entre elles, chronologiquement parlant). Je les introduis le plus souvent dans le texte par les mots **« je vois »** (j'emploie plus ou moins exactement ces mots, et ils ne sont pas nécessairement les premiers du fragment), mots qui, selon l'interprétation que j'adopte de cette idée de l'image, peuvent être considérés se

248

substituant à un impossible « **je me vois** » (je suis donc toujours « présent » dans ces fragments attribués au passé).

Leur deuxième trait commun est le moment de leur dépôt sur le papier (dans une forme légèrement différente de celle qu'elles présentent maintenant). Il est assez ancien. Je les ai toutes écrites en même temps que la chaîne de déduction fictive reproduite (en un « double » palindromique) au chapitre 5 de la branche un, et composée des quatre-vingt-dix-neuf assertions posées en élucidation du récit de rêve qui « commença » mon **Projet** : à l'automne de 1980, il y a neuf ans. Les assertions, je l'ai dit en son temps, étaient alors des « maximes ». ces images étaient alors des souvenirs. Assertions et images (maximes et souvenirs) s'entrelacent, entrelacement qui ne tient pas seulement à la contemporanéité de leur rédaction. Certaines de ces images sont « citées », sans commentaire, dans les assertions. Aussi leur restitution comblera-t-elle certains « trous » de la « déduction ».

Le troisième trait, qui est conséquence des deux autres, est que, même si d'une certaine manière je tente de les lier l'une à l'autre par le récit, je ne peux en fait rien leur ajouter. Elles furent telles. Mon hypothèse centrale sur la mémoire implique qu'elles ne sont plus, ou plus purement, présentes dans mes souvenirs. Ce sont des images dites, et surtout ce que je nomme des **« pictions »**.

Il existe un certain ordre, initial, de cette induction d'images, leur ordre d'extraction à partir des souvenirs. Leur succession n'est pas indifférente. De l'expérience, intense, de notation de la mémoire qu'elles présentent j'ai alimenté ma réflexion. Mais je n'ai pas conservé ici l'ordre de départ. Je l'avais fait pour les assertions. La différence ne tient pas tellement à l'apparence de kyrielle de leur liste (l'allure parfois « marabout-bout de ficelle » de certaines concaténations). Je viens d'employer, à dessein, à leur propos, l'expression « induction d'images ». Je veux dire que le dépôt linéaire des descriptions masque le caractère combinatoire propre de la mémoire qui, non seulement n'est pas simplement « successive » (puisqu'elle l'est « dans les deux sens »), mais surtout est essentiellement intrication à distance plutôt que juxtaposition (un trait dont se fondait une théorie mathématique de la mémoire qui « accompagnait » **Le Grand Incendie de Londres** abandonné. Elle faisait partie du **Projet**). On reconnaîtra ici les hypothèses sous-jacentes à ma « solution fictive » du paradoxe de Goodman, paradoxe logique de l'induction.

La discontinuité elliptique des assertions a bien, elle, au contraire, les caractères reconnaissables d'une successivité terme à terme nécessaire. C'est le propre de toute « déduction ». Cependant la « correspondance » qui les lie ne respecte pas strictement leurs ordres respectifs. De tout cela il résulte une mise en parallèle possible (partielle, mais possible) des deux premières **branches** de mon récit : la **branche un** est une (la ?) branche qui « élucide » introduit, commente une chaîne déductive (du rêve, de la décision, du **Projet**, et de leur conséquence, le roman non écrit, **Le Grand Incendie de Londres**). La **branche deux** est construite comme l'élucidation, le commentaire d'une séquence inductive d'**images-mémoire**.

69 (§ 68) **Je les ai toutes écrites en même temps que la chaîne de déduction fictive qui « commença » mon Projet : à l'automne de 1980, il y a neuf ans.**

En 1980, à l'automne, j'ai écrit cela : « A l'automne de mon mariage, j'étais persuadé d'avoir trouvé, enfin, des conditions satisfaisantes, un équilibre raisonnable entre les tâches de la quotidienneté et une prose sans obligations. » Ce n'est pas faux. Mais c'est évidemment insuffisant pour enchaîner, à la manière dont '**Le grand incendie de Londres**' s'écrit maintenant, la forme très particulière de ma tentative d'alors. Le « début » en était, après l'Avertissement (le § 0 du tout, précédant le début de la branche un), le récit du rêve (branche un, chapitre 5). Venait alors la mise en place des « maximes » (ce n'était que le matériau préparatoire. Je ne dis pas, je n'ai pas à dire ce qu'était la prose réelle, écrite, détruite maintenant), suivie du registre des « souvenirs ». Leurs « points d'accrochage », enfin.

Je vois assez clairement aujourd'hui que le « double » aspect de cette mise en œuvre, qui était destinée initialement à un lecteur unique, privilégié (Alix, ma femme), avant tout autre lecteur éventuel, était une réponse à sa double nature (& le « moteur » de son propre « projet ») : de philosophie et de photographie.

Déplacement sur le terrain de la philosophie, mais sous forme fictive, que cet assemblage de « maximes », données à lire à une « wittgensteinienne ». Cette analogie est nette, et simple. Elle nourrit sa clarté de la netteté hermogénienne. Et elle était, alors, tout à fait explicite : une rencontre, conjugale et ludique, de la mathématique et de la philosophie, sous le regard de la logique.

Mais translation aussi, simultanément, de la photographie à la description des souvenirs (sous l'esthétique & éthique steinienne de la description (*An Acquaintance with Description* est un titre de Gertrude

Stein) qui est aussi conforme à certaines maximes de Wittgenstein : ne pas expliquer, décrire. Ne pas dire, montrer). Cela, je ne l'ai vu que bien plus tard.

Quand j'ai écrit (plus haut) : l'enfance et la photographie ont un lien presque consubstantiel : « toutes les photographies, a-t-on pu écrire, sont des photographies d'enfance », je n'ai pas dit que ce « on » était Alix (ce n'était pas alors mon propos). Mais j'ai offert, naturellement, à ma femme, photographe, l'écriture photographique de ces souvenirs.

Je cite : « Les seules vraies photographies sont des photographies d'enfance.

Les photographies que nous avons de notre enfance sont toutes fascinantes. Même floues ; même mal cadrées ; même à peine visibles. Nous avons presque tous des photographies de nous enfants ; à moins d'avoir grandi parmi des peintres, on n'a pas de tableaux, de peintures, de soi-même enfant. Or la photographie de nous enfant nous fascine ; parce qu'elle nous montre une scène où nous étions présents ; nous voyons que nous y étions ; nous nous y reconnaissons ; or nous ne nous souvenons pas de cette scène ; nous n'en n'avons rien vu. J'y étais, pas de doute ; mais je n'ai rien vu ; tout ce que j'en vois, c'est une photographie. J'ai dû pourtant voir, j'avais des yeux ; j'en ai des souvenirs, dans le meilleur des cas ; j'ai aussi oublié. La photographie me montre **la première forme de l'invisible : celle de l'oubli. »**

70 (§ 68) **ce sont des images dites, des « pictions »**

Je me suis emparé pour **'Le grand incendie de Londres'** d'une distinction wittgensteinienne (entre Bild et Abbild en langue allemande ; traduite en *image* et *picture* en anglais). Mais je l'ai faite mienne en la déformant (inévitablement en la déformant). C'est donc une distinction, qu'il faut attribuer non à Wittgenstein lui-même, mais à un « pseudo-Wittgenstein » (comme, pour qualifier telle prose de l'époque médiévale, on parle de la « chronique du " pseudo-Turpin " »), et en lui donnant un « spectre » d'illumination beaucoup plus large. Cette appropriation, je ne pense pas nécessaire de la justifier (je lui donnerais, d'ailleurs, toujours la même « excuse », celle du fabricant de récits), mais j'en préciserai un peu les modalités par la « déduction fictive » suivante (qui pourrait prendre place, parmi d'autres, dans un livre, sous ce titre même) et qui est une « déduction du pseudo-Wittgenstein ». On reconnaîtra aisément ses « sources ».

i Une **image** n'est pas une **piction**.

ii L'**image** de la douleur n'est pas une **piction**, et elle ne peut pas être remplacée dans un jeu de langage par quoi que ce soit qui puisse être appelé **piction**.
L'**image** de la douleur entre certainement en un sens dans le jeu de langage, mais pas comme **piction**.

iii Je nomme une pierre, je nomme le soleil, alors que ces choses ne sont point présentes elles-mêmes à mes sens. Assurément, j'en ai l'**image** dans ma mémoire, à ma disposition.
Je nomme la douleur physique, je ne souffre pas. Elle n'est donc pas non plus présente. Pourtant si son **image** n'était pas dans ma mémoire, je ne saurais pas ce que je dis.
Je nomme les nombres, et les voilà dans ma mémoire, non point leur **image,** mais eux-mêmes. Je nomme l'**image** du soleil, et ce n'est pas l'**image** d'une **image** que j'évoque, mais l'**image** elle-même. C'est elle qui obéit à mon appel.

iv L'**image** est le changement en moi induit par un objet, par quelque chose du monde.

v Une **image** n'a pas de lieu.

vi Une **image** n'a pas de lieu ; pas de lieu, pas de durée.

vii Il est clair que l'acte de former des **images** ne peut pas être comparé à celui de déplacer un corps. En effet, quelqu'un d'autre que moi peut être juge du fait qu'un mouvement a eu lieu, alors que dans le mouvement de mes **images**, il ne peut s'agir que de ce que moi, j'ai vu.

viii Si quelqu'un me dit : mes **images** sont des **pictions** intérieures, ressemblant à mes impressions visuelles, mais soumises à ma volonté, je dirai que cela n'a pas de sens.

ix Pourtant, il serait erroné de dire que voir et former des **images** sont des activités essentiellement différentes. Comme si on disait qu'aux échecs, jouer et perdre sont des activités différentes.

x Essayez de comparer l'**image** de la rage de dents de L. W. avec sa rage de dents. Autrement dit, nous avons l'**image** d'une douleur, mais nous ne pouvons pas la comparer à la douleur comme nous comparons la **piction** d'un œil noir avec son modèle.

xi Les **pictions** ne sont pas des **images** parce qu'elles sont oisives.

xii La **piction** mentale est la **piction** décrite quand quelqu'un décrit ce qu'il imagine.

xiii Les **images-mémoire** se distinguent des autres **images** par quelque caractéristique spéciale.

xiv L'**image** est plus semblable à son objet que n'importe quelle **piction**. Car quel que soit le degré de similitude atteint par la **piction**, elle peut toujours être **piction** de quelque chose d'autre. Mais il est essentiel pour l'**image** qu'elle soit **image** de <u>cela</u> et de rien d'autre. Ce qui fait qu'on pourrait imaginer que l'**image** est une <u>sur-ressemblance</u>.

xv J'aimerais pouvoir dire : ce que la **piction** me dit c'est « elle-même », pas son objet : quelque chose qui est dans sa propre structure, ligne, couleur, sa forme...

xvi Le souvenir d'une **image** ne peut pas être représenté en « picturant » une **piction** de cette image avec des couleurs plus pâles. La pâleur du souvenir est quelque chose d'entièrement différent de la pâleur d'une couleur vue, et l'absence de clarté de sa vision est d'une espèce entièrement différente, par nature, du vague d'un dessin imprécis.

xvii Imaginons une histoire composée de **pictions**. Il ne nous est pas nécessaire de traduire ces **pictions** en représentations réalistes si nous voulons les comprendre. De la même manière, nous n'avons pas besoin de traduire des photographies en peintures colorées. Et pourtant, des hommes et des plantes noir et blanc dans la réalité nous sembleraient invraisemblablement étranges et effrayants. Faut-il dire alors que quelque chose est une **piction** uniquement dans un **jeu de pictions** ?

xviii Une phrase dans une histoire nous donne la même satisfaction qu'une **piction**.

xix Si on regarde une photographie avec des gens, des maisons et des arbres, on ne ressent pas le manque d'une troisième dimension. Et pourtant il ne serait pas facile de décrire une photographie comme une collection de taches sur une surface plane.

xx Nous voyons la photographie ou la peinture sur notre mur comme si c'était l'objet lui-même (l'homme, le paysage, etc.). Mais cela aurait pu se passer d'une manière tout à fait différente. On pourrait par exemple imaginer une tribu qui n'aurait pas ce type de relation avec les **pictions**, où les gens seraient repoussés par les photographies, et considéreraient que les visages sans couleur ou même les visages à échelle réduite sont des choses inhumaines.

xxi Je viens de prendre des pommes dans un sac de papier, où elles étaient restées assez longtemps. J'ai dû les couper en deux et en jeter la moitié. Un peu plus tard, je recopiais une phrase dans mon cahier, et la fin de la phrase n'allait pas. Tout d'un coup j'ai vu cette phrase comme une pomme à moitié pourrie. Ça se passe toujours comme ça. Tout ce que je rencontre devient une **piction** mentale de ce que je suis en train de penser.

xxii « Le style, c'est l'homme » ; « le style, c'est l'homme même. » La première expression est un court et médiocre épigramme. La deuxième version ouvre une perspective très différente. Elle dit que le style d'un homme est une **piction** de cet homme.

xxiii La **piction** d'un pommier, même fidèle, est en un sens beaucoup moins proche de l'arbre qu'une pâquerette.

xxiv Peut-on nier une **piction**? La réponse est non.

xxv Ce que je regarde est présent. Ce que je prévois est futur. Ce n'est pas que le soleil est futur, puisqu'il est déjà, mais que son lever l'est, qui n'a pas encore eu lieu. Mais je ne pourrais pas prédire son lever, si je n'en avais l'**image** en moi. Aucune **piction** ne peut conduire à une prédiction.

xxvi La **piction** est là. Je ne discute pas son exactitude. Mais à quoi s'applique-t-elle? Faut-il penser une **piction** de la cécité comme obscurité de l'âme, ou bien comme du noir dans la tête de l'aveugle?

xxvii Ce qui est **image** n'est pas dans le même espace que ce qui est vu.

xxviii On ne peut pas suivre une **image** avec attention.

xxix L'attention ne produit pas d'**images**.

xxx A ce moment, j'ai eu cette pensée devant mes yeux :
« Et comment cela ? »
« J'avais cette **piction**. »
La **piction** était-elle la pensée ? Non. Si je décris à quelqu'un la **piction**, il ne lui viendra pas la pensée.

xxxi L'idée de feuille n'est pas une **image** de la feuille. Même pas une **image** qui contiendrait seulement ce qui est commun à toutes les feuilles. Le sens d'un mot n'est pas une **image**. Nous avons tendance à regarder les mots comme s'ils étaient tous des noms propres. Et ensuite nous confondons le porteur du nom avec le sens du nom.

xxxii L'ombre est une sorte de **piction**. Mais il est absolument essentiel qu'une **piction** que nous présentons comme l'ombre de quelque chose ne soit pas ce que j'appellerai une **piction** par ressemblance. Je ne veux pas dire par là que c'est une **piction** semblable à ce qu'elle représente. Mais seulement qu'elle est correcte quand on y reconnaît une similarité. On pourrait dire que c'est une copie. *Grosso modo*, on peut dire que les copies sont des pictions qu'on peut prendre pour ce qu'elles représentent.

xxxiii Il n'y a pas de portrait du rouge.

xxxiv Les **pictions** sont toujours oisives.

xxxv Pensons à la **piction** d'un paysage. C'est un paysage imaginaire avec une maison. Quelqu'un demande : « Cette maison, elle est à qui ? » La réponse pourrait être : elle appartient au fermier qui est assis sur le banc, devant la maison. Mais c'est un fermier qui ne peut pas entrer dans sa maison.

xxxvi Deux **pictions** d'une rose dans le noir. Dans une des deux **pictions**, il n'y a que du noir, la rose est invisible. Dans l'autre **piction**, la rose est représentée en détail, mais entourée de noir. L'une des deux **pictions** est-elle juste et l'autre fausse ? Est-ce qu'on peut parler d'une rose rose dans le noir et d'une rose rouge dans le noir ? Est-ce qu'on peut dire, en même temps, qu'on ne peut pas les séparer dans le noir ? Méfiez-vous des roses noires.

xxxvii Si nous comparons une proposition à une **piction**, il faudrait savoir si nous la comparons à un portrait ou à une peinture de genre. Les deux se défendent.

71 (§ 10) **une lignée républicaine avec une certaine propension aux positions minoritaires**

La reconstitution d'une telle « généalogie morale » tient sans aucun doute à l'orientation donnée par mon père au récit des origines familiales, et lui-même avait été influencé sur ce point par son propre grand-père, le marin. Mais, en la reconnaissant comme mienne, j'effectue un choix, je me comporte comme si, tout en disposant à mon gré, librement, en sujet majeur et autonome, de mes jugements et comportements civiques, je découvrais que je n'avais pas été à l'origine entièrement libre de ne pas les adopter, comme s'ils comportaient une composante héréditaire, et encore qu'ils résultaient d'une instruction, à laquelle j'avais été soumis dans la période la plus malléable de ma vie, celle de l'enfance, et sous la forme la plus difficile à éviter, puisqu'elle s'était présentée à moi non comme telle, mais dissimulée insidieusement dans un récit. La transmission du « gène républicain » (« radical » même, au sens anglo-saxon) en aurait été, inévitablement, favorisée.

Il va de soi que je crois très modérément à l'hérédité des caractères politiques acquis, pas beaucoup plus, même, en ce qui me concerne, à leur détermination entière par un « enseignement » indirectement ou directement reçu. La vision politique n'est pas la vision tout court. Dans le cas de cette faculté, la neurophysiologie semble bien avoir tranché (en ce qui concerne les jeunes chats, tout au moins, selon mon souvenir (mais je veux bien partager avec les félins ces propriétés)) : sans appareillage nerveux et cérébral héréditaire d'une part, et sans apprentissage aux tout premiers mois de la vie, la cécité est certaine.

Et il n'a pas été nécessaire pour arriver à cette conclusion d'avoir recours à la mise en œuvre sur des êtres humains de l'expérience de pensée autrefois proposée (au temps des « Lumières », bien sûr) par

Jean-Bernard Mérian : prendre quelques enfants d'homme, les élever dans les meilleures conditions matérielles, intellectuelles et morales possible, mais dans l'obscurité totale, en l'absence de toute lueur naturelle ou artificielle, puis, à vingt ans, les présenter d'un seul coup au regard du soleil. Il serait bien difficile aujourd'hui d'en imaginer la transposition au registre des idées et opinions. (L'hypothèse du « bon sauvage » la suppose cependant implicitement, qui choisit, en même temps, la réponse.)

Mais je ne veux pas dire non plus que je m'imagine échapper entièrement à ces deux déterminations, et ne rien devoir qu'à mes propres choix adultes & conscients. Et je ne veux pas dire enfin que la fiction généalogique que je constitue ici me souvenant m'importe pour sa plus ou moins grande part de vérité. Si je l'incorpore à mon récit c'est en vue d'une autre transposition, à la fois analogique et différentielle (l'interrogation d'une famille de ressemblances et de divergences), au système constitutif de ce qui fut mon **Projet**.

Il supposait en effet l'exercice de deux facultés : la <u>faculté de mathématiser</u>, et la <u>faculté de poésie</u>. Et si le **Projet** devait être, comme il prétendait <u>l'être</u>, **Projet de Mathématique et Projet de Poésie**, dans quelle mesure sa possibilité même (et son <u>échec</u>) a-t-elle origine dans sa préhistoire, dans mon histoire et préhistoire familiales en particulier ?

Je ne me demande pas si j'étais capable ou incapable de ces facultés : je tiens pour un axiome, narratif pour le moins, qu'être capable de langage (ce qui est indispensable à mon lecteur) implique être capable de mathématique et de poésie. Je m'efforce seulement d'en désenlacer les commencements.

72 (§ 10) **ils déterminent décisivement notre** *éthos*

Je détourne, encore une fois, la rhétorique d'Hermogène à mes propres fins. On m'explique, et je veux d'autant plus volontiers le croire que cela va tout à fait dans mon sens, que l'*éthos*, Idée rhétorique d'Hermogène, plus « <u>rhéthéorique</u> » en fait que strictement pragmatique, n'est pas vraiment non plus une injonction éthique. Il serait « preuve technique », « inhérent au discours » et devant « donner de l'auteur une opinion qui le rende digne de foi ». C'est bien ainsi que je veux le prendre. Le portrait de l'*éthos* hermogénien le montre l'une des faces d'une double Idée ; « *éthos-aletheia* » (aletheia : veritas, veritate, verity).

Or j'envisage l'*aletheia* exclusivement (narrativement) sous l'angle de la véridicité (la stratégie de la véridicité a été non pas la découverte, mais plus trivialement le choix d'un dispositif de protection, une condition de possibilité de cette prose). Il s'ensuit que l'*éthos* de ma prose est, lui aussi, un *éthos* de véridicité : je raconte les choses qui se sont passées, ou se passent, dans leur nudité, sans apparence de polissage ni de préparation. Mon *aletheia*, dans son état de nature autoproclamé, n'a pas besoin d'être surprise, débusquée. Mais elle s'accompagne (voudrait s'accompagner) de toutes les qualités composantes qui lui sont spontanément propres : *glukutes* (saveur, *sweetness* ; *suavitas, soave, dolcezza*) — *drimutes* (*subtlety* (qui n'est parfois qu'un *acutum* : pointe, piquant)) — *epieikeia* (modération et *modesty*).

Le rapport entre fiction et non-fiction dans cet *éthos* est difficile, contrairement à ce qu'on pourrait croire à première vue. A première vue, rien n'est plus simple : la fiction y est impossible, puisqu'à la fiction il est strictement impossible de croire, autrement que par un aveuglement momentané et volontaire. L'*aletheia* de la véridicité (autant que celui de la vérité) est allergique à la fiction, au roman. '**Le grand incendie de Londres**' est tout sauf un roman.

Mais sa véridicité affichée est exactement cela, affichée : c'est une affirmation rhétorique de véridicité (hermogénienne autant qu'on voudra, rhétorique malgré tout), qui ne garantit aucunement une vérité des choses dites, extérieure aux choses dites elles-mêmes. Sont proposées des « preuves techniques » de la véridicité, c'est-à-dire des modes de déploiement du discours en prose permettant au lecteur d'ajouter foi à ce que je dis, de se trouver persuadé de mon *éthos*.

Il se pourrait cependant que tout cela ne soit qu'une ruse de la fiction, se saisissant d'une confusion possible entre vérité et démonstrabilité (qu'il faut évidemment séparer dans ce contexte, où n'a guère de sens l'illusion d'une « complétude » logique : un récit vrai n'est pas forcément vérifiable (on peut même dire qu'un récit vérifiable n'est pas forcément vrai ; car qui procédera à la vérification ? et qui (paradoxe carrollien) vérifiera les vérificateurs ?)). L'affirmation de véridicité ne serait alors que la mise en œuvre d'une autre idée hermogénienne, celle de la complication.

J'ai été frappé cependant par quelques réactions de lecteurs à la publication de la première partie de mon ouvrage : qui non seulement ne mettaient pas en doute la vérité de ce que j'y avance mais semblaient en outre, contrairement à mon affirmation d'une écriture au présent des choses racontées, qui implique qu'elles sont, une fois le livre imprimé, du passé, et ont donc toutes chances de décrire des états révolus, persuadés de leur permanence. Tel j'apparaissais dans ces pages, tel j'étais. Et tel je devais être encore. Ma stratégie de l'*aletheia* avait, à leur égard, réussi au-delà de mes espérances !

73 (§ 11) Je sais que je l'avais déjà vue, quatre ans plus tôt, mais je l'avais oubliée

Il m'est impossible de rétablir la moindre image proprement marine de ce premier séjour. Je vais jusqu'au sable (je vois vraisemblablement du sable), mais pas plus loin. L'été 1938 fut le dernier été ininterrompu de l'« entre-deux-guerres », et l'Histoire a fait qu'il fut, pour mes parents et pour le reste de leur vie, l'unique et dernier été de vraies vacances, c'est-à-dire sur les bords de la Méditerranée. Ils avaient loué près d'Hyères une « villa », à deux sœurs très bourgeoises, terrifiées de l'envahissement de la côte par « ces congés payés », et pour qui des familles d'universitaires, malgré leurs nombreux enfants et leurs idées vraisemblablement « à gauche », avaient paru être un moindre mal. Elles avaient fui, et la location n'était pas chère.

Il y avait dans cette villa mes parents, mon oncle Frantz Molino (frère de ma mère), sa jeune femme, Jeanne, et six enfants, dont moi : ma sœur Denise et mon frère Pierre, mon cousin Jean (mon aîné d'un an), ma cousine Juliette et l'autre Pierre (qui est pour nous, ses cousins, « Pierre Molino »).

C'est une villa immense que j'aperçois (coin de façade, fenêtres) au-dessus de moi, de biais, par-dessus ou entre les intervalles de la rampe d'un escalier qui pourrait être de marbre, ou de faux marbre ; cette image s'enfonce dans une lumière violente, violemment opposée à une obscurité végétale proche et intense ; isolée, elle ne bouge pas d'autour de moi, ne m'entraîne nulle part ailleurs (une signature de son ancienneté).

J'ai appris à reconnaître cet isolement intense d'une circonstance d'**image** comme la marque d'une virtuelle ancienneté. (Je dis « circonstance d'image », parce que ce que je vois n'est pas détaché de moi et posé sur le mur de ma vision. J'en fais partie. En toutes ces images que je dis, je suis). Une autre particularité « archaïque » de ce souvenir est l'immensité, et l'architecture proprement « palladienne », de la villa. Mais sur les photographies familiales qui m'ont « placé » cette image, ses dimensions sont modestes, ordinaires.

La mer est toute proche. L'intensité lumineuse n'a rien d'exceptionnel. Mais l'image a gardé, elle, son échelle première. Elle n'a pas été ajustée par un raisonnement, inconscient, de vraisemblance géométrique, peut-être parce que je ne l'ai jamais revue. Au-delà du bord de l'image, mais dans l'invisible, dans ce que je ne peux pénétrer, il y a un prolongement, un entourage, situé au sein de cette obscurité aussi violente que l'est la lumière qui éclaire la villa, les marches. Il m'apparaît ceci (mais ce sont des choses que je peux dire, pas voir, peut-être le reste de quelque autre image plus grande, ou décalée, qui s'était maintenue en moi, et que j'ai perdue depuis) :

à droite, sous les marches, de grands aloès, coupants, une odeur chaude, de végétation méditerranéenne, dans sa sécheresse estivale, absolue.

74 (§ 11) Mon père a réussi presque entièrement la conversion de ma mère, sans toutefois obtenir une adhésion vraiment franche à la moule et à la sardine

Il reste que des traces évidentes d'une certaine (ludique) « lutte des classes » dans la théorie culinaire se sont perpétuées jusqu'à aujourd'hui. Le grand livre de référence, *La Cuisinière provençale* de Reboul, qui constituait le minimum vital des ménagères toulonnaises ou marseillaises du début du siècle, ayant conquis une nouvelle jeunesse (prouvée par d'innombrables rééditions) à la faveur de l'envahissement du littoral méditerranéen par les résidences secondaires, a aussitôt nourri une polémique, sans cesse renaissante, entre mes parents.

Mon père affecte d'y voir une parfaite illustration du point de vue « bourgeois » dans la cuisine, avec son mépris non dissimulé du peuple, sa préférence pour les nourritures nobles et coûteuses (accompagné d'une admiration suspecte pour le beurre et la crème normande), sa condescendance envers les recettes des gens simples et pauvres, évidemment décrites en ses pages comme simplistes et non raffinées. Ma mère défend Reboul au nom de la fidélité familiale (la mémoire de la grande cuisinière que fut sa tante marseillaise Jeanne

Thabot), et de l'indépendance du génie, qui transcende ces distinctions et mesquineries, somme toute secondaires.

Mon père « prouve » l'irréfutabilité de son jugement par deux exemples : l'escargot, le « limaçon » provençal, traité selon lui, « par-dessus la jambe » par Reboul, et la sardine, encore et toujours la sardine. Le sort fait à la sardine (avec celui fait à son cousin, l'anchois) est selon lui la pierre de touche d'une position correcte dans la gastronomie. Ma mère fait observer que les recettes y sont. Mon père rétorque qu'« il » ne pouvait décemment pas les exclure mais que son dédain pour elles éclate à chaque ligne.

Une polémique seconde se greffe alors sur la divergence centrale : c'est que Reboul est marseillais. Et mon père a une méfiance instinctive et ancienne pour cette ville faussement provençale, qui fait de l'ombre à Toulon (au Toulon d'autrefois), et qui d'ailleurs joue au football et pas au rugby, ce qui est tout dire. Ma mère n'est pas particulièrement marseillaise mais, ayant fait ses deux premières années d'étudiante-lycéenne (« hypokhâgne » et « khâgne ») au lycée Thiers, et logée alors chez Oncle Pierre et Tante Jeanne, des Marseillais de toujours, elle se trouve, de par sa défense de Reboul, et à son corps défendant, placée automatiquement du côté phocéen de la barrière.

Ce double jeu de langage, dans ce qu'il a de répétitif, presque de rituel, remplit aujourd'hui principalement un rôle d'effecteur de mémoire, puisqu'il permet de restituer, ne serait-ce qu'un moment, les alentours, dans le réel révolus, oblitérés par les années, de la préparation des aïolis, des grillades de sardines, des marinades d'anchois (pour mon père). Les « pieds et paquets », les « daubes », les « alouettes sans tête », les « cannellonis » de Tante Jeanne sont invoqués par ma mère, & mon père leur rend hommage.

Il m'est arrivé de tenter quelque diversion conciliatrice, en signalant l'union curieuse de l'anchois et de la poésie dans l'œuvre de César Pellenc, le cuisinier aixois, en son recueil considérablement préreboulien, *Les Plaisirs de la Vie*, de 1655, diversion destinée à montrer l'antiquité de la pénétration du registre « savant » par le « populaire ». Avec un succès modéré, reconnaissons-le :

L'anchoye

    Dauphin, l'on sçait que tu te vantes
D'estre Roy du vaste Elément,
Mais il faut infailliblement
Que tu resves, ou que tu mentes :

Et quoy ! pour estre couronné,
Ce rang peut-il estre donné
Malgré l'Anchoye qui le mérite ?
Prince poisson, tu ne tiens rien :
Car il n'est ny pot ny marmite
Qui ne soit son sujet, et ne soit pas le tien.

75 (§ 12) (il y eut, phénomène exceptionnel pour l'époque, trois demoiselles rue d'Ulm cette année-là)

Une administration prise par surprise dut se résoudre, en 1926, à admettre que rien n'interdisait aux « jeunes filles », comme elle disait, de se présenter au concours des garçons et de devenir même élèves, en cas de réussite, de la prestigieuse École. La première demoiselle à y parvenir, après avoir obtenu, non sans mal, que son rang lui soit reconnu, était une scientifique, Marie-Louise Jacotin (qui termina sa carrière de mathématicienne à l'Institut Henri-Poincaré, où je suivis, une ou deux fois, son cours).

Et l'année suivante, 1927, fut celle des « Trois Glorieuses », comme on les désigna, non sans une ironie guère dissimulée : Clémence Ramnoux était classée 9ᵉ, Simone Pétrement 12ᵉ, ma mère, alors Suzanne Molino, 17ᵉ. (Simone Weil fut la seule reçue de 1928.) Ce pur scandale, à peine atténué par l'obligation faite à ces perturbatrices d'être externes (ma mère passa ses années d'École à la Cité universitaire, car ses parents habitaient Lyon) pour ne pas trop troubler l'atmosphère présumée studieuse et monacale des lieux, ne dura « heureusement » que jusqu'à la guerre. A la faveur d'une « réorganisation » de l'École de jeunes filles de Sèvres, on se permit de rétablir la nécessaire séparation des sexes. Elle dura longtemps et n'a succombé qu'il y a peu.

Le titre d'ancienne élève de l'École normale supérieure (rue d'Ulm) a donc été d'une extrême rareté. Si ma mère en fut fière, elle ne le laissa jamais paraître (elle ne se montra jamais fière de quoi que ce soit, je le crains). Toutes les « normaliennes » de cette bizarre cohorte n'ont pas fait preuve d'une modestie comparable.

J'ai lu ainsi, il n'y a pas si longtemps, avec d'abord de l'indignation (par orgueil familial), avec un certain amusement ensuite quand j'ai retrouvé mon sang-froid, une interview de Mme de Romilly (promotion rue d'Ulm 1933) lors de son élection à l'Académie française. L'interviewer, sans doute par ignorance (je l'espère) ayant mentionné, parmi les innombrables titres de gloire de son interlocutrice (agrégation, thèse, Collège de France, et tout et tout), qu'elle avait été la première « élue » du sexe féminin à la « Rue d'Ulm », j'avais lu avec stupeur qu'elle laissait dire, et se gardait bien de rectifier (elle ne rectifia pas non plus les jours suivants. Ce fut un lecteur qui s'en chargea. Peut-être souffre-t-elle de n'avoir pas été la première femme à l'Académie française).

J'ai été, très peu de temps (juste avant son départ à la retraite) collègue à l'Université de Paris-X Nanterre de la première des « Trois Glorieuses » (respectons l'ordre du classement !), Clémence Ramnoux, dont je n'avais devant les yeux qu'une lointaine et vague silhouette d'enfance, associée dans mon oreille au son de la voix de ma mère disant « Elle s'appelle Clémence, Clémence Ramnoux, menou, menou, menou... »

Dans mon souvenir, la beauté douce de ce prénom (un de ceux que je préfère) s'accordait à merveille avec cette espèce de comptine. Aussi est-ce avec quelque curiosité que je confrontai l'éminente spécialiste des présocratiques à son fantôme d'autrefois. Et telle elle était, strictement conforme à mon attente, exactement « menou, menou, menou ». J'en fus ému et enchanté. Elle me demanda des nouvelles de mes parents, et c'est alors que je vis, pendant qu'elle me parlait (c'était au cours d'une fort ennuyeuse commission de programmes de notre commune université) dans ces yeux philosophiques, que je n'avais pas, pour elle, beaucoup grandi. Je n'avais, toujours, pour elle, que quatre ans environ.

76 (§ 13) Les récits parentaux de l'« avant-guerre » comportaient la description réclamée et répétée des nourritures qui avaient disparu de l'horizon de la France urbaine, dès l'hiver 40

Je pense, en fait, principalement aux récits de ma grand-mère. Avec l'intrépidité qui la caractérisait elle avait, en 1941, je crois, entrepris un invraisemblable et dangereux voyage à travers l'Espagne et le Portugal pour rejoindre, bravant les périls océaniques du monde en guerre, sa plus jeune fille (Renée, la sœur de ma mère) qui s'était installée dans le Massachusetts. Les USA n'étaient pas alors « belligérants » et entretenaient des rapports ambigus et plutôt antipathiques avec le régime de Vichy, ce qui lui avait permis d'arracher une autorisation de départ, et aussi de retour.

C'était un conteur extraordinaire. Elle était revenue, de l'océan féroce où rôdaient les sous-marins, porteuse, non de denrées pour nous inaccessibles, inconnues ou perdues, oubliées même, merveilleuses et périssables, mais de leur description, dont elle accompagnait pour ses auditeurs enfantins, assemblés autour d'elle à la table de la salle à manger, les portraits de nourritures qui ornaient, comme autant d'images de l'Eldorado, les « magazines » de l'Amérique en paix qu'elle avait ramenés dans ses bagages : plus beaux que le palais enfantin de Dame Tartine, chargés de plus d'art que le Louvre, les « banana split », les « strawberry sundae », les « milk-shakes, frappes & floats », les « ice-cream sodas », aux couleurs hyperréalistes avant l'heure, s'animaient à sa voix des promesses de miraculeuses et nourrissantes saveurs.

Si l'« avant-guerre » représentait pour nous le paradis perdu (comme le métro, et l'odeur érotique des « premières » sur Mireille Balin, pour le Jean Gabin du film *Pépé le Moko*), l'Amérique, à la voix de ma grand-mère, devenait l'incarnation du mythe d'un « âge d'or », essentiellement culinaire et à venir, dans cet « après-guerre » de liberté et d'abondance presque impossible à imaginer alors, mais auquel, tout comme nos parents, elle croyait fermement, contre l'évidence même de 1941, au point d'agir, un peu plus tard et non sans risques, pour le faire advenir. Son héros était Franklin D. (pour Delano) Roosevelt. Il fut pour nous, enfants, celui qui viendrait nous délivrer, l'ice-cream à la main.

Mais l'image la plus efficace de ses contes, qui n'était accompagnée d'aucun support « illustré », tant le fruit qu'elle évoquait était d'une banalité extrême pour la riche Amérique, et qui, pour cette raison même, acquit un pouvoir plus extrême encore sur mon imagination, était celle de l'**orange**. Elle nous disait, et **je voyais, comment des globes de six fruits entiers le jus pressé s'écoulait, mousseux, odorant, dont s'emplissaient ensuite tour à tour les verres des bienheureux ; je les voyais sortir de la caverne du froid, le fabuleux *refrigerator*, sphères silencieuses comblant les désirs et les soifs.**

J'ai peine à associer l'orange industrielle des supermarchés d'aujourd'hui, enveloppée de ces papiers pelures espagnols ou marocains dont Marie fait collection, vendue par deux kilos dans des filets de fausse corde rouge (la couleur même en semble artificielle, chimique, qui reste sur les doigts quand on s'abîme l'ongle à tenter de les peler sans qu'elles s'écorchent, se défassent), avec celle-là, l'**orange même**, que j'entendis, rêvai et attendis pendant les années de la privation. Il n'est pas possible qu'il s'agisse du même fruit. Les deux me paraissent dans le même rapport − identité de nomination et dégradation de la référence − de désunion humiliante que je perçois sous l'usage présent, politicien, publicitaire ou journalistique du mot « surréalisme ». De « l'amour fou » de l'orange à ça, quelle chute !

Un segment initial (phoniquement) du mot qui est le sous-titre caché de cette branche de mon livre, « oranjeaunie », renvoie à, évoque cette orange-là, la première, « l'absente de tous paniers », l'orange d'un conte, et pas à ses récentes contrefaçons. J'ajoute que mes grands-parents vivaient à Caluire, rue de l'Orangerie. Dans cette rue-là je suis né.

77 (§ 15) A quai, s'allongeait un train de péniches, chargées jusqu'au bord de charbon : de la lignite brune

Tout dans ce voyage me renvoyait à mon propre temps, à ma propre histoire familiale, à la guerre. Et ce n'était pas seulement à cause des traces non effacées de la lutte, mais parce que le peu de voitures des rues, la lenteur, le silence des passants, les maisons faiblement éclairées, pauvres, les appartements sans luxe où les gens vous recevaient, vous parlaient, avaient du temps, tout cela <u>aussi</u> parlait comme dans les années quarante et cinquante en France, à Carcassonne, puis à Saint-Germain-en-Laye puis à Paris. Pour moi, cela <u>ressemblait</u>.

Je le sentais, et voilà que je l'ai <u>su</u> tout à coup en voyant, sur le trottoir d'une rue de Prenzlauerberg, des flocons de neige tomber sur des tas de charbon. Ce n'étaient pas les boulets d'anthracite de mes souvenirs, mais les fragments, moins noirs, informes, les chemises brunes de cette lignite que j'avais vu la veille charger les péniches sur les bords de la Spree. Cependant la parenté, à la mémoire, était indéniable. Ce peuple, aux premiers jours de 1990, se chauffait comme en 1945, en 1950, se chauffait le mien.

J'ai alors revu brusquement (c'est le lien entre les deux moments, la condition de la restitution, étroitement dépendant de la rapidité de la vision), au fond du jardin de la rue d'Assas, à Carcassonne,

le tas de charbon sous un peu de neige ;

les flocons paresseusement enveloppant la moitié supérieure des boulets ;
il fallait les secouer de leur neige pour les jeter dans le seau noir.

78 (§ 15) maîtriser la séquence d'images d'enfance que j'avais entrepris d'élucider (toujours sous la vision de la grande « feuille » de prose qui noircit ligne à ligne)

Presque au début de la composition de la branch<u>e un</u> de ce récit, je m'étais imaginé, scribe, calligraphiant les signes de la prose sur une grande, très grande feuille de papier où chaque chapitre aurait occupé une longue ligne : une unique ligne noire, écrite petit, mais lisiblement, les paragraphes dont se composent les chapitres séparés par des blancs visibles. A l'origine vraisemblable de cette « piction » mouvante (du mouvement d'envahissement du blanc par le noir) il y avait le mode particulier d'écriture que j'avais choisi, manuscrite sur un cahier, en lignes noires très serrées, d'un tracé minuscule et presque illisibles, avançant régulièrement par tranches matinales autonomes de prose, sans repentirs, sans retours, et sans hésitations, en bandes horizontales surmontées d'un peu de rouge et de vert soulignés de blanc.

Le grand blanc mural imaginaire, ce lieu de mémoire dont l'encre mentale mordait peu à peu le désert (Feuille mentale, ou Modèle (FM)), comme projeté depuis le cahier par quelque dispositif optique), donnait une dimension de la tâche à accomplir. Il m'accompagne encore aujourd'hui, dans cette branch<u>e deux,</u> bien que j'aie abandonné l'écriture manuscrite sur un cahier (déchu au rang de carnet de notes préparatoires), au profit de l'écran de Macintosh. Quand, au petit matin nocturne, je m'assieds à ma table et que s'allume l'écran, je me sens beaucoup plus proche de mon Modèle qu'autrefois.

Mon imagination, cependant, le scénario de la Feuille mentale où je joue mon rôle de scribe-ermite, s'est enrichie, s'est compliquée : je vois le mur de la chambre de prose circulaire, comme en un donjon (où je suis prisonnier, peut-être pas volontaire, cela dépend). L'écriture, chapitre après chapitre, de chaque branche s'effectue en spirale descendante ; c'est-à-dire que le ré<u>cit</u> proprement dit (les quatre-vingt-dix-huit moments en six chapitres de la branche un, par exemple) s'achève, topologiquement, sur la même verticale du cylindre qu'est la feuille, mais en dessous. Les bifurcations se situent à leur place respective dans la succession circulaire, dans une progression descendante également. Les incises, enfin, sont encore plus bas.

Un espace au moins égal à l'épaisseur d'écriture occupée par l'ensemble des paragraphes de toute nature de la branche un la sépare de la branche deux, qui s'écrit selon le même principe, et il en est de même entre la branche deux et la suivante, et pour la totalité des branches potentielles (en l'état d'avancement de l'imagination programmatique du '**grand incendie de Londres**', que je me garderai, prudemment, de préciser).

Dans cet espace je disposerai ce que je nomme « **premier entre-deux-branches** », un ensemble d'insertions (ne se confondant pas avec celles déjà publiées) accrochées à des paragraphes de la branche un, rejoignant la branche deux, et peut-être réparties selon le graphe assez contraignant que m'a préparé Mathieu Lusson (il satisfait à certaines obligations numérologiques qui seront dévoilées ultérieurement). Une partie de ces insertions nouvelles sont écrites (elles ont constitué l'essentiel de mon travail « mural » depuis la publication de la branche un, il y a un an). Je les « vois » invisibles, présentes sur la feuille en « texte caché ». (J'utilise la terminologie de mon « traitement de texte ».) Ce sera l'« **entre-deux-branches 1-2** ».

Je prévois donc d'autres « **entre-deux-branches** », puisque je prévois d'autres branches. L'obligation de conjoindre deux branches qui se déroulent, chacune à sa manière, selon la règle de progression narrative « au présent », à laquelle je me tiens toujours, détermine (c'est l'effet inéluctable d'une écriture sous contrainte) de nouveaux moments de prose, le « frayage » parfois difficile, de nouveaux chemins (faisant de temps à autre resurgir (comme un peu plus haut dans le paragraphe dont provient cette incise) des images d'enfance (et autres) qui sans cela peut-être seraient demeurées enfouies).

79 (§ 15) **la vue de la semi-ruine est-berlinoise m'a restitué toute la violence des visions de la guerre**

Un peu plus tard, au cours du même voyage, à Dresde, la nuit finissait de tomber, et le rendez-vous de ce soir-là, la visite informative inscrite à mon programme, se trouvait dans une rue nommée Papritzerstrasse. On cherchait donc la Papritzerstrasse dans la nuit.

Et une Papritzerstrasse se trouvait bien sur la carte, dans le village de Papritz, en bord de la ville, sur la colline qui domine l'Elbe. Mais cette rue n'avait pour ainsi dire pas de maisons : que de la campagne, et pas de numéro 13. De temps en temps, je descendais de la voiture, carte en main, essayant de déchiffrer quelque indication sibylline dans le peu de lumière. Et c'est ainsi sans doute que j'ai perdu ma casquette, achetée en 1985 à Oxford.

Mais pourquoi étais-je venu à Dresde ? Je l'avais compris brusquement en arrivant, aux premières maisons de la ville, mon souvenir maintenant habitué à la parenté des ruines, telles que je les avais senties renaître dans l'île de la Spree : c'est à Dresde, en effet, qu'a eu lieu le plus grand bombardement terroriste de la Seconde Guerre mondiale (en dehors de ceux d'Hiroshima et Nagasaki, qui sont dans une classe à part), sans justification militaire aucune, point douloureux de ma vieille admiration enfantine pour Winston Churchill. Et j'ai conclu que la perte de ma casquette était, en somme, un geste inconscient de « réparation ».

Quoi qu'il en soit, la Papritzerstrasse de Papritz s'acheva, immédiatement continuée par une autre rue de campagne, qui portait un autre nom. Et un vieil homme sur le pas de sa porte, interrogé, ne croyait pas même à l'existence d'une Papritzerstrasse (pourtant à moins de cent mètres de sa maison !) : non, disait-il, il n'y a pas de Papritzerstrasse par ici. La voiture, continuant son chemin, descendait vers le fleuve. Et la descente sur l'Elbe était comme la descente sur la Saône à Lyon, les lacets abrupts entre les maisons dormantes, et, en bas, au bord de l'eau, me rejetant de nouveau quarante, cinquante ans en arrière, le chant oublié-familier d'un tramway. (La Papritzerstrasse, la vraie, était tout près de l'autre, mais <u>dans</u> Dresde, pas dans Papritz).

Le lendemain, dans la fin d'après-midi, la voiture cherchait l'Elbe à travers une bourrasque de neige, dernier effet, vers l'est, de la tempête qui secouait l'Europe depuis le début de la semaine. Des nuages brusques, gris et noirs, comme des jets de fumée charbonneuse, sales, crevaient blanc et la neige couvrait les rues, les vitres des automobiles, les arbres. Dans la fin de jour rendue sombre, les lumières s'allumaient, et soudain ce n'étaient pas des lumières électriques mais des becs de gaz au sens strict, comme si, à tout moment, le réel m'offrait un monde parallèle à celui de mon souvenir.

A Dresde, m'avait dit à Berlin Elke Erb, allez voir Thomas Rosenlöcher. « Sa poésie (disait-elle), c'est... c'est comme un " pépiement ironique ". » La maison des Rosenlöcher était une maison splendide et délabrée, une splendeur ruinée du XVIIIe : boiseries, balustrades, plafond peint, escalier de bois, bicyclettes, linge, berceaux, enfants. Thomas Rosenlöcher était à Leipzig. Sa femme offrit le thé, des gâteaux. Il pleuvait dans la pièce à côté. La maison était très proche de l'Elbe, juste en face de la résidence du duc Auguste le Fort, le Schloss, que ce venisiomane du xviiie siècle ne quittait que pour se rendre à son palais ducal, en gondole évidemment. En cet endroit, on traverse l'Elbe en ferry. Le ferry coûtait vingt pfennigs de l'Est (douze centimes en mars 1990) et, si on était généreux, une nuit de lune (il va toute la nuit) on donnait un ostmark (soixante-dix centimes), et le passeur dessinait avec son bac des boucles sur le fleuve. Près du bord, il y avait une cabane-buvette, qui vendait de la bière, même dans le froid de l'hiver, la tempête. Et le titre du livre de poèmes de Thomas Rosenlöcher disait cela : *Schneebier*, Bière de neige.

Au retour, la neige déjà se dispersait dans les rues, sur les bords de l'Elbe, une neige de circonstance, intercédant pour la restitution d'autres moments, d'autres hivers. Et j'entendais le pépiement ironique de lointaines années sur d'autres neiges, éphémères aussi, comme si toutes les neiges étaient d'une seule guerre, et d'enfance.

80 (§ 17) mon père n'a jamais été « disciple » de personne

Voilà encore un caractère héréditairement transmis. J'ai parlé, à un autre endroit, de mon « maître » Raymond Queneau. Et si Queneau fut mon maître, c'est sans doute que je fus son disciple. Comment, alors, être disciple sans l'être ? Mais il n'y a pas là de véritable contradiction. D'une part parce que je ne me serais vraisemblablement pas reconnu comme disciple oulipien de Queneau s'il ne m'avait pas reconnu, lui, comme déjà oulipien sans le savoir quand je lui ai envoyé, au début de 1966, le manuscrit de mon premier livre de poèmes (je n'aurais pas cherché l'Oulipo si je ne l'avais pas déjà trouvé !). Il ne me serait sans cela jamais venu à l'idée de choisir l'Oulipo comme modèle, même si j'en avais reconnu l'existence et la valeur.

J'ai d'ailleurs, pendant des années, gardé une réserve profonde (et une incompréhension partielle, qui en est la conséquence) à l'égard des buts et des stratégies oulipiennes, craignant pour mon indépendance poétique, que j'ai toujours voulue absolue. (Et c'est vraisemblablement en partie pour cette raison que je n'ai pas été un oulipien aussi conséquent, aussi attentif (je ne dis pas inventif), que Georges Perec, qui choisit, lui, délibérément, comme une véritable voie de salut, cette situation de disciple, en en faisant le moteur d'un *sorpasso* génial.) Ce n'est qu'après la mort de Queneau que je me suis affirmé oulipien sans réticences. Raymond Queneau est mon maître, mais c'est moi qui décide et sais en quoi, comment et jusqu'où.

J'ajouterai, parce que c'est là un trait essentiel de la conception même de mon **Projet**, que j'ai adopté, pour ce refus général d'obéissance, une stratégie particulière, qui est celle, non de l'imitation du geste révolutionnaire (le leurre mortel par excellence, en politique comme en art, est celui de la « table rase »), mais celle de la recherche, et du choix, d'une multiplicité de figures magistrales : Queneau donc, mais aussi Raimbaut d'Orange, et Cavalcanti, et Mallarmé, mais Gertrude Stein ; et Trollope, et Kamo no Chomei. Voilà (et la liste n'est pas exhaustive) pour la poésie, et la littérature. Mais il n'y a pas que la poésie et la littérature. J'ai eu des maîtres en mathématiques (Claude Chevalley, Jean-Paul Benzécri), et ailleurs, en chacune des disciplines que la mise en œuvre du **Projet** supposait.

Dans chaque cas, le choix était autant le choix d'une « contre-maîtrise » que celui d'un exemple à suivre sans restrictions. C'était Queneau contre le surréalisme, Raimbaut d'Orange et Mallarmé contre la conception chansonnette de la poésie, Cavalcanti contre Dante, Gertrude contre Joyce, Benzécri contre Bourbaki et Chevalley le bourbakiste contre Bourbaki même. Dans un cas au moins (Trollope) le choix constituait un paradoxe, une provocation (n'était pas pris au sérieux). Je me donnais des maîtres pour en refuser d'autres, que tout le monde acceptait.

Je viens de dire que j'ai choisi Queneau contre le surréalisme, mais en fait il faut mettre, à la place de « surréalisme » des noms, Aragon et Breton par exemple (et avant Queneau, Tzara, Desnos puis Bonnefoy jouèrent pour moi le même rôle libérateur). Les combats qui se livrent sont autant des combats de figures que d'idées, de théories. Bourbaki est un nom, un Auteur (un pseudonyme collectif non anonyme, comme l'est, à son imitation, Oulipo). C'est une bataille de noms qui se livre, et je m'engage, en présence d'armées antagonistes, sous la bannière de ces généraux qui n'apparaissent pas comme les vainqueurs. Mais je sais (ou m'imagine, peu importe) que l'avenir est pour eux. Cependant, de toute façon, moi, je reste, fondamentalement, un civil.

Et je ne veux pas, à mon tour, de disciples. Je ne me place pas au rang des maîtres possibles. De plus, si je n'aime pas obéir, il se trouve que cela implique que je n'aime pas non plus commander.

81 (§ 18) **des absences énumérées, comme autant de pierres tombales, par des noms**

Mais quelle identité cherche-t-on ainsi, qui survivrait à la mort ? Les morts, selon certains, « sont » leur tombe, et son dedans, surmontée de la pierre tombale, avec un nom. Mais cela n'est pas autre chose que dire : vivants, ils « étaient » leur corps, vêtus et non vêtus, ce corps qui contenait leur pensée (ou leur âme). Et ce corps aussi portait un nom, le leur. L'identité ne persiste dans le monde que de cette analogie.

Ils sont, diront d'autres, tels que les restituent, dans leur souvenir, s'ils se souviennent, ceux qui les ont, ne serait-ce qu'un instant, connus. Ainsi ils « sont » mais d'une réalité divisée, changeante, contradictoire, dépendante, par éclipses, et sans lieu. Et quand chacun de ceux qui se souviennent d'eux est mort, ils ne sont plus. Ou ne sont plus qu'au deuxième, puis énième degré du souvenir, au long de cette chaîne rapidement intransitive de la transmission d'être à être, de génération à génération. Sans doute, dans cette interprétation encore, l'idée de survivance emprunte aux caractéristiques mêmes du monde de la vie.

Tels sont les morts, nos morts, singuliers, privés et provisoires, qui n'appartiennent pas au registre monumental, historique, notarial, ni aux archives, ni aux œuvres d'art. Car il s'agit, dans le cas contraire, de tout autre chose, comme d'une troisième espèce de morts (si l'on admet que les définitions précédentes désignent deux familles distinctes d'êtres, parmi le peuple des absents de ce monde), à laquelle parfois on peut être tenté de donner la prééminence, parce qu'ils semblent plus durables, plus stables, plus assurés (rêve de la pérennité d'airain) : non seulement de par la stabilité des supports, des pierres et documents, des langues et systèmes de représentations où ils s'inscrivent, des civilisations qui les abritent (ici encore se transmettant à d'autres, en une transitivité d'un autre genre, où jouent les hasards de la survivance physique et ceux des déchiffrements), mais plus peut-être du simple fait qu'ils appartiennent à une collectivité et à sa mémoire, et pas seulement à leurs « proches », qui en sont, ainsi, virtuellement dépossédés. Les « Morts illustres », en particulier, sont les plus visibles, mais en même temps les moins différenciés des morts : car chacun peut les reconnaître, sans aucune nécessité d'un lien avec leur être-comme-ayant-été, en aucun de ses attributs de chair, de parole, de mouvement, de présence. Et ils « existent » dans une passivité absolue, qu'impose l'absence de rapport antérieur avec ceux qui les définissent comme « êtres », comme être-morts. Leur existence est terriblement impersonnelle. Elle n'entretient avec les vivants aucun rapport de réciprocité. Et elle tend à envahir le nom qui les désigne, au détriment de ces autres morts privés qui habitaient sous ce même nom, ceux des cimetières comme ceux qui étaient enfouis, ensevelis dans les têtes vivantes se souvenant.

Et quand ce rite de passage se produit alors que les autres êtres du mort, privés et précaires, n'ont pas encore disparu, c'est un événement qui semble étrange, scandaleux même, à ceux qui les abritent en eux. Beaucoup, proches et parfois moins proches, ont ressenti un tel trouble à la mort de Georges Perec. Comme si la gloire, légitime, de l'écrivain, privait ce mort de sa mort naturelle, qui parle à chacun seul à seul. Une famille, dans les temps et les lieux où sont conservées ces distinctions, est un espace particulier offert à la mort, pour la cerner, la compléter, et non pour la nier, la rejeter, la dissoudre. Les vivants, ces non-morts momentanés, y dessinent la partie pleine, opaque, d'une configuration dont les morts assurent la visibilité, l'harmonie, l'équilibre, entre des limites qui ne dépassent pas, en arrière, trois générations, et ne prévoient pas beaucoup plus d'une ou deux générations à venir. Nous nous situons en elle. L'idée d'absence prématurée, d'incomplétude, en résulte, et ses invisibles amputations.

Je ne dissimulerai pas que l'image toulonnaise du **figuier** s'apparente dans mon esprit à la métaphore de l'arbre généalogique familial. J'épargnerai à mon lecteur la banalité de commenter une telle découverte. Mais je voudrais poursuivre le parallélisme un peu plus loin : la disruption des tomettes dans la cuisine par les racines du figuier (archéologiquement familiale pour moi) serait, dans cette « translation fictive », liée à la prise de conscience de la dissymétrie, contingente mais lourde d'effets, de mon ascendance, due aux manques de la « branche » toulonnaise. Je veux dire que les morts sont comme ces racines, et qu'ils poussent dans une vie la bouleversent. Leur néant, mélancolique, hésite entre deux formes :

— Celui de n'être que nomination, de n'avoir jamais été que nomination, de n'être plus que nomination.

— Et l'autre visage possible des morts est de n'être pas nommables (ou de ne l'être que d'une manière différente pour chacun de ceux qui gardent leur souvenir en eux), d'être un « je ne sais quoi », un « *no sai que s'es* » (Raimbaut d'Orange), beaucoup plus encore qu'un « *non sai qui s'es* » (« je ne sais qui » : Guiraut de Borneil), ou qu'un « *no sai on* » : « je ne sais où » (Bernart de Ventadorn).

Les deux chapitres de mon récit, ici, se rejoignent, et **bouclent** par « conjointure », comme disait Chrétien de Troyes. Dans le souvenir, cette <u>fleur inverse</u> du néant.

(du chapitre 3)

82 (§ 19) un parcours de mémoire, mais parcours labyrinthique

J'avais écrit, puis biffé, puis récrit, puis de nouveau biffé « parcours métaphorique » : et ensuite « parcours allégorique ». J'hésitais. (« J'ai écrit » « écrit », « j'ai écrit » « biffé », mais en réalité je n'ai fait que rendre momentanément visibles, sur un écran, en lettres immatérielles, les mots. Et ils disparaissent à la commande, sans traces, laissant mon chemin de prose lisse, égal, justifié à droite, en « New York 10 points », propre, sans les sutures qui signalaient antérieurement, dans le cahier, une hésitation à l'instant d'une incise, ou, plus lourdement, d'une bifurcation. Les hésitations même, ainsi, sont plus facilement gommées, trop peut-être.) J'hésitais à inscrire les mots « métaphore », « allégorie », sans aucune explication. J'hésitais, plus encore, sur la pertinence de leur intervention à cet endroit.

Il m'était apparu, simultanément, que l'**image** du jardin avec son centre (centre pour ma vision, dont je vais décrire le déplacement, le « désenchantement », dans les paragraphes que ceci incise), était à la fois métaphore de la mise en œuvre de la **mémoire**, moteur (car elle compte-conte, et ordonne) de mon récit, et allégorie du **Projet**. (Mais instantanément j'avais mis en doute le bien-fondé du « placement » de l'une, ou l'autre, de ces « révélations » (d'où la « rature ») : c'est ainsi que les choses se passent dans mon livre, qui ne me laisse que peu de jeu pour la réflexion, à partir du moment où je me suis engagé dans un paragraphe (ce continu de prose que je nomme un « moment »), dans une ligne qui suit une autre, m'étant interdit tout retour.) (Et d'ailleurs, allégories et métaphores même me paraissent plus des pictions que des **images**.)

Je n'ai pas avancé assez encore pour élucider plus précisément en quoi. Mais je peux ici dire que l'irruption d'images à fonction (additionnelle) allégorique a déjà eu lieu, aura lieu, et de manière récurrente. Cela tient en grande partie au fait que mon écriture de prose est essentiellement médiévale d'esprit : le modèle qui la guide est celui des *enfances de la prose*, c'est-à-dire avant tout, pour moi qui compose en français, celle des romans en prose du Graal. Dans le *Lancelot en prose* un rêve figure, celui de Galehaut, le « fils de la belle géante », qui est un rêve déchiffré comme allégorie du destin d'un héros, héros atteint, mortellement, de la « maladie des héros », l'*amor (h)ero(t)icus*, l'**éros mélancolique**. Or, le **rêve** du '**grand incendie de Londres**' (et tout '**Le grand incendie de Londres**' lui-même peut-être) s'inscrit dans cette même tradition rhétorique, dans la même ligne d'une fiction rhétorique.

Il y a toutefois une différence certaine : que le déchiffrement allégorique du rêve n'est pas présenté de manière explicite (comme dans l'*exemplum* cicéronien du « rêve de Scipion »), mais qu'il est sous-jacent. Le **rêve** initial, initiateur du '**grand incendie de Londres**' est aussi annonce, vision, prédiction, mais il ne parle pas qu'en clair. Il n'a pas la rationalité littéraire, construite, du rêve cicéronien (tout en étant un rêve écrit, lui aussi). Il n'a pas l'incohérence apparente d'autres rêves « naturalistiquement » pris dans la « boutique obscure » des sommeils. Le rêve annonce le **Projet**, le **roman**, mais il annonce en même temps la **destruction** de ce qu'il annonce ainsi. Car il a sa duplicité, étant passé autant par la porte de corne (le vrai) que par la porte d'ivoire (le faux). Et il y a d'autres moments allégoriques dans le livre : allégories dissimulées plus ou moins épaissement, glissement de la préparation des gelées d'azerole à la composition de la prose, par exemple (dans ce cas le glissement vers l'allégorie est dit : ----> branche un, chapitre 3, § 27-29. Mais c'est le cas aussi de l'ensemble des lois du croissant au beurre (qui pourraient apparaître comme mises en place de lois de la fiction (ce que je ne refuse pas)) ----> branche un, incises du chapitre 1, § 103.

J'ai donc choisi, repentir des doigts, l'adjectif « labyrinthique » : s'enfermer dans l'enfance, au jardin de l'enfance, se placer en aveugle au centre du jardin, centre du jeu. C'est le réel, c'est le temps qui **s'avance en rampant** vers moi-guetteur. Je redeviens guetteur, guetteur mélancolique. Le fil saisi, suivi par le regard, désenchante le labyrinthe.

Mais comme en chaque point du lieu a été le regard, en ses instants de vie, instants d'être innombrables, la courbe de la mémoire est celle qu'on ne peut suivre comme ligne, qui emplit tout, où chaque endroit est frontière : parcours plein, comme la cantorienne page noircie d'encre de *Tristram Shandy* (métaphore certainement : du seul « récit complet » possible), seule évasion concevable, à durée irréelle, non finie.

83 (§ 19) J'ouvre les portes de chaque pièce, une à une, j'entre : j'ai été là.

Distribuer ainsi ces parcours particuliers de mémoire entre le **récit** et ses **bifurcations** est un coup de force de prose : car il est clair que mes souvenirs, sollicités ou non, sautent perpétuellement de l'un à l'autre (sans même tenir compte de l'indécision des sens). Avec la multiplicité des choix grandit l'indécision. Confronté à ce problème (qui ne se limite pas à mon trajet enfantin, qui est de tous les moments), je l'ai momentanément écarté en trouvant (c'est-à-dire en inventant) un nouveau type de fragments pour ' **Le grand incendie de Londres** ', que j'ai nommé **entre-deux-branches**. Mais leur fonction ne devrait pas être seulement graphique, limitée au remplissage harmonieux et contraint de l'espace imaginaire entre les branches sur la grande feuille de mémoire. ----> § 78, encore.

La réflexion que je viens de faire à ce sujet (au cours de la dernière semaine, interrompant le **récit**), m'a amené à les envisager d'une manière moins imagée, mais plus « stratégique ». Ce qui fait, par exemple, que ce que j'ai nommé **« premier entre-deux-branches »** puis **« entre-deux-branches 1-2 »**, ne devrait plus être nécessairement le premier (tout en conservant sa deuxième désignation). D'où il résulte que j'ai entrepris (toujours au cours de la même « fracture » du récit, pour occuper cette fracture, franchir cette « faille » (une difficulté à poursuivre dans une direction sans doute sentimentalement difficile, dangereuse, je l'avoue, plutôt qu'un arrêt volontaire, réfléchi)) une espèce de description raisonnée, préliminaire, anticipante, de ce que cela sera (ou serait).

Cela m'arrive assez souvent, depuis que j'ai commencé ' **Le grand incendie de Londres** ' et surtout depuis que j'ai réussi à parvenir jusqu'à ce point sans l'abandonner (ce qui n'aurait, d'ailleurs, je l'ai dit, pas eu pour conséquence sa disparition). Souvent, en progressant, difficilement, péniblement même, il m'arrive ainsi de décider de nouveaux développements à venir formels (ou autres), et par conséquent inexistants à l'instant de leur conception, les imaginant futurs. Et jusqu'à aujourd'hui j'ai, il me semble, évité de donner à ces pseudoprédictions irresponsables le bénéfice d'une transcription, afin de ne laisser transparaître que ce qui s'écrit à mesure. Mais il est clair aussi que ces effervescences et fantaisies d'un esprit (le mien) perpétuellement en train de faire proliférer des plans d'œuvres toujours futures, légèrement démentiels, et perpétuellement démentis par le futur devenu passé, font partie du présent de la prose autant que le reste. Du moins puis-je en décider ainsi.

D'où ce qui va suivre, à l'occasion d'une amplification soudaine du rôle proposé des **entre-deux-branches**, qui avaient commencé d'« être » pour des raisons essentiellement pragmatiques et géométriques. Mais cette décision résulte d'autres considérations encore. Car je n'ai pas abandonné mon intention première (première dans les pages imprimées), implicite dans l'**Avertissement** de mon livre, et qui est de dire, non seulement ce qu'« auraient pu être » le **Projet** et le roman dont le titre aurait été **Le Grand Incendie de Londres**, non seulement le **rêve** qui les avait fait apparaître, non seulement les raisons formelles et conceptuelles de leur échec, mais les modalités particulières, et paraissant en partie contingentes, de cet échec (de la répétition des échecs provisoires jusqu'à l'échec final).

Et ces modalités, à l'aide d'une transposition facile des circonstances, sont parfaitement lisibles dans cette inconséquence intellectuelle qui m'a toujours jeté, et me jette encore (bien qu'avec des conséquences moins fâcheuses, devenues presque indifférentes par ma renonciation générale), en quelque instant d'euphorie irresponsable, vers des aventures de composition ou de recherche excessives, et tout à fait en dehors de mes moyens. La simple addition des durées et des efforts qui seraient nécessaires pour leur mise en œuvre est généralement la première difficulté que m'oppose le monde, suffisante pour les ruiner. Cela, malheureusement, ne m'empêche pas de recommencer. Et de telles ambitions définitivement délaissées (selon mes fermes et définitives résolutions), ont de tristes pouvoirs de résurrection. Combien de fois, tombant par hasard sur un bout de papier égaré, porteur des traces crayonnées d'un quelconque « programme » (mathématique, poétique, oulipique ou théorique (en métrique ou poétique), ou tout cela ensemble ; avec titres et étapes datées, avec évaluation des heures à consacrer!) vieux d'un, cinq, dix ans, mal effacé (ayant échappé à la mise au panier de ces preuves de mes folies exponentielles, coup de balai salutaire que je décide, toujours rageusement, dans mes crises de lucidité), je me suis pris (métaphoriquement) la tête entre les mains, en jurant : « *Never again! never again!* » (pour recommencer presque aussitôt).

Plus embarrassant encore (et c'est ce qui m'arrive en ce mois d'août) est d'avoir, à la suite de tels enthousiasmes de travail, accepté des tâches à vérification extérieure inexorable, articles, exposés de séminaire, livres même. Dès que je me trouve débordé et dans la quasi-impossibilité de répondre à toutes les demandes (que j'ai acceptées), je suis pris d'une torpeur insurmontable, d'une paralysie à la fois ridicule, factice (je sais qu'elle est sans cause honorable), et parfaitement insurmontable. Je cherche à m'évader de ce piège héautontimoroumenossien, je me persuade que mon incapacité résulte de l'urgence de tâches plus importantes, plus nobles et totalement différentes. Je renonce à m'acquitter, je reviens sur mes engagements, j'envoie des lettres d'excuses, je rembourse des avances. *And so on.*

84 (§ 83) **Cela (cette nouvelle aventure) devrait apparaître (mais beaucoup plus tard dans le livre), ainsi :**

Entre-deux-branches

Première Partie

Prologue épistémo-critique
(alternativement : stratégique et technique)

(§ 1) **Au commencement de cette première entre-deux-branches de mon livre**

Au commencement de cette première **entre-deux-branches** de mon livre en plusieurs parties, des **branches**, '**Le grand incendie de Londres**', intitulée **entre-deux-branches, Prologue épistémo-critique,** je considère, en préfaçant le texte de son premier paragraphe (moment) d'un numéro d'ordre additionnel, xxxx, satisfaite l'hypothèse suivante :
les xxxx paragraphes supposés le précéder sont déjà écrits.
Au moment où je compose ces lignes, **point** initial de son **moment** inaugural (je conserve la terminologie qui s'est peu

à peu imposée à moi au cours de la composition des **branches** précédentes), ce n'est pas le cas. Au moment où elles seront publiées (si elles le sont), il est nécessaire qu'elle le soit. J'écris donc comme si elle devait alors l'être.

Je me place, vis-à-vis de la succession linéaire des différentes parties de l'ouvrage, dans une situation d'anticipation : selon le programme de mon travail à cette date (11 août 1990, date de composition), ce **moment** vient après six **branches** de « **récit avec incises et bifurcations** » ; chacune de ces branches se compose(*rait*), comme la première (**Branche un : La Destruction**), seule aujourd'hui à l'état de livre publié (la seconde, **Branche deux : la Boucle,** est à moitié faite), de 196 **moments de prose** numérotés (toujours (?) dans le même ordre de présentation à la lecture : **récit**, puis **insertions**, comprenant d'abord des **incises,** ensuite des **bifurcations**). Il est donc prévu que ceci sera lu après les **six branches**, corps principal du livre. (Qui sera(*it*) alors presque entièrement achevé, à l'exception d'un **moment final**, un moment de révélation, symétrique du **moment initial**, antérieur (chronologiquement et typographiquement) à la **Branche un**, que constitue l'**Avertissement** (et comme lui non pourvu d'un numéro d'ordre). Le corps du '**grand incendie de Londres**' comportera(*it*) donc xxxx + 2 paragraphes (**moments**).)

Je pensais à ce **moment** depuis assez longtemps déjà. C'est en fait dans l'intervalle de temps, fort long, qui s'est écoulé entre ma décision de publier la **branche un**, sous le titre général de l'ensemble, '**Le grand incendie de Londres**' (à l'automne de 1987) et le début du **récit** de la **branche deux** qui m'occupe maintenant (automne 89, quelques mois après la parution de la branche un), que l'idée de cette anticipation m'est venue, en même temps que je me formulais l'hypothèse « stratégique » nouvelle des **entre-deux-branches** (que j'inaugure ici), de leur nombre, de leur rôle, et de leur enchaînement. (Cette prévision-là étant, elle (comme toutes les autres, et jusqu'à l'instant de leur fixation en un lieu du livre), susceptible de révision, je n'en dirai rien.)

Pourquoi ?

— Parce que, même si je n'avais pas entrepris de branche nouvelle, je n'avais pas cessé de composer de ces **moments de prose** dont '**Le grand incendie de Londres**' se constitue (la décision de soumettre la **branche un** à la lecture m'empêchait, littéralement, d'entreprendre la branche suivante, mais je ne pouvais rester absent de la prose : il me fallait absolument continuer. Il fallait que le dépôt de lignes noires, matin après matin, demeurât ininterrompu).

— Parce que ces pages anarchiquement s'accumulaient, mois après mois, alors que je ne parvenais toujours pas à aborder la mise en mots de la **Branche deux.**

— Enfin parce que certaines de ces pages ne pourraient de toute évidence pas trouver naturellement place, selon mes prévisions (et en aucun des états, changeants, de mes anticipations et prévisions de la suite), dans les **branches** à venir. Il était indispensable d'inventer autre chose. Or, si nombre de ces moments en suspension semblaient demeurer indépendants, d'autres, pas moins nombreux, apparaissaient de plus en plus comme des liens, des jalons, des étapes, entre la **Branche un,** déjà constituée, et les lignes (encore imaginaires, mais de plus en plus nettes en mon imagination) des branches qui la suivraient.

Je me suis donc représenté mentalement, de branche à branche, ces parcours de liaison, de rapprochement, d'entrelacement, et gardant toujours présente comme image programmatique la grande feuille de prose circulaire de mon donjon de mémoire où s'inscrirait '**Le grand incendie de Londres**', j'ai postulé ces **entre-deux-branches.** Il était assez immédiatement clair que la répartition des fragments déjà composés (et continuant à être composés même après la mise en route de la deuxième branche, puis des suivantes) entre les branches à venir et les entre-deux-branches, à venir également, ne pouvant en aucun cas être décidée à l'avance de manière fixe (cela aurait été en contradiction absolue avec un de mes principes, extrêmement rigides, eux, de composition), les « entre-deux-branches » ne pouvaient apparaître qu'après les branches (le choix de la **branche** qui servira (?), par exemple, de point de départ à la dernière de ces parties de nouvelle espèce, la **Branche six,** et son « rattachement » à la **Branche un,** appartient à un autre ordre de considérations).

Mais il importait par ailleurs de mettre en route les **entre-deux-branches** avant la fin de la rédaction des branches, sinon la stratégie de répartition entre les deux espèces aurait privilégié abusivement les branches, et du coup aurait rigidifié leur déroulement, ce que je ne voulais à aucun prix (c'est là, encore, un principe établi, explicitement, dès mon début). Et les **entre-deux-branches**, elles, se seraient trouvées hériter des « laissés-pour-compte » des branches, ce qui aurait rendu leur organisation difficile, non naturelle, largement arbitraire finalement (ou bien j'aurais été amené à les enfler démesurément pour remédier aux difficultés rencontrées dans les enchaînements, particulièrement ceux provenant de leurs époques de composition fort différentes, puisque les plus anciennes appartiennent à des années « où j'étais homme autre que je ne suis »). Il me reste, avant de définir un peu plus précisément leur constitution générale, et m'engager plus directement dans le corps de ce prologue, à dire pourquoi je commence maintenant.

85 (§ 84, suite)

(§ 2 du prologue) **j'ai été obligé d'attendre assez longtemps pour entreprendre cette « présentation » qui servira de « prologue » (ou « proème »)**

Pourtant, même persuadé de la nécessité des **entre-deux-branches**, j'ai été obligé d'attendre assez longtemps avant d'entreprendre cette « présentation » qui leur servira de « prologue », un prologue qui sera en définitive, en cas de publication, séparé par un très grand intervalle de temps du développement proprement dit de la dernière **entre-deux-branches**, puisque je ne pourrai placer les **moments** qui constitueront celle-ci (sans parler des autres) qu'une fois les six branches entièrement achevées (dans le cas le plus « optimiste » je me contenterai d'être arrivé au bout du récit de la **Branche six**). La raison est la même que celle que j'exposais dans les commencements de la **branche un** : « J'ai une idée un peu informe mais en fait assez stable de la masse d'écrit qui sera nécessaire pour être " masse critique ", donc pour que ' **Le grand incendie de Londres** ' existe. »
Il me fallait, pour que la **Branche un** aboutisse, assurant, comme corollaire de son existence, quoi qu'il arrive ensuite, celle du ' **grand incendie de Londres** ' tout entier, atteindre

un « seuil quantitatif », car, ce seuil quantitatif une fois atteint, les axiomes du livre sont tels qu'il sera nécessairement achevé même si, pour une raison ou une autre, je dois m'interrompre. Dans le cas des **entre-deux-branches** (obligatoirement mises en route toutes ensembles), le seuil quantitatif, la masse critique que je me suis cette fois imposée est *grosso modo* égale à celle de la totalité de la **Branche un** achevée et publiée. Et ce seuil a été atteint il y a deux mois, le 11 juin. Mais attention : si cette masse est suffisante pour que j'entreprenne la rédaction des **entre-deux-branches,** il n'assure aucunement qu'elles aboutiront, car dans ce cas, les conditions d'achèvement sont fort différentes de celles qui gouvernaient le récit.

Comme la **Branche six** (et les précédentes) n'est pas faite, j'ignore quels sont les **moments** déjà composés qui sont attribuables à telle ou telle **entre-deux-branches** (même si je sais à peu près lesquels de ces moments composés dans le *no man's land* temporel de mon effort entre la première et la deuxième branche, et depuis, seront des moments d'entredeux-branches). De plus, même si je le savais, j'ignore dans quel ordre ils seront présentés, puisque cela dépend de la constitution des liens d'entrelacement qui uniront les branches concernées (dans les deux sens, comme le nom des entre-deux-branches l'indiquera). Cela implique que, alors même que j'ai entrepris la rédaction de ce **prologue**, j'ignore s'il ne restera pas à l'état de pure anticipation d'une absence, ce qui est assez inconfortable. Auquel cas il vaudrait (vaudra) mieux considérer qu'il ne fait pas partie du ' **grand incendie de Londres** ' achevé. (Je pourrais même le supprimer, ou ne pas l'achever, pour d'autres raisons que je ne peux discerner aujourd'hui.)

Cela étant, il me faut affronter une interrogation plus préjudiciable encore en apparence à la mise en route, maintenant, de ces considérations. J'ai dit, dès le début, et j'y ai insisté, avec variations, à maintes reprises, que j'avançais dans la prose sans plan préétabli, que je m'interdisais « la protection d'une construction réfléchie, d'une organisation » antérieure au livre, que le temps de la composition était celui où tout s'accomplissait, le « temps propre » de l'œuvre, sans plans, sans matrice, sans épures. N'y a-t-il pas là contradiction ? Je ne crois pas. L'état du livre, à chaque instant, son présent, est celui qui serait sa fin, son achèvement (son tombeau) s'il venait, là, à s'interrompre. Tout ce qui est de lui écrit et placé en son lieu est son passé, compté depuis son origine, l'Avertissement. Il n'est, aujourd'hui, rien d'autre.

Dans la mesure où il ne s'arrête pas aux dernières des lignes de la **Branche deux** que j'ai écrites avant-hier (je n'y inclus pas celles-ci, ni celles du moment qui précède, pour les raisons que je viens de dire plus haut), cet instant présent du 'grand incendie de Londres' n'est pas encore défini. Il n'est existant que de ce qu'il possède un futur. Car il est, comme tout instant, défini comme un futur antérieur, nécessairement instable (c'est dans la nature de tous les futurs), en partie déterminé, en partie contingent, et surtout non prévisible. Mais ce fait ne m'interdit aucunement des prévisions spéculatives, mélange d'imaginations, d'intentions (et ici, dans le cas des entre-deux-branches, de fragments « en attente », prêts à un devenir de prose, si jamais ils trouvent leur place dans la séquence que je conçois, par anticipation), de préparations formelles (contraintes ou, mieux et plus souplement, consignes que je me donne et que je m'efforce de respecter, quoique ne les figeant pas).

L'**entre-deux-branches 1-2 & 2-1,** par exemple, sera, comme ses successeurs ou prédécesseurs éventuels, ce que dit son nom. Mais il ne le sera que s'il y a effectivement six branches achevées avant lui, donc si je parviens à les écrire toutes, et si je ne change pas leur nombre, leur nature, leur succession. J'ai déjà modifié un nombre considérable de fois ces annonces de développements à venir, adressées à moi-même. Je ne suis tenu aucunement de les respecter, à condition de ne pas les avoir inscrites dans ce que j'ai déjà écrit, dans ce qui fait déjà partie du passé non modifiable du livre (et même dans ce cas, après tout...). Il me faut créer un monde possible de prose, en ce sens, éviter les contradictions grossières. Je m'y tiens tant que je peux. Il est vrai que cette exigence restreint ma liberté de mouvement, à mesure que j'avance, être physique, vers ma fin, mais n'en est-il de même dans tout ce que je fais, dans tout ce que je vis ?

86 (§ 84, deuxième suite)

(§ 3 du prologue) **Selon cette conception, les positions relatives des deux lignes de temps principales de la prose sont renversées.**

Selon cette conception de l'entre-deux-branches (dans son ensemble), les positions relatives des deux lignes de temps principales de la prose qui constituent le **double temps** du '**grand incendie de Londres**', la ligne du temps de la narration, et celle du temps des choses que rapporte la narration, sont renversées. Dans les six branches, en effet, la narration (et je désigne ainsi non seulement la partie intitulée récit, mais également les bifurcations) apparaît selon l'ordre séquentiel de la composition : c'est le temps de la narration qui est supposé reflété continûment par l'écrit. Le temps des choses narrées, lui, se trouve morcelé par la narration, qui doit en indiquer, à l'occasion, les repères. Le premier temps de ce double est continu, concaténation de moments, le second discontinu, intriqué. Mais dans les entre-deux-branches proprement dites, il en ira autrement. Elles seront ordonnées, largement après coup, et ce qu'il me sera alors imposé, pour respecter les mêmes principes que dans la composition des branches, c'est de laisser des traces plus ou moins visibles de leur « moment » de pose sur l'écran. Ainsi, par exemple, j'ai daté, au 11 août 1990 (avant-hier : je date aussi le présent fragment), le premier des paragraphes de ce **prologue**, le § xxxx + 1 de la numérotation globale (c'est là la forme la plus élémentaire de la « trace chronologique ». J'en utiliserai de moins apparentes).

Mais quel pourra être, dans ces conditions, le **double temps** propre à cette partie ? Il ressemblera aux deux. Comme dans les branches qui la précèdent il ira sans cesse vers l'avant, sans retours, à mesure : le § n° x ne sera pas placé avant le paragraphe n° y, si « y » est écrit avant « x ». Mais comme il ne racontera pas des choses du temps de la vie, son deuxième temps ne s'inscrira pas dans la chronologie biographique. Il aura son ordre propre, comme chacune des parties, les **entre-deux-branches** spécifiques, qui le suivront. Cependant le principe de cet ordre ne sera pas le même que le leur, qui est

284

d'établir l'entrelacement des deux branches entre lesquelles elles se posent. Et la succession de ses paragraphes ne sera pas celle d'un engendrement ligne à ligne de la narration, comme dans les **branches**, mais une séquentialité pure. La double ressemblance tient à une relation d'abstraction.

Abstraction : voilà qui peut susciter de l'inquiétude chez mon lecteur. Le cheminement dans ces pages risque d'apparaître ardu, pire qu'en certains passages (qui m'ont été souvent reprochés) du chapitre 5 de la **Branche un**. C'est très possible. Mais s'il en est ainsi, il faudra que cela reste sans excuses. Car un motif secondaire, adventice, de cette partie est de prendre des distances encore plus grandes que précédemment avec l'autobiographie. L'interprétation, la réception du ' **grand incendie de Londres** ' comme autobiographie s'est produite (et la **Branche deux** renforcera sans aucun doute cette interprétation). Elle était assez inévitable, et je ne la récuse pas, bien que j'affirme que l'aspect autobiographique est entièrement subordonné à un autre qui gouverne, lui, chaque page et ligne et lettre du livre, est inscrit dans chacun de ses volumes comme la figure dans le tapis, choisissant chaque mot, plaçant chaque virgule, mettant le point sur chacun des i, et résulte d'un principe de conformité à une définition annoncée et toujours non dite : ' **Le grand incendie de Londres** ' est .. ..

On pourrait par ailleurs dire que, s'il y a autobiographie, il s'agit d'une (auto)biographie du **Projet** et de son **double, Le Grand Incendie de Londres**, et par conséquent, dans une large mesure, d'une autobiographie de personne. (Il en résulte, en même temps, que les moments les plus strictement, précisément, concrètement biographiques en reçoivent un éclairage qui les tire vers un essai d'autobiographie de tout le monde.) Mais de toute façon cette partie présente ne pourra pas, il me semble, apparaître comme autobiographique, sinon très indirectement, et alors en un sens suffisamment vague pour être inopérant. J'essaye, on le voit, de maintenir à mon livre ce que j'imagine être une certaine originalité, au moins classificatoire. Il ne s'agit pas, à l'évidence, d'un roman, ni d'un conte, ni d'un essai. Écarter l'hypothèse d'une aspiration par le genre de l'autobiographie semble plus difficile.

Si cette partie s'éloigne à la fois et des branches et des autres entre-deux-branches, pourquoi l'avoir incorporée à

285

cette deuxième division d'ensemble ? Ne serait-il pas plus rationnel, si vraiment elle doit apparaître à cette place, de la disposer de façon indépendante, de l'isoler ? La raison principale, je l'avoue un peu honteusement, est numérologique. Et comme je ne dispose pas, et pour cause, de tout ce qui suit, ni même, au moment où j'écris, de la totalité de ce qui précède (seul le nombre total des moments des six branches est décidé (et non nécessairement achevé si vous lisez ceci, puisque j'en « incise » la **Branche deux** !)), je ne peux guère me lancer dans des explications convaincantes et surtout stables, c'est-à-dire non susceptibles d'être démenties par des écritures à venir. La raison numérologique appartient donc à la famille des prévisions formelles révisables qui ne cessent de m'accompagner dans ma tâche (et sont loin de la faciliter, d'ailleurs, croyez-moi).

Mais le fait même de cette raison numérique, tout arbitraire et fantaisiste qu'elle soit, va avoir une influence sur le contenu. En effet, le **Prologue** à la division intitulée **entre-deux-branches** ne pourra pas être un épilogue à la division des six branches, ni une prose de transition entre les deux. De plus (puisque je dis, même si ce n'est qu'implicitement pour vous, quelque chose du compte des parties tel que je l'envisage en ces commencements, cela m'obligera à tenter de respecter les contraintes qui en découlent (elles sont explicites pour moi)), la mise en échafaudages numériques spécifiques va orienter vers une autre lecture, où les **entre-deux-branches** précéderaient les **Branches**, et non seulement leur seraient matériellement antérieures, mais les annonceraient, les prévoiraient).

87 (§ 84, troisième suite)

(§ 4 du prologue) **En repoussant la visibilité hypothétique de cette partie vers un futur obligatoirement très lointain**

En repoussant la visibilité hypothétique de cette partie vers un futur obligatoirement très lointain, je me donne un degré de liberté supplémentaire. Car partout ailleurs pèse sur moi la possibilité d'une lecture proche, surtout depuis que j'ai franchi, non sans de longues hésitations la frontière entre texte non publié et publié, voici dix-huit mois (ce n'était pas une frontière privé-public : ' **Le grand incendie de Londres** ' n'a jamais eu d'intention solipsiste). L'achèvement d'une nouvelle partie, puisque j'ai réussi à l'entreprendre, est envisageable dans un délai assez court, très court en tout cas par rapport à celui qui protège non le « prologue » tout entier, puisque je place ici son début, mais sa totalité achevée, et les entre-deux-branches.

J'ai maintenant moi-même, moi-même seul comme véritable lecteur, pour des années (et peut-être indéfiniment). De là mon sentiment de liberté. Je ne donne pas à cette liberté le sens d'une autorisation à inscrire ici des révélations d'ordre privé. Je n'ai aucune révélation à faire, qui puisse avoir un intérêt quelconque pour ce livre. Et que pourrais-je me révéler à moi-même que je ne sache, et qui vaille la peine d'être dit ? Rien sans aucun doute (je ne me livrerai pas non plus à un essai d'auto-analyse). Mais je me découvre libre en un tout autre sens : je peux ici prolonger des investigations abstraites et formelles (en rapport avec mon « sujet ») aussi loin que je l'estime utile, sans risquer l'incompréhension, sans devoir « ménager » les réticences à l'effort de compréhension de personne.

Dans un ouvrage proposé à la lecture pour d'autres motifs que ceux de la transmission d'un savoir, d'une découverte scientifique, philosophique, historique ou autre, les abstractions, les enchaînements d'hypothèses, de raisonnements et de fins sont de véritables obscénités. Leur condamnation morale prend le masque de l'ennui. Certes, je n'ai jamais considéré l'ennui comme un critère esthétique. Sa force de dissuasion marchande (particulièrement à l'époque contemporaine) est considérable, je n'en disconviens pas. Certains des dix styles qui se partagent les pages de cette très longue prose sont particulièrement aptes à le provoquer. J'ai eu recours à leur vertu de manière tout à fait délibérée en au moins deux circonstances (je ne parle que du volume publié à cette date) :

— Dans le chapitre 5 de la branche un, avec sa pseudo-déduction palindromique (scandale supplémentaire) bien évidemment (prévenant, d'un geste un peu provocant, que leur omission à la lecture était souhaitable).

287

— Mais aussi tout à fait au début, avec l'interminable description du double photographique *Fès*, propre à décourager d'emblée (puisque se produisant si près du déclenchement de la lutte, inévitable en tout livre, entre auteur et lecteur) les regards rapides, impatients et non prévenus. Cependant quelques centaines de pages dans ce registre, comme celles qui se préparent, sont autre chose. Et je ne pourrais pas m'y lancer si je n'étais certain de n'avoir pas à affronter le mécontentement d'un lecteur (se traduisant, de façon mécanique, en un mécontentement, beaucoup plus dangereux peut-être, d'éditeur) avant très, très longtemps.

Et je n'ai même pas l'excuse de pouvoir revendiquer autrement cet ennui, en expliquant qu'il n'est que l'accompagnement inévitable d'autres révélations que biographiques : car ni la science, ni la philosophie, pour ne citer qu'elles, ne seront sollicitées dans leur sévérité et aridité familière. Que reste-t-il alors ? Pas grand-chose apparemment (si on élimine aussi les vertus digressives & incantatoires de quelque préparation shandéenne). Tenons-nous-en pour le moment aux trois mots du titre (deux mots et demi, si je tiens compte du trait d'union, que je m'autorise encore, en ces temps de simplification orthographique (ceci est une indication éclairant la chronologie de composition de cette page)) : **Prologue épistémo-critique.** Sans autres explications.

Je parle de ma nouvelle liberté d'auteur, mais c'est une liberté, en somme, passablement illusoire : pas d'effervescence du style, de fantaisie de l'imagination. Il s'agira plutôt d'une extravagance formelle, car je ne vois guère d'autre issue, m'étant bouché presque les autres voies. L'ennui didactique est rarement pardonnable ; mais l'ennui formel est plus impardonnable encore. Donc...

Ici s'interrompt, pour une durée indéterminée, mon « prologue » (la suite à un prochain (?) moment-paragraphe).

88 (§ 20) **selon la hiérarchie d'une méditation des cinq sens**

Dans la tradition méditative « ignatienne » de la Renaissance (inspirée des *Exercices spirituels* de Loyola) figure en bonne place une

« méditation des cinq sens ». J'en choisis un exemple (plutôt d'ailleurs scénario d'une méditation, ou encore compte rendu d'une méditation que méditation proprement dite, puisque la méditation est affaire intérieure, privée, non dite, non écrite), un sonnet espagnol composé vers 1570 par le « capitaine » Francisco de Aldana. Le thème en est d'apparence profane, mais il s'agit bien d'une méditation d'essence et de finalité religieuse, tout à fait conforme à la « ligne ignatienne », même si, par ailleurs, elle témoigne de ce qu'anachroniquement je qualifierai ici le « pacifisme » de son auteur. Le choix me semble approprié à ce récit, qui après tout, tout d'apparence idyllique qu'il soit (dans l'Arcadie de l'enfance), se situe pendant les années d'une terrible guerre.

Aldana :

> Otro aquí no se ve que, frente a frente,
> animoso escuadrón moverse guerra,
> sangriento humor tenir la verde tierra
> y, tras honroso fin, correr la gente ;
>   este es el dulce son que aca se siente :
> « España, Santiago, cierra, cierra »,
> y por suave olor, que el aire aterra,
> humo de azufre dar con llama ardiente ;
>   el gusto envuelto va tras corrompida
> agua y el tacto solo palpa y halla
> duro trofeo de acero ensangrentado,
>   hueso en astilla, en él carne molida,
> despedazado arnés, rasgada malla :
> oh, solo de hombres digno y noble estado !

(version française purement informative :
> Ici on ne voit rien d'autre que face à face
> de vaillants escadrons s'ébranler pour la guerre,
> l'humeur sanglante teindre la verte terre
> et vers une fin sanglante courir les gens ;
>   voici la douce sonnerie qu'ici on entend :
> « España, Santiago ! A l'attaque ! A l'attaque ! »,
> et pour suave odeur qui terrifie l'air
> une fumée de soufre cogne la flamme ardente ;
>   le goût perverti poursuit, corrompue,
> l'eau, et le toucher ne trouve et ne palpe
> qu'un dur trophée d'acier ensanglanté,

qu'écharde d'os, autour des chairs hachées,
harnais déchiquetés, mailles défaites :
ô seul métier de l'homme digne et noble !)

Cette espèce de la méditation est une « descente », descente aux enfers de la mort, par cinq « degrés », qui sont les degrés des sens, hiérarchisés du plus noble au plus vil : vue, ouïe, odorat, goût et toucher. De la couleur et noblesse des escadrons lancés l'un contre l'autre on tombe, de la vision aux cris, des cris au soufre... ; et jusqu'à l'horreur finale de ce « hamburger » de cadavres inertes. Car la vue, seule parmi les sens, assure l'unité de l'homme et du monde, qui est de l'âme. Mais le corps au contraire est rupture, éparpillement surtout, dispersion. Et le toucher est par excellence le sens du corps, de sa nature mortelle, de sa chute inévitable dans ce que Jean de Sponde nomme « le gouffre de la pluralité ».

Or je serais assez tenté d'attribuer une hiérarchie « homologue » aux rôles respectifs des sens dans le (dans mon) souvenir (soyons prudent). Il est assez naturel, dans ma perspective générale, de traiter la **méditation** comme une opération universelle de la pensée, par conséquent la méditation des cinq sens, avec son ordre descendant, comme un cas particulier inévitable, reflétant exactement une disposition ordinaire du fonctionnement de l'esprit, et le souvenir recherché, conscient, méditation de la mémoire (qui est, dans la méditation ignatienne, mémoire du divin), subordonné lui aussi à la même échelle des sens. (Symétriquement les souvenirs involontaires, les rêveries, les rêves, étant dans ce cas des méditations spontanées.)

C'est pourquoi dans le souvenir, dans mon souvenir (mettons, une fois encore, que je ne parle que pour moi), il y a avant tout du voir. Les autres sens, s'ils sont présents, sont des fantômes. Je remarquais – au chapitre 1, § 1 – que l'image de mon doigt faisant crisser la buée glacée sur la vitre n'était accompagnée d'aucun son, que mon doigt (mon doigt d'aujourd'hui, qui devrait être le support du doigt du souvenir (mais est-ce si sûr ?)) ne ressentait pas le froid pourtant certain de ce moment. J'écrivais que je savais, « parce que c'est un savoir commun, et universel, qu'il y a le gel, et que ce mode d'existence physique de l'eau est froid » qu'il faisait froid dans la chambre, mais l'image que je restituais de ce moment était insensible à ce savoir, indifférente. Le toucher y était « incolore ».

C'est en vertu de ce « raisonnement » que j'en ai déduit la réalité d'une intensité particulière de mon souvenir de guetteur du jeu, S'avancer-en-rampant, puisque j'y retrouve la sensation, presque immédiate, du sol au-dessous du banc, de petits cailloux aigus s'enfonçant dans mes genoux nus. (Bien qu'aucune **image** en moi, pas plus celle-là qu'une autre, ne me donne jamais l'impression d'une présence « réelle » sensorielle d'autre chose qu'une vision. C'est une vision qui me montre que le toucher est nécessairement impliqué dans les circonstances de l'image.)

89 (§ 20) **Ces dispositions ne me seraient pas apparues comme convenables par fantaisie, elles étaient nécessaires. Elles faisaient partie des** <u>conditions initiales</u> **de la mémoire, depuis son origine.**

Dès que j'ai découvert ce phénomène de ma mémoire, j'ai imaginé, tel un *natural philosopher* du xvıı^e siècle ou du xvııı^e siècle, fils de Bacon, Hume, Locke, Descartes ou Newton (ignorons résolument leurs divergences doctrinales : les *natural philosophers* sont des personnages que j'aime beaucoup, et que je me représente un peu sous les traits de mon grand-père, et un peu comme Mr. Pickwick (pour lequel, d'ailleurs, mon grand-père avait une secrète sympathie. Les *Pickwick Papers* étaient un livre qu'il relisait constamment, dans une vieille édition NRF grand format)) une <u>expérience de pensée</u>, propre à vérifier ou infirmer l'hypothèse amorcée dans le titre de cette <u>insertion</u> (prélevé, comme toujours, dans le contexte du <u>récit</u>, mais avec une modification importante, la réécriture de « <u>ma</u> **mémoire** » en « <u>la</u> mémoire ») :

— que, nous souvenant d'un lieu ancien, et très connu (une maison d'enfance, surtout, où nous avons longtemps vécu, dont nous avons un souvenir assez précis, assez intense au moins), que nous avons parcouru suivant une multiplicité (infinie pour toutes fins pratiques) de chemins et d'instants, chaque fois qu'y pensant, nous le pénétrons de nouveau pour l'effraction du regard mis en mouvement par la mémoire, nous nous plaçons automatiquement dans une position qui est toujours la même, ou, à défaut,

— dans l'une quelconque d'une famille de positions ayant en commun une certaine disposition topologique par rapport au volume du lieu, et

— que (si j'extrapole encore plus à partir de ma déduction fictive), cette position (ou famille de positions) éclaire une disposition stable de notre « moi » dans ses rapports avec le monde, dont on pourrait (ne reculant devant aucune hardiesse, tel un intrépide *natural philosopher* de la bonne époque)

— déduire un portrait psychologique ;

— et une classification des êtres humains suivant une « physiogno-monie du souvenir » dont ce serait le point nodal.

Je suis, bien entendu, immédiatement passé à l'expérimentation, utilisant pour ce faire mon entourage immédiat. C'était un dimanche, rue des Francs-Bourgeois, dans cet appartement où j'ai vécu encore, jusqu'en 1985, avant de revenir rue d'Amsterdam, et qu'habitent aujourd'hui Marie, Charlotte et Ophélie. C'était un dimanche, et nous achevions (Marie, Charlotte, Ophélie et moi) un rose rosbif de saumon dominical entouré d'herbes et sorti de son dispositif protecteur des sucs, en papier d'aluminium.

Ophélie, prenant appui sur le dossier du fauteuil de Marie, sautant de là sur le haut du Frigidaire, du Frigidaire sur le tranchant supérieur de la porte de la cuisine, de là enfin sur le sommet du placard à provisions (celui qui contient les « boîtes à chat » et dont l'ouverture des portes la fait saliver), avait choisi l'une des « positions de chat » qu'elle adopte en cet endroit (il y en a plusieurs dizaines, et elle en invente sans cesse de nouvelles), et fermait à demi les yeux de satisfaction tempérée de vigilance (elle est ainsi placée qu'elle peut voir tout ce qui se passe au-dessous d'elle et en particulier surveiller des arrivants, s'il s'en présente dans l'entrée).

Dans ces circonstances la table de la cuisine, poussée contre le mur, laisse trois places raisonnables pour le déjeuner. Marie est assise dans le fauteuil, laid et gris, le dos au Frigidaire, regardant vers la fenêtre qui donne sur la rue Vieille-du-Temple. Charlotte lui fait face et je suis sur le troisième côté, entre la table et l'évier, flanqué de la machine à laver la vaisselle (l'évier, pas moi). La pendule ronde, « années quarante », élégante mais erratique (elle se remonte avec une clé, et avance de dix minutes par heure, au moins), est à gauche de la porte d'entrée, qui est, elle, surmontée d'une enseigne de *pub*, ramenée de Londres par Marie, du marché de Portobello Road.

J'ai raconté (pour ne pas influencer le témoignage) non ma décou-verte, mais ma perplexité à propos des souvenirs que l'on peut avoir d'une maison d'enfance (sans faire part, bien évidemment, de mon hypothèse) disant, à peu près que, si on y a vécu assez longtemps, comme on s'y est trouvé dans d'innombrables situations « géographi-ques », & sans cesse changeantes, par quel miracle pouvait-on en avoir une vue d'ensemble (sachant, par exemple, qu'on est rarement, physiquement, au-dessus du toit de sa propre maison), si jamais on en avait une, ce qui n'est nullement certain.

90 (suite du § 89) **Et j'ai demandé alors à Charlotte**

Et j'ai demandé alors à Charlotte (avec toute l'habileté (?) dont j'étais capable en tant que *natural philosopher*) de me dire comment, et d'où elle voyait, par exemple, sa maison de Nantes, ou celle de sa grand-mère, à Lyon. Elle est entrée immédiatement, avec vivacité et indulgence, bien volontiers dans ce jeu. Et sa réponse a, très largement et à ma grande satisfaction, confirmé mes hypothèses.

Car il y avait, effectivement, un trait commun à toutes ses descriptions. La famille des positions rapportées était, *unmistakably*, de nature « ophélienne » (de l'Ophélie chatte dont j'ai suivi, au précédent paragraphe-moment, les mouvements) : elle se plaçait, se décrivant en train de voir, toujours, juchée en hauteur, sans rien derrière elle que des parois, des plafonds même, pouvant par conséquent surveiller les mouvements dans les pièces, les entrées et sorties, les portes. Apparaissait alors le trait commun supputé : la répétition identique d'une localisation abstraite, propre à la curiosité maximale, et d'une évidente animalité enfantine (qu'on pourrait associer, dans la ligne d'une interprétation typologique du caractère appuyée sur ce critère, à certain « totem » animal qui lui convient par ailleurs parfaitement. Et c'est bien celui-là qui m'était venu à l'esprit, à Cogolin, la première fois que je l'ai vue).

(« Totémisation » qui fonctionne, nouvel exemple, selon un va-et-vient de double négation : attribuer à tel animal des propriétés et caractères qui l'« humanisent », première négation, négation de l'animalité. Puis en déduire, négation de la négation, pour tel être humain, le modèle ainsi construit de son animalité.)

(Le même mouvement de va-et-vient, en fait, joue, symétriquement, dans notre vision anthropomorphique des animaux familiers autant que pour l'animalisation des humains. Et elle est alors, inévitablement autant que la première, éthique. Car notre bestiaire est toujours un « bestiaire moralisé ».)

Je ne dispose pas aujourd'hui de beaucoup plus d'exemples pour fonder ma « théorie des lieux centraux de la personnalité » (l'un d'eux au moins est antérieur à elle. Car je l'extrais pour une réinterprétation des descriptions extrêmement précises d'Alix, quand nous nous sommes rencontrés : maisons d'enfance et d'adolescence : Égypte, Afrique du Sud, Grèce, Ottawa, Aix enfin).

Je serais en mesure, ainsi, d'ajouter selon ce mode d'interrogation

293

une nouvelle composante à mon autoportrait – entrepris dans la branche un, chapitre 4.

91 (§ 22 & § 23) Je me serais, je crois, très bien converti à un alignement du mouvement des aiguilles sur celui d'un vecteur tournant dans le sens « positif »

La spatialisation du temps des horloges, imitant le cadran solaire, se conforme aussi aux hypothèses cosmiques de la conception ptolémaïque, et privilégie donc le cercle, le parcours du soleil dans le ciel et son ombre portée. Voilà pour la géométrie. Le sens du parcours, lui, n'a pas subi de révolution copernicienne. Cela me choque.

(Mais si les horloges avaient été inventées après Kepler, aurait-il fallu choisir l'ellipse ? Voilà qui n'aurait pas été un problème bénin pour les horlogers, même suisses.)

Cette interrogation sur la mesure du temps n'épuise pas la liste de mes étonnements naïfs, de « philosophie naturelle », aujourd'hui réservés à des rubriques de journaux. Par exemple : **les horloges identifient, absurdement, en un seul apogée, les deux moments extrêmes, antithétiques, des révolutions solaires.** Autrement dit, pourquoi faut-il que midi soit minuit (et réciproquement) ?

Et pourquoi douze ?

Sur le cadran d'horloge de la représentation mentale du jardin, que je parcours en pensée selon le sens temporel, celui « des aiguilles d'une montre », il est midi au lavoir. La représentation du temps sur le cadran horloger est en fait la projection d'une hélice. Comme si le temps était un mobile animé-animal, un furet : il est passé par ici, il repassera par là.

On ne suit qu'une ligne de temps. Mais l'inscription se faisant sur une surface, j'imagine que je pourrais donner un sens temporel aux autres points, inventer un temps bidimensionnel, une topologie du temps à seconde composante imaginaire, faite de tous les temps possibles, des temps abandonnés, innombrables, et non suivis.

92 (§ 24) Brigitte Bardot, cet ex-symbole érotique de cinématographe pour les mâles de ma génération, devenue protectrice gaga-gâteau des bébés-phoques

Le hasard objectif donne à cette incise la particularité d'être doublement digressive. Au moment de la faire passer (comme ses voisines) de l'état quasi immatériel de virtualité écranique à celui, « concret », « de plein droit », d'alignement de signes typographiques sur du papier au moyen de ma modeste imprimante ImageWriter II (indépendamment de ses charmes propres, cet écrit pourra témoigner d'un état historiquement daté de la technologie des « écritures » chez un écrivain de ressources moyennes et moyennement passionné d'innovation dans ce domaine) je me suis aperçu (c'était hier, 10 mars 1992) qu'elle avait disparu.

Elle avait disparu du « document » qui devait la contenir dans le disque dur de mon Macintosh LC (auquel j'ai donné comme à son prédécesseur, un Macintosh Plus, & aussi affectueusement, le même nom générique de « Miss Macintosh »), intitulé **inc.3b**. Ce document, une fois « ouvert » pour impression, s'est révélé en effet commencer, directement en haut de page par le § 93 (que vous lisez à la suite de celui-ci), et le document précédent, que je venais d'imprimer, **inc.3a**, s'achevait sans aucun doute possible par le § 91 que vous venez peut-être de lire, si du moins vous lisez selon la séquence qui vous est numériquement proposée.

Et la « disquette de sauvegarde », nommée BOU-INC, laquelle j'introduisis aussitôt (sans grand espoir) apparut exactement conforme à son modèle, et par conséquent présenter le même fatal défaut : l'absence du § 92, de l'incise consacrée à l'exploration du lien entre bébés-phoques et BB, au moyen de considérations déjà elles-mêmes sur-digressives puisqu'elles me faisaient sortir du cadre chronologique (généralement respecté dans ces pages) que je m'étais donné pour cette branche (je crois me souvenir assez précisément de ce que j'y avais mis (ci-après résumé télégraphiquement en six points) :
— un souvenir de régiment
— un glissement analogique sur l'érotisme, de bébé à BB
— l'évocation d'une scène justement fameuse du *Mépris* de M. Jean-Luc Godard, ajoutant, à la séquence bébé-BB un troisième terme, « fesses »

— une incise interne à l'incise à propos d'un pull-over de M. Fritz Lang, qui fait, dans le même film, une apparition non moins fameuse que le bardotien pas du tout obscur objet du désir ci-dessus désigné

— une protestation (digression imposée par le contexte) contre la pédophilie (ou plutôt infantophilie) de certaines publicités télévisées entr'aperçues dans le Minervois (pas au nom de la morale commune, mais en raison d'une coïncidence peu plaisante : celle de l'éloge du papier hygiénique avec la sortie de table d'un téléspectateur déjà réticent comme moi)

— le souvenir, enfin, d'une séance de cinématographie en plein air dans une banlieue d'Athènes pendant l'été de 1959, culminant, si je puis dire, sur l'agitation concomitante (un vent léger agitait la toile rudimentaire de l'écran) du même objet pluriel (mais dans un autre, plus universellement fameux et précédent film) et des physionomies stupéfaites des spectateurs hellènes, tous mâles (à l'exception de Sylvia, en compagnie de laquelle j'étais venu voir ce film *starring* MPIRIZIT MPARDO, que nous n'aurions pour rien au monde été voir à Paris)).

Je me suis aussitôt rendu compte de ce qui s'était passé, déduction immédiate à partir du simple fait que les incises du chapitre 3, dont le § 92 fait partie, avaient été, dans l'organisation de mon disque dur partagées (parallèlement au partage du chapitre 3 lui-même en **« cap. 3a »** et **« cap. 3b »**) en deux « documents » (pour une meilleure maniabilité du texte à l'écran) : le § 92 qui, dans ce partage, aurait dû se trouver au début de la deuxième partie, avait été, par erreur, coupé.

J'ai eu tout d'abord un geste de découragement. La perspective de devoir reconstituer des lignes déjà anciennes, de mimer une humeur de prose déjà de longtemps passée, ne me souriait guère. J'ai éteint Miss Macintosh et j'ai essayé de penser à autre chose. Mais ce matin, au réveil (il est maintenant cinq heures) la solution s'est imposée d'elle-même : de toute façon, selon la consigne que je me suis donnée à moi-même, je ne pouvais pas, en tout cas, réécrire ce moment, comme s'il n'avait pas disparu. Je ne peux qu'écrire ce que j'écris au présent, et le présent est celui de la disparition. J'ai seulement marqué la circonstance, imprévue, en changeant de caractères. Cette incise, au moins sur mon écran, est composée en Times.

93 (§ 24) je peux quasiment suivre à l'œil (intérieur) la maturation d'une tomate sous ses feuilles,

Je « place » aussi leur odeur. Mais les dimensions du fruit sont trop importantes pour donner à la cueillette le coup de pouce d'intérêt pour moi indispensable qu'apportait la possibilité d'un dénombrement. De ce point de vue la valeur du petit pois était bien plus grande. Non seulement les gousses elles-mêmes pouvaient être nombrées, atteignant rapidement plusieurs centaines pour la moindre récolte, mais il y avait ensuite, en les ouvrant à deux doigts, et en les faisant glisser et rouler de l'ongle dans la paume de la main, la constante énigme du nombre des pois contenus par chacune, et comme corollaire la quête d'un record (cela va de trois à douze selon mon souvenir).

(Dans les cas douteux, où quelques grains sont mal formés, insuffisamment mûrs, ou minuscules, il est toujours possible de trancher simplement, en les mangeant : les pois les plus jeunes sont les plus tendres (de consistance comme de couleur), les plus sucrés, pas encore menacés par la maladie gustativement mortelle de cette espèce, le syndrome farineux, premier pas vers la déchéance ultime, l'état de dur caillou gris-vert qui devient dans la casserole cet ennemi irréductible de l'enfant, le pois cassé.) Il va sans dire que, dans ces conditions, le plat pois gourmand ne pouvait m'apparaître que comme un hypocrite, et le mange-tout, dont on ne peut rien compter, qu'on jette inécossé dans l'eau bouillante, comme un traître.

Le haricot vert, même le « barraquet » audois, n'offre aucune perspective arithmétique, cela va sans dire (le haricot blanc, à la rigueur (et surtout le haricot roux, plus noble) mais sans pouvoir rivaliser avec le pois vert). Aussi l'épluchage du haricot sur la table de la cuisine était à éviter aussi longtemps que possible ; sauf dans un cas favorable, qui malheureusement devait être regretté d'un autre point de vue. Je m'explique. De longs et un peu trop mûrs haricots de qualité incertaine ont la chance d'avoir des fils, suffisamment de fils durs, coriaces, pour qu'il soit nécessaire de les enlever avec soin. Il importait alors (c'était le jeu) de parvenir à extirper le fil d'un seul coup, d'une extrémité à l'autre, sans le rompre.

Mais, et c'est là l'envers de cette médaille, ce que l'on gagnait à l'épluchage on risquait de le payer très cher au moment du repas : car ces haricots, même soigneusement dé-filés, avaient les plus grandes chances d'être fibreux, d'être en fait tout entiers fils, immangeables. Pour toutes ces raisons, le petit pois restait pour moi supérieur au haricot. Selon le même critère la citrouille, exemplaire généralement unique énorme dans une préparation de repas, était encore plus bas dans mon échelle de valeurs (je laisse le haricot sec de côté, que l'honneur du cassoulet élève, et la laitue, mais je ne l'ai appréciée que beaucoup plus tard, quand l'huile d'olive l'a sauvée de la fadeur. Quant à la tomate, c'est un fruit : axiomatiquement, tous les fruits sont bons).

Aujourd'hui encore je n'ai de connaissance intime d'un légume que si son espèce était de celles que mon père cultivait dans le jardin. J'ai vu, & parfois mangé des crones, des radis noirs, des cardes... mais je ne les connais pas en terre, ni à la cueillette. Certains légumes étaient pires qu'inconnus : car on ne les connaissait que trop. Ce sont ceux qui s'offraient presque seuls sur les marchés dans les mois d'immense pénurie hivernale, des « collabos » en somme. Ils sont restés marqués d'une charge négative quasi insurmontable, presque d'infamie, dans la mémoire collective, pendant de longues années (ce n'est qu'assez récemment que j'ai vu proposer de nouveau à un étal des topinambours (et je dois dire que je n'ai pas eu la curiosité d'essayer de les goûter. On ne pardonne pas les injures gustatives)). Les rutabagas, eux, semblent bien avoir totalement disparu). (Inexorablement, les topinambours comme les rutabagas sont, aussi anciennement, associés, par un glissement d'origine inconnue à une maladie : la tuberculose. Si j'entends « topinambour » ou « rutabaga », j'entends aussitôt, quadrisyllabiquement, « tuberculose ». Je ne sais pas pourquoi ni comment, mais c'est ainsi.)

Longtemps, d'ailleurs, le navet, le bon navet, si injustement décrié par assimilation péjorative aux mauvais films, m'a semblé trop cousin du topinambour pour être honnête. Il a fallu mon amour du canard pour me réconcilier avec lui. Et j'ai même adopté son cousin, si rare, la « boule d'or ». Quant à la fève fraîche qui, jeune et tendre, à la « croque au sel », est délicieuse, j'ai dû faire un effort considérable pour la dissocier de la bouillie infâme de févettes qui fut notre ordinaire, pendant une des périodes les plus inquiétantes de l'Occupation. Nous n'avions pour ainsi dire rien d'autre à manger que ces médiocres légumes secs, où de plus des insectes, des charençons, s'étaient mis. Il fallait, cependant, les manger. Mais séparer les intrus minuscules de leurs hôtes était impossible. Ma mère, alors, passait le tout, févettes et charençons, au moulin à légumes ; selon le principe épicurien « rien ne se perd, rien ne se crée ». « La matière demeure et la forme se perd. » Le résultat était à peu près nutritivement équivalent à la même quantité de févettes, supposée sans charençons. Et nous mangions cette grise bouillaque, qui nous soulevait le cœur. Ayant reconquis la fève fraîche j'ai pu, ensuite reconnaître la fève comme digne cousine et même ancêtre du haricot, quand j'ai, à Madrid, été initié par Florence à la *habada*, antique et vénérable « cassoulet basque (?) ». (Je mets fin ici à l'exploration de ce « potager moralisé » et je vous épargne pour l'instant l'éloge du pois chiche (il aura son heure, mais formellement justifiée).)

94 (suite du § 93) **Le jardin était planté de la plus grande variété possible d'espèces végétales comestibles compatibles avec le climat.**

Le jardin était planté de la plus grande variété possible d'espèces végétales comestibles compatibles avec le climat. Ce n'était pas du tout de « l'art pour l'art » de jardinier. Mon père, inquiet du danger de carences alimentaires que le régime féroce imposé par les « restrictions » faisait courir à des enfants en pleine « croissance », s'efforçait ainsi d'y remédier, au moins pendant les périodes favorables à la végétation. Son raisonnement était que la sélection maraîchère opérée par les générations avait placé dans les légumes (et les fruits) (pourvu qu'on les soutienne parfois de quelque lapin (il n'était pas végétarien)) à peu de chose près tout ce dont l'organisme humain pouvait avoir besoin, et surtout, surtout, les saintes vitamines.

Une carte des vitamines trônait sur le mur de la salle à manger. A chaque vitamine alors connue y était attribuée une couleur, et chaque nourriture représentée sur la carte avait droit à son « spectre » circulaire de vitamines, aux secteurs angulaires convenablement proportionnés en chaque teinte. Une réticence au chou, par exemple (j'avais oublié le chou !), était combattue, devant la soupière puis l'assiette, non seulement par l'argument d'autorité, mais aussi par le raisonnement diététique. Le jardin contenait tout ce qu'il fallait, oseilles et salades, blettes (ou bettes), carottes et radis... Mais pendant les nombreux mois où il ne produisait rien, des déficits sérieux risquaient de se produire dans nos organismes mal « arrosés », tels des légumes négligés, de nourritures diverses (sans oublier les manques de glucides, lipides ou protides, ainsi que les minéraux indispensables à la fabrication et perfectionnement de notre squelette : scolioses, scolioses ! lordoses !).

Or cette carte (d'avant-guerre) réservait une place de choix aux agrumes, indispensables, selon des anecdotes scolaires fameuses, pour lutter contre le manque de vitamine C, et son corollaire, le scorbut. Mon père nous voyait, en des moments de pessimisme nocturne, tels de pauvres mousses enfermés sur le navire en perdition de la France vichysée et nazifiée, en proie à cette terrible maladie. Il se rassurait, sans doute, à la lumière du jour, en considérant que les populations languedociennes avaient pu, autrefois, très bien vivre à la fois sans oranges et sans scorbut. Nous y échappâmes en effet.

Mais je me souviens que, peu après la Libération, il s'était procuré une de ces immenses boîtes qui faisaient partie de ce qu'on appelait les « surplus américains » et qu'il nous distribuait à chaque repas quelques-unes des pilules brunes et caoutchoutées, de la taille, de la couleur et presque de la forme d'un grain de café, qu'elle contenait, entre autres trésors. Coupées d'un coup de dent brusque, ces pilules répandaient sur la langue une dose d'huile de foie de morue surconcentrée en la précieuse vitamine antiscorbutique. On mâchait ensuite l'enveloppe du liquide, sorte de caoutchouc fondant. Je trouvais leur goût extrêmement bizarre, mais délicieux (je devais bien être le seul).

Pour ce qui est des oranges et citrons, nous avons attendu bien longtemps leur retour, notre désir aiguisé par les récits de ma grand-mère qui racontait, après son dernier voyage aux USA avant Pearl Harbor la merveille du jus d'orange matinal pressé et mousseux. J'en avais gardé le souvenir depuis l'« avant-guerre » (étant l'aîné). Et nous en avions la représentation colorée sur les « magazines » américains ramenés de la Nouvelle-Angleterre. Mais en 1945 encore, Jean-René, qui était le plus jeune d'entre nous, interrogé sur la couleur des citrons, répondit qu'ils étaient roses.

Dans le potager quadrillé avec soin par les « rangées » légumières dessinées à la corde, « j'entends » le chuintement régulier du tuyau d'arrosage, parfois débordant en bout de ligne silencieusement dans l'allée, je vois le brunissement de la terre sèche et claire pénétrée par l'eau aussitôt avalée par un sol avide au pied des plants de tomates, des haricots accrochés à leurs « tuteurs », la flaque d'eau disparaissant et laissant une mousse, une écume laiteuse, et le fond de la ligne creuse lisse, entre les grumeaux des monticules. C'est le soir.

95 (§ 94) **L'eau aussitôt avalée par un sol avide au pied des plants de tomates,**

La « vérité » de mes images du jardin est solaire. Car le soleil était « presque partout » là. La nuit, la pluie, pour des raisons différentes, ont moins de « chances » de rencontrer mon regard cherchant, dans les lieux indéfinissables du souvenir, le lavoir, les allées, les rangées de tomates (je ne sais au sein de quel « monde possible » pourrait les mettre un « réaliste modal »). Mes visions des nuits ne sont pas seulement plus vagues, plus parcellaires, elles apparaissent presque comme étant d'un autre lieu. Il en est de même pour celles du jardin sous la pluie. Et, à la différence de l'image de neige, dont la rareté extrême a, au contraire, assuré la conservation avec émotion, l'image, les images de pluie sont ternes, et leur atmosphère est plutôt d'ennui ; et même de désolation. (**L'abricotier ruisselant d'une averse de novembre, sans feuilles, l'odeur de mouillé triste, les galoches, l'empêtrement de l'imperméable, l'argile glissante sous les branches tristes ;** dans un poème écrit avant mes dix ans, ceci : Les abricotiers sont sages./Il a plu/.)

La séparation très nette qui se produit entre une vision, composée mais unique, unifiée, du jardin, de jour, de toutes saisons, solaire, d'une part, et d'autres vues parcellaires, de moments nocturnes ou pluvieux, me révèle une composante pragmatique de ma difficulté à y placer d'autres êtres vivants que ceux (animaux) qui n'en sont jamais sortis (− § 27 − : Et les humains, les humains enfants ? ces ombres de joueurs qui sont là, à côté de moi, à chaque moment ou presque, devant le banc, le lavoir, le grillage des cages à lapins ? Je n'en parle que de manière très indirecte) : tout simplement le fait que la continuité changeante des êtres (particulièrement les enfants, particulièrement ceux que je n'ai pas cessé de voir et d'identifier comme étant, toujours, eux-mêmes) a rendu pour moi impossible la restitution de leur apparence d'alors. Je peux essayer de voir mes frères, en un moment de ces années, mais ce que je « vois » alors n'est que la piction, immobile, d'une photographie, de celles que j'ai retrouvées dans les albums et les boîtes en fer conservées dans ma chambre, à Saint-Félix. Elles ne peuvent pas être placées dans un contexte végétal animé, mais seulement juxtaposées arbitrairement au banc, aux pins, au puits, comme une couleur jetée contre un mur.

Les escargots nous réconciliaient avec la pluie. Comme de multiples fils de ma mémoire, de mon **Projet**, de cette prose, qui ont leur origine là, là aussi commence ma longue histoire commune avec les escargots (qui constituera également, cela s'impose, un fil dans ma narration, grâce à la métaphore de la trace, du sillage de bave argentée). Je me suis très tôt persuadé que, comme moi, ils ne choisissaient pas de sortir à la pluie, mais y étaient obligés par les circonstances (dans leur cas, les nécessités impérieuses de l'alimentation, et la fatalité physiologique). S'il était vrai qu'ils aimaient tant l'eau, comme on le raconte, pourquoi choisissaient-ils de vivre dans un climat aussi sec ? Pourquoi n'allaient-ils pas, comme leurs cousins, dits « de Bourgogne », ces grands veaux, patauger dans des prairies gorgées d'eaux, dans des bocages saturés, dégoulinants de crachins et d'averses ? Je dis « leurs cousins les " Bourgogne " », car pour moi le seul escargot digne de ce nom est le « petit-gris », élégant et dégourdi, à la coquille tigrée, et son compagnon, à la forme spirale plus plate, blanche, beige, ou même jaune que l'on trouve surtout dans les sentiers au long des vignes, suspendu aux fenouils (et que les paysans provençaux, méprisant les données exactes de l'histoire naturelle, prennent pour sa compagne, et nomment « femelle »).

J'avais donc imaginé que le soleil était le rêve inaccessible de l'escargot (son rêve de jour. Son rêve de nuit : les étoiles), qu'il ne pouvait jamais apercevoir qu'en de très courts moments, quand cet astre sortait des nuages après la pluie, ou paraissait sur la rosée de l'aube, et qu'il ne s'attardait hors de ses demeures de pierres ou de ceps, au risque d'être surpris par la paralysante chute hygrométrique de la sécheresse, que dans l'espoir de diriger vers lui ses humides et sensibles yeux pédonculaires, et de recevoir sa bénédiction dangereuse un instant.

Nous rassemblions des escargots sur la terrasse mouillée. Nous leur donnions pour horizon des feuilles de salades, des brins de fenouil, et nous les regardions « courir » (ces courses sont une tradition enfantine peut-être plusieurs fois millénaire, dont on aimerait avoir l'histoire, au moins autant que celle des courses de chevaux, ou de lévriers). La très grande lenteur proverbiale des escargots est un leurre. Ils sont comme les grands navires prenant leur élan sur la mer. La coquille légèrement oscillante au moment où ils décident de leur direction, les cornes bien ajustées au mouvement, les plus allègres au contraire donnent une nette impression de rapidité, ou plus intrinsèquement peut-être, pour éviter les comparaisons de vitesses absolues, d'une maîtrise parfaite du rapport entre distances et durées.

J'ai gardé pour la fin le meilleur de la pluie, le rapport direct, voluptueux par excellence, avec les escargots bien réveillés, frémissants et enthousiastes : les poser sur la main, sur le genou, et, s'immobilisant, sentir les doux glissements de leur humidité vivante sur sa peau.

96 (§ 24) Les clapiers, demeures des tranquilles et sympathiques lapins

Sympathiques et inoffensifs. J'ai très peu de sympathie, en fait, pour les animaux dangereux. Les grands fauves ne m'attirent pas. Je ne rêve pas de communiquer des pensées profondes aux crocodiles ou aux scorpions. Il est vrai que cette notion de « dangereux » est relative. Le chat n'est certainement pas, intrinsèquement, un animal inoffensif (comme l'est l'escargot, par exemple, ou le hérisson, deux de mes animaux préférés). Mais il est en quelque sorte « sauvé » par ses dimensions. Il me suffit, par la pensée, d'effectuer une homothétie de rapport cinq ou six de la région de l'espace occupée par Ophélie, pour imaginer que le bleu surinnocent de son regard posé sur moi changerait alors entièrement de nature. Mais le film de terreur (américain de série « encore moins que B ») que nous avions vu un jour, Alix et moi, sur une quelconque télévision anglaise nocturne, intitulé quelque chose comme *La Nuit des lapins monstres* ne pouvait, et ne put, que déclencher le fou rire.

La lecture du merveilleux *Watership Down*, par exemple, que je dois à Marie, offre une vision socio-anthropomorphique de l'espèce lapin moins amène que la mienne, au fond demeurée telle quelle depuis l'enfance. Je me souviens aussi de la reproduction, aperçue sur la couverture d'un livre, dans une vitrine de la rue Jacob, d'un dessin allemand du XVIIᵉ siècle : il représente un très gros lapin dans toute la force de l'âge, et revêtu aux recoins de sa fourrure luxueuse d'une expression d'extrême contentement de soi, visiblement d'origine sexuelle : un lapin à bonnes fortunes lapines. J'en ai été surpris. Ce n'est pas non plus ainsi que le lapin prototype, l'Idée platonicienne de lapin s'offre à moi, quand j'y pense. (J'ai même connu, plus éloigné encore de mon lapin idéal, un individu assez inquiétant de cette espèce, nommé Staline.)

Une publicité récente, celle du « lapin Cassegrain », met en scène un grand lapin blanc à lunettes noires de mafioso hollywoodien. Il tient dans ses pattes cuillère et fourchette, et se prépare à attaquer des

303

« petits légumes ». Dès que je l'ai vu à la télévision rue des Francs-Bourgeois, j'ai été enthousiasmé par son expression. J'ai vu et revu la scène, enregistrée en vidéo par Charlotte, qui a également eu la bonté de m'offrir une carte postale avec son portrait, que j'ai mise dans ma bibliothèque. Une férocité végétarienne sied bien à cette espèce. C'est en de tels divertissements que survit mon enfantine **« passion sentimentale, immodérée, pour les lapins »**.

Ainsi mon anthropomorphisme persistant reste purement ludique. Il évite soigneusement tout glissement vers l'identification réaliste, et entièrement l'imagination tragique des récits londoniens (je veux dire ceux de Jack London). Ces animaux ne sont pas non plus des masques de personnages seulement humains. Le jeu (un jeu de langage, de récit) n'a de charme que si l'animal conserve l'essentiel des traits de sa nature propre, en coexistence plus ou moins comique avec des propriétés humaines (comportements, raisonnements, sentiments) entièrement inventées.

Mes modèles constants, dans ces jeux, sont les livres de Milne *(Winnie the Pooh)* ou de Kenneth Graham *(The Wind in the willows)*, et, bien sûr, avant tout, ceux du monde « carrollien » (je pense, bien sûr, à cette scène de *Sylvie and Bruno*, dans le chapitre « *A visit to Dogland* », qui fut la source d'un petit texte de mon maître Raymond Queneau (« Sur le langage chien dans *Sylvie et Bruno...* »), où le roi des Chiens, abandonnant un moment sa Cour pour faire un brin de conduite aux voyageurs, révèle, en demandant à Sylvie de lui jeter un bâton à ramasser, son irrépressible nature canine : « *His Majesty calmly wagged the Royal tail. " It's quite a relief, he said, getting away from that Palace now and then ! Royal Dogs have a dull life of it, I can tell you. Would you mind (this to Sylvie in a low voice, and looking a little shy and embarrassed). Would you mind the trouble of just throwing that stick for me to fetch ? "* »

En ces temps dont je parle, je rêvais surtout de faire la connaissance d'autres lapins, les lapins libres de la garrigue, les « garennes », dont les traces étaient visibles dans les vignes, autour de la Cité (monceaux de petites crottes dans les fossés, entre les touffes de thym) ; mais toujours fuyant, inabordables malgré l'offrande de fenouils, friandises, de caresses, inattrapables à la course, inapprochables sinon morts, sanglants, ramenés par les chasseurs.

§ 97 (§ 25) Un jeune et mince cochon vint donc s'établir en secret dans l'appentis

Le modèle porcin rêvé par nos parents était selon toute vraisemblance le cochon corrézien, tel qu'ils l'avaient découvert lors de leur séjour d'avant Carcassonne, à Tulle, d'où venait Marie (de Tulle ou presque : elle était de Souillac). Les privations de la guerre avaient fait d'un encore récent souvenir, celui de la foire de Tulle, comme l'adresse inaccessible d'un paradis perdu du cochon, d'un eldorado du jambon, presque aussi merveilleux et alors devenu malheureusement aussi éloigné que le quasi mythique Yorkshire (avec lequel les porcs corréziens rivalisaient, disait-on, en saveurs et en encombrement).

Nos parents énuméraient avec insistance les termes techniques descriptifs, dans le vocabulaire cochonnier corrézien, de l'évolution de ces admirables bêtes : d'abord enfants, « gorets » balbutiants nourris par les mères truies, puis « chiens » gambadant dans les cours de ferme, puis « loups » adolescents fouisseurs nourris de châtaignes dans les sous-bois, ils subissaient d'autres mutations onomastiques encore que je n'ai pas retenues, avant d'atteindre aux premiers degrés sérieux et strictement hiérarchisés de l'échelle des poids, par immobilité concentrée sur un régime de larges pâtées céréalières, nutritives et appétissantes, auxquelles le nôtre, le pauvre nôtre, hélas, ne put jamais prétendre. (Et pourtant, c'est bien ce modèle qui lui avait été proposé, puisque « gagnou » est le nom affectueux du cochon corrézien, et qu'elle avait été nommée, propitiatoirement, « Gagnoune ».)

Aussi n'atteignit-elle pas les performances des champions tullistes que nous aurions rêvées pour elle, les deux cents, trois cents, ou quatre cents kilos même qui, paraît-il, étaient monnaie courante chez ces animaux fabuleux. Ces poids, convertis en saucisses, lard, jambons, ou boudins, avaient de quoi faire défaillir l'imagination gustative. Notre malheureuse cochonne en resta loin.

Ce n'était nullement par mauvaise volonté de sa part. Si on lui avait laissé le temps, et surtout si on lui avait fourni les nourritures adéquates, elle aurait certainement fait des merveilles sur la balance. Il y avait en elle une ambition certaine dans cette noble direction. Et ce n'était certes pas sa faute si le destin l'avait fait naître en 1942 dans le département de l'Aude, au beau milieu d'une guerre mondiale, et pas dans un paisible hameau du Yorkshire ou dans les environs d'Uzerche. Telle la bien-aimée cochonne du duc Clarence, dans les romans de P. G. Wodehouse, *L'Impératrice de Blandings*, elle aurait pu alors triompher dans un concours agricole, au lieu de périr prématurément, encore quasi maigre, et dans la clandestinité.

Les incessantes spéculations de notre famille sur l'évolution de son poids ne la privèrent jamais d'un appétit presque aussi féroce que le nôtre et qui était rarement, il faut le dire, pas plus que le nôtre, satisfait. En somme, elle ne se doutait de rien. J'ai découvert depuis, dans un roman policier anglais dont j'ai oublié le titre (et l'auteur), un personnage de cochon qui représentait son parfait antonyme, parce qu'il restait lui, perpétuellement, proche mais en deçà du poids minimal qui lui aurait valu son aller-simple de la ferme à la charcuterie. Il mangeait, certes, mais il ne « profitait » pas. L'auteur rapportait l'étonnement de la fermière devant ce phénomène inhabituel dans l'espèce porcine, et l'interprétation psychologique volontariste qu'elle donnait de ce comportement de l'animal : c'était un *non-doing pig*. Et l'auteur du roman trouvait cette attitude astucieuse de la part du cochon, quelque chose comme une résistance passive au destin et à l'oppression. Il en faisait presque un « soldat Schweik » cochon, qui n'était pas maigre au point de décourager définitivement tous efforts d'engraissement, car cela aurait été de sa part suicidaire, mais qui semblait constamment faire effort, être pleine de bonne volonté et n'échouer qu'involontairement à grossir.

Je serai beaucoup plus sévère. Le cochon des *Contes du chat perché*, qui rêve d'être aussi beau que le paon, devient, lui aussi un moment, un *non-doing pig*, quand il suit, fanatiquement, son dangereux régime journalier, en répétant avec ferveur : « Un pépin de pomme rainette, et une gorgée d'eau fraîche. » J'ai toujours trouvé, quant à moi, son attitude plus indigne encore que ridicule.

98 (§ 26) **Les petits palmiers du jardin avaient pour feuillage des palmes, longues feuilles au bout d'une tige solide et souple (propriété qui nous intéressera également)**

Détachées du tronc de l'arbre ces tiges, du moins les plus fortes, longues, rigides et épaisses d'entre elles, vertes, avec des bords légèrement dentelés (telles que que je peux maintenant les voir devant moi, comme si elles se trouvaient de nouveau dans mes mains, et presque sentir leurs bords rugueux) exigeaient littéralement un emploi, celui d'arc : **encoches à chaque bout, corde tendue, flèches blanches de fusain, ou de sureau (?)** ;

tirer ; tirer vers le ciel bleu-noir, mangé à moitié par les pins, par le grand pin parasol du fond, le ciel vertical et plat comme le fond d'une cible, la tête rejetée en arrière pour viser, c'est ainsi que je vois ; la flèche monter vers les hautes branches ; gravité des très hautes branches, renvoyant les flèches vers le sol ; flèches happées par les branches, prisonnières. Je les vois encore. Là.

Nous fabriquions sans cesse de nouveaux arcs, stockions dans des endroits secrets des provisions de flèches. Stimulés par la lecture du *Quentin Durward* de Walter Scott (une source fort probable de mon amour de l'Écosse), nous exécutions des scénarios complexes de batailles, de délivrances, des concours chevaleresques, des exploits olympiques. J'ai failli ainsi, à ce qu'on m'a dit (je n'en ai pas souvenir), y perdre un œil, du tir involontaire d'une flèche envoyée par un petit garçon en visite, un Espagnol dont je n'ai retenu que le nom : Luis Bardagil.

Mon amour du tir à l'arc n'a pas survécu à ces années. Même au plus fort de ma passion pour la vieille poésie japonaise, au temps de ma fréquentation assidue du département des Imprimés orientaux de la Bibliothèque nationale, dans les années 1965-1970, je ne me suis pas plongé avec ravissement dans l'esthétique-éthique « zen » ou « pseudo-zen » de cet art. Pourtant, par un de ces enchaînements de hasards qui intimiderait certainement un romancier (et que je me trouve incapable de rejeter de mon récit, qui en est sans cesse envahi), c'est précisément du tir à l'arc que je m'inspire en ce moment (indirectement sans doute, mais cependant à partir de la vision même d'enfance que je viens de restituer) pour la composition des 200 poèmes (« 200 flèches » sera le titre) qui seront ma contribution au grand livre mis en chantier par Micaela (cinq fois 200 poèmes, ou fragments, d'auteurs différents, en deux langues, anglais et français (Jacques Derrida, Dominique Fourcade, Michael Palmer, Tom Raworth et moi-même) accompagnant les rectangles verticaux de ses 1 003 *(« mille et tre »)* dessins).

J'ai choisi en effet, pour matrice formelle de cette composition (faite de « pseudo-*tankas* » de cinq vers, répartis en trois + deux), un ensemble de poèmes didactiques du XVIᵉ siècle japonais, qui énoncent les principes (à la fois techniques (abstraits), et moraux) de cet art. Or, ces poèmes, je ne les ai pas recherchés spécialement dans ce but. Ils me sont venus tout à fait fortuitement, à la suite d'un coup de téléphone inattendu de la belle Odile H., qui fut autrefois ma voisine ici, rue d'Amsterdam. Elle souhaitait mon aide pour mettre en forme ces textes (dont elle me fournit un mot à mot commenté) pour le livre que va publier son ami, devenu maître français du tir à l'arc, après de longues années d'étude et de pratique au Japon.

Ne pas prononcer
l'air transpercé des palissades
atlantides

C'est à la flèche de décider
de son trop-plein de silence

de ma toile de flèches
couvre-toi silence ainsi
l'arc

me parla et parlant
vint se reposer sur mon bras

Vibres criaient-ils
vibre
gravité de très hautes branches

très loin pesait la terre
vibre criaient-ils dans le bas

99 (§ 28) **Nous passions près d'elle à toute allure sur nos bicyclettes ou tricycles**

J'ai ajouté « tricycle », et presque immédiatement, à la première version spontanée de cette phrase, où je n'avais mis que « bicyclettes », en me rappelant brusquement que sur une des rares photographies conservées dans les vestiges de ce qui fut une collection documentaire beaucoup plus importante (la quasi-totalité se trouve maintenant dans le troisième tiroir de la commode de ma chambre à Saint-Félix, dans le Minervois (la « chambre au lit de cuivre »)), et parmi celles, encore plus rares, où l'on voit quelque chose des lieux où elles furent prises (j'ai longtemps maudit cette absence presque totale, en particulier d'une vue d'ensemble de la maison et du jardin de la rue d'Assas où je me suis narrativement placé, dès le chapitre premier de cette branche, mais en fait, j'en suis aujourd'hui presque heureux, parce que cela m'a obligé à interroger sans tricherie mon souvenir), dans une de ces photographies, donc, on voit ma sœur Denise sur son tricycle, au milieu d'une des allées de la partie potagère, qui nous servaient de pistes et de terrain pour des compétitions vélocypédiques.

Il y a en fait trois vues, très semblables, contenues dans une enveloppe de photographe professionnel (« Photographie A. Gamonnet 86 Avenue de Saxe, LYON »), parmi une dizaine de négatifs, la plupart non tirés. De la main de mon père, je lis : « Carcassonne, hiver 1937-38 : Denise tricycle » (pour une fois les renseignements minimaux sont là). C'est l'hiver, en effet, si j'en juge par la végétation d'absence, et la nudité des pots de fleur dans le *background*. L'arrière-plan physique n'ajoute guère de données à ma description (sur l'une, dans le fond, je vois sécher du linge sur des fils), et n'en infirme aucune. J'en tire seulement « tricycle » (la date est un peu antérieure à celles des souvenirs que je raconte, mais je suppose que le tricycle a survécu pour servir aussi à mes frères plus jeunes).

Denise est parfaitement reconnaissable par moi sur ces pictions (surtout celle où elle regarde en face l'appareil), avec une expression plus amène, moins boudeuse que celle que la « tradition » lui reconnaît dans de telles circonstances (j'emploie à dessein le mot « pseudo-wittgensteinien » de piction parce que, conformément à ma « théorie », si j'ose dire, des images, ces vues n'en suscitent pas dans mes souvenirs, restent externes, immobiles). Elle avait alors un peu plus de deux ans.

Je ne me suis pas interdit (le premier chapitre de la branche un en témoigne) d'avoir recours à des photographies et à leur description. Mais peu à peu je me suis fait une règle de n'y avoir recours que dans des contextes strictement limités, ne risquant pas de fausser la véridicité (toutefois strictement invérifiable, je le sais) de mes souvenirs. Pour le dire un peu différemment, elles n'interviennent que dans certains « styles » de ma narration, parmi les dix que je me suis donnés comme but (branche un, § 84). Et en tout cas pas dans les nombreux moments de cette branche présente, où domine presque exclusivement un seul de ces styles, le style III (« style de Kamo no Chomei ») : les « vieilles paroles en des temps nouveaux ».

En sortant ces trois photographies de leur enveloppe, j'ai regardé aussi les négatifs non tirés à la lumière, nocturne (il est cinq heures), de mon écran. Il y a d'autres personnages (mon frère Pierre et moi-même, sans doute), et cet entrecroisement mystérieux des branches nues des arbres que crée l'interversion du clair et du sombre sur les négatifs. Je ne sais pourquoi, le « sentiment du passé » m'y apparaît plus « authentique ».

Nous parcourions sans cesse, avec énergie, avec ardeur, le réseau des allées, rectangulaire d'un côté, incurvé de l'autre, sur nos tricycles et bicyclettes, nous précipitant avec enthousiasme (et souvent désastreusement) au bas des trois marches qui conduisaient à la terrasse, au terme d'un parcours, d'un « circuit » de vélodrome imaginaire. J'ai gardé longtemps sur le dessus de la cheville une cicatrice elliptique due au frottement d'une pédale sans doute faussée par une chute, et tordue dans une position assez invraisemblable, mais que la chaleur furieuse et anesthésique de la course m'avait empêché de sentir, pendant qu'elle mordait, à chaque tour de roue, et jusqu'au sang, dans la chair.

100 (§ 29) Hors-jeu, face au banc, au centre d'une très grande multiplicité de souvenirs réels,

Mais qu'est-ce donc qu'être « hors-jeu » ? Tous les jeux imaginés dans ce jardin étaient des jeux de langage. Et le hors-jeu du langage, certainement, est un silence. Tous ces jeux, comme tous les jeux, comme tous les jeux de langage, étaient des modes de révélation, des mises en paroles d'une forme de vie, et donc nécessitaient le mouvement. Ainsi le hors-jeu était aussi arrêt du mouvement (il est cela au rugby, où le sifflet de l'arbitre, qui le sanctionne, tue l'essor du mouvement qu'est, par excellence, l'attaque des trois-quarts). Le hors-jeu est une atteinte de l'immobilité. Le silence, l'immobilité. Mais n'y avait-il pas précisément parmi tous mes jeux un tel jeu, un jeu de point fixe, un jeu de l'immobilité : jeu de silence statuaire, jeu sans mouvement (§ 22).

En fait, il ne s'agissait alors que de mimer le hors-jeu, afin de faire revenir le hors-jeu dans l'espace même du jeu. L'identification aux statues, à la paralysie muette des statues, n'avait de sens que si, tout autour, les assistants mobiles et loquaces, frères, amis, avant de se transformer en imitateurs, commentaient, s'inquiétaient, s'effrayaient (comme plus tard, répétant à Saint-Germain-en-Laye les mêmes jeux de l'immobilité muette, nous effrayions notre chien, Coqui, par une attitude soudaine et anormale de pseudo-cadavres. Il s'approchait aussitôt de nous, nous implorait tour à tour, nous reniflait, mettait son museau contre notre visage, nous poussait de la patte, s'impatientait, s'effrayait, aboyait).

Ce n'était pas du tout non plus un hors-jeu par solitude, une réinvention de l'ermite, bien au contraire. C'était quelque chose de beaucoup plus proche de cette négation paradoxale du solitaire qu'était l'ermite du XVIIIᵉ siècle, l'ermite ornemental à l'anglaise (dont un exemple sinistre est la pseudo-statue verte du film de Peter Greenaway, *The Draughtman's Contract* (*Meurtre dans un jardin anglais*)). L'ermite ornemental ne peut jouer le hors-jeu de solitude que parce qu'il a un public. (Une version ultime, extrême et sarcastique, me semble avoir été celle, purement fictionnelle, du héros d'un court roman-fable de David Garnett : *The Man in the Zoo*, qui s'offre, tel un chimpanzé volontaire, à vivre dans une cage du zoo de Londres, comme représentant de l'espèce *homo sapiens*.)

La mise hors-jeu, en apparence, dans celui de S'avancer-en-rampant, aurait été alors de renvoyer le joueur dans le camp de ceux qui regardaient, dans le « public » du jeu. Mais il n'en était rien. Si le joueur désigné par le guetteur était aussitôt hors-jeu, avait perdu, il ne devenait pas pour autant élément neutre d'une assistance (comme l'était, parfois, un adulte). Car il avait perdu.

Le hors-jeu, donc, était une perte, une défaite. Le toucher du joueur par l'appel de son nom était comme la flèche qui transperce, comme le fleuret qui élimine, le KO qui met au tapis, comme la main qui renvoie, prisonnier, derrière la ligne au jeu de barres.

Mais si je reviens finalement au banc, si je me place, comme je l'ai fait longuement dans ce chapitre, dans la position du guetteur du jeu, de « hors-jeu » (mais simplement « devant-le-jeu »), si je sens aujourd'hui le puits comme une présence dangereuse derrière moi, si je me sens, cette fois, vraiment « hors-jeu », c'est à cause d'une exclusion beaucoup plus radicale, celle du temps. Moi aussi, j'ai perdu.

(du chapitre 4)

101 (§ 30) fruits de l'if à la couleur rouge sombre ; sur l'arbre luisants avec éclat sombre, grave

En retrouvant cette vision, en la notant, j'ai noté aussi que j'ai pensé : **enfant dans l'arbre.** La vision de l'enfant dans l'arbre se rencontre à plusieurs reprises, sous plusieurs déguisements, dans les romans du Graal. Ainsi :

Il ne lui arriva aucune aventure, rien qui mérite d'être raconté, jusqu'à ce qu'il se trouve à l'entrée d'un bois. Dans un arbre qui semblait très grand, il vit un enfant sur une branche, si haut assis qu'une lance n'aurait pu l'atteindre. C'est la vérité toute pure que je vous dis. Il tenait dans ses mains une pomme. Vous auriez pu aller jusqu'à Rome, avant de rencontrer créature mieux dessinée. Il était vêtu richement et ne semblait guère avoir plus de cinq ans.

Perceval l'a regardé un moment puis, arrêtant son cheval sous l'arbre, l'a salué. L'enfant lui a rendu son salut. « Descends de là, lui dit Perceval. — Non, répondit l'enfant, je ne suis pas chevalier. Je ne tiens aucune terre de vous. Bien des paroles que j'ai entendues ont volé jusqu'à mes oreilles et n'en sont pas redescendues, les vôtres ne feront guère plus. — Dis-moi au moins, je t'en prie, si je suis dans le droit chemin. »

Et l'enfant répond : « C'est bien possible, je ne suis pas assez savant à mon âge pour vous le dire si je ne sais où vous allez. » Puis, se dressant debout sur la branche, il grimpa sans plus attendre sur la branche d'en dessus et sans s'arrêter tant monta qu'il devint de plus en plus petit dans les hauteurs puis s'évanouit, et Perceval ne vit plus rien que l'arbre qui semblait sans fin. Il n'entendit plus rien non plus.

Plus tard, quand la lune fut levée la nuit resta si épurée, si suave et si suave et si sereine que chaque étoile apparaissait entre les arbres séparément. Perceval chevauche en pensant à la Lance qui Saigne, au

312

Graal et à la question qu'il poserait. Pendant qu'il va en ce penser, il voit loin un arbre ramu, sur l'arbre plus de mille chandelles, qu'il lui sembla allumées comme des étoiles sur les branches des chandeliers. L'arbre en était tout enflammé mais, à mesure qu'il approchait, la grande clarté s'amenuisait et allait en déclinant. Il n'atteignit qu'un arbre éteint.

Enfant dans l'arbre, ifs, baies de l'if, bougies, illumination sombre, rouge : étoiles naines, arbre éteint.

102 (§ 33 & suite du § 101) **Images qui sont intenses, mais fixes ; mais quasiment isolées**

Je n'affirme nullement que cet isolement est réellement possible, ni que le mouvement perpétuel du souvenir peut être vraiment arrêté. Le choix d'un titre pour un souvenir est un essai d'immobilisation, nécessairement inefficace dans l'absolu, mais dont la réussite peut être relative. Il peut servir d'effecteur de mémoire, favoriser l'évocation volontaire du souvenir. Et il peut aussi « couper » le souvenir de son environnement (c'est le cas dans les exemples que j'évoque ici).

La prolifération irrépressible se produit alors d'une manière fort différente, dont l'exemple précédent, « l'enfant dans l'arbre », donne une illustration. Le « saut » de mémoire amène dans des régions totalement insoupçonnées. (Cela se produit aussi, bien sûr, dans les cas « ordinaires », mais les étrangetés y attirent moins l'attention.)

J'ai reproduit, pour interpréter le passage soudain (à travers le langage, en une image provenant d'un titre) des fruits-bougies de l'if aux « chandelles » du conte du Graal, un fragment de mon livre, *Graal-fiction*, où j'ai rassemblé plusieurs exemples de cette vision offerte à Perceval, pendant son errance à la recherche du château du Roi Pê(é)cheur. Il y a quelque vraisemblance à supposer que « l'enfant » du conte est un déguisement (un des innombrables déguisements) de Merlin. Il s'agit alors d'une vision prémonitoire, d'une annonce, d'une de ces « choses obscures » et jamais à temps déchiffrables que l'enchanteur disperse sur les pas des égarés (elles ne sont déchiffrées, comme toutes les leçons du passé, qu'au futur antérieur : voilà ce qui aura été révélé !).

Mais si j'essaye, à mon tour, tel le lecteur du Graal, de déchiffrer le sens de ce bond depuis l'**If aux Fourmis** jusqu'à l'arbre de Merlin (qui ne paraît pas être un if) (et je me livre à cet effort déductif sans prétendre aucunement à une interprétation effective de ce « passage », qu'on a le droit d'attribuer au simple hasard), je mets au jour un parallélisme entre ma situation et celle de Perceval au moment de cette aventure.

(Il cherche, il est entré en la « quête », parce qu'il n'a pas posé la question qui lui aurait donné le sens de la vision qui lui avait été offerte au château du Roi-Pêcheur, celle du Graal, vision qui est, je le rappelle, tout imprégnée de lumière. La lumière du Graal éclipse celle des chandelles que portent les serviteurs du Roi. Dès qu'il paraît, porté par la Demoiselle, « une si granz clartez an vint/ausi perdirent les chandoiles/lor clarté come les estoiles/qant li solaus lieve, et la lune ». Tels sont les vers de Chrétien de Troyes.) Je suis resté silencieux, moi aussi.

J'ai laissé muette, non dite, dans la scène au pied des ifs une autre image. Et une autre encore, que celle-là appelle, où des fourmis s'enfoncent sous une porte de bois immense, pesante d'un énorme poids. Toute une circulation mentale, tout un échafaudage d'explications internes s'élève autour de ce silence : les bougies rouges des fruits, l'arbre de deuil, les fourmis noires (autre couleur du deuil), l'enfant, l'enfant dans l'arbre.

103 (§ 33 & § 34) **Je ne suis pas entré dans la maison. Je ne la vois que dans un contexte hivernal, de froid relatif, je ne m'en souviens que dans un autre monde**

Ouvrant sur le Parc sauvage, qui ne commençait qu'à une certaine distance (une transition de gravier et de sable ménagée dans l'espace ouvert du dehors, zone frontière plate que je sens aussi d'une parfaite platitude et neutralité émotionnelle), une immense grande salle de séjour, avec cheminée, contenait aussi un piano. Sur ce piano j'ai entendu jouer, avec beaucoup plus de virtuosité technique (je ne suis en fait pas certain qu'elle ait été si remarquable, mais je me trompe sans doute) que je n'aurais jamais pu le faire, mais surtout avec infiniment plus d'âme, d'une longue chevelure désordonnée descendue jusqu'aux doigts de l'exécutant, des pages et des pages de *Nocturnes* de Chopin.

J'aimais bien Chopin, mais l'interprétation hyper-romantique qui coulait de ce front pâle, de cette chevelure et de ces doigts vers ce malheureux et assez mal accordé piano était très peu en harmonie esthétique avec l'enseignement que je recevais de Marguerite Long, dont les leçons (réfractées par Mme Vidal, à Toulouse et les choix propres de ma mère) privilégiaient franchement la sobriété (j'espère que je ne vais pas choquer les admirateurs du pianiste, qui sont à juste titre nombreux, bien que pas tous recrutés parmi les amateurs de musique, comme on le verra dans un ou deux instants (de prose)), et cela aiguisait vivement mon sens du comique, que je faisais partager, hélas!, à mes compagnons de jeu (frères et sœur, les « jumeaux », « petit-Jean »).

(Un sens du comique favorisé, il faut bien le dire, par les lectures auxquelles je me livrais pendant ce récital sans public : le pianiste jouait pour lui seul, dans la matinée froide et vide, et il ne faisait pas attention à ma présence. J'ajouterai, pour faire preuve de plus d'honnêteté encore et affaiblir la portée réelle de mes remarques, que j'aimais bien être seul pour lire dans cette immense salle, et que Chopin, donc, m'y dérangeait.)

Le pianiste se nommait Vladimir Jankélévitch. Si je parle de lui ici d'une manière si irrévérencieuse, c'est pour les besoins de mon récit, et selon mon souvenir (la même remarque vaut pour Georges Canguilhem). Je sais (mais je ne savais pas, et pour cause) que l'œuvre de ce philosophe comporte en particulier des études sur Chopin. Et je sais surtout (mais je ne savais pas, même si je m'en doutais un peu) qu'il n'était là que parce que les circonstances historiques l'obligeaient à chercher des refuges pour échapper à des ennemis fort peu romantiques.

Sainte-Lucie était un tel refuge. Notre amie Nina (qui fut à Lyon, dans la Résistance, secrétaire de Marc Bloch) y fut quelque temps, et brune (ce que je trouvai, quand je la revis, et ainsi colorée, une innovation assez médiocre, presque une faute de goût. J'ai toujours été sensible au naturel des chevelures). Il faisait froid en hiver (on a vraiment froid en Méditerranée, quand il fait froid, bien plus qu'en Norvège), d'autant plus froid qu'il n'y avait à peu près rien à manger.

C'est pour remédier du même coup, partiellement au moins, à ces deux inconvénients, que mon père demanda un jour à « Camillou », le maître des lieux, s'il n'avait pas quelque alcool dans un placard. Camillou ne buvait pas (tout cela, bien sûr, doit s'ajouter au portrait de Camillou, tel que je l'esquisse au § 34, mais en privilégiant, là, le point de vue enfantin). Il finit par dénicher une bouteille poussiéreuse, dont il versa deux larges verres à ces hôtes. Mon père (il en faisait le récit) prit le sien, trempa ses lèvres, et le reposa aussitôt. C'était de

315

l'alcool pur. Mais Nina l'avala d'un trait sans sourciller : preuve, ajoutait mon père, de son intrépidité. Mais elle prétendait, elle, que c'était un simple effet de son excellente éducation.

104 (suite du § 103) **L'immense salle à manger était le plus souvent déserte quand j'y pénétrais, tôt le matin**

L'immense salle à manger était le plus souvent déserte quand j'y pénétrais, tôt le matin, dès mon réveil. J'y trouvais une vaste tranquillité confortable, pour lire. J'aime lire. J'aimais, déjà, lire. Il y avait des livres, beaucoup de livres. C'était une maison à livres. Je n'aime que les maisons à livres. Une maison sans livres n'est qu'une ruine, ou une prison, une caserne, un monument, un musée.

Je prenais un fauteuil près du feu, le reste de feu de la nuit, odorant de fumées, sarments et bûches, résines et braises (la braise a son odeur propre, qui lui vient du velours de sa couleur). Je montais sur le fauteuil, repliais mes jambes sous moi, et lisais.

Les livres de la bibliothèque de Camillou étaient pour grande partie espagnols. Mais il y avait aussi des livres français, entre lesquels je pus choisir sans restriction. C'est là que j'ai fait la connaissance du grand *Quichotte* illustré par Gustave Doré (et il ne m'a pas échappé plus tard, que ce héros, dickensien et dostoïevskien à la fois, avait une parenté certaine avec Camille Boer, ou bien que Camille Boer avait une composante « quichottesque », pas tellement parce qu'il ne sut pas se « débrouiller » dans le *struggle for life* d'après la Libération, ce que j'entendis dire parfois de lui avec un attendrissement légèrement agacé, mais parce qu'il ne cessa de s'affronter aux géants et aux moulins de ce monde pour l'amour de l'espèce humaine, douteuse « Toboso » (les géants-moulins qu'affronte le héros sont parfaitement réels, contrairement à ce que la lecture usuelle, trop rapide, du *Quichotte* pourrait laisser croire : « *The joke*, comme on dit en anglais, *is on us* »)).

La lecture du *Quichotte* dans ce contexte était en somme quasiment imposée. Mais je revois au même endroit deux autres livres, aussi différents l'un de l'autre que possible, auxquels l'espace solitaire de la lecture convenait parfaitement. Il s'agit en premier des *Contes* d'Edgar Poe, dans la traduction de Baudelaire. (Je ne me souviens que de l'aspect physique du livre, ou plus exactement je ne vois plus que la couverture cartonnée vert-gris de l'exemplaire qui se trouvait rue d'Assas, dans la bibliothèque de mes parents.)

Les circonstances de la lecture font partie intégrante de la lecture : aussi bien le livre concret que son apparence, son format, son poids, sa typographie, que le volume d'espace réel au sein duquel nous l'avons lu : un train, un lit, une herbe. Le livre, l'œuvre, est <u>cela</u> pour nous. Il est tout autant que la lettre exacte de son texte, vérifiable en le rouvrant (et pas toujours alors, compatible avec notre souvenir !), ce que nous en avons retenu (les « circonstances » en font partie). Tout autant que l'immobilité stable de ses mots, dans ses pages, l'allure de nos yeux sur ses lignes, l'intensité variable de notre regard.

Mais les livres que nous avons lu « colorent » en retour, d'une manière au moins aussi forte, les lieux et les circonstances où nous les avons ouverts. C'est pourquoi ni l'hiver, ni le vent d'hiver sous les portes, ni la solitude ne s'unissent avec les imaginations macabres de *La Chute de la maison Usher* par exemple, pour faire de la grande salle de Sainte-Lucie un endroit « gothique ». L'impression principale qui m'en demeure aujourd'hui est comique : car c'est là que j'ai lu pour la première fois *Trois Hommes dans un bateau* de Jerome K. Jerome (et l'impression en a été si forte que, contrairement à mon habitude, je ne « sens » pas cette histoire en anglais, mais en français. Je ne pense pas à *Three Men in a Boat* (que j'ai lu aussi, que j'apprécie, mais qui ne se substitue pas à sa traduction) mais bien à *Trois Hommes dans un bateau*). Je lisais : « Je n'ai jamais vu deux hommes faire tant de choses avec une livre de beurre », ou encore : « Je n'avais pas " l'épanchement de synovie ". Pourquoi n'avais-je pas l'épanchement de synovie ? », et je riais. Je riais tout seul dans la grande pièce matinale, tiède, protégée ; et vide. Je prononce aujourd'hui ces phrases, et aussitôt j'y suis.

105 (§ 34) **Les années 40-45 furent des années bénies pour le vélo**

Même en l'absence du Tour de France (dont la dernière « édition » de l'avant-guerre, en 1939, ne m'a pas marqué (celle de 1947 me passionna. Je vibrai pour Vietto qui, terminant deuxième mais plein d'avenir le dernier « Tour » avant la catastrophe, derrière un Belge (Sylvère Maës ?), perdit à la dernière étape sa chance d'une éclatante revanche sur le sort)), le prestige du vélo était chez nous considérable.

Mon père sillonnait ainsi les routes de l'Aude, pour cause (ostensible mais pas exclusive) de ravitaillement.

A son exemple et incitation nous avons tous été, nous aussi, d'ardents cyclistes : freins, chambres à air, rustines, bulles d'air s'élevant dans une bassine remplie d'eau pour la détection des blessures d'un pneu crevé, lignes droites de routes entre platanes, descentes virtuoses « sans les mains », « poivrage » caractéristique de petits cailloux sur une cuisse sanglante après un dérapage excessif dans un virage, zig-zags d'un bord à l'autre d'une « départementale » dans un « raidillon », une « côte », un col (marqués respectivement d'un « < » ou même d'un « << » sur la carte Michelin (les côtes à un ou deux chevrons, comme des soldats de 1re classe ou des caporaux du réseau routier)), j'ai connu tout cela, sur de très nombreuses routes de l'Aude.

Mais par un effet inverse de celui du manque alimentaire (porc, confitures et pâtisseries, beurre, oranges), l'orgie enfantine du vélo a provoqué une saturation, presque un dégoût, et je n'ai presque plus utilisé ce moyen de locomotion après vingt-cinq ans (dès les premières années de notre installation estivale et vacancière, dans le Minervois). (J'ai mis longtemps à m'en rendre compte, à accepter que je n'aimais tout simplement plus le vélo. J'accusais la mécanique, la longueur de mes jambes, ou la chaleur, ou la fatigue.)

(§ 34) **Le vélo posé contre un muret, en haut de la côte ; arrêt, prolongement naturel de l'instant de suspension, à vitesse nulle, avant l'ivresse de la descente**

L'état d'équilibre des *maxima* du relief engendre toute une famille de visions vélocypédiques qui n'ont que cette circonstance en commun, et une parenté de décors : la route, le goudron, les bornes hectométriques blanches, les plus grosses bornes kilométriques jaunes ou rouges.

Du rouge sombre désolé et hivernal de Villerouge-la-Crémade je passe ainsi, dans un autre lieu sauvage, du Carcassès cette fois, près du village d'Aragon. **C'est le plein été, nous sommes arrêtés, mon père et moi, au sommet, et plus bas, sur la route, dans le goudron mou, brûlant, ma mère et Canguilhem ont mis pied à terre, ils sont là, cinquante mètres plus bas, dans le tournant : la pente est trop raide, et surtout il fait trop chaud ; d'une chaleur sans vent, sous un soleil sans encombres ;**

le ciel déborde de chaleur; rien ne bouge; que les sauterelles; d'innombrables sauterelles, aux corps bruns, aux ailes rouges, aux ailes bleues; dans la paume de la main, d'un doigt retenant le corps de l'insecte, je sens ses petites griffes, et les longues cuisses s'arc-bouter, pour le bond que j'entrave un moment; je me penche jusqu'à mettre mes yeux presque sur les siens, sur ses mandibules silencieuses, agitées, furieuses; je retire mon doigt, et la détente brusque de la sauterelle l'envoie à cinq, dix mètres, sur la route, le muret, les fenouils; ailes bleues, ailes rouges.

(du chapitre 5)

106 (§ 36) A la fin de l'âge mythique j'ai donné à mes dieux une langue, le Péruviaque

Quelques bribes lexicales survivent de cette langue des dieux. Le premier mot que je retrouve est d'interprétation simple, étant un néologisme assez naturel (je le trouve tel) du français (peut-être même est-ce un mot de la langue française. Il n'apparaît cependant pas dans le *Petit Robert* que je viens de consulter). C'est le mot : bouillaque. Il désigne cet amalgame suave de boue primordiale pré-adamiste, incorporant eau (pipi si nécessaire), sable, terre, quelques cailloux, brins d'herbe et brindilles, qui sert (chez tous les enfants non brimés dans leurs aspirations artistiques) à la construction, au modelage des statues, ou à la communion intime avec la chair de la planète.

L'adjectif substantivé péruviaque s'interprète alors (j'utilise la méthode de Leiris) comme bâti, à l'aide du suffixe -aque qui donne son sens tellurique à « bouillaque », sur un substantif géographico-mystique (absent et restitué) désignant le pays des Dieux, où on retrouve, sous forme allusive, le grand mystère inca. La langue inventée allégorise ainsi l'union difficile et provisoire des forces naturelles et transcendantales.

Je commenterai trois mots. (Je n'en possède pas beaucoup d'autres, la plupart de ceux qui figurent dans la grammaire inachevée étant indéchiffrables. Le péruviaque est ainsi proche du *cumbrique*, cette langue celte disparue au VIIᵉ siècle dont il ne reste que six mots.) Desquels le premier est pétoule. On désigne ainsi une potion plutôt magique, à base d'essences végétales et d'eau, qui sert de carburant aux dieux. (Le mot a quelque affinité sonore avec pétrole.) La recette, alchimique, de sa fabrication se trouve dans le document linguistique déjà mentionné, autant dire qu'elle est perdue. Je me souviens de l'apparence du produit fini, un liquide trouble, un peu bouillaque, mais de couleur plus claire, un peu absinthe, à la surface duquel je lisais, en ses irisations, un arc-en-ciel fugace, volatil, semblable, en plus léger, plus ténu, à ceux que je surprenais parfois, sur le chemin de l'école, chargés d'odeurs narcotiques, dans les flaques abandonnées par les automobiles, sur le sol du garage, « route de Limoux ».

Dans les deux autres cas il s'agit d'un fruit, de plantes sans doute connues en langue ordinaire sous d'autres appellations (les fruits eux-mêmes, dont l'inutilité est totale, n'en ont pas reçu, il me semble). La nomination, dans ce cas, était destinée à signifier le statut particulier, la dignité que conférait au fruit son rôle dans un rituel, dans les cérémonies sacrées du paganisme péruviaque. L'un d'eux était plein de vertus médicinales, mais essentiellement symboliques car, non comestible au sens usuel (et peut-être même poison), la prudence élémentaire recommandait de ne le consommer qu'en imagination. Il se parait, alors, surtout transformé, selon une pure théorie, en une sorte de purée, ou de compote, des prestiges que l'Olympe accorde à l'ambroisie. Son nom était l'Op-tida. C'est une petite boule orange, d'intérieur farineux, qui pousse en grappes sur un arbre ornemental qu'on trouve un peu partout.

Le second était le pulumusse, fruit du pulumussier : petite graine minuscule, de la taille et de l'apparence du pépin de raisin, et disponible, selon le degré de maturation en plusieurs variétés, séparables par leur couleur : verte, bleue, et marron. Le pulumusse servait de projectile (lancé par poignées, moins agressives que les boules de cyprès, dans des batailles symboliques, ou dans un béret à quelques pas, jeu d'adresse, semblable à celui que les élèves des classes préparatoires aux grandes écoles jouaient autrefois avec des morceaux de craie à projeter jusque dans la rigole à poussières au bas des tableaux noirs), ou bien de menue monnaie, ou bien de représentant de diverses denrées nécessaires pour certains jeux (légumes par exemple) mais dont la manipulation réelle était impossible. Ses « muances » étaient donc multiples. C'était un petit objet protéiforme, dont le nom tenait bien dans la bouche. Je continue à l'employer.

Des réserves de pulumusses gonflaient mes poches, les tiroirs de mon petit bureau. Je les récoltais patiemment. Je les dénombrais. Ils étaient la preuve vivante d'une présence réelle, dans la nature sensible, de l'Idée de Grand Nombre, Nombre Nuptial naturel plus directement appréhendable par l'esprit que les grains de sable, les cailloux ou ces autres pulumusses, brillantes mais lointaines, impalpables, les graines du ciel nocturne étoilé.

107 (§ 39) C'est ce que j'appellerais le confort autobiographique. Il resurgit sans aucun contrôle chez le romancier.

On ouvre un roman. On y trouve presque immédiatement un personnage qui pense à un moment donné de son aventure. La page s'ouvre et il est là, qui pense. L'imagination d'un « monde possible » du personnage constitue la justification généralement fournie de ces spéculations peu vraisemblables. Elle a bon dos. Le point de vue externe du récit, externe au temps comme au lieu intérieur d'une tête pensante rend impossible de « traiter » une telle scène avec un minimum de cohérence. Les tentatives de « pénétration » de la prose « psychologique » sont presque pires, car on s'y borne à translater momentanément le même point de fuite, en fait d'envoyer à l'infini le regard intérieur dont l'espace réel a une géométrie fort différente.

On ne peut pas non plus s'en tenir à l'extériorité purement spatiale : décrire la radio, la famille attablée au repas du soir, les enfants déjà sur le pas de la porte, prêts à sortir jouer dans le jardin, la tension qui se réverbère dans la pièce. Marie pleure. On reproduit les paroles du père...

Je ne veux pas affirmer que le romancier ne doit pas agir ainsi. Il fait ce qu'il veut. Mais peut-être, parfois, on aimerait que la narration montre ne serait-ce qu'une petite inquiétude sous-jacente, un pressentiment du problème de l'adéquation des méthodes de récit, des modes, des stratégies de récit à la possibilité même minimale des mondes qu'elle nous invite à considérer ainsi.

Car le romancier est victime inconsciente d'une mutation historique : l'extériorisation du souvenir. La chute, au cours du xviiᵉ siècle, de la tradition ancestrale des Arts de la Mémoire a laissé la place à la prolifération en prose des descriptions lentes et morcelées d'objets du monde, si différente de la vision globale des images-souvenirs dans le réel intérieur.

C'est une évolution sans doute irréversible. La prose ancienne, même la prose de récit, n'a pratiquement jamais recours à ces parcours à images et multiplication de détails prélevés crûment dans le monde extérieur, à ces immobilités strictement inscrites dans un espace sagement tridimensionnel.

Le mode de fonctionnement des souvenirs, labyrinthique, arborescent, multidimensionnel, a été oublié : leur vitesse, leur irrésolution, leurs ambiguïtés, ont cessé d'être comprises. Le récit ancien n'avait aucune prétention à la restitution du phénomène du monde. Et la poésie ancienne ne mimait pas le souvenir. Elle le suscitait, elle l'effectuait.

108 (§ 39) Dans les villes, à Carcassonne en particulier, on eut très faim

Les « autorités » (collaboratrices) avaient inventé un jeu très amusant : les jours de marché, dès l'aube, dès avant l'aube, les foules de ménagères (et de « ménagers ») soucieuses d'être parmi les premières devant les étalages de rares légumes et encore plus rares fruits, envahissaient l'élégante place rectangulaire à platanes où trône, ornement central, la fontaine du « Roi des Eaux » (un jour de décembre, en 1941, il n'y avait en tout et pour tout sur le marché qu'une seule marchande, qui vendait des fanes de carottes : j'ai retenu ce détail générique du récit de ma mère, et le mot « fanes »).

On avait donc barré, policièrement, soi-disant par souci de justice, l'accès au marché par les rues confluentes. A l'heure dite (huit heures), une sonnerie retentissait, les barrages s'ouvraient et les candidats à la nourriture se précipitaient sur la place où les attendaient, vrais maîtres de l'heure, les maraîchers. Il y eut des bousculades féroces, une femme enceinte, raconte-t-on, fut piétinée. La télévision mondiale, depuis, nous a montré, nous montre (pourrait nous montrer presque journellement) des scènes semblables, et infiniment plus tragiques. Mais c'était une « première », à Carcassonne, en 1942.

Réagissant aux protestations générales et avec leur souci bien connu de l'ordre et de l'humanisme « européen », les « autorités » décidèrent ensuite de fractionner l'accès, toujours limité par des barrages, aux précieuses denrées, en répartissant les femmes (considérées comme seules investies de la responsabilité de l'alimentation familiale (Vichy avait fait sienne la devise allemande des devoirs de l'épouse, les trois K (*Kinder, Kirsche, Küsche* (enfant, église et cuisine)))) en trois groupes (théoriquement égaux). Les premières étaient munies de cartes rouges, les deuxièmes de cartes vertes, les troisièmes de cartes bleues.

Il y avait (il y a toujours) trois jours de marché à Carcassonne : mardi, jeudi, samedi. Mardi, donc, par exemple, était jour « rouge ». Ce jour-là, les cartes rouges avaient les premières le droit d'entrée à huit heures, les cartes vertes suivaient à neuf, et les cartes bleues à dix (et elles pouvaient tout aussi bien rester chez elles ce jour-là, car s'il restait quelque chose de comestible après huit heures, la deuxième vague affamée n'en aurait rien laissé, sauf peut-être les légumes « infâmes » de ce temps, topinambours et rutabagas).

Mais, me direz-vous, et les malades, les femmes enceintes (légitimement), les mères d'enfants en bas âge ou de « familles nombreuses » (comme la nôtre)? Eh bien, celles-là avaient des cartes spéciales (valables aussi chez le laitier, le boulanger ou le boucher), des rations supérieures (des « tickets » de pain, de viande, de lait), en un mot, des privilèges. Et les mêmes ménagères qui bavaient d'émotion (quasi érotique, voisine de l'émotion suscitée plus tard, quoique pas chez les mêmes, par les fesses de Brigitte Bardot) à la vue du visage de bébé rose du maréchal Pétain (« Rose et frais, la jambe proprette / Comme en rêvent un les préfètes / Comme on les moule en chocolat / ») répandu sur tous les journaux ou sur les « actualités cinématographiques », se sentaient pousser des ailes revendicatrices devant cette inégalité, cette injustice, ce scandale. On entendait dans les queues leurs murmures, on sentait leurs regards haineux : « Ces " périorités ", disaient-elles, elles ont de tout ! »

Mardi, jeudi, samedi, jours de marché, les « cars » qui sillonnent le Carcassès aujourd'hui, et dont la fonction principale est maintenant le ramassage scolaire (parfois l'hiver, quand je retourne à Paris, dans la nuit de sept heures du matin, je monte à l'arrêt « gare de Bagnoles » (ainsi nommé parce qu'il y eut, passant par là, autrefois un petit train) parmi des lycéens et lycéennes de Rieux-Minervois, de Peyriac, de Villegly, plutôt silencieux et endormis), ont un service supplémentaire aux alentours de neuf heures, et parfois aussi je me retrouve sur la place du « Roi des Eaux », à la terrasse du café qui sert de point de rencontre familial, le café du rugby, *Chez Félix*. Je regarde l'abondance et je fais par la pensée le vide sur les étalages, pour restituer (effort parfaitement vain, d'ailleurs) le souvenir des anciennes faims.

109 (§ 39) Je me consacrai à ma vocation poétique avec plus de constance, de concentration et de conviction qu'à l'étude

Plus précisément il m'arriva de consacrer à l'activité essentiellement rêveuse et privée de la confection mentale de poèmes bien des heures qui auraient dû être employées aux disciplines scolaires, les heures de cours ne faisant pas exception (et quand je ne jouais pas la poésie, je me livrais à un autre jeu de langage, mental lui aussi : de dénombrements, de calculs). Je commençais ainsi un poème pendant la classe de latin, de « français » ou de mathématiques, et je le terminais pendant le trajet du retour, sous la protection de mes dieux de vent, de feuilles et de ciel : activité métrique et rimique bien plus que privée seulement, clandestine. C'était ma clandestinité à moi.

En fait, c'était aussi une condition d'exercice de la solitude. Seul, je ne l'étais pour ainsi dire jamais. Et j'avais assez naturellement choisi ces heures d'immobilisation forcée (les heures du lycée, les heures prénocturnes des « devoirs » à la maison) pour m'isoler intérieurement. Cela me donnait (cela me donne) toutes les apparences de la distraction (la distraction au sens ordinaire m'était (m'est) par ailleurs habituelle, manifestée par toutes sortes d'oublis). Je m'exerçai ainsi, à l'intérieur du bruit, à la concentration, à la mémorisation (mais de nombres-chiffres, de syllabes, presque exclusivement : d'un monde extérieur de langue). Je touchais de cette façon, obliquement, au silence, un silence creusé dans le non-silence ambiant (dont il m'arrivait d'être brusquement extrait, fort désagréablement, par une interpellation professorale).

J'ai sans cesse depuis, volontairement ou non (comme soldat, par exemple), retrouvé, reconstitué même cet état de présence-absence, d'absence invisible, de camp retranché sans drapeau un peu partout, dans les cafés, les rues passantes, les fêtes, les bibliothèques. Il s'ensuit que la poésie se trouvait à la fois associée et très peu participer à l'institution scolaire. Je ne l'ai jamais considérée (je veux dire de manière spontanée, sans réflexion) comme appartenant à la « littérature » (que par ailleurs je ne rejetais pas plus que les autres « disciplines » de la scolarité. Il ne s'agissait pas le moins du monde d'une révolte, mais d'un détachement).

J'identifie une exception à cette règle de ma scolarité à éclipses (d'émigré vers l'intérieur au sein de l'institution) : l'anglais. La langue anglaise avait toutes les raisons, sentimentales et politiques, de me plaire. J'ai été relativement vite en mesure de lire en anglais (en tout cas dès mon premier séjour en Écosse, en 1947), et l'ouverture de cet immense continent de lecture a été une merveille, plus corporelle même qu'intellectuelle, et il n'y a guère de plaisir plus pur pour moi que d'acheter un livre dans une librairie de Londres, le tenir et le soupeser dans mes mains, en différer l'ouverture pour une occasion propice : un dimanche, un voyage en train, un banc de parc, une table de café, une chambre d'hôtel. Je ne suis jamais parvenu à maîtriser réellement la langue dans toutes ses fonctions (je suis, par exemple, resté très loin de l'excellence, professionnelle diversement, de ma mère, de ma sœur, et de ma nièce Anne) : ma prononciation de l'anglais est erratique (la ligne accentuelle m'échappe souvent, ce qui est certainement un effet de mon absorption rythmique dans la langue de la poésie), je ne l'écris pas. Mais je la lis. Je lis même plus volontiers en anglais qu'en français : dispositif de protection de la langue de poésie, du même ordre qu'autrefois le fut celui des bruits.

Je me souviens de Pooh et de ses poèmes, qu'il appelle des « bourdonnements », des « hums » (comme un bruit des abeilles du monde autour du miel de poésie). Je me souviens du blaireau de *The Wind in the Willows* (Mr. Badger), des jeunes hérissons dans sa cuisine avec leurs petits foulards écossais bien serrés contre la neige de l'hiver (j'ai toujours eu une affection débordante pour les hérissons), de son amie la taupe *(Mole)*, qui m'inspira un conte pour mon auditoire fraternel (« La taupe qui voulait voir la mer »), et surtout un poème, mon premier poème en anglais, dont je n'ai retenu qu'une strophe de trois vers, sans doute à cause de l'usage bizarre de la préposition *among* qu'ils contiennent : « *Far among/the wind's song/is the Mole/.* »

Mais j'entends surtout le *sing-song* d'un poème d'A. A. Milne (le créateur de « Pooh ») caractéristique d'une récitation collective de classe :

> *Ti-mo-thy-Tim* has-ten-pink-toes
> And ten pink toes has Timothy Tim
> They go with him wherever he goes
> And wherever he goes they go with him.

Enivrante était la houle des reprises de vers à vers, la vague du nouveau vers précipitée depuis la crête d'un *And*, fascinantes les balles de mitrailleuse monosyllabiques de ses mots, éblouissants enfin les seuls non monosyllabes, les dactyles si peu français de *wherever* et surtout, surtout de « Timothy ». Ses doigts de pied sont roses, mais ses yeux sont bleus : « *Timothy Tim has two blue eyes/And two blue eyes has Timothy Tim.* »

110 (§ 39) **Nous participions avec componction à la cérémonie trimestrielle de la mesure**

Je m'étonne que mon père n'ait pas choisi, comme le faisaient d'autres pères de famille, plutôt un arbre du jardin, un pin, ou l'abricotier : une incise dans l'écorce de l'arbre en aurait mieux encore conservé le souvenir, et accentué la métaphore végétale. Cette tradition-là, apparemment, n'a pas disparu, si j'en juge par un merveilleux dessin de Philippe Gelluk dans son album *Le Quatrième Chat* où le héros, Le Chat soi-même (« Le », semble-t-il, est son prénom), mesure ainsi son fils au tronc d'un arbre, et constate avec stupeur que les marques précédentes (implicitement précédentes) sont au-dessus de la tête du jeune « Chat ». (On pourrait imaginer un arbre espiègle, ayant grandi lui-même pendant l'intervalle de deux mesures.)

Mais la cérémonie de la mesure de nos tailles enfantines m'évoque surtout aujourd'hui mon vieil ami de la rue de Vaugirard, près du Palais sénatorial du Luxembourg, **cette personnalité parisienne peu connue, une copie horizontale de Monsieur le mètre étalon**, et le paradoxe qui menace toutes les unités de référence pour des mesures. Wittgenstein, en effet, dans les *Investigations philosophiques*, affirme, elliptiquement et énigmatiquement comme il lui arrive souvent, qu'on ne peut pas dire de lui qu'il a, ni qu'il n'a pas, un mètre de long.

Kripke trouve que cette propriété du mètre étalon du pavillon de Breteuil (c'est de lui qu'il s'agit) est véritablement « extraordinaire » et il ajoute : « Je pense que Wittgenstein se trompe. » Je ne prendrai pas parti dans ce grave débat philosophique, longuement soupesé par Nathan Salmon dans le vol. LXXXVIII des *Proceedings of the Aristotelian Society* en 1988.

Pour Wittgenstein, semble-t-il, cette propriété paradoxale, non du mètre abstrait mais du mètre étalon résulte de son rôle particulier dans le « jeu de langage » de la mesure : car tout objet a une longueur, mais une longueur mesurée n'est « un mètre » que par comparaison avec l'étalon. Dans ce cas (cousin donc du célèbre barbier de Lord Bertrand Russell qui rasait tous les hommes du village qui ne se rasaient pas eux-mêmes) l'étalon ne peut se mesurer lui-même (et pourtant a une longueur, comme tout objet) (cette présentation du paradoxe est légèrement différente de celle de Wittgenstein : on ne peut ni dire ni ne pas dire que le mètre étalon a un mètre de longueur).

Mais qu'en est-il, alors, de la copie du mètre, de « mon » mètre ? Ne pourrait-on se servir de lui comme remplaçant, comme substitut, comme double ? N'est-il pas plus fondamentalement de la longueur d'un mètre que n'importe quel mètre-ruban, que n'importe quelle toise ? Et ne pourrait-on, ayant vérifié la perfection de sa longueur, lui demander son aide pour mesurer, à son tour, le mètre étalon ? (De même que le barbier de Russell, se rasant face à son miroir de barbier, rase son double.) Autrement dit, pour éviter toute difficulté logique, les étalons de mesure ne devraient-ils pas être, toujours, des « doubles » ?

Voilà ce que je pensais, l'autre jour, en remontant la rue Garancière, après avoir évoqué, dans ce chapitre, l'image-mémoire de l'acte de nos mensurations. Et je me demandais, mélancoliquement réfléchissant sur la déchéance de mon vieil ami, qui n'est plus que la copie d'un dieu déchu, dont la longueur (qui n'est certainement plus d'un mètre, de toute façon) n'est même plus susceptible de paradoxe, puisqu'il a été remplacé par une longueur d'onde, si le mètre, en changeant, en devenant raie lumineuse, n'avait pas seulement acquis une plus grande précision et stabilité, mais aussi un statut plus purement paradoxal, et sans remède : car la lumière n'est pas un artefact, n'a pas de double.

111 (§ 40) **Mon père avait pour nous, je ne dirais pas des ambitions olympiques, du moins l'espoir de nous voir réussir honorablement dans les disciplines de l'athlétisme**

Je fus sa première déception. Mes débuts avaient été prometteurs : je courais bien et volontiers, à la fois vite ou longtemps, je sautais avec quelque enthousiasme quoique peu techniquement (« mais sans technique un don n'est rien qu'un' sal' manie » dit le poète). J'étais surtout à l'aise avec la course animale (quatre pattes), et le saut sans élan, disciplines non reconnues par la FFA (Fédération française d'athlétisme). Mais ni les dispositions ni le goût de l'effort sportif ne survécurent à notre transplantation à Paris. Et je n'eus jamais le loisir de devenir (malgré quelques essais en « scolaire ») un bon « trois-quarts aile ». Je me contentai (je me contente toujours) d'acquérir une certaine compétence numérique des diverses spécialités olympiques et de me montrer un supporter résolu de l'équipe de Toulon (l'équipe toujours soutenue par mon père) ainsi que de celles de Galles et d'Écosse (par sympathie pour les paysages du Fife ou de Carmarthen, comme pour la « matière de Bretagne », les romans fabuleux médiévaux dont j'admets l'origine celte).

Le relais du flambeau des ambitions paternelles ne put pas non plus être confié à ma sœur. Elle fit quelques essais, très concluants, dans le saut en longueur, mais elle s'interrompit assez vite pour une raison assez spéciale : elle voulait bien participer à des compétitions (à l'extrême rigueur) mais elle détestait qu'on la regarde sauter. Il lui aurait fallu des épreuves sans public, sans arbitre, et des concurrentes qui détourneraient le regard au moment de ses « essais ». Elle profita un jour de l'effervescence qui entourait une championne (qui avait dû approcher ou même dépasser six mètres, performance assez rare dans les années cinquante) pour tenter d'effectuer en quelque sorte clandestinement son propre saut. Elle se fit une entorse et abandonna la compétition.

Le projecteur se déplaça alors vers mon frère Pierre, son cadet de quinze mois. C'était le moment où, un peu partout, se mettaient (avec retard) à fleurir les piscines (si j'ose m'exprimer ainsi). Et c'est dans cette direction toute nouvelle (familialement parlant) qu'il choisit de s'orienter. Ses progrès furent rapides. Il parvint à un « niveau », comme on dit, scolaire et universitaire « national », en crawl et encore plus brillamment en brasse. Cette fois, ce sont les exigences de l'entraînement moderne, peu compatibles avec des études de biologie, aggravées de son appartenance à la fédération sportive concurrente (politiquement) de l'officielle, ce qui ne lui facilitait pas les choses, et du peu de sympathie qu'il ressentait pour les modes de pensée et de vie des aspirants champions (on a vu mieux depuis !) qui entravèrent sa marche (de toute façon incertaine) vers la gloire natatoire.

Sautons une génération. Ni ma fille Laurence, ni la plupart de mes neveux et nièces (mon neveu Vincent, qui est un enseignant des disciplines sportives n'est pas un sportif de compétition) n'ont été tentés d'incarner le même rêve, devenu cette fois grand-paternel (et, disons-le, un peu avunculaire aussi). A l'exception de mon neveu François. Ayant dépassé son grand-père, son père, son oncle et sa tante, ainsi que son frère, ses sœurs et ses cousines par la taille (1 mètre 98 ou 99), il entreprit de nous surpasser tous en natation.

Il fit mieux que son père, aussi bien en crawl qu'en brasse, fut champion de France universitaire, aurait pu tenter sa chance en « haute compétition », comme on dit. Il s'arrêta, pour des raisons à peu près semblables (et l'atmosphère, dans les régions de grandes performances, était devenue encore plus difficilement respirable que

vingt ans auparavant. Comme le dit un jour l'entraîneur des
« espoirs » français, dont il faisait partie (et qui entraînait encore
l'équipe de France aux jeux Olympiques de Barcelone) : « Roubaud, il
ne continuera pas. Il est trop intelligent ! »). Il avait, de plus, une
particularité assez handicapante pour un nageur de championnat : il
détestait les virages. Il refusa toujours d'apprendre à les prendre selon
les normes des règlements de l'époque (qui ont été abrogées depuis !),
et perdait régulièrement une demi-seconde à chaque fois. Je dus ainsi
renoncer à mon rêve d'aller le soutenir aux jeux Olympiques, où je
m'étais promis de me rendre comme supporter familial, s'il était
arrivé jusque-là.

Il ne renonça pas cependant à toute compétition sportive, se
tournant (avec succès), vers la boxe française. (Mon père a été un
grand amateur de boxe, dans les grandes années de ce sport, qui vont
de Carpentier à Cerdan et de Jack Dempsey à Ray « Sugar » Ro-
binson.)

112 (§ 40) Voilà ce qui arriverait à leurs filles si elles continuaient à prétendre faire de la course à pied

A cette époque mon père jouait volontiers à un petit jeu. Il
demandait : Quel est, selon vous, le temps mis par un bon coureur
pour franchir 100 mètres ? Les évaluations proposées allaient d'une
seconde à une minute. Particulièrement frappant et surprenant pour
lui avait été le fait que notre amie Nina avait été de celles (et ceux) qui
avaient répondu « une minute » (ou « une seconde », je ne sais), elle,
disait mon père, qui comme scientifique, comme astrophysicienne,
habituée par conséquent aux échelles de nombres et aux mesures,
aurait dû être plus à même d'en juger correctement

Mais bien au contraire, répondait en substance ma mère qui n'avait
jamais pu s'intéresser aux performances des jeux Olympiques (pas
plus qu'à celles des équipes de rugby) (elle fit seulement, bien plus
tard, un effort surhumain pour retenir celles, natatoires, de mon frère
Pierre, puis celles, plus brillantes encore et toujours natatoires de son
petit-fils François, fils de son fils, et mon neveu), bien au contraire,
disait à peu près ma mère, qu'est-ce qu'un 100 mètres pour quelqu'un
qui a l'habitude de compter en années-lumière, de parcourir par la
pensée des galaxies ?

Mais quand même ! répétait mon père, courir un 100 mètres en une seconde signifierait une vitesse de 360 kilomètres à l'heure, et le courir en une minute est quelque chose qu'on peut faire assez facilement en marchant. Sans aucun doute, répliquait ma mère, mais pourquoi se fatiguer à effectuer un tel calcul ? En effet, pourquoi ?

J'ai été très jeune de ceux qui connaissaient plutôt bien les limites spatiales ou temporelles atteintes par coureurs, sauteurs et lanceurs des différents pays. J'ai vu tomber les « barrières symboliques », les 4 minutes au *mile*, les 17 mètres au triple saut, et même les 6 mètres à la perche. Autant que la beauté des grandes courses, les fins de 800 mètres de Sebastian Coe, les souffrances irrésistibles de Zatopek, auxquelles j'ai rarement assisté *in vivo*, c'est la profusion enchanteresse des nombres (performances et classements) qui m'avait tout de suite attiré, et ce n'est que tout récemment que la perversion évidente du « marché » sportif, avec son cortège de dopages, de truquages et de sponsoring prenant le relais du gavage d'État, m'en a finalement détourné.

L'un de mes derniers étonnements de spectateur a été de voir une femme courir le 100 mètres en moins de 11 secondes : je me suis souvenu en effet d'avoir assisté (ce devait être en 1943) à une course disputée sur le stade de Carcassonne (que je fréquentais plus souvent pour les matches de rugby), dont le très large vainqueur avait été le champion de France de l'époque, nommé Valmy (un nom fort symbolique pour un temps de guerre), et il avait couru (assez loin de son propre record (10 sec. 5), il est vrai) en 10 secondes et 9 dixièmes.

L'athlétisme féminin, on le sait, est parti à la poursuite de celui des hommes, et l'écart entre eux ne cesse de se réduire (aujourd'hui le record féminin du 100 mètres, celui de Florence Griffith Joyner (« Flo Jo ») avec 10 secondes et 49 centièmes vient juste de dépasser le record de France de Valmy, établi il y a un demi-siècle). Ce qui a conduit certains chercheurs anglais à annoncer, récemment, dans *Nature* bien entendu, en extrapolant les courbes de progression des records depuis les origines qu'une femme battrait un record mondial masculin (je n'ai pas noté dans quelle discipline, mais je crois qu'il s'agissait d'une course de fond, vraisemblablement le marathon) en 2028. J'aurais bien voulu voir ça, si cela doit se produire. Mais le commentateur du *Times* était sceptique.

113 (§ 40) Un accord plus profond avec son corps, avec soi-même

J'ai cru longtemps l'atteindre par la maîtrise du saut en hauteur. C'était ma discipline préférée, enfant. J'aspirais au don de détente pure des sauterelles, dont je sentais la pression anticipatrice dans ma paume quand je les retenais de force en appuyant, de mon doigt, sur leur corps brun. Je regardais l'élastique oscillant entre les poteaux de fortune du stade à 1 mètre 20, 1 mètre 30 au-dessus de la fosse à sable, et je me souvenais, au futur antérieur, du poids de mon corps dans ce sable, une fois l'obstacle franchi. J'étais, alors, « athlète dans ma tête », comme dit mon ami oulipien Paul Fournel. Mais les élytres bleus, rouges, me manquaient.

Effet d'une sorte de punition des dieux, d'un exercice élémentaire de l'inventivité du destin, c'est précisément en sautant en hauteur que j'ai eu le deuxième accident corporel sérieux de mon existence, parmi quatre ou cinq (l'hésitation sur le nombre ne vient pas d'un oubli, mais d'une incertitude sur le statut du quatrième d'entre eux). Le résultat en fut une fracture du poignet droit.

J'en vois très nettement l'instant. Autrement dit je le construis avec une telle intensité, une telle force de conviction intérieure que je me dis « c'est là ! », « voilà ! ». Je **vois** la cinématique terminale de l'événement, bien que je ne ressente plus la douleur. Je lui attribue sans hésitation son titre : <u>fracture du poignet (droit)</u>.

Il me faudrait plutôt écrire : deuxième fracture du poignet. Je ne vois pas cet instant d'achèvement de la chute sans voir aussitôt lui succéder cet autre moment, qui est aussi la fin d'un mouvement de précipitation oblique vers le sol. **Je vois la terre proche, dans l'allée du jardin qui s'approche du lavoir ; c'est l'allée des iris ; des racines d'iris la bordent, émergent durement du sol, et j'achève sur l'une d'elles ma chute, après un saut, ou après avoir trébuché en course ; je finis de tomber et je vois avec une extrême netteté le bras noueux et dur de la racine d'iris (je vois qu'il s'agit d'iris, c'est ainsi ; pourtant je ne vois aucune fleur) sur laquelle je vais tordre, fracturer mon poignet droit** (sur laquelle j'ai tordu, fracturé mon poignet droit).

Nous sautions, pendant les heures « ordinaires » de « gymnastique » (distinctes des longues expéditions solennelles au stade, où le sautoir était pourvu de sable) dans la cour même du lycée. L'installation était des plus rudimentaires, utilisant des poteaux métalliques présents là sans intention athlétique aucune : la corde élastique placée entre eux, on prenait un peu d'élan, on courait, on sautait. On sautait « en ciseaux ». Le « rouleau californien » venait juste d'être inventé, le « rouleau ventral » était inconnu, le *fosbury flop* encore dans les limbes. D'ailleurs, aucune de ces techniques sophistiquées n'aurait été envisageable dans cette cour : on prenait son élan et on retombait sur du ciment.

Ainsi, ce jour-là, j'ai sauté et je suis retombé, mal, sur le ciment. **Je le vois venir. Je vois venir le sol dur rayé de craie. Je vois aussi, debout à côté** du poteau (c'est une image concomitante, mais séparée) **mon meilleur ami d'alors, Sicard, dit trois-demi,** que je n'ai jamais rencontré après notre départ de Carcassonne (il est mort, il est mort jeune, m'ont dit l'année dernière d'autres visages de ces années, reconnaissables sur les photographies de classe, pas vraiment oubliés, pas vraiment souvenus, en les voyant ressouvenus).

114 (§ 41) Les nouvelles lointaines de la guerre

Lointaine était la guerre, loin ses destructions, ses morts, les bombardements, les arrestations. Lointaine et proche, elle imprégnait l'air et les esprits, les conversations, les silences, les voix elles-mêmes proches et lointaines, les voix lointaines surtout qui nous parvenaient d'elle, portées par la radio. La musique emblématique de la guerre était logée dans ma tête : c'était l'indicatif de « Londres » (comme on disait), un long fragment mélodique de la *Water Music* de Haendel.

J'ignore si le choix de cette mélodie avait obéi à l'intention qu'on pourrait être tenté de lui attribuer : celle d'unir, pour parler à la France occupée, l'Allemagne et l'Angleterre, l'Angleterre du non-renoncement, celle qui fut une longue année seule à s'interposer entre Hitler et sa victoire, et l'Allemagne civilisée, momentanément réduite au silence, en la figure d'un musicien allemand devenu anglais. (C'est en tout cas cette signification que j'ai retenue.) Je l'entendais, et la guerre était là. La guerre me parvenait à travers elle, et son futur, la paix, la paix libre. Car c'était une voix optimiste, joyeuse, prophétique, qui annonçait la Libération et l'abondance, la fin de la faim.

Je ne cessais pour ainsi dire jamais de l'entendre. Et je l'entendais de la manière la plus assurée pour le souvenir, comme une voix intérieure, qui n'avait pas besoin de hasard pour m'apparaître, que je n'avais pas à chercher. Elle me chantait silencieusement le long des rues, de la maison au lycée, du lycée à la maison, avec la basse continue des quatre vents s'agenouillant sur la place Davila.

Je l'entendais silencieusement et silencieux, car il était bien entendu qu'il n'était pas question de chanter cet air-là, de le siffler en dehors de nos murs. C'était un air interdit, une mélodie clandestine qui devait être camouflée. On peignait dessus elle la peinture bleu nuit du silence.

Elle m'accompagnait dans les rues encore noires et froides des hivers affamés, voix de la Tamise à Londres, voix de la Royal Navy, de la Royal Air Force, de la Manche infranchissable aux navires hitlériens, comme elle l'avait autrefois été à ceux de Napoléon (et je sentais que ce n'était pas par hasard que mon professeur d'anglais, le jovial Mr. Charles, nous avait proposé pour un thème un paragraphe où il était question de l'armada d'embarcations que l'empereur avait entassées à Boulogne en vue d'une invasion toujours envisagée, toujours remise : des « péniches à fond plat »).

Parfois, quand les rues étaient vides, quand à aucune fenêtre des « oreilles ennemies » ne m'écoutaient, les mains dans les poches marchant (j'aimais marcher les mains dans les poches, ma « pèlerine » sur les épaules, mon béret sur la tête (quand je ne l'avais pas oublié à la maison, ou au lycée)), je sifflais *Water Music* et j'entendais, avec le frisson dorsal que donne parfois la musique quand elle se saisit des commandes de nos émotions : « Ici, Londres ! »

(du chapitre 6)

115 (§ 42) Mais dès le lendemain du 6 juin il était sur les routes (à vélo)

(D'un « témoignage » de mon père, recueilli au magnétophone le 26 août 1976, à la Tuilerie de Saint-Félix.)

— Je me souviens, j'avais rendez-vous du côté de Quillan. J'étais allé d'abord à Narbonne et j'ai fait le trajet en vélo, sans prendre le temps de manger et sans même trouver un verre de vin dans les Corbières. J'avais rendez-vous avec des responsables de maquis. J'étais chez un royaliste qui m'hébergeait, près de la gare de Narbonne.

Qu. : Pourquoi n'y avait-il pas de vin ? Tout le monde arrosait le débarquement.

— Je voulais du vin parce que je crevais de faim. J'étais parti le matin sans rien. J'avais à faire soixante kilomètres dans les montagnes, les Corbières, puis les Pyrénées, avec des cols. Des gendarmes m'ont arrêté. Je me suis dit : ceux-là, je les fais fusiller à la Libération. C'est une idée qui m'est venue, je m'en souviens, parce que vous couper la cadence quand on monte un col ! Je n'avais rien dans le ventre, et dans un village où je m'étais arrêté, je ne sais plus où, rien, même pas un verre de vin. On ne peut pas imaginer la pénurie de ce Midi, sec. Il y a eu deux années de sécheresse, pire que cette année. En 44 j'ai vu le blé haut comme ça, une touffe par-ci, une touffe par-là.

C'était après le débarquement, il y avait des parties de l'Auvergne qui étaient libérées, Aurillac était aux mains des Allemands et des miliciens, Mauriac était libéré, le train circulait d'ailleurs, avec tout ce que ça pouvait donner comme provocateurs possibles, espions, etc.

Il faut que je cite une chose qui visuellement m'est restée. Je suis dans un train de cette ligne. Je venais de vérifier que telle ligne avait sauté, comme c'était prescrit. Il y avait des soldats allemands qui

335

venaient de je ne sais où. Sans doute du côté de l'Italie pour aller vers le front de Normandie.

Je suis dans un compartiment, apparaît un magnifique Allemand, genre Beethoven. Il devait être un peu gradé, mais pas officier. Il s'est mis à nous adjurer de nous lever en masse pour lutter contre le capitalisme anglo-américain. C'était absolument extraordinaire. (J'ai tout à fait retrouvé ça quand j'ai lu *Le Silence de la mer*, de Vercors.)

Nous étions huit. Personne ne regardait, comme s'il parlait dans le vide. Ensuite j'ai retrouvé trois des personnes du compartiment. Elles étaient dans le coup. Lui était émouvant, convaincu, un type magnifique. Et c'était vrai, le capitalisme anglo-américain allait venir. Mais le nazisme, anticapitaliste ! Cette image, ce type avec sa tête noble nous adjurant de façon émouvante, et les Français, disait-il, méprisant les grandes causes et ne s'intéressant qu'à leurs petits problèmes.

116 (§ 44) Je ne suis pas mécontent de voir la certitude interne de ma constance numérologique, elle aussi, confirmée

Je vois même en germe les modalités ultérieures les plus constantes de ses manifestations : je ne notais pas seulement, de la fenêtre de la voiture, le nombre des tanks allemands détruits rencontrés dans notre progression cahotique vers Lyon, mais la distance aux villes en ce temps-là précisément repérée par les bornes kilométriques des nationales et des départementales (anticipant le « message » kilométrique suivant à l'aide des hectométriques) (le fait que j'ai pu ainsi mesurer notre rapprochement de la ville du Puy indiquait que, sur cette route au moins du département de la Haute-Loire, à la différence d'autres régions (où les bornes, sur des départementales déshéritées, restèrent muettes longtemps après la fin de la guerre), on n'avait pas « camouflé » ces signes stratégiques capitaux au temps de la « drôle de guerre », mesure futile du même type que celle de la peinture bleu nuit sur les carreaux des fenêtres).

Je n'ai pas cessé depuis de m'intéresser à ces ponctuations des paysages par ces « nombres concrets », vigies des voyageurs, instruments de mesure, de repérage, de mise en ordre du monde, rassurants et familiers (sur les bonnes routes, où le goudron était sans failles, sans ornières, la peinture noire de leur calligraphie uniforme était nette, lisible, propre : je dis à dessein « était » car je vois bien qu'elles disparaissent. Elles vieillissent, elles tombent, déchaussées, dents salies aux racines terreuses des mâchoires de routes. Elles disparaissent dans l'herbe, les fossés, et ne sont pas remplacées.

Elles témoignaient d'un temps où l'usage des voies de communication n'était pas exclusivement réservé à un seul genre de véhicules, où les beaux rubans noirs des chaussées (luisantes, traversées d'escargots à la pluie, trempées de flaques mirages fuyantes dans la grande chaleur d'été) amoureusement soignées, « élevées » par les Ponts et Chaussées (dont Paul Geniet, notre ami, était ingénieur) n'étaient pas, comme ils le sont aujourd'hui accaparés par les seuls véhicules à moteur.

C'étaient les piétons, les cyclistes, les charrettes mues par les chevaux, et les voitures automobiles même, quand leurs conducteurs, pas encore pervertis par le pouvoir corrupteur que leur donne l'économie dite « de marché », avaient le sens du partage des routes (et la décence d'éviter les hérissons), qui avaient besoin de ces présences épisodiques mais amicales, renforts et confirmations des cartes. Elles étaient conçues à hauteur d'homme, si je puis dire, c'est-à-dire d'abord pour l'homme à pied (secondairement à vélo), qui pouvait seul apprécier à sa juste valeur le fait que Villegly était à 2 kilomètres et 3 hectomètres, ou Bagnoles à 0,625 kilomètre (indication qui n'a disparu que très récemment du panneau métallique bleu au carrefour) !

En haut de la côte (prenons un exemple théorique) le marcheur, ou le cycliste, posant ses pieds sur les gravillons du bord et sentant le sol soudain bizarrement immobile, s'asseyait sur le parapet à côté de la borne à tête rouge (c'est elle qu'on apercevait, là-haut, de lacet en lacet, pendant la montée). Et elle lui confiait (je refuse d'écrire « informer », il s'agit de quelque chose de plus important, de plus intime qu'une simple information) que l'église du village, en bas, dans la vallée, était à 3,4 kilomètres, ce qui lui permettait d'évaluer justement le temps qui le séparait encore du « demi-panaché » pris sous le tilleul, à la table métallique ronde du café. Mais tous ces exacts petits nombres décimaux sont inutiles, offensants même pour des camions, des Mercedes ou des Volvos.

(Sur les autoroutes une graduation sans grâce, technique, fonctionnelle, destinée exclusivement à l'information des policiers, des dépanneurs et des ambulances ne peut guère servir, pour un passager comme moi (quand par hasard j'y suis entraîné par la force des circonstances) qu'à vérifier du coin de l'œil, en silence, les dépassements de la vitesse autorisée par mon conducteur) (Highway 61,

337

suivant laquelle j'ai descendu le Mississippi en 1976 n'a que de minuscules marques métalliques vertes de mile en mile (on ne peut qualifier cela de bornes), et j'ai mis quelque temps à m'y habituer (les premiers jours, le chemin me paraissait plus long qu'il ne l'était en réalité).)

117 (suite in § 116) **Les villes n'ont pas, de manière naturelle, de bornes signalétiques**

Les villes n'ont pas, de manière naturelle, de bornes signalétiques, sauf, et encore, le long des routes qui les traversent. Je pouvais suivre autrefois l'enfoncement des routes (route de Narbonne, de Toulouse, de Montréal...) dans Carcassonne, et j'aimais particulièrement celles où la ville prouvait son existence par l'affirmation d'une zéro-distance à elle-même (preuve également de son importance, car elle évitait l'humiliation des bourgs qui ne sont qu'une étape hiérarchiquement inférieure sur le trajet et qui disparaissent tout simplement des bornes quand ils ont été traversés). Elle n'était donc pas totalement isolée, coupée de ces itinéraires civilisés dessinés sur le visage du monde. Mais en 45 j'ai cherché vainement de tels signes rassurants dans Paris. Ce qui fait que j'ai dû inventer d'autres systèmes de ponctuation rythmique de mes pas.

Dans les villes on peut suivre la numérotation des maisons, les croissances différentes des pairs et impairs. Il y a des rues minimales, telle la rue de l'Abbé-Migne qui n'a qu'un seul numéro, celui de l'église des Blancs-Manteaux (existe-t-il des rues sans numéro ? méritent-elles encore le nom de rues ?). D'autres, au contraire sont si longues qu'elles dépassent largement la centaine (la rue de Vaugirard fut la première à m'impressionner par son interminabilité). C'est pour se reconnaître dans les rues longues, quand on désire se rendre à un numéro bien déterminé, qu'il importe de connaître la règle d'or de la numérotation française (j'ai constaté avec stupéfaction que nombre de mes amis et connaissances l'ignoraient !) : **les numéros impairs sont à gauche en montant.** Cela veut dire que si on débouche, par une rue perpendiculaire X, sur le numéro 101 de la rue Y, de laquelle on cherche le numéro 37, par exemple (et si d'autres numéros ne sont pas immédiatement visibles), il faut se placer par la pensée sur le trottoir du numéro 101, le numéro 101 à sa gauche, et avancer à reculons vers le numéro 37 (ou bien se retourner et partir dans l'autre sens, si on ne veut pas attirer les regards et risquer des collisions).

(Cette règle, que je tiens de mon grand-père, est bien plus sûre que celle qui dit que la numérotation commence là où on est le plus près de la Seine. Car la position relative de la Seine et de la rue n'est pas, disons-le, d'une clarté généralement aveuglante. Qui plus est, ma règle est valable dans toutes les villes de France, même celles où la Seine ne coule pas (je ne connais qu'une exception : celle de Caunes-Minervois, dans l'Aude, où une numérotation unique court sur l'ensemble des maisons, ce qui est d'un grand intérêt. Heureusement pour le voyageur ou le postier débutant, Caunes, célèbre par son marbre, plutôt de couleur et d'apparence mortadelle que de la blancheur « Carrare », est de taille modeste). On pourra certes, critiquer l'uniformité, le caractère centralisateur, « jacobin » de ce système, le comparer défavorablement à l'excentricité inventive bien connue des rues de Londres (dont je ne méconnais pas le charme).

Il reste qu'il se prête avantageusement à des comparaisons numérologiques, ce qui n'est pas à négliger pour le piéton invétéré que je suis. Ma règle est simple à retenir. Surtout si on prend garde au fait qu'elle repose sur l'association ancestrale, étymologique et dévalorisante entre gauche (« maladroit », « empoté », « sinistre » même) et impair (qu'il ne faut pas commettre), s'opposant à la droiture morale de droit, partenaire naturel du noble pair (à prendre comme dans « pair de France » (plutôt que comme dans « jeune fille au pair »)). La numérotation urbaine française (et européenne en général) est, comme la ponctuation des routes par les bornes, humaniste, conçue à l'échelle piétonne. Elle avance nombre à nombre, maison à maison (musardant même parfois sur des « bis » et des « ter » (il ne me semble pas avoir jamais vu de « quarto », ce qui est une preuve supplémentaire de la justesse de la TRA(M,m) (Théorie du Rythme Abstrait (Métaphysique & mathématisée) de Pierre Lusson, dont la pierre d'angle est la théorie minimale, dite « théorie 2-3 ») (dans certaines rues le remplacement des maisons anciennes par des appartements grand-standing ou des HLM selon le cas a parfois condensé la numérotation, créant des « 10-18 », des « 17-31 » ou des « 14-30 » du plus mauvais effet, à mon avis)).

Elle n'atteint donc jamais, à la différence de l'américaine, la numérotation par « blocks », d'inspiration « automobiliste » (même si elle existait avant l'automobile, ce que j'ignore. Si oui, je dirai qu'elle fut « automobiliste par anticipation », ou même, théorie plus audacieuse, qu'elle fut responsable de l'automobilisation), aux chiffres pharamineux de Sunset Boulevard, par exemple, qui me stupéfièrent en 1960 quand, Bernard Jaulin et moi-même débarqués à Los Angeles pour une enquête sur l'intelligence artificielle naissante, je me retrouvai dans un hôtel de Pacific Palisades, tout près de l'océan et non à Hollywood comme j'avais cru (de plus, pour atteindre le bord de l'eau, tout proche, il fallait prendre la voiture, car il était impossible de traverser la route à cause de la circulation, ininterrompue, jamais arrêtée par le moindre feu rouge. Ce fut ce qu'on appelle un « choc culturel »).

A l'extrême opposé du Nouveau Monde (car la maladie des numérotations excessives est un phénomène étendu à tout le continent. Comme je l'ai su, non seulement par ma grand-mère en 1942, mais un peu après la guerre, en écrivant à Sylvia en 1946 à Buenos-Aires, où l'adresse était « Posadas 1415 »), j'ai découvert récemment, à l'occasion d'un court séjour à Florence, un système d'un grand intérêt et subtilité : c'est celui de la « double numérotation ». Il y a des numéros bleus (ceux des habitations, m'a-t-on dit) et des numéros rouges (réservés aux boutiques, aux lieux administratifs (?)). En présence d'une telle richesse (source d'imaginations délicieuses, d'égarements aventureux et de confusions), le plaisir de la déambulation redouble. Je verrais volontiers l'origine de cette distinction dans l'opposition, à l'époque de Savonarole, de Machiavel et des Médicis, entre le « peuple menu » et le *popolo grasso*, dont ce serait une trace « monumentaire », au sens aujourd'hui oublié.

118 (seconde suite in § 116) **Dans les villes comme sur les routes mon ennemie intime est l'automobile**

Dans les villes comme sur les routes mon ennemie intime, l'adversaire de toute ma vie d'adulte piéton, est l'automobile : particulièrement les véhicules à moteur de toutes espèces (sauf les autobus, que je vénère) qui encombrent Paris. Je n'ai pas beaucoup d'armes, il est vrai. Mais quels triomphes intérieurs quand je contemple, me frayant un passage à travers ces formes métalliques sans grâce vautrées avec désinvolture sur les trottoirs, les énormes embouteillages dont la capitale est si fière. Quelques idées assez vagues de médecine et de mécanique des fluides flottant dans mon cerveau, j'attends l'embolie des artères parisiennes ou le grand gel absolu de la circulation (respectivement) que je préférerais voir se produire une fin d'après-midi de printemps, car la scène en serait plus agréable pour les spectateurs.

Je me contente d'ajouter de temps à autre de nouveaux couplets à une chanson de ma composition (elle se chante sur l'air populaire de *Buvons un coup, buvons en deux*). Voici le refrain de cet

Hymne des automobilistes parisiens

Brûlons un feu, brûlons en deux
Pour n'pas rater les petits vieux
A la santé des Pompes funèbres
Et merde pour ces cons de piétons
A qui la guerre nous déclarons !

Je me sentais jusqu'à très récemment infiniment mieux à Londres, où les automobilistes s'arrêtent spontanément devant les passages protégés des piétons (où, à l'usage des continentaux, on précise la direction de l'arrivée des voitures : *look right, look left* (« piétons gardez-vous à droite, piétons, gardez-vous à gauche »)). Mais j'ai décelé, lors de mes derniers séjours, des signes inquiétants de contagion. Et que sera-ce quand, profitant, tel un virus grippal, de l'ouverture du catastrophique tunnel sous la Manche, les automobilistes parisiens déferleront dans l'île ?

Lors de notre voyage aux USA de l'été 87, nous avons vu à l'œuvre, Marie, Charlotte et moi, une autre tradition encore : la légendaire placidité courtoise de l'automobiliste californien du Sud. Charlotte avait quinze ans (comme c'est loin, tout ça !). Marie et elle montaient et descendaient dans l'ascenseur de l'hôtel Inn by the Sea, à La Joya, un ascenseur à paroi de verre piquée d'étoiles, commandaient des pancakes ou des jus d'orange à toute heure par téléphone au *room service* puis, quand elles consentaient à délaisser ces occupations exaltantes, m'entraînaient au bord du Pacifique pour quelques heures de *boogie board*. Allongées en travers des planches avalées, brassées et renvoyées d'une gifle assez douce par les vagues grises et si lasses de l'océan, qui ne consacrait, on le sentait, à ces amusements qu'une part infime de sa puissance, elles ne se lassaient pas de cet exercice. (Je n'arrivais pas à saisir le moindre point commun entre cette eau implicitement énorme et le scintillant œil bleu-vert de ma Méditerranée toulonnaise de 1942.) Pour atteindre la plage, Charlotte et Marie avaient inventé un itinéraire qui impliquait un « raccourci », une descente (et une remontée !) par des escaliers inconfortables et surtout encombrés des poubelles redoutables d'innombrables restaurants sur les arrières desquels ils se trouvaient : j'appelai ce chemin le *stinking freeway* (l'autoroute puante). Pour y accéder, quittant l'hôtel, il fallait

341

traverser l'avenue côtière, rue principale de La Joya (là se trouvait la librairie où j'achetais les romans policiers que je lisais sur le sable brûlant, la tête couverte d'une serviette de bain, pendant les heures de *boogie board*). Charlotte, bronzée dans son T-shirt et ses élégants bermudas blancs soyeux de Californienne provisoire, avait inventé un jeu. C'est un jeu pour demoiselle et automobiles : elle s'engageait résolument sur la chaussée, faisant aussitôt stopper, selon la pure tradition courtoise, à une distance d'au moins quatre pas, les immenses voitures qui avançaient sur le « Boulevard » aussi puissamment, lentement et paresseusement que les vagues du Pacifique. Elle traversait alors tranquillement, souverainement en biais, puis, arrivée de l'autre côté, recommençait dans l'autre sens, progressant ainsi en zig-zags jusqu'au *stinking stairway*, avec arrêts éventuels pour des glaces ou des cartes postales, cisaillant de cette manière en biseau la paisible circulation estivale. Et nul ne lui aboyait au visage. (Cela me rappelait notre découverte (je dis « notre » mais il s'agit maintenant de mes frères et sœur et de moi-même. Comme diraient Charlotte et Marie : « On n'était pas nées ! »), en 1945, des escaliers mécaniques du métro, avec leur œil rouge patient et placide, qu'il était si amusant de mettre et de remettre en marche, en tapant du pied (car nous n'avions pas encore saisi exactement le rôle de l'œil électrique), tels des papillons de Kipling (relire « le papillon qui tapait du pied » dans les *Just so Stories (Les Histoires comme ça)* ou Ali Baba devant sa caverne, aux heures de faible fréquentation (du métro, pas de la caverne).)

Mais revenons au triste destin du piéton parisien. Pour exorciser la présence désagréable des voitures, pour les dominer magiquement, je me livre parfois (surtout dans les périodes de souci) à des jeux numérologiques. Cela m'oblige (une certaine « valeur d'usage » de cette monnaie de rêveries : la prudence) à ne pas perdre de vue leur présence, leurs mouvements erratiques et hostiles. Ces jeux portent sur les plaques minéralogiques. Autrefois j'essayais par exemple de me rapprocher, dans une journée, le plus possible de la découverte du numéro 9 999 (maximum) ou du numéro 1 (minimum). Comme il fallait assez longtemps pour y parvenir (ce qu'un calcul statistique simple révèle), les numéros situés dans les premières ou dernières dizaines devaient être considérés comme des « performances » honorables. Mais la prolifération des immatriculations (un signe du progrès de la métastase urbaine) a conduit, dans certains départements, et particulièrement dans Paris (les plaques « 75 ») à remplacer les deux lettres d'autrefois par trois, et simultanément diminuer le nombre des chiffres (sans doute, la psychologie expérimentale du XIXe siècle ayant enseigné qu'on ne retenait pas facilement des séquences de plus de sept signes (le « 75 » étant appréhendé globalement, comme un seul), pour permettre les identifications par les gendarmes ou les agents de la circulation, en cas de violation du code & recherche de véhicules volés et/ou abritant des bandits). Mais rechercher un 999 sur 1 000 numéros possibles (ou un 1) est d'un intérêt médiocre (tant on rencontre de voitures en un seul trajet du IXe arrondissement au IVe, par exemple).

Je me suis donc orienté vers un autre jeu, de principe assez différent, plus proche de la « vie » : je guette maintenant, lors de mes déplacements, les immatriculations parisiennes les plus récentes, ce qui me permet de suivre la progression fatale de l'envahissement des rues. (J'ai commencé en mars 1991, et le triplet de lettres alors atteint était JJJ. Aujourd'hui dix-neuf septembre mil neuf cent quatre-vingt-onze, date palindromique comme le remarque justement le *Times* de ce jour, mon « record » est « 15 JNS 75 » (ce qui veut dire que plus de 100 000 voitures nouvelles ont été vomies sur Paris depuis six mois (chaque progression de la troisième lettre représente 1 000 voitures ; chaque progression de la seconde 22 000 (22 000 et non 26 000, car les I et les O ne figurent pas parmi les triplets possibles, étant des lettres-chiffres qui prêteraient à confusion, ainsi que les Q et les U (comme me l'a fait remarquer Marie), mais je ne vois pas pourquoi) (le nombre de 22 000 est lui-même approximatif, certains triplets de lettres pouvant être éliminés pour des raisons extra-numériques : ainsi il n'aurait pas pu y avoir (même si on avait utilisé le U), il me semble, d'immatriculation faisant apparaître, à l'arrière d'une automobile le mot CUL, contrairement à ce que laisse entendre une « pub » récente, dont la grossièreté & veulerie est bien en accord avec l'évolution générale de ce que Renaud Camus appelle les « manières du temps ». (L'élimination du mot « CON » étant assurée par la règle de non-emploi du O et du I. Je ne sais s'il est d'autres « interdits ».)

(Mon attention ayant été ainsi dirigée vers les groupements de lettres « ayant un sens », j'ai conçu le projet d'une suite de films brefs (d'une minute au plus). Par exemple : une voiture s'arrête dans la cour d'une usine. Les lettres de son immatriculation sont montrées. On lit : JAM. Puis on voit que l'usine est une fabrique de confitures. La voiture repart. Elle s'engage sur une autoroute et tombe dans un immense embouteillage, où tous les véhicules portent le même groupement, JAM. Cela ferait un jeu de mot visuel franco-anglais, sur *jam*, confiture, et *jam* embouteillage, du plus bel effet. (On pourrait aussi traiter le même thème comme un récit de rêve, ou dans une nouvelle.)))))) (si je ne m'abuse, j'ai ouvert six parenthèses emboîtées, que j'ai dû fermer d'un seul coup).

119 (§ 44) Je possède quelque part le « cadre » chronologique de ces images,

Bien sûr, ce sont des dates marquantes, dans la mémoire collective :
6 juin 1944, journées d'août (Libération de Paris, de Montpellier). Il ne
m'était pas difficile, même sans les carnets de mon grand-père et le
peu de ma correspondance retrouvée, de « placer » mes images-
souvenirs du voyage, et de Lyon dans des « lieux de mémoire » assez
précis, dans l'ascenseur chronologique du passé que je possède
quelque part (j'emploie ici une image empruntée à un roman d'Asi-
mov, *The End of Eternity* : comme si elles possédaient, en association
mystérieuse dans le cerveau, une sorte d'écriteau numérique plus ou
moins exact (c'est aussi ce que suppose Robert Hooke, dans sa belle
imagination du mécanisme de la mémoire, vers 1680). (Les images les
plus anciennes ne possèdent presque jamais cette propriété.)))
   On situe aussi assez facilement (s'ils ne sont pas trop éloignés) les
événements ordinaires par rapport aux dates marquantes de notre
propre vie (avec, parfois, de curieux déplacements). Il est clair que,
pour moi, le départ de la rue d'Assas est de ce type. Les années de
Carcassonne sont écloses dans une capsule temporelle, un compartiment de vie, strictement localisé dans l'espace-temps : dans la
coquille d'espace-temps qu'est une maison familiale nous sommes
comme des escargots (et nous la transportons avec nous par la
mémoire). (Mais nous sommes aussi parfois des bernard-l'hermite,
nous installant dans une nouvelle demeure, comme volée à ses
habitants antérieurs (ainsi font les villes, les civilisations même, se
succédant aux mêmes points de la surface de la terre où elles se
superposent comme des couches de papiers peints sur des murs). Voilà
qui va de soi.)
   Mais on pourrait utiliser aussi des événements moins marquants :
ainsi le changement de formats de papier (le passage du 21×27
(format papetier français de ma jeunesse) au $21 \times 29,7$ (format
américain). Je l'ai ressenti comme un traumatisme d'écriture et, ayant
découvert le format actuel plus « oblong » au cours de mon séjour aux
USA de 1970, je « date » ce passage, cette déformation traumatisante
de l'espace de la page, de mon retour à Paris au mois de mai de cette
année-là (cela correspond ou non à la réalité, peu importe. En tout cas,
j'ai mis plusieurs années à me sentir de nouveau à l'aise sur du papier
(poétique, non mathématique, la mathématique est peu affectée par

ces considérations), et le livre que j'ai écrit en 1972, *31 au cube* est dans un « format » impossible, un format de compensation, qui force le poème à s'allonger horizontalement sur deux pages. Voilà une justification de sa « métrique » qui m'avait échappé, à l'époque).

J'ai d'autres exemples dans mon souvenir, que je mettrai en scène à leur heure. Mais il s'agit toujours, comme les événements de l'Histoire, d'une scansion involontaire, contingente. Je me dis que j'aurais pu en noter d'autres, délibérément, pour servir de ponctuation du temps, pour peupler le vaste théâtre de la mémoire qu'est la vie (c'est sans doute bien tard, étant donné mon âge).

Je tente aujourd'hui de le faire de manière délibérée : je note, et insiste mentalement par exemple sur le fait que je viens de découvrir brusquement que l'affranchissement des lettres ordinaires, après le dernier changement de tarif, nécessite un type entièrement nouveau de timbres (provisoirement en tout cas) : ils valent 2 francs 50 mais la somme n'est plus signalée sur le timbre comme elle l'était jusqu'ici. On lit seulement une lettre, un **D** (majuscule). (J'indique ces choses, d'évidence au moment où j'écris, mais que le futur rendra peut-être obscures. Je le fais par politesse pour d'éventuels lecteurs lointains.) Je donne à ce fait une date, conventionnelle, facile à retenir pour ma mémoire, la date palindromique du 19.9.1991. Il y aura, si tout se passe comme prévu, un « avant » et un « après » cet événement : l'apparition du timbre-poste au prix non marqué. (On aura imité ainsi, par analogie, les tickets de métro. Le but, si cette manière de faire se continue, est vraisemblablement le même : éviter d'avoir à imprimer de nouveaux timbres à chaque augmentation (on espère peut-être les rendre moins visibles).) (S'il s'agit d'un expédient provisoire, ce qui est vraisemblable, j'en offre gratuitement l'idée à l'administration.)

Je lui associe aussi, pour simplification et renforcement, une autre « innovation » : celle du timbre autocollant. Cela lui donne une légère coloration nostalgique : la perte du charme des bordures dentelées, qui furent en leur temps une innovation décisive, qui n'était pas apparue encore au temps du premier timbre de coût marqué, le timbre moderne par excellence (et l'histoire du timbre m'est chère, puisque elle est indissolublement liée à la vie d'un de mes romanciers favoris, Anthony Trollope) : j'ai nommé le « penny noir » à l'effigie de la jeune reine Victoria, en 1839 (il vaut si cher que les contrefaçons en sont innombrables. Le *Times* a annoncé récemment que, dans un esprit « européen », pour faciliter l'abaissement proche des barrières douanières dans les pays de la CEE, il était désormais possible d'entrer en Angleterre en ayant sur soi, ou dans son véhicule, de faux timbres. Voilà qui est rassurant).

120 (§ 45) il m'emmenait brusquement vers un autre, dont il avait (signe de préméditation ?) noté aussi les horaires.

C'était un excès quasi orgiaque, une débauche apparemment non hygiénique de films (pour l'appareil visuel, certainement mis en danger par la mauvaise qualité des images, leurs tremblements, leurs palpitations). Je dis « apparemment » non hygiénique car mon grand-père avait une théorie de l'excès nécessaire, concept au rôle un peu semblable à celui du *clinamen*, violation rare et réglée de la contrainte, dans la théorie des écrits entravés axiomatiquement de l'Oulipo. Ainsi, après avoir toute la semaine, quand il était seul, sagement cuit des pommes de terre à l'eau avec un tout petit peu de beurre, il ouvrait le samedi une boîte de cassoulet ou de choucroute *William Saurin* qu'il mangeait consciencieusement. (Cela fait toujours frémir mon père, rien que d'y repenser.) Son impatience à se jeter dans les salles obscures était sans doute aussi l'effet d'un besoin de « rattrapage », de mise à profit de la liberté retrouvée pour effacer les privations cumulées des dernières années.

Pourtant son adhésion au cinéma avait été lente. Il était un converti fort récent aux charmes du septième art. Longtemps, il avait opposé aux affirmations « modernistes » de mes parents, avec une conviction inébranlable et impeccablement raisonnée, l'idée qu'il ne s'agissait que d'un divertissement de seconde zone. Il opposait alors à ces amateurs de nouveauté la hiérarchie millénaire et rationnelle des arts, avec autant de conviction que son père, autrefois (selon le récit malicieux de ma grand-mère), frappant du poing sur la table et disant : « Non jamais l'homme ne volera ! Jamais le plus lourd que l'air ne vaincra la pesanteur ! » C'est Charles Chaplin (et plus que « Charlot », le Chaplin des *Lumières de la ville*, de la *Ruée vers l'or*, plus tard du *Dictateur*) qui l'avait converti au cinéma, et, par un glissement bien naturel, il en était venu à prendre aussi plaisir aux « policiers », aux « comédies américaines », sans oublier, pour ma grande joie, les westerns.

Ce n'est que l'année suivante, pendant l'été de 1945 que, le choix filmique devenu plus abondant, j'ai fait enfin la connaissance des

« comédies américaines » tant vantées, nostalgiquement, par les adultes de mon entourage, admiré Gary Cooper dans *La Huitième Femme de Barbe-Bleue* ou *L'Extravagant Mr. Deeds* (moins en joueur de tuba qu'en chercheur de rimes (preuve indéniable d'extravagance, dont j'étais moi-même coupable) et par sympathie naturelle pour les deux vieilles demoiselles excentriques qui lui décernent (comme au reste de l'humanité) l'excellent qualificatif de *pixillated* (que le doublage traduisait, je ne sais trop pourquoi, par « pince-corné »)), commencé une longue histoire d'amour jamais interrompue avec Katharine Hepburn. Et déjà, je choisissais moi-même les programmes, et allais seul au cinéma, habitude que je retrouvai (dangereuse pour les études) plus tard, pendant mes années d'étudiant, quand la Cinémathèque logeait au Musée pédagogique, rue d'Ulm, dangereusement proche de l'institut Henri-Poincaré.

Voir Charles Chaplin sur l'écran me fit l'effet d'un « déjà vu » (sans diminuer le plaisir de la vision). Car nous « savions » déjà « par cœur » les grands moments sentimentaux du *Cirque* ou des *Lumières de la ville*. Grand-maman était une chaplinesque de choc, à la fois par conviction esthétique, éthique et politique, mais aussi par sympathie spontanée de conteuse, de mime. Je dois dire que ses morceaux choisis et de bravoure, comme ses imitations du départ de « Charlot » un pied sur chaque frontière ou de ses démêlés de faux clergyman avec un vilain petit garçon dans les bras de sa mère nous semblèrent presque meilleurs que les originaux.

Mais c'étaient surtout les moments qui touchaient de près à notre situation d'enfants dans la guerre et les privations qui m'ont le plus marqué. Sans doute aussi parce qu'elle mettait à les restituer une conviction plus assurée encore que pour ceux de pur comique : la scène des « spaghettis-lacets de soulier » suivie du « mirage du poulet rôti » de *La Ruée vers l'or*, par exemple (avec l'avantage d'une répétition fréquente possible dont le cinéma, proche en cela du théâtre était quasiment incapable avant l'invention de la vidéo) (ce fut jusqu'à très récemment un des atouts majeurs de la lecture, hélas pour l'avenir du livre), ou encore celle de la lutte des sièges vissables entre Hitler et Mussolini dans *Le Dictateur* (qu'elle avait pu, inouï privilège, voir aux États-Unis).

En arrivant à Paris nous avons découvert les extraordinaires « petits » Charlots, ces chefs-d'œuvre de quelques minutes et cela dans des conditions de « spectateurs luxueux » que je n'ai jamais retrouvées depuis (avant que la vidéo ne rende ce mode de vision banal. Mais j'en fais peu usage) : car notre ami Harnois, un vrai Parisien amateur d'innovations avait chez lui un appareil de projection, et possédait

347

tous ces films : *Charlot policeman* et *Charlot à la cure* bien sûr, mais aussi des « Buster Keaton » et, *last but not least* (quoi qu'en pensent les puristes) un choix étendu des aventures de Stan Laurel et Oliver Hardy.

121 (§ 47) Cela parut à mon père insupportable et impardonnable
(suite du § 115 : un témoignage de mon père)

Qu. : Quand on vous propose de passer à l'Assemblée consultative, on vous propose un poste plus politique, je ne dirai pas politicien. Quel débat se pose pour vous ?

— Un débat très court. J'ai dit à Chambrun [Gilbert de Chambrun était le chef militaire de la Région Languedoc du MLN, dont mon père était le dirigeant « civil »] « Non c'est toi ». Il a dit : « Non c'est toi », etc. Et comme il est plus tenace que moi et que d'autre part il avait la chance d'être dans un truc militaire et qu'après il allait être député, j'y suis allé.

— Ça vous ennuyait beaucoup ?

— Énormément. J'ai vu la tactique de De Gaulle qui consistait à diviser la Résistance. Lui qui a soi-disant été contre les partis un moment, il a fait ce qu'il a pu pour empêcher l'unité de la Résistance. Et pourtant, dans la Résistance, j'étais très gaulliste. Sans avoir jamais lu aucun livre de lui. C'est alors que j'ai lu des livres de De Gaulle, on m'a offert *Assemblée consultative*, *Au fil de l'épée*, *Vers l'armée de métier*. Je ne suis pas d'un tempérament placide. Quand j'ai vu l'apologie de gens qui avaient trouvé assez de ressort pour écraser la Commune, mon grand-père a resurgi en moi.

J'ai failli démissionner au bout de quelque temps, mais pas longtemps. On m'a fait valoir que j'allais être remplacé par un de la nouvelle majorité du MLN, un Baumel quelconque. Malraux s'est écroulé d'un seul coup pour moi lorsque je l'ai vu intervenir, en politicien, dans un Comité directeur. La vie parlementaire était extrêmement simple. Il n'y avait aucune intervention, c'était purement consultatif. J'ai très vite compris que ce n'était qu'un trompe-l'œil.

— A la même époque vous êtes désigné au titre de l'Assemblée consultative, comme juré à la Haute Cour ?

— J'ai été désigné comme juré à la Haute Cour pour le procès de l'amiral Esteva.

— En action au procès Esteva et assistant au procès de Pétain.

— J'avais une carte d'entrée pour être assis pour le procès Pétain.

— Mais récusé au procès Pétain ?

— Oui, j'étais juré au procès Esteva, on m'a dit après non, vous n'êtes pas pris. J'ai su par je ne sais qui que j'avais été récusé.

J'ai été écœuré de la façon dont le procès Pétain a été conduit. D'abord on l'a minimisé le plus possible, en le mettant dans une toute petite salle, comme pour un incident de correctionnelle. On avait « fait » la salle très probablement, je ne sais pas comment. Parmi les juges, il y avait un nommé Montgibeau qui faisait des effets de manches et qui s'arrangeait pour passer à côté des accusations les plus sérieuses. Et puis, on ne laissait pas tellement la parole aux gens qui étaient interrogés. Par exemple pour Darnand il y a eu un tour de passe-passe prodigieux. Darnand avait des choses à dire, il en avait, Joseph Darnand. On l'a fait comparaître, et un des juges a dit aux jurés : « C'est bien entendu, nous ne posons aucune question à un tueur. » Alors les jurés n'ont pas posé de question. [Je vois pourquoi mon père a été récusé pour ce procès-là.]

Ils auraient pu poser des questions, mais il faut voir comme les juges manœuvrent les gens. Je l'avais déjà vu au procès Esteva, il y a eu une majorité de jurés pour dire : « Non, il ne faut pas condamner à mort. C'est un bon chrétien. » Moi, j'ai dit qu'on fusillait des gens qui avaient combattu les Français libres, et que je ne voyais pas pourquoi celui qui en avait donné l'ordre serait sauvé.

122 (§ 47) Fragments d'un Traité des Disputes (De Querelis) de 1946.

25.1 (1) Une dispute est un mal.

25.1 (2) Une dispute est d'autant plus violente que les torts sont plus partagés.

25.1 (3) Les disputes ne sortent pas du cadre de la famille.

25.1 (4) Avec des étrangers elles sont toujours « enfantines ». On ne se connaît point.

25.1 (5) Souvent on n'ose pas aller trop loin à cause ou des parents ou du manque d'« autorités » pour juger le différend.

25.1 (6) Les différends n'existent pas souvent ou alors ils sont réglés à l'amiable.

25.1 (7) On n'a toujours des égards pour les étrangers.

25.1 (8) Ainsi nos disputes avec les garçons de la rue se réglaient par des batailles avec de l'eau ou des pierres. Les disputes n'étaient pas profondes et mauvaises parce qu'il n'y avait pas de « discussion ».

25.1 (9) Plus la discussion est fouillée, mieux elle est alimentée, plus la dispute est importante.

(10) Les disputes résultent d'une connaissance + ou − approfondie chacun des autres. Elles nous servent à nous connaître et s'appuient sur cette connaissance.

(11) Elles excitent en nous un instinct de mensonge et de dissimulation.

(12) En effet, des fautes quelconques (vaisselle cassée, pipi au lit, insolence envers les autorités, ftes de classe ou de la maison) peuvent être aliment d'attaque contre nous, réveiller de vieilles querelles.

(13) Les disputes ne peuvent pas être supprimées. Une dispute non réglée (et c'est le cas de 8 disputes sur 10) complètement, c'ad si le mécontentement n'est pas étouffé des 2 côtés, en engendrera une autre, consciemment ou inconsciemment.

(14) Or une dispute ne peut pas être réglée absolument.

(15) Les torts sont tjs partagés. Une enquête donnant raison à l'un, si la balance penche favorablement de son côté, le mettra sur un terrain extrêmement instable. L'autre lui gardera rancune et se vengera tôt ou tard.

(16) On a tjs qqch à se reprocher.

(17) On a tjs qq défauts marqués.

Sortes de disputes.

(18) Les disputes comprennent des genres essentielle[t] variés. Il faut distinguer 1) nos disputes ; 2) les disputes avec les 1/2 étrangers ; 3) avec les étrangers (voir 4 à 8).

(19) Éliminons les étrangers.

Les disputes se bornent le + svt à des coups ou à des injures. Ces injures n'ont pas de portée. Elles ne frappent pas l'amour-propre.

(20) Dans une dispute, la discussion s'envenime quand l'amour-propre est touché. C'est lui qui fait tt.

(21) Je dirais même, comme définition de « nos » disputes que dans chacune de celles-ci, chacun essaie de blesser l'autre.

(22) Quand vous avez blessé qqu'un, vous avez gagné une manche mais cette victoire se « paie cher ».

(23) Un « disputeur » excité est + dangereux quand il dissimule que quand il se laisse aller à des éclats.

(24) Les disputes avec étrangers frôlent mais ne touchent pas. Par

expérience personnelle, je puis noter que sur 9 de ces disputes mon amour-propre n'a été touché qu'1 fois.

Les demi-étrangers.
(25) Elles sont déjà + sérieuses.
(26) Un 1/2 étranger est un ami, un cousin ou un familier.
(27) Ces disputes sont (je parle entre cousins de Carc.) bcp + sérieuses.
1) Nous avons + d'attaches. Ainsi à Carc. nous nous voyons presque ts les jours
2) Il en résulte que nous nous connaissions mieux ou croyons nous connaître.

Les mêmes injures qui (19) ne nous auraient pas frappés, touchent dans ce cas + et mieux.

(28) Nous ne craignons pas qq'un, nous ne ns disputons pas avec lui quand nous croyons ou savons qu'il ne nous connaît pas.

(29) Une injure venue d'1 familier est + intolérable que venue d'un étranger.

(30) Avec un étranger on rentre en soi, ds son incognito. On répond par les coups, le mépris ou le silence. Avec un familier votre sensibilité est à vif.

(31) Nous ne voulons et ne pouvons régler nos luttes par des bagarres à coup de poing.

(31) bis Peut-être parce que les différences de force st trop grandes, ms surtout parce que la satisfaction est nulle, parce que nous craignons les punitions, que nous avons ts + ou − tort − aussi y a-t-il des bagarres à coup de langue.

(32) Les disputes entre ns et nos familiers portent + aussi parce que :
3) (ce cas nous est particulier) il y va svt de notre prestige. Il se trouve que mon cousin Jean a 14 ans et moi 13, ma cousine Juliette 12 et ma sœur 10, Pierrot 10 et Pierrot R 9. Ns nous correspondons donc à peu près par l'âge, aussi nous nous opposons. Il y a une 4e raison.
4) Mes cousins sont railleurs par naturel, nous susceptibles ; et c'est un terrain tt trouvé pour la dispute.

Enfin 5) Il existe des rivalités et des préférences entre ns. Il est très svt arrivé, dans des disputes générales, que les garçons se trouvent en conflit avec les filles ou que les grands utilisent dans leurs conflits entre eux les petits en les soutenant dans leurs conflits, ce qui leur permettait de s'attaquer + facilement.

(33) Pr moi j'ai surtout soutenu Nanet, Denise et P.M. au contraire Jeannot soutenant Nanet et Pierrot.

(34) <u>Conséquences</u> : ces disputes ont svt eu comme résultat des brouilles. En effet, oubliant nos querelles, sitôt nos cousins partis du jardin pr goûter, nous nous réconciliions et donnions en tout tort à ces derniers. Ils faisaient d'ailleurs de même.

(35) au (25) et (18) J'ajoute familiers à 1/2 étrangers.

123 (suite § 122) **Plan général : 26 janvier**

(47) Plan général : 26 janvier

Livre I : Querelles et disputes

ch.1 : Caractères généraux et luttes contre les étrangers
ch.2 : Les 1/2 étrangers et les familiers
ch.3 : Causes de nos querelles
ch.4 : Différents aspects des disputes
ch.5 : Caractères et techniques
ch.6 : Conséquences
ch.7 : Conclusion et principes généraux
ch.8 : Les taquineries
ch.9 : Réactions apparentes de Pierrot, Denise et Nanet
ch.10 : Étude de moi-même
ch.11 : Exemples et divers.
(...)

(70) Je vais maintenant aborder la principale partie de cet ouvrage : « Nos disputes » (voir (47)).

(71) Nos disputes résultent souvent d'origines et de causes fondamentales.

(72) Nous avons déjà vu (voir (13)) que les disputes ne pouvaient pas être supprimées. Cette impossibilité est donc 1re cause de leur existence.

(73) Une 2e raison est (14) que l'on ne peut régler absolument une dispute. Une dispute en engendrera tôt ou tard une autre.

(74) Comme 3e cause il y a nos incessants rapports. En effet, dans une journée nous sommes de 5 à 9 h ensemble. Combien de temps cela peut-il faire pour les disputes ?

(75) 4e cause. Différences d'âge et de caractères (voir ch. 9 et 10).

(76) 5e cause. Les circonstances se sont de tous temps adaptées avec les disputes et les ont favorisées.

(77) En effet les évnmets ont tjs empêché un pouvoir des parents solide qui permette une lutte contre ces disputes.

(...)

(79) A Carc. C'est le départ de papa de la maison et le « surmenage » de maman.

(80) Les circonstances s'y adaptent. 1) Papa est très svt hors de la maison. 2) Maman est encore surmenée. 3) L'habitude est prise.

(81) Il y a aussi des circonstances spéciales : le froid et le manque de chauffage nous groupent dans une seule pièce. Quand nous ne travaillons plus, comment jouer, comment se détendre ? Et voilà une nouvelle source de disputes.

(82) L'ennui est source de querelles.

(83) La vie en apart^t aussi (besoin de détente).

(84) Une 6e cause paraît évidente : c'est le nombre d'enfants. A 4, nous nous entendons diffcil^t. Nous en avons souvent fait l'expérience. En effet, Pierrot et moi nous nous heurtons toujours en ce moment. A Carcassonne en janvier, quand nous étions seuls, nous nous entendions parfaitement. Il en est de même pour tous les tandems possibles : J-N, J-D, D-N, P-N, à l'exception peut être de P-N (j'en donnerai plus tard les raisons, voir ch. 9).

(85) Une cause peut-être plus accessoire est la jalousie de l'un à l'égard des autres d'entre nous. Y a-t-il une bonne chose à manger ? Aussitôt de se précipiter. « P. en a plus que moi, ce n'est pas juste. » Réponse : « Ce n'est pas vrai. » Une dispute de plus. Une nouvelle source.

(86) Cette jalousie, d'où vient-elle ? Malheureusement des restrictions. C'est la rareté des bonnes choses qui l'a fait naître, l'a fortifiée et enracinée.

(...)

(88) Je ne vois pas d'autre cause pour le moment. Mais pour l'instant je puis tirer certaines conclusions. La disparition des disputes ne peut pas être complète. Cependant certaines de ces sources peuvent être évitées. a) les circonstances ; b) l'ennui ; c) peut-être aussi la jalousie. Pour cet espoir une seule réalisation possible : St-Germain. Tous mes espoirs reposent sur St-Germain. Puissent-ils ne pas être déçus.

(89) Malgré moi, je les encourage, les disputes. Je suis dégoûté de tout : du lycée, de la vie à la maison, de tout. Je n'ai plus aucun entrain pour apprendre, même pas pour lire, même pas pour jouer. Je le sens sans pouvoir lutter. Je le veux, je n'en ai pas la force. Cela m'inquiète.

(90) Cette digression est un peu hors de mon thème. Je m'égare

plutôt par licence que par mégarde. C'est quand même toujours mon sujet. Les disputes et cet état d'âme sont étroitement liés.

(91) J'influe, j'ai beaucoup d'influence sur les disputes, parfois néfaste.

124 (seconde suite du § 122) Je dois marquer ici, bien sûr, un trait récurrent et fatal de mon autoportrait,

Je dois marquer ici, bien sûr, comme un trait récurrent et fatal de mon autoportrait, le peu de persévérance que je montre dans ce genre d'entreprise de composition. J'ai à peine commencé que déjà je me fatigue. Et toutes les modalités futures de cette maladie sont là, clairement : dès que mon enthousiasme pour un effort suivi faiblit, je tente d'y remédier en dressant des plans. Dans le cas de mon « traité » l'hypertrophie des buts fait déjà peser sa menace sur la suite, dès le deuxième jour. C'est ce que je remarque moi-même, alors. Mais la lucidité sur ce point ne m'a jamais guéri.

(101) Enfin ne nous attardons pas. Revenons à des études plus terre à terre.

27 jan.

(102) En réfléchissant au sujet j'ai trouvé une nouvelle cause (voir (88)). Elle dépend en grande partie de la 5ᵉ (voir 76-81). C'est peut-être même un énoncé différent. De cette vie en appartement il résulte un énervement général. Donc l'énervement est source de disputes.

(103) Je m'aperçois que pour plus de clarté il me faudra faire un dictionnaire « technique » des disputes. Cela évitera bien des confusions.

(104) Les disputes ont une véritable histoire. Elles remontent à très loin. A partir de ce moment 27 janvier 10 h je noterai scrupuleusement et impartialement ttes les querelles pour pouvoir en avoir une vue générale et tirer d'elles des conclusions.

(105) Je suis pour l'instant donc impuissant à écrire cette histoire.

(...)

28 janvier

(110) Certains actes même souvent répétés paraissent héroïques avant l'exécution et faciles après.

(111) St-Germain, 1ᵉʳ contact. Le nouveau captive toujours. La

maison est curieuse, le jardin pas mal. Je suis assez agréablt surpris.
(...)
(118) Hier j'ai eu une entrevue avec Denise. Quels renseignements en ai-je tiré ? Pas de bien importants. Je sais que Denise fait un journal. Elle ne m'a pas caché certains détails, mais je ne peux pas voir le fond. J'ai été moi-même aussi très
(119) Un examen de soi-même, une discussion intime incitent au bien.
(120) Flamme qui ne dure pas longtemps.
(...)
29 janvier
(125) Ce matin : 2 seuls incidents. Pierrot et Denise.

That's all. Et je ne pense pas que rien se soit perdu.

Je marque encore, nouveau « trait » de caractère en voie de développement, un goût très net de la mise en ordre, de la succession d'instants écrits signalée de nombres. Il est là, indiscutablement. Je m'étais imaginé que cette prédilection pour une progression par fragments numérotés me venait du traité de mathématiques sévères de Bourbaki, la passion de mes vingt ans, renforcée un peu plus tard par la lecture du *Tractatus*. Mais il n'en est rien. C'est peut-être l'histoire latine qui m'a servi de modèle (encore heureux que mon incapacité à me mettre sérieusement au grec m'ait empêché de connaître alors Aristote, ou les Présocratiques).

En tant que « moraliste », l'auteur de ce « Traité des Disputes » se situe dans la ligne descriptive, taxinomique, sans illusions. Il y a peu de « lait de la tendresse humaine » et de bonté naturelle chez ces enfants querelleurs, dont je suis. Un roman anglais des années vingt, le *High Wind in Jamaica (Cyclone à la Jamaïque)* de Richard Hughes (bien supérieur à ce plagiat lourdingue et pâteusement symbolique qu'est le *Lord of the Flies* de William Golding) a été le premier, à ma connaissance, à présenter un portrait sans auréole roséolée d'une société enfantine. Je l'ai lu sans surprise.

Je vois enfin que la nostalgie est déjà là, implicite : plus jamais l'occasion de se disputer, donc de jouer dans le jardin de Carcassonne.

355

125 (§ 48) **Ces baisers ne cessaient d'enflammer mon imagination**

Cette incise n'est pas exactement semblable aux autres : ce n'est pas une simple digression dans le cours du récit. Elle est plutôt inflexive, corrective. La manière dont j'ai présenté nos positions respectives dans notre relation doit être légèrement infléchie. J'étais un amoureux enfant (pré-adolescent), essentiellement chaste, rêveur, et sans illusions, c'est vrai. Et Antoinette était fiancée, amoureuse de son farouche Espagnol (qu'elle devait épouser quelques mois plus tard. Elle doit être aujourd'hui plusieurs fois grand-mère). Je la faisais rire, c'est vrai, et elle ne prenait pas mes déclarations enflammées, dans un style fort littéraire, au sérieux, c'est vrai aussi.

Il reste qu'elle me laissait l'embrasser exactement comme Tino Rossi dans *Naples aux baisers de feu* embrasse Viviane Romance (nous avions vu tant de fois ce même film que j'avais eu le temps d'en étudier les variations) et que je profitais le plus souvent possible de cette autorisation. Je me souviens qu'un jour, alors que je l'embrassais dans la buanderie (parmi les bûches), nous fûmes surpris par mon grand-père, qui ne fit aucun commentaire (se contentant, comme toujours devant un phénomène inordinaire, de hausser les épaules sous son chapeau), et autant que je puisse en juger, ne nous dénonça pas. En tout cas, je n'en entendis jamais parler. Ni Antoinette, qui continua à m'accorder l'insigne faveur de l'embrasser.

Mais ce n'est pas tout. J'ai dit que souvent, le soir, quand mon frère et ma sœur étaient endormis, je sortais de la chambre (la chambre du chapitre 1), allais dans la sienne, en face sur le palier du deuxième étage, et me glissais dans son lit. Or là non seulement je l'embrassais encore, mais j'apprenais aussi à l'embrasser sur les seins, dans sa chemise de nuit, ces seins dont les transformations à ces moments m'étonnaient fort. Ma curiosité se serait aussi volontiers orientée vers d'autres régions mais elle me l'interdit toujours, gardant dans le lit sa culotte fort austère et répondant à mes protestations véhémentes par ces mots : « On ne sait jamais. »

Ceci qui me laisse supposer, aujourd'hui, en y repensant, qu'elle ne devait pas avoir une idée extrêmement nette de certains phénomènes que les films de Tino laissaient dans l'ombre (elle ne voulut jamais écouter mes explications physiologiques, que je tenais des meilleures sources lycéennes, et qui devaient, selon moi, prouver ma parfaite innocuité, la rassurer entièrement, et la persuader de me permettre d'entières explorations). Je pense aussi qu'elle se trouvait, tant elle était surveillée par sa famille et retenue par les règles rigides de conduite qui lui étaient imposées, à la fois dans l'impossibilité de se livrer aux joies du baiser romantique et amoureux avec son partenaire désigné, son fiancé, mais aussi, dans son ignorance, modérément attirée par les perspectives physiques du mariage. J'étais en somme, pour elle, une sorte de *sparring-partner* de l'amour. Et je la faisais rire.

A Paris, elle s'était liée avec la « bonne » de l'appartement contigu (les portes de service s'ouvraient face à face sur l'escalier du même nom) qui avait quatre ou cinq ans de plus qu'elle, était une jolie personne qui n'ignorait pas les jupes courtes et le fard (elle en mettait même autour des yeux) et était sans aucun doute parfaitement au courant de tous ces mystères. Elle me regardait d'un air moqueur et Antoinette avait certainement dû lui faire des confidences. Elle me trouvait plus « gentil » que les garçons dont elle devait s'occuper chez ses patrons (« de gros idiots », disait-elle). Elle « sortait » le soir danser avec des soldats américains et essaya, en vain, de « dégourdir » Antoinette et de l'amener s'amuser avec elle.

Je me souviens d'un trajet en métro, un matin, avec Antoinette et elle, et d'un soldat américain, un sergent, auquel elle avait sans doute donné là rendez-vous. Je ne sais pas trop où nous allions. Nous étions dans le coin arrière du wagon, à l'opposé de la porte, et je voyais, pendant qu'ils se caressaient longuement l'un l'autre du regard, le soldat passer sa main sous sa jupe. Je n'en croyais pas mes yeux.

126 (§ 49) **Le tome X de l'édition chronologique monumentale « Laumonier »**, où il figure, <u>au second livre des Meslanges</u>, à la date de **1559**

Au dernier vers du sonnet, je le vois, Ronsard a véritablement écrit « doux souvenir » et non « seul souvenir ». Et Laumonier ne signale pas une telle variante, que je préfère (peut-être parce que ma mémoire s'est habituée à elle) mais que j'ai vraisemblablement inventée. Le vers 4, dans la première version, était :

« Et vos beaux yeux sentoient encore leur enfance. »

Quant au vers 8, au même moment, il se lisait :

« Et vos cheveux faisoyent au soleil une offense. »

Ce n'était pas très réussi.

En même temps que du sonnet, je me souviens de trois choses, apprises contemporainement :

— Je savais que ce sonnet était une « pièce retranchée », supprimée par Ronsard lui-même de ses *Œuvres*, et restituée par la postérité, sauvée d'un oubli voulu, par erreur ou sacrifice, par son auteur. (L'adjectif « retranchée » apparentant la condamnation à une exécution capitale, par l'action d'une « guillotine » esthétique.) L'expression « pièce retranchée » était devenue comme le titre du poème, et participait au tremblement qu'il me donnait (cette espèce de frisson dorsal qui vous saisit à la lecture de certains vers de Shelley par exemple).

— Mais je m'imaginais comprendre pourquoi Ronsard avait guillotiné cette pièce : à cause, me disais-je, des six derniers vers qui sont particulièrement « tartes », quoique autant ronsardiens que les autres (on y reconnaît (c'est mon jugement actuel) sa coutumière délicatesse de sentiment : « et si pour le jour d'hui vos beautés si parfaictes / ne sont comme autrefois... »). Une telle faille souvent visible dans le génie d'un poète dont les choix scolaires et l'enseignement de mes professeurs ne me présentaient que les « chefs-d'œuvre », était simultanément scandaleuse et rassurante.

J'ai découvert, presque simultanément, grâce à Baudelaire, la nécessité esthétique de ce mélange du « beau » et du « non-beau » dans un même poème (qui va, suprême raffinement « cusain » dans certains cas, jusqu'à rendre essentiels à un poème des vers délibérément composés pour être des « contraires » de beaux vers : « C'est trop beau ! trop ! gardons notre silence ! » (Rimbaud)) : agacement fascinant semblable, pour les personnes de ma génération à celui causé par deux bas filés jusqu'en haut de deux jambes féminines très belles :

« Pendant que des mortels la multitude vile »

si près de :

« Sois sage ô ma douleur, et tiens-toi plus tranquille. »

Car l'imperfection est indispensable à la poésie. (J'ai rencontré, beaucoup plus tard encore, avec la poésie japonaise ancienne, une tradition où cette coexistence des extrêmes esthétiques, opposition de la <u>trame</u> et du <u>dessin</u>, est parfois mise au commencement même de toute composition.)

— J'étais frappé enfin, et enchanté, du double emploi, au même endroit du vers, et en deux vers consécutifs, par-dessus la frontière du quatrain, d'un même mot en deux visages, qui évitent la rime non-rime : « encore », « encor ». La différence entre les deux est minimale et n'est pas, c'est clair, principalement une différence de prononciation. Mais c'est le signal, le plus économique possible, du rôle du « e » dit « muet » dans la prosodie de l'alexandrin. Il est compté qu'au premier de ces deux vers, il ne l'est pas dans le second. Il est en outre, même compté, toujours au « bord » de l'évanouissement (certainement extrêmement bas dans l'échelle de réalisation phonique des « e » selon Milner et Regnault). Le premier de ces « e muets » est dans un vers qu'il fait sonner comme un trimètre, un vers du futur, un « plagiat par anticipation » de Hugo. L'absence du second est dans un vers modèle d'alexandrin classique (et on évite ainsi une treizième syllabe), avec une « infante » antéposée à l'hémistiche. L'archaïsme rencontre l'anticipation.

J'apprenais ce poème, et j'avais douze ans. Sa nostalgie était particulièrement pure, puisqu'elle se situait nécessairement pour moi dans un temps non encore advenu.

127 (suite du § 126) « Elle était déchaussée »

Le même hiver, j'ai appris et retenu jusqu'à aujourd'hui un autre poème, fort connu celui-là des lecteurs de mon âge. Il est de Victor Hugo, dans <u>Les Contemplations</u> :

Elle était déchaussée, elle était décoiffée,
Assise, les pieds nus, parmi les joncs penchants :
Moi qui passais par là, je crus voir une fée,
Et je lui dis : « Veux-tu t'en venir dans les champs ? »

Elle me regarda de ce regard suprême
Qui reste à la beauté quand nous en triomphons,
Et je lui dis : « Veux-tu, c'est le mois où l'on aime,
Veux-tu nous en aller sous les arbres profonds ? »

Elle essuya ses pieds à l'herbe de la rive ;
Elle me regarda pour la seconde fois,
Et la belle folâtre alors devint pensive.
O ! Comme les oiseaux chantaient au fond des bois !

Comme l'eau caressait doucement le rivage !
Je vis venir à moi, dans les grands roseaux verts,
La belle fille heureuse, effarée et sauvage,
Ses cheveux dans ses yeux et riant au travers.

Mont.-l'Am., juin 183.

La grande édition du Club Français du Livre note, avec une discrète ironie, semble-t-il, la date suivante, sinon de composition du moins d'entrée dans le manuscrit des <u>Contemplations</u> : « 12 avril 1853 — V. H. ne semble pas être revenu à Montfort-L'Amaury depuis 1825, sauf la première semaine d'août 1830 : la date fictive demeure obscure. » Sans doute. Pourtant, quelque chose en ces strophes désigne, fictivement peut-être, mais efficacement le passé du poème : c'est la versification.

Il n'y a dans ce poème, ni enjambements, ni trimètres romantiques, ni hémistiches disloqués. Hugo y utilise l'alexandrin « niais » de sa jeunesse, celui par exemple qu'il emploie de manière constante dans les *Feuilles d'automne*, qui sont de 1831. En cela, il s'agit bien d'une <u>Vieille chanson du jeune temps</u>, même si la composition réelle (ce que j'ignore) est plus tardive de beaucoup.

La prosodie poétique signale son moment, son archaïsme comme sa contemporanéité ou ses innovations par de nombreux signes, qu'un effort patient d'analyse peut permettre en partie d'identifier, et qui donnent au poème une grande partie de ses couleurs comme de ses pouvoirs. La distance, considérable, entre l'alexandrin de ce poème et celui qui est ordinairement employé dans <u>Les Contemplations</u>, celui de <u>Réponse à un acte d'accusation</u>, par exemple, ou, pour rester dans le registre lyrique, celui de <u>A celle qui est restée en France</u>, contribue de manière décisive à son intention.

Le vieil alexandrin marque la jeunesse perdue de l'instant. Et cela d'autant plus que, pour quelqu'un qui le lit beaucoup plus tard, après plus de quarante ans de fréquentation du vers qui s'est dit « libre », le caractère irrémédiable du changement, du vieillissement (qui fut accéléré par Hugo lui-même) dans la nature de l'alexandrin, ajoute son propre commentaire *a posteriori* à la nostalgie des vers :

« Vos beautés si parfaites / Ne sont comme autrefois. »

128 (§ 49) **Les Sempourgogniques**

Les Sempourgogniques

De l'ouvrage de M. P. Dataficus qui s'étendait sur une période de 107 ans il ne nous est parvenu que quelques fragments. Cet immense ouvrage était divisé en neuf dédocies narrant chacune les événements de douze ans et divisées chacune en 9 livres. De ces quatre-vingt-un livres il ne nous reste plus que : les livres I, III, VII, IX de la première dédocie et XII, XVI racontant la conquête de la Péruvie. Les livres XVII, XVIII, XX, XXX, onze chapitres du livre XXXII des 2ᵉ, 3ᵉ, et 4ᵉ dédocies, neuf chapitres du résumé des 5ᵉ et 6ᵉ dédocies, les livres LV, LVI et LXI de la 7ᵉ, le livre LXVIII narrant le règne de Sempourgogne. Enfin le livre LXXIV du règne d'Ipir Iᵉʳ et les trois derniers livres de l'ouvrage.

Nous citons ici des extraits des livres I, III, XVI, XXX, LXVIII, LXXIV, LXXX et LXXXI.

Les Sempourgogniques parurent vaisemblablement en 126. Dataficus mourut en 134.

La Grandeur
de
SEMPOURGOGNE
Empereur et roi de Péruvie, de
l'an 22 de son ère jusqu'au 89ᵉ été de son
arrivée,
Par la grâce des dieux
Garenne et Goguelu

(Voilà un de mes dieux, sans doute, de ceux que j'ai oubliés.)

Ouvrage très veridique et mirifique du Sieur
Marcus Publius Dataficus
Percepteur (sic) du digne fils
du seigneur comte, vicomte, duc et archiduc
Johannus de Bessinguya

HUJUS MAGNI HEROIS
NEPOS

ce 17 avril 126 à
Licoll.

361

EVENTIS DE QUIBUS SECUTUS EST ADVENTUM IN PERUVIAM SEMPOURGO-
GNI MAGNI

*I (1) A fortuna missus in Peruviam Sempourgognus Magnus, primo
statim adventu illius populi[1] feros cultores[2], quorum habitus ac lingua
singularis erant, obstupefecit et cum e suis navibus, ubi praesidium
collocaverat, egressus in superiore loco sua castra posuit, facilius sibi
instantes hostes fortuitos sustinendos; itaque ergo placide, ibi, pernoc-
tavit.*

(Sempourgogne le grand, envoyé en Péruvie par le ciel, étonna dès
son arrivée les habitants sauvages de cette région dont les habitudes et
le langage étaient singuliers. Et après avoir quitté ses navires où il
laissait une garnison, il établit son camp dans un lieu élevé pour
pouvoir plus facilement repousser des ennemis éventuels; ainsi il
passa tranquillement la nuit.)

*(2) Deinde, ubi primum stellarum lanearum pallescit fulgor, dum
superbi solis erumpit lux, tunc Sempourgognus Magnus, castris motis
agmen suum in planum demittit, suumque caprafelem, cui animali
nomen dederant Peruvii capracatem (quod erat fama a Garene generatum
deo ac e cappelis felibus que fictum) equitat, donec ad utilem castris
locum prevenitur.*

*(3) Ibi, tum, non solum flumen sed castella duo quoque conspexerunt
et manum eis quae incolis victus peterent atque commeatum misit
Sempurgognus, sapienter, Magnus, ac autem prudenter, ipse, cum robore
caprafelitorum[3] progressus [dum stabat agminis Gallorum[4] maxima
pars][5], lenteque hanc manus insecutus.*

*(4) Paulo post oratores, ad illum celticum ducem venerunt et, cum eos
rogavisset benignissime id quod, ut victus, sibi concessurum possent,
respondisse :*

*(5) « Quis es ? unde venis ? quid agere vis ? o advena flava coma et ideo
nobis similis, si tua bona erunt consilia tui amici erimus. Responde, o
dux, dic nobis qui nomen sit tibo et quae acciderint. » His dictis tacent
Peruviaci duces.*

(6) At ille : « O, jucundae hujus regionis...

(Ensuite, dès que la lueur des étoiles laineuses a disparu, tandis que
la lumière du soleil orgueilleux surgit, Sempourgogne le Grand ayant
levé le camp conduit son armée dans la plaine et chevauche perché sur
sa caprafèle (que les Péruviaques appellent *chèvrechat* car elle a été

1. *Populus* = région.
2. *Cultor* est pris ici au sens d'habitant.

conçue par le dieu Garenne d'un mélange de ces deux animaux) jusqu'au moment où l'on arrive à un lieu favorable à l'établissement d'un camp.

Ils aperçurent là un fleuve et, de plus, deux bourgades où sagement Sempourgogne le Grand envoya chercher des vivres chez les habitants et un droit de passage. Cependant lui-même, avec l'élite des caprafélites s'avance prudemment et tandis que la plus grande partie des Gaulois s'arrête il suit lentement cette troupe.

Peu après des ambassadeurs vinrent à la rencontre de cet illustre chef celtique et comme celui-ci leur demandait ce qu'ils pourraient lui accorder comme vivres ils répondirent :

« Qui es-tu ? d'où viens-tu ? que veux-tu faire ? O, étranger à la chevelure blonde et, en cela, semblable à nous. Si tes intentions sont bonnes nous serons tes amis, réponds, chef, dis-nous ton nom et tes aventures. » Ceci dit, les chefs péruviaques se taisent.

Celui-ci répondit : « O, chefs de ce beau pays écoutez-moi... »

3. Les caprafélites sont des soldats d'élite.

4 : Sempourgogne, comme les Péruviaques, est d'origine celte.

5 : Fragment d'authenticité douteuse.

Sempourgogne fournit alors un récit ultra court de ses aventures. Les Péruviaques l'écoutent « comme écoutent les élèves leur maître » (*sicut discipuli magistrum attendunt*) et selon que Sempourgogne le Grand parlait fortement ou faiblement, ils s'approchaient ou s'éloignaient de lui (*et utcumque Sempourgognus Magnus aut fortiter aut languide loquebatur, aut propinquabant aut discedebant*) Le héros alors se tait et « la nature elle-même augmente le silence » jusqu'à ce que les chefs autochtones lui proposent de le conduire, lui et ses troupes, dans leur *oppidum*. On parvient jusqu'à une muraille d'apparence infranchissable et les « Gaulois » ont peur d'être tombés dans un piège. Alors

(14) *Sempourgognus tunc Magnus alienum ducem adlocutus, saxumque invium ostendit et iter designare eum jussit. Statim Peruviacus saxo appropinquat, ac, lapide ingente diducto, exitum detexit qua mirati Galli conspexerunt mobile mare.*

(Sempourgogne le Grand interpella alors le chef étranger et, lui désignant le rocher infranchissable, lui ordonna de montrer le chemin. Sur-le-champ le Péruviaque s'approcha de la roche et, faisant tourner un immense rocher, découvrit une issue où les Gaulois émerveillés aperçurent la mer mouvante.) Sur ce coup de théâtre inspiré des meilleurs auteurs, la section I du chapitre s'achève.

129 (suite in § 128) Les incidents de la deuxième section ne sont guère mémorables

Les incidents de la deuxième section du chapitre, qui servent surtout de terrain d'entraînement à certaines constructions syntaxiques difficiles (et sans doute d'acquisition récente chez l'auteur), ne sont guère mémorables. Passons donc d'emblée à la troisième, consacrée essentiellement à un portrait physique et moral des caprafèles, ces animaux-valises chers aux héros des *Sempourgogniques*.
(...)
III (2) Peruviaci, maxime, caprafelibus detinebantur; alii mulcebant earum mystaces, alii trahebant eas. Illae sinebant illos, benignissime.
(Les Péruviaques s'occupaient surtout des caprafèles; les uns caressaient leurs moustaches, les autres les tiraient. Celles-ci les laissaient faire, avec grandeur d'âme.)

(3) Ces animaux ont, comme il se doit, des mœurs singulières. Si la plupart des caprafèles ont quatre pieds, la taille d'une chèvre et trois pieds qui touchent presque la terre, en revanche la caprafèle du Grand Sempourgogne, que les soldats appelaient la Sorcière, avait la taille d'un homme et cinq pieds. Elle était ainsi par pur caprice.
(Quibus animalibus sunt, scilicet, singulares mores. Sicut caprafelibus plerumque quattuor pedes et caprae statura est, pedesque tria fere qui terram tangebant, ita capracati Magni Sempourgogni, cui nomen dederant milites Incantatrix, erat tamen hominis statura atque pedes quinque. Caprafelice ita fuisse dicebatur.)

(4) Toujours chez les caprafèles dont le corps est conforme à l'usage, la queue et la tête sont de chat. La tradition veut cependant qu'une certaine caprafèle ait eu un nez de chèvre. Du reste, les caprices et la perfidie qui appartiennent à coup sûr aux femmes sont aussi des vices propres à ces animaux.
(Capracatibus semper corporis convenientis habitu, cauda caputque felinum est. Fama, tamen, caprafeli cuidam nasum caprinum fuisse, est. Ceterum, ut libido ac perfidia certo mulieribus, ita, animalibus illis, ista vitia sunt.)

(5) César en eut jadis une et l'on raconte qu'un jour où elle lui avait demandé pourquoi il avait osé vaincre les Gaulois et qu'il lui avait

répondu que cela avait été son devoir de Romain, elle lui avait dit qu'il était bête.

(Caesarem unam earum habuisse, atque quondam eam, cur ausum esset Gallos vincere, eum rogavisse et, cum illi respondisset officium fuisse Romanum, eam declaravisse Caesarem stupidum, aiunt.)

(6) (Ces bêtes sont en effet des femmes très bavardes, punies par les dieux et qui ne peuvent plus parler que quand elles sont interrogées.

(Nam bestiae eae mulieres garrulissimae sunt quae deis punitae et ubi rogantur, loqui tantum possunt.)

(7) Mais de grandes qualités compensent leurs défauts. Elles s'attachent toujours à de bons maîtres, résistent en outre à la fatigue et si elles ne s'endorment pas facilement le soir, elles se réveillent difficilement le matin.

(At quoque, magnae virtutes aequant earum vitia. Et ad bonos, semper, dominos se applicant, et, insuper, sudori cuilibet resistunt et, ut vespere somno haud facile connivent, ita, mane, haud facile excitari possunt.)

(8) C'est d'ailleurs pourquoi Sempourgogne le Grand envoyait, de bon matin, des délégués officiels pour les réveiller. Ces rites étaient appelés le Grand Lever.

(Itaque mittebat semper, mane novo, legatos publicos qui eas expergefacerent, Sempourgognus magnus. Ritus illos, Surrectionem Magnam, vocari.)

(9) Les caprafèles ne sont pas d'humeur égale le jour et la nuit. Elles mangent d'habitude beaucoup et bien. Elles broutent des bourgeons et des feuilles tendres, aiment l'acidité et non l'amertume. Pendant le repas elles sont tranquilles ou déchaînées. Après un bon déjeuner elles sourient parfois. Mais le plus souvent, elles sont mécontentes du cuisinier et le poursuivent à coups de pierres.

(Illae die noctuque non civiles. Multum esse solent beneque. Oculos pascunt ac tenera folia. Acrem sed non amaritudinem amant. Inter cenam aut placidae aut accensae sunt. Post jucundum cibum nonnunquam arrident. Saepe autem in coquo offenduntur brevique lapidibus eum appetunt.)

(10) Quoi qu'il en soit, les caprafèles étaient très honorées...
(Quamquam magnopere colebantur caprafeles...)

(Bien évidemment, le récit ne se poursuit guère au-delà de ces quelques chapitres.)

130 (in § 50) **Leningrad, Stalingrad, Orel, Koursk, Velikie-Louki, Briansk**

Ces noms ne changeront pas pour moi. Ils ne désignent pas les villes actuelles, le Saint-Pétersbourg archéo-rétro d'après août 1991 (ah ! le bon vieux temps de la Sainte Russie : ses tsars, ses barines, ses moujiks, ses pogromes !), ni le ridicule Volgograd de l'ère Krouchtchev, mais les batailles qui s'y livrèrent (la défaite de l'armée de Von Paulus, le siège terrible où mourut le poète Kharms). Ce sont des lieux de mémoire, et il vaut mieux que les lieux vivants en soient distincts.

Si je termine par « Briansk » cette énumération, c'est à cause d'un souvenir « générique » des temps où le reflux décisif des armées hitlériennes commença : j'avais été chez le coiffeur avec un livre et j'entendis à la radio vichyste l'annonce d'un nouveau « repli élastique » (réjouissante expression des services de la « Propagande » allemande), l'évacuation de Briansk, précisément, en un déplacement vers l'ouest sur « des positions préparées à l'avance ». Je m'empressai de rapporter la nouvelle à la maison. Et cette fois, « Londres » était en retard, qui ne l'annonça qu'au bulletin d'information du soir, « Les Français parlent aux Français ». Ce passage de la dénégation à l'anticipation des reculs ennemis était d'excellent pronostic pour la suite.

« Velikie Louki » est une ville biélo-russe, il me semble. Et le nom (russe) signifie « Hautes Prairies ». Le frère de Nina Morguleff (dont vous avez lu un peu plus haut le témoignage), Georges, s'était également réfugié dans la région carcassonnaise et était « entré » dans la Résistance, comme on disait.

(Du témoignage de mon père (§ 115))
Qu. : Qui était Georges ?
— Ses parents avaient émigré de Russie en Allemagne. Puis quand il y a eu le nazisme les parents ont dit : « Il faut aller en France. » Ils sont arrivés en France, sa sœur et lui. Un type d'une intelligence prodigieuse, Georges Morguleff, au point que, nous l'avons su par des amis, au bout d'un an il était premier en français. Un type extrêmement brillant.
Au début de la guerre il était aspirant dans l'armée française. Il s'est caché dans le Tarn. Nous le connaissions par la famille de Lyon. Je l'ai fait revenir et il est devenu mon secrétaire. Finalement, quand Myriel

a été tué il est devenu commandant FFI de l'Aude. Sa sœur était la secrétaire de Marc Bloch qui était responsable des Francs tireurs de la Région lyonnaise.

Qu. : Il habite à Paris maintenant ?

— Georges ? oui, avec sa sœur. Elle a été journaliste à *Midi libre,* après. Elle est astrophysicienne.)

Georges et Nina essayaient de nous faire prononcer les invraisemblables liquides de ces deux mots. Nous n'y arrivions jamais. Pas plus qu'à prononcer correctement le « r » et le « l » final de « Orel », la ville dont le nom veut dire « aigle ».

131 (§ 50) **J'avais admiré les manifestants antipétainistes de 1942**

(Toujours le témoignage de mon père : § 115 et autres)

— La première organisation, c'est Picolo qui l'a montée.

— Je passe sur les enfantillages. Au début nous faisions des plaisanteries qui consistaient à partir avec un fusil de chasse repérer les endroits où éventuellement on ferait des embuscades, des trucs comme ça.

— Il connaissait beaucoup de gens. Sa pharmacie était un lieu de rendez-vous, un peu trop ouvert.

— Il était pharmacien ?

— Sa femme était pharmacienne, lui était professeur de physique au lycée de Carcassonne. On l'avait révoqué, il avait été le candidat socialiste de la circonscription.

— La première organisation c'est lui qui l'a montée. Il y avait eu la visite de ce Stéphane. Je lui ai dit : revenez demain.

— C'était en 1941 ?

— En 1941 oui, il avait l'air si mystérieux. Je me suis méfié, il avait tous les noms inscrits sur un carnet. J'ai téléphoné à un ami qui m'a dit : « Tu es complètement fou. j'ai des réfugiés espagnols chez moi, nous sommes surveillés depuis longtemps. » Picolo, lui, a pris contact. Et il a commencé à organiser « Combat », enfin quelque chose qui ensuite s'est appelé Combat.

— Il a fait un geste qui a fait du bruit dans Carcassonne. Il a arraché le bouquet de l'Allemand qui venait faire une conférence sur la collaboration culturelle, au théâtre de Carcassonne. Dans la grande rue de Carcassonne, des gens lui avaient apporté un bouquet, et Albert Picolo lui avait arraché le bouquet.

— C'est vrai, l'organisation n'était pas structurée, mais son influence était étendue. Je pense au 14 juillet 1942, à Barbès. Armand Barbès est une des gloires de la région, un révolutionnaire de 48. Il a son tombeau dans un bois très beau, à Villalier. C'est le village où est enterré Joe Bousquet. Barbès avait sa statue sur une des grandes allées de Carcassonne, le boulevard Barbès. Elle était en bronze. Les Allemands l'ont enlevée. Le lendemain, il y avait des inscriptions : « Barbès nous te vengerons » ou quelque chose comme ça. Et le 14 juillet il y a eu une énorme manifestation, le 14 juillet 1942.

— Albert n'était plus là, on l'avait arrêté, puis il était parti en Lozère. Le travail de bouche à oreille avait été bien fait. Je me souviens que nous étions avec la femme d'Albert, Odette, dans le jardin, un certain nombre, nous sommes sortis pour y aller, nous ne pensions pas que ce serait si beau. Les allées étaient complètement pleines. Il y avait même des notables : le père Bruguier, le Dr Gout, le procureur Moreni. Moreni est mort en déportation.

— Quand le service d'ordre des légionnaires est venu, nous étions nombreux. Ça a chanté *La Marseillaise*. Dans une rue parallèle, le père Bruguier, le Dr Gout et Moreni partaient de la manifestation, et à ce moment-là les légionnaires ont voulu leur faire un mauvais parti. Les pétainistes n'étaient pas nombreux mais ils étaient là, en tenue. Le mot d'ordre est passé, nous avons filé à toute allure, il y a eu un face-à-face. Ils se sont dégonflés.

Ce qui m'a amusé dans cette histoire, c'est que nous avions fait un match de rugby, les professeurs du lycée contre une autre équipe, et il y avait un gars un peu voyou, qui s'était bagarré avec un professeur, un pilier, et on s'est retrouvé à côté. Il m'a dit : « Tiens, tu es là, toi. »

bifurcations

Le Monstre de Strasbourg

132 (§ 9) **Je vois ce titre immense, Le Monstre de Strasbourg, sur un fond cinématographique de toits à cheminées,**

Je vois ce titre immense, Le Monstre de Strasbourg, sur un fond cinématographique (anachronique ?) de toits à cheminées, pentus excessivement, hérissés de cigognes : leurs nids contre les cheminées, leurs longues plumes blanches ou roses mêlées de neige, leurs jambes interminables ; toits de plomb, couverts des plaques, des feuilles d'un étain pluvieux et verdi ; un décor, une page de garde à mouvement, à transformations. Le « Monstre » indescriptible est certainement là, derrière les cheminées ; c'est à cause de lui que s'envolent les cigognes. Je vois son invisibilité, je retrouve presque la peur qu'il suscite, la peur légère induite par le conte dans la chambre déjà nocturne : dans une bulle de nuit, soufflée par le conteur, moi, autour de la chambre, autour des trois lits, autour du mien ; autour des têtes, de la mienne, dans la mienne ; contenant une lune. (« *Quand les cigognes du caïstre / S'envolent au souffle des soirs / Quand la lune apparaît sinistre / Derrière les grands dômes noirs /* » (Hugo).)

Je reste dans la même chambre d'enfance, à Carcassonne, rue d'Assas, le soir : un soir de nuit tardive ; il s'agit d'une nuit d'été, ou de printemps finissant, ou de début d'automne, après la rentrée des classes ; dans la chambre sombre, le lit, les trois lits ; le ciel plus clair, par la fenêtre ; un ciel de soir, presque de nuit.

Allongé, les deux autres lits sont à ma gauche, comme j'ai dit

— → cap. 1. Je <u>bifurque</u> dans mon souvenir, je passe du matin au soir, de l'hiver à l'été, encore un saut tout naturel, sans effort, dès que me vient la vision de givre sur la vitre, son contact avec le doigt, dès que je la laisse bouger. **En ce moment, qui devrait être celui du sommeil, de la préparation au sommeil, je raconte.** C'est **un soir de récit.** Il est vrai que je ne me vois, ni ne m'entends, racontant. Je ne sais pas non plus quel est le récit. Mais le souvenir s'en est transmis, extérieurement à moi. Les récits entendus ont été longtemps retenus, sinon dans leurs détails, du moins dans leur atmosphère. <u>Le Monstre de Strasbourg</u> était un récit, un récit fantastique, prolongé, à épisodes, un « feuilleton », en somme.

Il n'y a plus qu'un titre à ce récit. Et ce titre, qui a effacé presque tous les autres titres de récits de ces moments, de ces années, est devenu aussi celui de cette famille de souvenirs, dans la chambre d'été, le soir : <u>Le Monstre de Strasbourg</u>. Un récit d'effroi gothique, nourri de *Notre-Dame de Paris* par exemple, ou de *Quentin Durward*, d'*Ivanhoé*, des *Héritiers d'Ellangowan*, de *La Fiancée de Lamermoor*, d'un de ceux-là certainement (je ne risque pas de me tromper beaucoup : j'ai été un lecteur assidu des romans de Hugo et plus encore de ceux de Walter Scott). Pour la couleur locale « alsacienne » que suppose le « Strasbourg » du titre, il faudrait chercher du côté d'Erckmann-Chatrian (*Madame Thérèse, Le Conscrit de 1813, L'Invasion*), pour le fantastique, chez Edgar Poe dans la version de Baudelaire *(Les Aventures d'Arthur Gordon Pym de Nantucket ?)*... Il y a le choix.

Et pour les épisodes tardifs, si on les rejette jusqu'à l'automne de 1943, il faudrait ajouter *Rocambole* (§ 144-145) (j'ai retenu, peut-être parce qu'il mettait en scène l'auteur de cet énorme feuilleton, et vraisemblablement pas tout à fait par hasard, un « message personnel » insistant de la radio de Londres, une de ces phrases énigmatiques et récurrentes aussi fascinantes que des proverbes, des leitmotivs, des citations. Nous les écoutions comme s'il s'agissait de voix poétiques, ou prophétiques (et elles l'étaient, en un sens qui nous échappait), sans en comprendre les intentions : « *Ponson-du-Terrail fait frémir le quartier. Je répète : Ponson-du-Terrail fait frémir le quartier* » J'ai appris plus tard que la voix annonçait ainsi un parachutage d'armes, ou un bombardement : des affaires de « Résistance ».

Mais ainsi reconstitué, c'est un souvenir qui n'a, en fait, plus rien de « gothique », plus rien de sinistre. Et il ne reste plus rien aujourd'hui, ou presque, de son « aura » de mystères romanesques, jadis toujours présente et sans cesse différée, suspendue, puis renouvelée, dans l'attente soir après soir, avec les rebondissements et les résolutions, autour des « épisodes » du récit. Je l'ai conservée longtemps, tel un écho de ces années, et un témoignage assez irrécusable (puisque je n'étais pas seul à m'en souvenir) d'un plaisir ancien à raconter, avec une certaine efficacité, des « histoires ». J'avouerai ici que j'aurais bien voulu, dans **Le Grand Incendie de Londres**, en restituer quelque chose : au moins une « valeur approchée ».

Pourtant le halo de mystère du monstre enfantin, terrible mais inoffensif, m'est un jour apparu beaucoup plus étrange, inquiétant même, comme si les **mystères** divertissants du conte n'avaient fait que convertir une **énigme**, dont la chute, avec le temps, après des années de dissimulation et d'hésitation, était devenue, par une rencontre invraisemblable d'images, contingente, absurde, mais irrécusable, ce qu'elle avait toujours été véritablement : sombre. Cela commença un soir de 1983, quelque temps après la mort d'Alix, et je m'étais allongé de nouveau sur son lit déserté, dans l'angle du mur, le long du pavage en fragments de miroir où elle avait voulu que se reflètent le ciel, et les nuages. Les nuages, à leur habitude, sortaient de rien, sortaient dans le silence de derrière l'église des Blancs-Manteaux, dans le golfe de toits entre l'église et les maisons de la rue.

Les nuages arrivaient lentement, porteurs du soir et de la lumière finissante, désolée, sur les maisons, sur l'église, sur les arbres du square ; dérivaient dans les fragments de miroir, s'en allaient, avec leur tranquillité muette, aérienne, avec leur indifférence insupportable. Et je me détestais d'être là encore une fois, de n'avoir pu m'interdire d'être là, avec ma souffrance, avec l'abandon à la souffrance absolue que signifiait être là, pendant que la lumière impardonnée fuyait sous la porte, se retirait du parquet, des vitres, du plafond, des livres, de la chaise, de mes mains, de mes yeux, de toute mon attention au ciel, aux nuages, à l'estuaire encore très lumineux du jour entre les toits.

Dans le mouvement des nuages, alors, dans l'image même du bord des toits de l'église où ils m'apparaissaient d'abord, dans la forme de la pierre, j'ai senti la présence d'un monstre, que je sentais connaître, mais que je n'identifiais pas, pas encore, venu de loin, de trop loin. Et ce n'est que plus tard encore que, montrant à Marie, dans l'angle de la fenêtre, ces nuages apparus surgissant de l'oubli, leur origine m'a été restituée. Il n'y avait pas là un monstre, mais ce monstre, le **Monstre de Strasbourg** de mon enfance, l'invention soudain plus du tout aimable de mon imagination de conteur débutant.

133 J'ouvre la porte au fond de la chambre

J'ouvre la porte au fond de la chambre ; je l'ouvre dans le premier matin, d'une saison indistincte, quelconque, obscur au-dehors ; la chambre était éclairée d'une ampoule nue, qui pendait du plafond, pas tout à fait au centre de la pièce, plus près de la porte ; la porte ouverte entraînait la jaune lumière de la chambre vers le dehors, annexait une partie de l'espace au-delà de la porte, jusqu'à celle qui lui fait face sur le palier ; que je n'ouvre pas ; image à la Hopper ; par la lumière jaune d'une ampoule, la chambre sortait d'elle-même, débordait de sa porte, de sa fenêtre, emplissait une poche d'espace, d'un côté suspendue en l'air du jardin, de l'autre comprimée par le mur, par l'autre porte, et le sol qu'interrompait, incertaine, la dernière marche de l'escalier.

Je vais jusque-là ; je ne pénètre pas pour le moment dans l'autre chambre du deuxième étage (face à la première, celle dont je viens de sortir). Ce fut la chambre de Marie (puis d'Antoinette, après le mariage de Marie, et son départ pour le

Minervois, pour Villegly) ; **je m'arrête en haut de l'escalier. Je me penche sur l'obscurité de la cage d'escalier : au-dessous de moi un demi-siècle, obscur.**

Je suis en haut de l'escalier comme sur la margelle d'un puits, un autre puits que celui du jardin, condamné, entre la terrasse et le banc. Je m'arrête. J'attends d'en voir surgir quelque vérité. Mais de quel ordre ? Pas une leçon, je ne suis à la recherche d'aucune leçon. (Une morale ? « Et quelle morale ? Aucune. ») Je cherche une nouvelle continuité d'images pour avancer dans ce parcours, aboutir en cette bifurcation (j'ai un but). Je suis arrivé assez facilement au point où je me penche sur l'obscurité ancienne de l'escalier. J'ai refermé la porte derrière moi. Aucune lumière ne m'éclaire du ciel, aucune eau dans le fond d'un puits ne me renvoie mon visage (aucune eau d'aucun puits ne me renvoie jamais mon visage, au passé). Je ne me heurte pas à une obscurité impénétrable, immobile, mais à une profusion. Comme si toutes les obscurités de tous les escaliers de toutes les maisons où j'ai été se pressaient ensemble, là, s'y confondaient, et que d'elles montait un nuage, une fumée de visions.

Je dois faire un effort intense de séparation raisonnée : pas cette image parce qu'à côté il y a cela, pas cette image parce que la rampe est en fer, celle-là parce que les marches sont en pierre, celle-là parce que la pente est droite. Il me faudrait voir du bois (rampe et marches) et une spirale. Je ne comprends (ou bien je comprends trop) ni cette résistance à l'identification (persistante, cela fait trois matins que je m'acharne) ni la prolifération brouillonne qui constamment recouvre les bribes de vision certaine (certitude fondée ou pas, peu importe), et m'expédie jusque vers le haut (vertigineux) du Scott Monument à Edimbourg, par exemple (c'est ce qui vient de m'arriver), au moins aussi facilement que dans les escaliers des autres maisons où j'ai vécu.

Or j'insiste, malgré la réticence involontaire mais tenace de mon cerveau, à laquelle je ne peux trouver aucune justification externe. J'insiste, et ne m'accorde pas la licence d'accepter une quelconque des diversions qui s'offrent, de partir dans une nouvelle incise afin de revenir, sur une trajectoire oblique, au même point de départ. J'ai besoin de la spirale de l'escalier, parce qu'elle est semblable au trajet en lévitation qui m'a conduit de la chambre au jardin, parce qu'elle est aussi boucle, parce que la descente de mon regard sur la discontinuité des marches, sur la continuité de la rampe, n'est en aucun cas une descente réelle, ni dans l'espace ni dans la durée. Les points de départ et d'aboutissement y sont les mêmes, comme deux levers de jour sont les mêmes, deux premiers jours de l'hiver, de l'année, du printemps.

J'insiste (j'ai insisté presque six mois : entre cet instant de prose et le précédent il y a une discontinuité de six mois. Mais il me fallait tout ce temps, comme si j'avais entrepris de creuser un tunnel avec une aiguille exacte), je m'acharne jusqu'à recevoir la vérité de cette profusion : qu'en me penchant sur la spirale sombre de l'escalier, je plongeais mon regard dans un tourbillon, la vis sans fin d'un tourbillon, où la prolifération des images était la règle. Je ne devais pas chercher à séparer, distinguer, ordonner. Les images sans cesse ainsi « empéguées » l'une sur l'autre me montraient une autre condition, une autre modalité du temps révolu. Je ne devais pas la refuser.

Monter sur la rampe de bois, lisse ; glisser jusqu'en bas ; jusqu'au butoir ; remonter, glisser. Un jeu. L'essence du jeu est d'être absorbé dans la spire du mouvement ; **la pression du bois, le moment de l'accélération sensible est là où l'escalier tourne, où le frottement commence à chauffer les paumes, les cuisses ; une vitesse parfumée de cire, centrifuge.**

Ou bien, autre jeu : **remonter sur la première marche, sauter ; sauter de la deuxième, de la troisième marche ; plus haut, s'appuyer d'une main sur le mur, de l'autre sur la rampe ; aller chercher le plus bas possible le mur, la rampe ; glisser peu à peu des mains vers le bas, prendre appui, élan, des doigts de pied (nus ?) sur l'arête de la neuvième, dixième marche, ramasser les jambes sous soi en bondissant ; dépasser l'angle du mur, jeter alors les jambes en avant du corps, pour que le bond le plus haut commence dans le tournant, pour que la flèche de la chute tourne avant de se précipiter vers sa cible invisible, le sol.**

D'un double mouvement de jeux, discontinu-continu, mon

corps franchit ainsi aisément la distance restée si longtemps impénétrable à mon regard. J'accepte la leçon. Je ne recommencerai pas l'expérience, en arrivant sur le palier du premier étage. Je risquerais d'y rester indéfiniment arrêté.

134 Ici, il s'offre trois voies.

Ici, il s'offre trois voies. En face de moi sur le palier s'ouvre la porte du balcon, à ma gauche la chambre de nos parents (je n'y entre pas). A droite, le « bureau ». Je commencerai là. (La porte du balcon est une porte-fenêtre. La lumière entre, beaucoup plus aisément qu'à l'étage du dessus. Pourtant l'escalier reste aussi peuplé et impénétrable à la fois, « un trou trofonien plein de nuage et d'ombre », plein d'oubli.)

Dans le bureau (pièce) je vois le bureau (objet). Face à la porte, entre les deux fenêtres (la première à gauche, au-dessus de la terrasse, la seconde fait également face à la porte, au-dessus de la « serre » & du « potager »). Sur le mur, entre les fenêtres, les livres d'une bibliothèque, jusqu'au plafond. (Des livres aussi sur le mur à gauche, entre la porte et la fenêtre, mais pas jusqu'en haut.) Je vois de préférence depuis la « tête » du divan, contre le mur à droite de la porte, enchâssé (sur deux côtés) dans le « cosy ».

Le bureau (objet) était massif, en bois lourd, si lourd qu'il paraissait fixé au sol ; sa forme générale était celle d'un Arc de Triomphe, au-dessus plat, couvert d'une plaque de verre (sous laquelle, parfois était glissé un buvard ; rose, vert) ; chaque jambe, éléphantesque, était creuse : celle de gauche avait une porte ; celle de droite trois tiroirs, presque impossibles à bouger, à tirer ; entre les deux « jambes » un autre tiroir encore ; la porte avait une serrure ; le tiroir médian aussi. Le bureau (objet) était l'être du bureau (lieu), le bureau en soi.

Il fut un compagnon obligé des humains de la famille au cours de plusieurs déménagements Pourtant je ne le revois ni à

Paris, rue d'Assas, ni rue Franklin à Saint-Germain-en-Laye. Il ne refait surface visuelle, inchangé quoique de proportions réduites par l'âge (le mien), que de nouveau à Paris, rue Jean-Menans, où le hisser jusqu'au cinquième étage serait, sans accessoires perfectionnés, aujourd'hui un exploit : simple fétu cependant pour une équipe de la génération héroïque des déménageurs que je me représente en blouse comme aux débuts de la Troisième République, et chantant en chœur le refrain de Courteline : « Sur nos nuques et sur nos dos/ Chargeons, messieurs, chargeons les lourds fardeaux. / »

Le bureau n'alla pas, ensuite, à Saint-Félix près Carcassonne mais, par pitié pour la SNCF peut-être, seulement jusqu'à Villejuif, d'où il fut de nouveau extrait pour être installé dans ma chambre, au 51 de la rue des Francs-Bourgeois. A mon départ, Charlotte voulut bien lui assurer une vieillesse digne (elle était attirée aussi, je pense, par le luxe de profonds et secrets tiroirs). Puis il céda la place à un dispositif plus léger, plus moderne, plus en accord avec les exigences esthétiques d'une jeune fille de seize ans.

Pour moi cependant, en 1940 et la suite, le bureau n'était véritablement aucune de ses parties solides et matérielles, mais l'espace, cubique à peu près, qu'il délimitait sous ses arches. S'était inventée là une demeure, hésitant entre cabane, palais et niche, qu'une serviette de toilette, une chemise ou quelques chiffons pouvait rendre inviolable au monde si le besoin se faisait sentir d'un climat d'obscurité chuchotante à un ou plusieurs enfants (de faible encombrement individuel chacun). Les yeux là, **je vois le dessous de la dernière planche de bibliothèque, ses moutons de poussière, le bas du divan, de la porte, je sens le parquet aux rayures obliques sous mes genoux.**

Les heures du bureau étaient celles de la fin d'après-midi, avant le repas du soir, ou celles, plus longues, de dimanches pluvieux (et peut-être même pas pluvieux du tout : les dimanches soir précèdent les lundis matin, dernières chances des corrections tardives). Heures de correction de copies : devoirs d'anglais, pour ma mère, pour mon père dissertations de philosophie. Pour moi, héritant de paquets anciens et désaffectés, épreuves de n'importe quelle matière convenable, réelle ou inventée.

Je reprenais entièrement et à ma manière, à l'intérieur du cube protégé, sous le plafond de bois (les copies entassées sur le sol), le problème des évaluations, des classements, des moyennes. Je surchargeais de mes propres commentaires les annotations marginales, les jugements finaux qui se placent en haut des copies, à l'encre rouge, à côté des notes définitives (avec ma propre encre, faite de baies de sureau). Je tenais un grand compte de la longueur, de l'allure des signes écrits, des qualités onomastiques des élèves, de leurs prénoms surtout. J'imaginais leurs apparences et leurs visages (j'eus quelques surprises à les rencontrer en vrai (cela arrivait)). Ils ou elles me parurent parfois faux, des usurpateurs, ou au contraire pleinement conformes. Leurs notes s'en ressentirent).

La correction des copies, ainsi conçue, n'était aucunement une corvée, mais une véritable réjouissance. A laquelle s'associaient des chansons, compositions originales ou adaptations dues à mon père (vraisemblablement dans son cas plutôt de nature distractive, exhortative, ou encore destinées à saluer l'achèvement d'une tâche indispensable mais en soi fort peu ludique). Ainsi :

« Les cloches du grand Séminai-ai-re / m'appellent au pied des saints autels / C'est là que mon cœur à la te-ê-rre / fera ses adieux éternels/ les boucles de ma chevelure/ ne tomberont plus sur mon front / et le ciel sera ma parure / et le ciel sera mes amours / tou-jours, tou-jours. / »

Ou encore, sur un célèbre air de chasse :

« La calvitie préco-o-ce / de la reine d'Éco-o-sse / la fait paraître ro-o-sse / les Zécossais sont tous dé-concertés ! / »

379

135 Deuxième pôle magnétique du bureau (lieu) : l'oreiller à la tête du divan

Je bouge jusqu'au deuxième pôle magnétique du bureau (lieu) : l'oreiller à la tête du divan. Son temps propre était celui des maladies : à l'occasion de l'une quelconque des « pathologies » enfantines (grippe et angine, varicelle, rougeole, oreillons. Tous nous les contractâmes, toutes. C'était un rite obligé des enfances). Le placement du malade était fait d'office dans le divan du bureau, où il pouvait bénéficier de la solitude nécessaire à son état, être secouru en hâte pendant les minuits de détresse et de fièvre forte (et aussi, espoir d'ailleurs en général parfaitement vain, éviter de répandre ses microbes dans les organismes trop réceptifs de ses frères et sœur). J'ai eu ma part de ces séjours. Malgré leur relative rareté ils ont laissé des traces, dont l'intensité est sans commune mesure avec leur durée. (Ainsi les temps de neige, fièvres inverses du climat.)

Un matin d'été et de fièvre tombante, ouvrant les yeux au soleil, par la fenêtre ouverte entra le bruit des mouches et, la faculté de langage et la fonction poétique même stimulée par l'ivresse d'une fièvre, je prononçai (m'a-t-on dit), comme une vérité aphoristique, avec conviction et lenteur ces paroles : « Les premières mouches, les mouches retentissantes ! »

Les mouches entraient, avec l'air matinal d'été et le soleil, bourdonnantes d'un affairement sans dignité, volaient dans l'air lumineux entre les miettes de poussière selon d'irresponsables trajectoires browniennes, se posaient n'importe où, marchaient gravement sur les pages d'un livre ouvert, sur les vitres ; les bras nus posés sur les draps, j'attendais le chatouillement énervant des pattes de mouche remuant dans le duvet qui couvrait la peau, ou bien je guettais, des deux yeux louchant sur l'arête de mon nez, leurs gros abdomens velus hypertrophiés par la proximité, ineptes ; sur ma main, une petite mouche grise et réflexive soulevait deux pattes, les croisait, les frottait l'une contre l'autre machinalement ; je

supportais le plus longtemps possible les chatouilles (« Ça vous chatouille ou ça vous gratouille ? ») de leurs déambulations, puis je me secouais, je me grattais ; elles s'envolaient de nouveau vers le plafond, les murs ou, comme brusquement happées par la lumière, sortaient de la pièce, vers le jardin bruissant.

Pendant les heures de fièvre lourde, d'immobilité contemplative, involontaire et stupéfaite, **je voyais, avivée par l'éclairage oblique de la lampe restée allumée sur la plaque de verre du bureau, une géographie austère, faite de zones d'ombre, de fissures, de taches et de crevasses dans le blanc plat du plafond.** J'en ai gardé un « sentiment géographique » qui n'est nullement une résultante de paysages, d'architectures, de troupeaux et de sols, mais de cartes, imaginaires ou réelles, et d'une extrême abstraction.

J'identifiais des rivières, des fleuves et des océans, des îles et des gouffres ; ou bien, à partir des mêmes signes, mais en en renversant brusquement la référence imaginaire, des pays avec leurs frontières et leurs villes ; des pays en guerre où se heurtaient, en des chocs titanesques, de manichéennes armées. Le bien et le mal, alors, étaient aisément distribuables.

Profitant du calme ambiant, médicalement parfumé de sirops et de tisanes, les araignées affairées, prudentes et sérieuses sortaient de leurs retraites, traversaient avec décision et rapidité des verstes de plafond soviétique ou libyen et s'affairaient dans les coins et angles, stratégiquement recommandés par quelque Clausewitz arachnide pour l'anéantissement patient des légions de mouches (elles avaient toute ma sympathie) ; je n'avais aucune peur, aucun dégoût de leurs noirs hiéroglyphes, rarement animés ; ne bougeant pas beaucoup, je ne les dérangeais pas.

Et je guettais leur descente aussi parfaitement verticale que le fil à plomb, le long de ces lignes d'acier biologique infiniment mince qu'elles extrayaient à mesure d'elles-mêmes comme les cordes du ventre d'un yoyo (dispositif qui aurait convenu à la perfection pour l'évasion d'un prisonnier héroïque), un micro-instant arrêtées à quelque distance du sol comme pour reconnaître le terrain minutieusement (arrêt dans

la descente qu'un léger mouvement de l'observateur pouvait faire se prolonger en oscillations légères, ou même transformer brusquement en une remontée vers l'origine, le plafond, comme un prisonnier qui serait brusquement remonté dans sa cellule, réenroulant sa corde à mesure autour de lui).

Une araignée un soir est descendue au bord de mon bol de soupe, peut-être pour y boire ; effrayée par l'ouverture brusque de la porte elle s'est cachée dans le revers de ma veste de pyjama. Je cessai de bouger, m'imaginant (?) avec délectation immobilisé sur mon lit sous les câbles infimes mais innombrables d'une population de minuscules lilliputiens audois, et fier de cette marque insigne d'une confiance d'insecte. Au bout d'un moment, le calme s'étant rétabli, elle est sortie de son abri provisoire et gullivérien et, empruntant militairement le *thalweg* d'un pli dans les couvertures, a disparu sous le « cosy ».

Ce meuble d'un bois harmonieusement marié à celui du bureau bordait rectangulairement le divan sur deux côtés et, ses compartiments suspendus à hauteur convenable (à portes rabattantes vers l'extérieur ; le secteur le plus proche de la porte enfermait des pelotes de laine et autres instruments de tricot), laissait entre le matelas, le sommier et le mur un espace qui était d'une inutilité pratique merveilleusement absolue, mais une cachette d'un format parfait. On y tenait à deux ou trois confortablement assis, les genoux ramassés, les bras autour des genoux, silencieusement, dans la demi-illusion délicieuse d'être ignorés du monde, d'avoir disparu, de n'être connus là par personne.

136 Il me semble avoir acquis là trois passions : la passion des nombres, celle de la poésie ; celle des livres.

Il me semble avoir acquis là, très exactement là, trois de mes principales passions, « passions fondamentales » qui ne m'ont plus jamais quitté : la passion des nombres, celle de la poésie, celle des livres. Ce furent, ce sont trois passions mentales, et comme toutes passions elles ont deux versants : un versant de joie & d'absorption heureuse, un autre de souffrance ; une souffrance toujours cachée, recouverte, fuie, oblitérée, née de l'effroi d'une autre passion qui est, elle, toute douleur, ou toute joie mauvaise, & torpeur, une autre passion philosophiquement fondamentale : l'ennui.

J'ai acquis ces trois passions dans la durée, retranchée du temps ordinaire, des maladies. (Comme toutes les trinités, elles sont quatre. La passion de la solitude les accompagne. Elles ne s'en séparent jamais.) Car dans le temps ordinaire (y compris celui de l'école) j'étais en mouvement perpétuel entre les choses et les êtres du monde. Mon temps d'être-au-monde était un temps moteur. Ce qui fait que l'immobilité imposée aurait été soumise à l'axiome de l'ennui. Plus tard, confronté à l'aveu d'ennui chez les autres j'ai toujours pu avec sincérité affirmer : « Je ne m'ennuie jamais ! » En effet, quand l'ennui insidieux et laid s'offre, je peux toujours compter.

Et c'est mon premier choix, une réaction automatique devant l'ennui possible (je mets donc cette passion-là en premier dans l'ordre de présentation). Mon rapport avec le nombre se ressent de cette origine : c'est à cause d'elle que je vois les nombres avant tout comme nombres entiers, et encore de taille pas trop excessive, que j'ai pris l'habitude de partager tant de moments de mon existence avec des populations d'entiers en activité, en mouvement perpétuel, mouvement inspiré par les dénombrements. Les nombres sont, tels que je les ai appris aux commencements et une fois devenus ma propriété, inséparables de ces choses mentales habillées de leurs robes de langage, les chiffres. Je sais la distinction entre nombre et chiffre, je l'ai apprise en étudiant, mais elle ne me passionne pas. (Plus gravement : entre 4 (numération décimale) et 10 (numération binaire) il y a synonymie. Mais cette synonymie-là m'indiffère. Je lui préfère l'homonymie des deux interprétations du chiffre 10.)

Ce qui veut dire que je ne suis pas naturellement un arithméticien, encore moins naturellement un mathématicien. Mon effort de compréhension et de contrôle d'une appropriation minimale (à fins professionnelles) des mathématiques n'a été qu'une superposition tardive et volontariste sur ce fond passionnel sans responsabilité. J'aurais peut-être pu être réellement détourné vers la passion mathématique proprement dite comme je me suis tourné, spontanément, vers la passion de la composition poétique ou celle de la lecture, mais cela ne s'est pas trouvé. Sans doute parce qu'être mathématicien n'est plus possible aujourd'hui qu'en relation avec l'institution scolaire, où je ne me suis jamais placé qu'avec réticence (la poésie, au contraire, lui échappe presque entièrement).

Il s'ensuit que les manipulations mentales d'objets-nombres (entiers dans leurs écritures décimales, et très exceptionnellement fractions) auxquelles je me livre, aujourd'hui encore, presque aussi intensément qu'autrefois, sont celles qui me furent d'abord possibles, dans la tête, la tête sur l'oreiller du divan, dans le coude du « cosy » : dénombrements, séquences, opérations élémentaires, sommations, comparaisons, divisibilités (avec une dilection particulière, qui en est la conséquence, pour ces « originaux », ces ermites de la division, les nombres premiers), explorations dans le calendrier (quel jour de la semaine sera le 20 février 2002 ?), toutes opérations « orales internes », sans papier, sinon quelquefois pour mémoire, pour un prolongement de jeux au-delà de leur premier moment.

Ayant eu de la passion pour ces activités et y ayant consacré toutes les durées d'ennui possible (les occasions sont nombreuses), j'avais tout naturellement acquis très jeune une certaine virtuosité de calculateur, dont j'ai encore aujourd'hui, bien que beaucoup plus lent et de plus en plus sujet à erreur, quelques restes (ce qui fait que les personnes non averties acceptent volontiers, pour cette mauvaise raison, le fait que je suis un mathématicien). Mais cette capacité n'eut jamais rien d'exceptionnel.

Il me semble aussi qu'en quittant Carcassonne, à douze ans, j'avais déjà en ma possession tout le bagage arithmétique qui m'a depuis servi. Une très petite partie de mes connaissances mathématiques ultérieurement acquises a trouvé sa place dans mes jeux de nombres. (Par un élargissement de ma « famille numérique » qui ne s'est produit qu'en deux occasions, mais d'une certaine importance pour mon propos, comme il apparaîtra en deux branches ultérieures.)

Et il s'agissait de nombres « vrais », d'individus-nombres, connus, familiers, pas de groupes, d'espèces, de tribus de nombres. Je suis resté, pour mon activité numérique passion-nelle, presque toujours au stade archaïque de l'exclusive manipulation des exemples, à l'« avant Viète », à la négligence, sinon au dédain des notations littérales (sauf pour traiter, en une « Gematria » personnelle, les lettres comme des chiffres, ou comme des pseudonymes de nombres clandestins).

Je comptais les mouches, qui croisaient et recroisaient autour de la lampe, au plein soleil de la matinée (heures oisives, sans école; mouches oisives, soleil patient, calme, tiède); je comptais les fissures géographiques du plafond dans la nuit, fiévreuse; les nombres débordaient de ma tête; un matin j'ai dit : « J'ai mal à mes chiffres. »

137 Je n'ai pas mis ici la poésie en première passion, mais après celle des nombres,

Si je n'ai pas mis ici la poésie en première passion, mais après celle des nombres, c'est pour marquer une dépendance chronologique (réelle, puisque pour la poésie il me fallait (il me faut toujours, je ne suis pas un poète « libre ») compter). Et si je ne l'ai pas placée dernière, après la lecture, c'est pour marquer cette fois l'absence d'une dépendance : je pense la passion de poésie comme activité, pas comme passion passive (la poésie lue). Elle est affaire de mémoire, elle est *cosa mentale* pure.

Je dis activité, certainement pas, alors, activité créatrice, si la moindre idée de valeur esthétique doit être associée à cet adjectif. En tant que « créations » mes premières expériences de composition poétique (qui malheureusement ont été en grande partie conservées) sont étrangement semblables à celles de tous, et ne méritent certainement pas d'être mises sous la pompeuse rubrique de la création. La production langagière spontanée de l'enfant s'exprimant dans les circonstances ordinaires de l'existence offre (dans une zone esthétiquement incertaine, située entre l'erreur insolite et la découverte involontaire) infiniment plus de satisfactions.

Les préférences et les habitudes scolaires dominent au contraire les fabrications intentionnelles. On y vérifie, au mieux, les progrès de la maîtrise lexicale ou syntaxique. Rien n'est certes plus attendrissant, et peut-être pédagogiquement utile, que ces cahiers de poèmes d'élèves, suscités, recueillis et assemblés par l'instituteur(-trice) dans sa classe. Rien n'est plus affligeant que de les voir présentés comme « modèles » de ce que devrait être la poésie, de ce dont la « fonction poétique » serait, nous dit-on, capable, quand elle n'a pas encore été pervertie, faussée, émoussée par l'âge et le savoir. La pure fontaine d'or limpide de la poésie enfantine n'est qu'un mirage.

Autant que je puisse en juger, j'ai adopté la poésie, que les exemples qui m'étaient proposés par l'exercice de la « récitation » scolaire m'offraient, inséparable absolument du vers strictement compté et rimé selon la tradition du XIXe siècle, comme un terrain d'application original, imprévu, et parfois réfractaire, de la faculté numérique. Ce fut bien, d'abord et longtemps, un jeu de nombres. (Ce l'est sans doute toujours.)

J'ai retenu, je ne sais pourquoi, ce que je « date » dans ma mémoire comme mes deux premiers poèmes, séparés l'un de l'autre par un intervalle d'une année. Je devais avoir sept ou huit ans. Voici le plus ancien des deux, en son entier :

> Le petit lapin
> Qui d'un air malin
> Mange le matin
> Un peu de sainfoin
> Sort le bout du nez
> Du petit terrier.

(Je ne garantis pas l'orthographe. En fait, j'en suis à peu près sûr, le manuscrit original de cette œuvre (disparu) devait contenir quelques fautes impressionnantes.) Si ce remarquable texte est véritablement et exclusivement de mon invention (ce que je pense, mais je suis peut-être trop présomptueux), il a une et une seule qualité indéniable (étant donné la pauvreté des rimes) : il est compté juste. C'est un sizain de vers pentasyllabiques, et chaque vers a exactement cinq « syllabes », selon le décompte traditionnel. En particulier, le troisième vers parvient à ce nombre au moyen d'un « e muet compté », celui de « mange », fait significatif, qui établit la maîtrise prosodique dont a fait preuve, indiscutablement, l'auteur du poème.

Je prendrai un point de comparaison (dans un registre esthétiquement assez similaire). Il s'agit d'un poème que je peux lire (passant par là assez souvent quand je vais, à pied, de la rue d'Amsterdam où j'habite à la rue des Francs-Bourgeois), en lettres grandes et fières, en façade d'une boulangerie de la place des Petits-Pères (fondée en 1902), près de la Bibliothèque nationale (je l'aperçois aussi à travers la vitre de l'autobus 29, qui ensuite tourne autour de la place des Victoires, se dirigeant vers la porte de Montempoivre) :

> Le bon pain
> Au levain
> Se cuit toujours
> Comme autrefois
> Dans un four
> Au feu de bois.

Le « poème du levain » présente, par rapport au « poème du sainfoin » (le mien) la supériorité d'une formule de rimes plus sophistiquée, sur trois timbres (les deux sont des sizains, dans la grande tradition strophique française) : aabcbc. (C'est la « formule » conclusive d'une des deux variantes dominantes du « sonnet à la française », que j'ai nommée (dans un ouvrage consacré à cette question), « formule Peletier » (du nom de son premier amateur, le mathématicien-poète Jacques Peletier du Mans).) J'emploie, moi, une formule « maladroite », sur deux rimes : aaaabb. La « qualité » des rimes (pauvres dans les deux cas) est comparable. Mais je soupçonne le poète-boulanger d'une imparfaite maîtrise de la numéricité du vers, et l'oscillation entre tri- et quadrisyllabes d'être involontaire (il évite soigneusement les « e » muets). Ce qui fait que, dans l'ensemble, la qualité technique des deux œuvres me semble à peu près égale.

Si je me tourne maintenant vers mon « opus 2 » en matière de poésie, le progrès est évident (il ne s'agit nullement de progrès de la « valeur poétique », toujours inexistante, mais de progrès dans l'appropriation de la versification). Il se compose de deux quatrains, dont voici le premier :

> Lettres d'or qui faites les mots
> Vous qui rendez joyeux ou triste
> Vous me soulagez de mes maux
> Car vous êtes des humoristes.

(Progrès, il est à peine besoin de le souligner, sur tous les fronts « techniques » : passage à l'octosyllabe, vers de plus grande ampleur, quatrain « croisé » et non « plat », rimes suffisantes et même recherchées (« mots »-« maux »).) Nourrie de Lamartine et de Victor Hugo, mon ambition, ensuite, ne pouvait que croître, jusqu'à embrasser l'alexandrin, qui promettait de longues heures d'absorption interne, ainsi que des comptes pas uniquement arithmétiques, et d'une différente subtilité. Il était de mon devoir d'en marquer ici les fort modestes débuts.

138 **Je vois un livre : un atlas**

Je vois un livre, mais il s'ouvre pour une lecture d'avant-lire, très ancienne donc (j'ai appris à lire à cinq ans, au plus tard) : **un atlas.** Ce n'est pas un atlas de géographe, mais un dépliant de représentations de lieux typiques, colorées. C'est un « multiptique » à dix, douze panneaux, **le retable de la vie d'un**

fleuve, depuis sa source jusqu'à sa dissolution enchantée dans le bleu extrême d'une mer ;

il naît comme une fontaine, entre deux rochers de hautes montagnes, gavées de blanc comme des *ice-cream cones*, immenses, intenses, trempant dans le ciel bleu tendre, complet, avec son rassurant soleil jaune ; autour du bébé fleuve, dans sa crèche de cressons, de roseaux, non pas le bœuf, ni l'âne, mais une sorte de chamois hésitant comme une feuille, et trois arbres, à tête ronde, Rois Mages végétaux d'une nouvelle divinité : le Fleuve, sans doute, mais surtout, Dieu caché derrière lui, le Livre ;

le fleuve descendait ; il bondissait comme un torrent sur un deuxième panneau (pages de carton peintes à vif), fortement incliné sur la ligne horizontale au début (haut ----> bas de la page ; gauche ----> droite) (pour terminer presque à plat en approchant de son but, méandrinement), son cours étroit, plein de traits flèches et de rochers sous lesquels des truites, ou des saumons surpris en vol inverse, remontant d'un saut ; il rencontrait des chaumières, des forêts de sapins, des pâturages, des alpages, des labourages, des mammelages de vaches, des chiens de berger saisis au milieu d'aboiements virtuels, des pâquerettes, des boutons d'or, des marguerites pour premières amours, pour des « un peu » (un pétale), pour des « beaucoup » (un pétale), des « énormément », des « passionnément » et des « pas du tout » ; des haies, des fossés, des sentiers ; ses premiers villages, ses bourgs, leurs paysans en blouses, en chapeaux, en charrues, en charrettes ; des routes et leurs bornes kilométriques à tête rouge comme des bolets, jaunes comme des demi-lunes, blanches comme des sucres des dents de lait ou des parallélépipèdes de craies lui tenaient compagnie, des locomotives traînant des wagons aux voyageurs sagement rangés sur des banquettes de bois ; il traversait des villes maintenant, il passait sous les ponts maintenant, recevait l'hommage et le tribut des affluents maintenant, des ruisseaux minces comme des aiguilles, des rivières modestes, vertes veines, il s'élargissait, s'étalait, devenait placide, majestueux, barbu de bancs de sable, d'îles, de saules, murmurant de peupliers, prenait la plaine à plusieurs bras, tournait largement dans un coude de

falaises, s'encombrait de péniches, de barques, de voiles, de rameurs, de roue à aubes, de vapeurs, entrait en léthargie souveraine, puissante, hésitait, hésitait, jusqu'à sa fin, enfin, la mer.

J'ai sauvé, intense, la profusion de ce livre-image, et d'autant plus ancienne et précieuse que, dès que j'ai eu à ma disposition l'arme des lettres (les « lettres d'or qui font les mots ») et une fois franchi le pas de la lecture autonome, du rapport personnel de l'œil au livre, j'ai cessé de m'intéresser aux images, j'ai cessé de les rechercher, et de les retenir. L'atlas est donc resté le livre unique d'avant le livre, d'avant tous les livres. Comme son fleuve s'abandonne avec réticence à la confusion de la mer, il se perd, lui, mais inoublié, dans l'océan des livres qu'après lui j'ai lus. A de très rares exceptions je n'ai pas ressenti le besoin des « illustrés », je me suis absorbé entièrement dans les lettres, lignes et pages des lectures, et j'ai de certaines de ces pages un souvenir visuel aussi vif que celui du fleuve peint sans mots sur mon « atlas ».

On apprend à lire, mais on n'apprend pas nécessairement ensuite à lire pour soi, pour son propre compte. Le franchissement de cette frontière, au-delà de laquelle on se trouve dans un autre monde, sans retour, je l'associe au même lieu, aux mêmes circonstances : le divan, la maladie et la convalescence, l'oisiveté sous l'ombre de l'ennui. J'ai, bien plus tard, dans un poème de Baudelaire, trouvé une justification, une sorte de raison positive à un engloutissement ainsi répété (où je n'ai cessé de me replonger, sans hésitation, pendant toute ma vie) d'innombrables heures dans les livres, sans aucun prétexte d'étude (ou pour des études totalement « gratuites », aux-quelles rien ne m'obligeait) : « Et mon esprit subtil, que le roulis caresse / Saura vous retrouver, ô féconde paresse / Infini bercement du loisir embaumé / ») (je comprends dans ces vers le mot « loisir » comme celui de la lecture, interprétation que ne justifie pas, je le sais, l'original). Mais je ne crois pas à la solidité de cette excuse. Je lis, c'est comme ça.

D'ailleurs les lectures de ce temps qui me reviennent sont des lectures de romans. Et je lisais extrêmement vite (habitude dont j'ai eu énormément de mal à me défaire, quand j'ai commencé l'étude sérieuse des mathématiques). Comme je ne mis pas très longtemps à faire « sortir » mes passions de leur lieu d'origine, le « bureau », ma consommation de livres grandit rapidement. Mes parents faisaient leurs achats dans « la » librairie de la ville où l'on pouvait alors trouver des livres (c'est-à-dire pas uniquement des livres de classe ou d'apparat). Et ils s'étaient liés d'amitié avec les propriétaires, M. et Mme Breithaupt.

J'accompagnais souvent mon père à la librairie Breithaupt-Cariven, et je choisissais un livre, généralement un roman de la Collection verte, cartonnée (il y en avait une autre, j'ai oublié son nom, dont la couverture était de papier, s'ornait d'une image, mais dont la résistance aux manipulations sévères était moins grande). Le livre en ma possession, je restais debout à côté de mon père, insensible à ce qui se passait autour, ouvrais le volume, et lisais. Je lisais dès le moment de l'achat dans la librairie, je continuais à lire en marchant, dans la rue. Il m'arrivait d'achever le livre avant même notre retour à la maison.

Je n'ai pas oublié beaucoup de ces livres : ni Jack London, ni James Oliver Curwood (*Le Grizzly*), ni Mayne Reid ni Jules Verne (qui n'était pas, je l'avoue, mon favori), ni Gautier (ah! *Le Capitaine Fracasse*! ah! *Avatar*! ah! *Jettatura*! ah *Le Roman de la momie*!), ni Mérimée (*Matteo Falcone* plus que *Carmen* dont je saisissais assez mal le « point »), ni Hugo (abrégé, j'en ai peur), ni Edmond About (*L'Homme à l'oreille cassée*, *Le Nez d'un notaire*). Fenimore Cooper (ah! *Le Dernier des Mohicans*, et ses suites!). J'arrête là ; malgré ma passion pour la poétique des listes, celle-là, qui pourrait être fort longue, est banale pour l'époque. Je ne lisais guère « au-dessus de mon âge » (comme on disait).

Je ferai une exception pour Edgar Poe, dans la traduction de Baudelaire. C'était un livre « d'adultes », qui se tenait avec d'autres volumes « précieux » (de nombreuses œuvres de Paul Valéry ; l'*Ulysses* de Joyce en version anglaise (à couverture bleue) (une des premières éditions) et dans la vénérable traduction Larbaud...) sur l'étagère supérieure (mais accessible) de la petite bibliothèque sise à droite en entrant dans le bureau. **Je le vois, cartonné vert-de-gris, reposé au-dessus du « cosy », refermé sur une nouvelle lecture** (je relisais beaucoup, ne serait-ce que par épuisement constant des stocks de nouveautés) **de** *La Chute de la maison Usher, Le Puits et le Pendule* **et surtout, surtout,** *Une descente dans le Maelström ;* **aussi forte que l'image du fleuve de l'Atlas je retrouve celle, construite en moi par la lecture, du gouffre tourbillonnaire blanc et noir, comme un lavoir gigantesque, comme un puits infini, comme un escalier, possesseur, pour toujours jaloux, du temps.**

139 La salle à manger du rez-de-chaussée était tranquille et sombre,

La salle à manger du rez-de-chaussée était tranquille et sombre, d'une obscurité toute relative, accentuée par la brillance presque constante du dehors, du jardin, sa situation en contrebas des pins, à hauteur de la terrasse. Une fenêtre ouvrait sur la terrasse, sur un second côté était la serre. En regardant la maison en face, comme si elle n'était qu'un visage tourné vers le regard, la salle à manger était située à gauche, comme la chambre du second étage, comme le bureau au premier. Dans cette bifurcation je n'ai entamé encore (cannibalisé) que l'hémisphère cérébral gauche de ma mémoire.

En été c'était un endroit de fraîcheur relative, en hiver de froid accentué, aux premières heures du jour en tout cas, avant que brûle le poêle. **Le poêle était revêtu d'une céramique brune, avec une vitre de mica ; en l'ouvrant, pour vider les cendres, le résidu non brûlé du bois, les scories du charbon, l'odeur qui s'échappait était l'odeur de la nuit, de la nuit d'hiver, l'odeur de froid ; le feu s'était éteint dans la nuit, son âme s'était envolée autour de la mi-nuit, et ce qui s'échappait ainsi dans la pièce sombre était son fantôme.**

Mon père remplissait le ventre vide du poêle : d'abord le

papier par la vitre ouverte, les pages froissées en boule une à une du journal, que je lui tendais ; le « petit bois » au-dessus, des brindilles de pin, des rameaux blancs des buis, des fusains sans leur écorce, rongée par les lapins ; au-dessus encore, versé du haut, ensuite tombait le charbon ; les boulets d'anthracite qui avaient la forme d'ellipsoïdes noirs bagués d'une ligne dure, d'un renforcement continu, à leur équateur (selon la plus grande dimension) ;

la pièce se remplissait de fumée blanche ; à la première flamme, jaune, le faible premier jour hivernal reculait, c'était de nouveau la nuit, devant le feu seule lumière, son odeur de matin ;

alors, la vitre de mica fermée, l'anthracite se mettait à son tour à brûler, chaque œil de charbon incandescent un astre rouge, rouge blanc, rayonnant jusqu'au vertige, chaque ellipse une large goutte de feu émettant sa lueur au-delà de sa surface, l'entourant comme un velours ; le papier s'enflammait presque sans bruit ; quand le bois s'enflammait à son tour, avait « pris », parfois d'abord résistant, couvert d'une humidité, d'une bave furieuse, c'était d'une voix violente, pressée, impérieuse, que la vitre refermée rendait sourde, d'une fureur contenue ; mais le charbon, lui, ronronnait ; il n'apparaissait pas flamme, pas incandescence, à travers la surface non vraiment transparente, seulement translucide du mica ; il était fourrure chaude.

Aussi comprimé qu'un boulet d'anthracite, serré pour avaler tout le chaud possible dans le fauteuil, face au feu rouge, face au feu blanc, j'entendais sortir du poste de radio, de « la TSF » la voix révélée lointaine par ses affaiblissements, ses intermittences, ses explosions de clarté suivies de brusques évanouissements, la voix de « Londres » : « Les Français parlent aux Français », disait-elle, me disait-elle. « Radio-Paris ment ! Radio-Paris ment ! » chantait-elle, sur cinq notes (trois horizontales, deux montantes). « Radio-Paris est all'mand ! »

Elle, à l'inverse, disait à nos oreilles avides la vérité, la vérité de la guerre juste contre l'Allemagne nazie, contre ses amis français. Je n'avais pas le moindre doute à ce sujet. La vérité venait d'ailleurs, de l'Angleterre héroïque, de l'Union soviétique et de l'Amérique, ses alliés, des Français que l'Angleterre avait recueillis, du Général et de Pierre Dac qui parlaient en leur nom. Mais elle venait surtout d'elle, de l'Angleterre churchillienne et d'une certaine manière maternelle (ma mère enseignait l'anglais), parce que c'est de Londres que nous arrivaient toutes ces voix qui disaient le vrai de la guerre.

Je l'entends aujourd'hui comme une voix optimiste, peut-être parce que je n'ai vraiment commencé à l'écouter, à percevoir et discerner le sens de ce qu'elle disait qu'au moment où, à la suite de Stalingrad et d'El Alamein, elle n'a plus annoncé que des victoires.

D'innombrables fois, plusieurs milliers peut-être, j'ai entendu l'indicatif haendélien, la joyeuse et vertueuse mélodie de *Water Music,* confiante et insubmersible, prévoir, de plus en plus certain et proche, le jour de fête de sa propre disparition.

140 Par la fenêtre, assis sur le tabouret du piano, je vois les pins dominicaux agités d'un vent léger,

Par la fenêtre, assis sur le tabouret du piano, je vois les pins dominicaux agités d'un vent léger, l'air riant d'oiseaux, le plein espace impalpable du jeu. Aucun regret ne s'y attache. Ou bien les vagues contradictoires de l'ennui passé et de la nostalgie présente se sont annulées l'une l'autre, et je vois cela comme puisé dans une réserve de la vue, avec neutralité (mais en fait, presque toutes les images que je restitue dans ce parcours sont sentimentalement neutres, au moins superficiellement (l'effort nécessaire pour franchir certains seuils de visibilité montre que ce n'est certainement qu'une neutralité de surface)).

Je m'exerçais sur les dents blanches et noires du piano. Le piano, la musique ont fait partie de ma langue maternelle (du côté paternel une autre musique, un autre exercice mais tout autant mental que corporel, celui de l'eau : la nage, la mer, la *mar* provençale). Je n'ai pas connu, touché d'autre instrument :

rien que le blanc et noir des notes d'ivoire, au-dessous du blanc et noir des portées, des partitions.

La coupure des derniers mois de guerre, suivie de notre départ, a réservé le piano aux aînés de la famille, ma sœur et moi. Elle seule en joue encore. Je ne me suis pas arrêté volontairement, mais j'ai renoncé, trahi par ma main droite, à la suite d'un accident. Le hasard fut ainsi créateur d'une transmission, d'une frappante symétrie, puisque la mer avait autrefois « puni » mon père, en sa main droite également.

La musique à entendre comme musique ne sortait pas des doigts au piano (je suis rarement parvenu à jouer assez bien pour écouter réellement ce que je jouais) mais du « phonographe », des disques tournant sur le « pick-up » à droite du divan (« pick-up » : ancien nom du « tourne-disques » (ancien nom de la « chaîne hi-fi », dite aussi « zinzin »)) : violons, violoncelles, symphonies et voix (Marian Anderson dans une « sicilienne » de Haendel, airs de *Don Giovanni*), trios et quatuors mozartiens et beethovéniens, sonates, impromptus, clavecin (les tout premiers enregistrements de Wanda Landowska), *Brandebourgeois, Suite en si.*

Les yeux fermés, les mains légèrement appuyées sur les oreilles, engoncé dans le coin extrême du divan, sur son « dessus » rugueux gris-vert, contre le mur, j'entendais le chuintement régulier de l'aiguille spiralant la cire noire comme une basse continue au-dessous des architectures prodigieuses du quatorzième quatuor beethovénien, des évidences allègres du rondo de la sonate Koechel 331, jusqu'au bruit du dérapage final arrêté *in extremis* par la main de mon père soulevant le « bras », le reposant, retournant le disque, puis de nouveau l'aiguille grattant sur quelques sillons préparatoires avant qu'enfin, et encore, la musique revienne, emplisse l'ombre sous mes paupières, mes doigts de compulsions rythmiques, ma tête d'un espoir sensuel en son inachèvement.

L'état technique des enregistrements de l'avant-guerre (toujours les mêmes, mais inépuisables en leurs effets) était tel que la continuité d'une œuvre m'échappait presque entièrement (une « face » d'un « 78 tours » durait deux, trois minutes au plus) et je ne percevais presque que des « moments » musicaux autonomes (qui souvent ne recouvraient même pas un « mouvement » de sonate dans son entièreté), ponctués par les rituels préparatoires ou conclusifs de l'installation ou respectivement enlèvement du disque sur (ou de) son pivot et son « plateau » couvert d'une étoffe, et l'« ouverture » (puis l'accord final) due à l'entrée sur la scène sonore de l'aiguille, ponctuations parenthésant de manière étanche la durée musicale, et si inséparablement associées à elle qu'elles avaient fini (tels les applaudissements qui commencent *Momente* de Stockhausen) par en faire intégralement partie.

Ainsi strictement définis, clos, rendus membres d'une même famille musicale par la ressemblance quasi parfaite de leurs durées, de leurs débuts et de leurs fins, tous ces événements de musique étaient pour moi des « maintenant », saisis d'un seul coup par l'esprit intensément qui, certain de les posséder en leur totalité par d'innombrables répétitions, venait par la mémoire anticipant et reculant depuis leur fin, sans cesse palindromiquement à la rencontre de leur déroulement. Je ne les ai jamais perdus.

Il y avait d'autres disques, pas moins précieux, mais d'un registre très différent. Précieux parce que chantant anglais (ou américain), ils appartenaient à ce futur de liberté rêvée qui devenait chaque jour plus proche (ils étaient précieux aussi pour nos parents, pour une raison qui ne nous échappait pas entièrement, parce que représentant un passé récent mais irrémédiablement éloigné par la guerre : celui des années « avant nous »).

Ces disques-là ne s'écoutaient pas dans l'obscurité d'une intensité solipsiste. Ils étaient au contraire l'occasion d'accompagnements, de gesticulations frénétiques, cabrioles sur le divan, de rires, d'imitations plus ou moins exactes, à voix perçante ou criarde.

Ainsi : « *There are no flies on Auntie / On Auntie / On Auntie // There are no flies on Auntie / And I will tell you why / She's not what you'd call hideous / But the flies are so fastidious //. There are no flies on Auntie / And that's the reason why / Oh ! there are no flies on Auntie / ...* », une de mes chansons préférées (et que je chante aujourd'hui avec un certain succès auprès des enfants de mon entourage).

Ainsi les *marshmallows* sentimentaux des *Whispering Barytones* : « *She's got eyes of blue / Who ever heard of eyes of blue ? / But she's got eyes of blue / That's my weakness now ! /...* »

Et parfois j'écoutais rêveusement, avec comme une nostalgie anticipée de l'Angleterre : « *The first week-end in June / A sentimental tune / Awa- a-kes in my heart / ... / The clouds are all past by / The sun is in the sky / ...* » Car il s'agissait d'un autre soleil que le nôtre, plus doux, plus tendre, qui savait parler à la lune *(And the sun will tell the moon / That the summer will be over / very soon /...)* au trèfle (*clover* : c'est la rime), aux pelouses, aux roses, après averses.

141 Dans cette pièce peuplée de voix, de voix musicales surtout, je peux entrer infailliblement

Dans cette pièce peuplée de voix, de voix musicales surtout, je peux entrer infailliblement (et son image, quand je choisis ce chemin, semble presque indestructible) en évoquant (j'en suis maître) (mais parfois en entendant sans le vouloir, soudainement, n'importe où, dans ma tête) une danse d'une suite anglaise de Jean-Sébastien Bach : précisément le premier « passepied en rondeau » de la suite n° 5 en mi mineur, BWV 810.

Cette précision musicologique est d'un intérêt tout relatif, en l'absence de la musique elle-même, qu'il est assez difficile de faire entendre, autrement que par une désignation, dans la prose écrite (ce serait plus simple au cours d'une « performance » orale de lecture, mais pas obligatoirement plus éclairant, sinon pour accentuer « l'effet de vérité » de mon récit). J'ai pris cependant la peine d'une vérification, en identifiant la position exacte de ce fragment dans les suites pour clavecin (j'hésitais entre « suites françaises » et « suites anglaises », et je préfère que ce soit une suite anglaise) hier après-midi, 8 juin, au 51 de la rue des Francs-Bourgeois.

C'était là, quelque part sur la dernière face de l'enregistrement de Glenn Gould. Marie a arrêté le disque, compté les « plages » légèrement discontinues de sillons à la surface, et annoncé que, juste avant la gigue finale, il s'agissait des « passepieds 1 et 2 », renseignement que j'ai noté aussitôt au crayon sur une demi-feuille de papier, entre quelques formules du calcul des propositions, solutions correctes d'un exercice d'algorithmique offert, pour leur deuxième « partiel », à mes (très nombreux) étudiants de « Langages formels », dont j'achevais de corriger les copies. J'ai remarqué au même moment, tout en essayant, sans y parvenir, de siffler les notes à la vitesse gouldienne, que mon oreille changeait automatiquement de timbre : ce que j'entends, c'est toujours le clavecin désuet de Wanda Landowska.

Il m'a été impossible de ne pas faire l'effort de cette vérification, qui pourtant, d'une part me faisait sortir des limites horaires strictes que je me suis imposées dès mon commencement (et que j'ai indiquées, explicitement, dans la branche un chap. 1 § 5), allait d'autre part à l'encontre d'une conséquence presque obligée de mon principe d'écriture en « temps réel », sans préparations ni retours (déviation que j'ai tenté de « rattraper » immédiatement en m'interrompant, hier, à l'instant où j'écrivais « une danse d'une suite anglaise de Jean-Sébastien Bach : précisément... » et en enchaînant aujourd'hui sur le récit des circonstances de mon identification) : ne pas chercher à gommer les faiblesses de mes souvenirs.

Mais ce traitement exceptionnel est peut-être approprié à la nature, singulière elle-même, du « cas » : qui apparaît comme exception, contre-exemple si l'on veut, à mon hypothèse (narrative seulement certes, mais hypothèse malgré tout énoncée avec conviction) de l'évanouissement inévitable et rapide de l'image des souvenirs dès qu'ils sont « mis au jour » par la mémoire.

Car d'innombrables fois j'ai entendu cette mélodie (intérieurement ou extérieurement, par le disque) (ou bien je l'ai sifflée (mal)), et la restitution du lieu ancien (le divan, le disque, la position même d'écoute) est toujours aussi immédiate et absolue. Et je n'ai pas besoin d'entendre (ou de siffler) la totalité de la mélodie, les six premières notes suffisent.

(Je dis six notes par prudence. J'ai plusieurs « airs » en mémoire qui coïncident avec celui-là sur les quatre premières notes (une sonate pour piano de Beethoven, par exemple.) En fait je pense qu'une seule, la première, entendue accompagnée de son timbre particulier (non seulement de clavecin mais de ce clavecin-là), suffirait. Car l'émergence intérieure de ce « sol » (je dis « sol » mais il s'agit d'une attribution largement erronée, à cause du « désaccord » irrémédiablement fixé dans mon oreille de notre piano carcassonnais) est alors le résultat d'une écoute antérieure restée silencieuse, quand la mémoire, comme je l'ai dit plus haut, anticipant et reculant depuis la fin de la mélodie, sans cesse à la rencontre de son déroulement, devient disponible pour une répétition explicite. La note initiale n'en est que la récapitulation.)

Parmi toutes les musiques qui y survivent, pourquoi précisément celle-là ? pourquoi pas la *Suite en si* de Bach ? une sonate de Mozart, de Beethoven ? une chanson anglaise ? airs que je peux retrouver aussi, et placer là ? Je ne sais pas. Je constate que l'effecteur essentiel de mémoire, dans ce cas, est une musique, et cette musique.

L'infinitésimal décisif est peut-être le clavecin (une conséquence, de la dualité antagoniste clavecin-piano, et de l'interdit qui, après mon accident à la main, pesa pour moi sur le second ?).

142 La position de la cuisine, dernière des six pièces, est aisément déductible du reste de la description,

La position de la cuisine, dernière des six pièces de la maison (l'envoi, la *tornada* de ce chant de la maison d'enfance étant une « pièce rapportée », la salle de bains externe), est aisément déductible du reste de la description, en deux moitiés, hémisphères cérébraux de ma mémoire, comme j'ai dit, séparés par la faille de l'escalier, puisqu'à droite, au premier et second étage, j'ai laissé volontairement deux pièces vides : en face de la salle à manger, au rez-de-chaussée, avec une fenêtre aussi sur la terrasse.

Le mode d'entrée « rationnel », par le seuil, n'a, ici encore, rien à voir avec le mode de restitution, de réoccupation de chacun de ces lieux par mon corps fantôme s'y plaçant, en une multiplicité presque ubiquité de « points de vue ». (J'observe alors incidemment que ma pensée des deux chambres où je ne pénètre pas en prose me pose, d'abord, devant leur porte, extérieurement.) Il s'agit toujours, bien sûr, d'une vue (même sur le divan, à l'écoute du clavecin, les yeux fermés, je vois), d'une famille mouvementée de visions inégalement réparties, inégalement douées de netteté, de clarté, d'importance sentimentale ou sensuelle. Le sens de la vue commande ce monde, conformément à la hiérarchie méditative des cinq sens qui est la mienne.

Mais nécessairement un autre sens l'accompagne (je prends conscience, en y réfléchissant pour la description, de l'intervention d'un autre sens. Les autres sens sont sans doute toujours présents, mais d'habitude inaccessibles). C'est lui qui sert d'effecteur de mémoire (chaque image vue jouant elle-même ce rôle par rapport aux autres images qu'elle suscite). Dans la chambre où je me suis abruptement trouvé pour le commencement strict de cette branche, c'était le sens du toucher, souterrainement impliqué par le matériau du premier souvenir, le gel de buée sur la vitre.

L'image initiale du bureau, qui n'est pas cette fois celle que j'ai mise en premier, mais qui est celle à partir de laquelle je peux penser son espace, l'image introductrice à la restitution du lieu (je n'en trouve, presque toujours, qu'une), est rendue effective par le bruit des trajectoires browniennes des mouches autour de l'ampoule du plafond, dans la lumière solaire et matinale, par le sens de l'ouïe, donc, mon second sens. Et le timbre de la note de clavecin de la suite anglaise met encore en jeu l'ouïe.

Cherchant plus loin, je trouve, en l'**Oranjeaunie** du **Parc**

sauvage, en la figue pennèque du **Bassin,** une intervention du goût. Mais nulle part, jusqu'ici, la moindre odeur (c'est mon sens le plus faible, aujourd'hui en tout cas). (Une telle constatation me satisfait, prélude à une « justification théorique » de l'échelle des sens, au général et au particulier.)

Je me suis arrêté pour cette brève enquête parce qu'au moment de pénétrer dans la cuisine je me suis heurté à deux images quasiment simultanées (plus exactement la réitération de mon effort à penser à cette pénétration m'a placé alternativement en présence de l'une ou l'autre de deux images indépendantes, sans que je puisse décider laquelle était « sémantiquement » première) : l'une de vue pure (en apparence), et l'autre au contraire extrêmement marquée par une sensation tactile.

Je n'avais pas rencontré jusqu'ici d'hésitations, ou peut-être je les avais éliminées d'office comme adventices, ne méritant pas réflexion, parce que j'étais seulement préoccupé d'avancer sur mon chemin. Je constate d'ailleurs qu'elles posent un autre problème, que je me suis déjà posé dans une incise (§ 90), le laissant là en suspension : celui de la nature (imprévisible, de hasard, ou pas) de la position initiale d'irruption dans une pièce, quand le regard, passe-muraille, s'y installe. Aucune hypothèse ne surgit.

J'ai le choix entre deux positions :

— **une baignoire occasionnelle et de fortune est placée au pied de la table de la cuisine ; le contact de l'eau chaude réveille et apaise en même temps la douleur des piqûres et griffures de ronces sur les jambes nues, acquisitions d'une journée de courses dans les chemins, les vignes, le « bois de Serres » ou « Gaja », noms de deux échappées ludiques vers l'extérieur de la ville. Pendant que l'eau, d'abord brûlante, refroidit lentement, pendant que le bien-être immense du bain m'envahit, je vois la peau des doigts de ma main se plisser rose, comme après une longue immersion pour jeux maritimes dans le lavoir.**

— **Une fenêtre sur la rue regarde vers l'Enclos du Luxembourg ; d'autres enfants jouent ; des voitures rares passent.**

143 je me laisse cette fois ouvrir la porte donnant sur le balcon

Remontant jusqu'au palier du premier étage, je me laisse cette fois ouvrir la porte donnant sur le balcon. Le balcon, le voici, qui se dirige vers la gauche, vers la salle de bains, une excroissance, une pièce rapportée collée à la maison à cette hauteur, et supportée par le couloir d'entrée dans le jardin. (L'entrée réelle, par la petite porte, dont le couloir s'ouvre sur la terrasse, pas l'entrée officielle du « 7 rue d'Assas », dont le portail est presque désaffecté.)

Je marche sur le balcon, et je le regarde en même temps d'en bas. **Je vois, quasi simultanément de haut en bas le jardin (le banc, la terrasse, les quelques marches qui les joignent depuis la porte d'entrée), de bas en haut le balcon.** Chacun de ces regards est immédiatement réversible.

Je ne peux pas retrouver le balcon sans le voir, c'est-à-dire sans le regarder d'un autre lieu, qui est à peu près exactement le sol nu du jardin, en haut des marches, au commencement de l'allée centrale, entre les deux « collines » habitées d'arbres (la partie du balcon qui est au centre de la vue est alors un peu à droite de la porte, devant la première fenêtre), mais je ne peux pas éviter de voir aussitôt ce que je vois dans l'autre sens, vers le sol du jardin, vers les marches, les arbres de chaque côté de l'allée, retour inverse impraticable en aucune durée réelle, échange infiniment précipité de points de vision qui se continue en oscillations, et se continuerait si très vite la vision ne se brouillait, ne m'échappait.

Or, autour, **c'est l'été ; la table est dressée au-dehors ; de bas en haut, vers le balcon, vers les fenêtres de la chambre derrière ; à la suite de quelque remue-ménage enfantin, une voix interroge : « Tu dors ? ». Une voix naïve répond : « Oui. »** J'ai été si séduit par ce piège logique que je l'ai emporté, enveloppé précieusement avec la table ensoleillée, sa nappe, ses verres, avec les rires, le silence des fenêtres aux rideaux tirés pour la sieste de mon plus jeune frère, Jean-René.

La question posée au dormeur est une énigme. Je ne peux pas dire : « Je dors. » Si je dis « je dors » sans mentir, c'est que je ne réponds que pour moi-même, c'est que je rêve. La question implicite que pose le rêveur est semblable : « Est-ce que je dors ? » C'est celle qui inquiète et paralyse Perceval chez le Roi-Pêcheur, au château du Graal. Mais à ces questions, il ne faut jamais essayer de répondre. Il ne faut jamais déchiffrer les énigmes. Il faut croire les dormeurs.

Le balcon s'en allait vers la droite (vu du bas), pas contre les fenêtres sur bureau. Et à son extrémité on descendait par deux marches dans la salle de bains, curieuse addition suspendue au bâtiment principal. La baignoire était directement au pied des marches, le sol couvert d'un linoléum crevassé. Il y avait un lavabo et un miroir sur le mur d'en face, une fenêtre à droite, directement au-dessus de la terrasse.

Au fond de la salle de bains, à droite, dans une avancée architecturale encore plus audacieuse, étaient les « cabinets », qui enfermaient des trésors de lecture. Une pile de livres en effet avait été placée là et suppléait aux défaillances de papier adéquat à ce genre de lieux (un effet parmi d'autres de la situation de générale pénurie). La connaissance rapide et fragmentaire qu'on pouvait prendre (et rarement reprendre) de leur contenu était plutôt de nature tactile, s'apparentant à une version extrême de la « vision paroptique » qui séduisit jadis Jules Romains (et que *Le Canard enchaîné* avait résumé de façon lapidaire et imagée en : « M. Jules Romains lit son journal en s'asseyant dessus. »). Le choix des livres ainsi promis à une « fin boueuse » n'incitait le plus souvent pas à s'attarder à les lire.

Mais un jour de l'hiver de 1944 une couverture attira mon attention ; violemment, expressionnistement coloriée, elle représentait une sorte de piscine (en fait je crois un réservoir d'eau dans une cave (?), un château d'eau (?)) dont l'eau se teintait du rouge de victimes poignardées par un criminel au rictus sardonique et subreptice saisi par le crayon du dessinateur au moment où, son forfait accompli, il remontait par une échelle de corde vers le monde des vivants (et la perpétration de nouveaux crimes) ; une des victimes se soulevait encore à

en un geste de surprise mâtinée d'inutile supplication, cependant que les autres avaient déjà l'indifférence flottante de ceux qui sont à la fois noyés et vidés de leur sang.

La couverture m'ayant paru de bon augure, je me plongeai à mon tour dans l'eau sanglante du récit, que j'entamai en son milieu, car une bonne moitié des pages en avaient été déjà arrachées. C'était un des volumes (et heureusement pas le seul) d'une édition exhaustive du *Rocambole* de Ponson du Terrail. **J'oubliai le froid ; tout commençait** (tout commençait dans ma lecture) **par une lettre.**

144 Rocambole, on s'en souvient sans doute, se fait passer pour un vicomte,

Rocambole, on s'en souvient sans doute, se fait passer pour un vicomte, dont je ne retrouve pas le nom présentement (je ne dois pas me laisser aller à le confondre avec le duc de Château-Mailly, dont le criminel se débarrassera dans quelques chapitres (c'est son rival auprès de la belle), en lui inoculant la maladie du « charbon » au moyen d'une piqûre d'aiguille convenablement placée dans la crinière de son cheval favori : intelligent, n'est-ce pas ?), le vicomte, absent depuis de nombreuses années (il est parti faire le tour du monde, après un chagrin d'amour ? évangéliser les tribus sauvages ? Il est mort, peut-être ? tué par Rocambole, quand celui-ci s'est évadé du bagne, peut-être ? il va revenir, peut-être, dénoncer l'imposture (c'est bien ce qui se passe, il me semble, quelques centaines de pages plus loin)). Le vicomte, dis-je, prête involontairement son identité à Rocambole, qui prend ainsi pied dans la haute société parisienne. Mais il voudrait mieux encore.

Et il courtise donc la belle Concepcion de Sallandrera, fille d'un grand d'Espagne, lui-même possesseur d'une quantité non spécifiée mais considérable de tableaux de Zurbarán. Rocambole est à son club (il joue au whist peut-être ? (un des jeux savourés par mon grand-père, presque autant que la manille coinchée, moins noble toutefois)) et voilà qu'on lui apporte un « pli ». C'est une lettre, une lettre de Concepcion ! L'enveloppe est parfumée, il la soupèse négligemment (il ne se presse pas), il ne l'ouvre pas tout de suite. Car, avant même de lire les mots tracés d'une main tremblante et virginale par la belle et fière jeune fille, il pense : « C'est une lettre de plusieurs pages ! Elle m'aime ! »

J'avais été extrêmement frappé de ce trait étonnant de pénétration, allant jusqu'aux tréfonds de la psychologie féminine (aux lois de laquelle ne saurait échapper aucune, pas même la fille du hautain duc de Sallandrera) chez ce bandit, élevé, si j'ose dire, parmi les « Apaches » de la « Barrière », qui s'est associé pour le crime à l'ignoble Venture, à la diabolique Baccarat. « Ah, les leçons de Sir William ont porté leurs fruits », pensai-je, à moins que Ponson du Terrail ne l'ait pensé pour moi.

Mais à vrai dire, au moins autant que d'admiration pour la preuve de divination psychologique que venait de me donner Rocambole, je me pénétrai avidement de la vérité de cette loi de l'âme : « Six pages serrées ! Elle m'aime ! », moi qui, bien qu'amoureux, n'étais guère en mesure de recevoir de tels gages. Or c'était l'hiver de 1944, et j'avais la chance de pouvoir découvrir ces vérités précieuses dans un des gros volumes de l'édition Fayard (?) et dans les « cabinets » où ils avaient été relégués, pour cause d'indignité littéraire sans doute, redoublée d'une pénurie de papier.

La lumière, un gris après-midi sans lycée, me parvenait par la petite fenêtre latérale, où bougeaient les branches nues du figuier. J'aurais bien souhaité une chute amoureuse plus tangible de Concepcion de Sallandrera, qui aurait été encore plus instructive, mais c'était une éventualité que la pruderie superficielle générale de l'ouvrage ne laissait guère prévoir (et d'ailleurs, très moralement, Rocambole échoue dans sa mégalomane et titanesque entreprise).

De retour du bagne Rocambole, devenu bon (et simultanément fort ennuyeux, il faut bien le dire), aidé de Wanda, la jeune Russe sa disciple (une sorte de nouvelle mouture de

Baccarat, qui est indisponible depuis qu'elle est devenue la Comtesse Artoff) (je la voyais sous les traits de Nina, dont le nom hors clandestinité était Morguleff) déjoue les plans de quelques gredins, assez semblables, en plus ternes, à ce qu'il était autrefois lui-même.

Et en cet hiver, le dernier de la guerre (où la salle de bains ne pouvait pas être chauffée) une autre scène, infiniment plus *gruesome* (horrible) que celle de la lettre de l'innocente Concepciùn mais étrangement appropriée aux circonstances climatiques de la lecture me tenait grelottant quoique fasciné : celle où Wanda, la belle et froide Russe, insultée du désir bestial d'un misérable, l'intendant du domaine de X..., à quelques verstes de Y..., je crois (hélas ! l'imprécision, le vague de ces désirs ignobles !), exécute une terrible vengeance, digne de Sir William : faisant semblant d'accéder aux demandes du misérable, elle lui donne rendez-vous au plus profond des terres, au fin fond d'un indispensable bassin d'arrosage. Là, elle s'éclipse un instant (pour se préparer, soi-disant, au pire ?) et l'enferme (c'est un bâtiment couvert avec une seule porte, armée d'une serrure dont elle a subtilisé la clé). Puis elle ouvre les robinets.

Le bassin se remplit d'une eau tiède, qui monte doucement jusqu'aux épaules de l'intendant, mais jusqu'aux épaules seulement. Sa tête seule dépasse. Il a ri d'abord, puis s'est inquiété, a cru à une erreur, a hurlé, tempêté, supplié. Il se rassure un instant, quand l'eau s'arrête. Ce n'était qu'une mauvaise plaisanterie ! Il n'est pas destiné à mourir noyé ! Or c'est l'hiver (l'hiver russe, que j'imaginais parfaitement, par extrapolation de la température qui régnait dans les cabinets et des nouvelles entendues à la radio : l'Armée rouge était devant Budapest. Quelques photos du destin des soldats de Von Paulus devant Stalingrad avaient commencé à apparaître dans les journaux). L'après-midi rougeoyant s'achève. L'eau refroidit. Les parois du bassin sont lisses, où le malheureux s'arrache vainement les ongles à essayer de grimper pour échapper à ce carcan mortel.

145 car l'eau refroidissante dans la nuit sibérienne va bientôt geler

Mortel, car l'eau refroidissante dans la nuit sibérienne va bientôt geler, et gelant (c'est une loi physique, qui fut, je ne l'ignore pas, d'un triste effet sur le *Titanic*) va augmenter terriblement de volume, broyant l'homme de son étreinte purificatrice, en rétribution horrible de la pensée de celle à laquelle il avait voulu soumettre Wanda (que je rêvais succombant, dans l'eau tiède, quand la nature s'y prêterait, aux peu honorables miennes).

Il me semble me souvenir que Wanda, de par quelque interstice ou vasistas russe dans le plafond (chaudement emmitouflée dans de superbes fourrures, au sein du froid crépusculaire de la steppe qui avive encore sa beauté blonde, glaciale, et slave), assiste à l'agonie du criminel, mais ce n'est peut-être qu'un raffinement de mes imaginations hivernales, incontestablement enflammées par cette scène sublime que plus tard, quand j'ai offert à Laurence la réédition en poche de l'œuvre ponsonienne je n'ai pas, à mon grand regret, réussi à retrouver (mais j'ai essayé mollement : cette relecture m'ennuyait).

Il y en avait au moins dix volumes. Pour éviter la destruction prématurée des *Rocamboles* que je ne pouvais lire d'un seul coup, je les avais soigneusement replacés en « seconde ligne » derrière la cuvette, et leur avais substitué de vieux manuels de philosophie périmés, dont les pouvoirs de « suspense » m'avaient paru nettement inférieurs, et qui pouvaient sans dommage être sacrifiés en premier. J'ai pu ainsi lire la plus grande partie des aventures, à l'exception des tout débuts, où règne le génie affreux, démoniaque, de Sir William.

(Mais je n'ai heureusement pas manqué la scène où Rocambole, sûr de lui, ayant tout appris pense-t-il de son maître, maintenant aveugle, et réduit à la chaise roulante, le précipite du haut d'une falaise pour s'en débarrasser et voler de ses propres ailes, si je puis dire. Et à ce moment (minuit, accompagné de tonnerres et d'éclairs), il se souvient, trop tard et en majuscules d'imprimerie, de l'avertissement de Sir William : JE SUIS TA BONNE ÉTOILE. LE JOUR OÙ JE DISPARAÎTRAI TA BONNE ÉTOILE S'ÉTEINDRA !

Le misérable (je suis quasi sûr que Ponson du Terrail écrit là « le misérable ») alors tombe à genoux au bord de l'énorme falaise (de la côte de Cornouailles ? Je confonds peut-être avec le « saut de Tristan » à Tintagel) et dit : J'AI PEUR ! OH ! J'AI PEUR ! Il a bien raison de le dire. Après, ça va mal pour lui.

Une fois achevée une de ces volumineuses aventures, j'abandonnais Rocambole, ses complices, ses diabolismes et infamies à leur sort non moins infâme.

Et, sitôt reposé le livre dont les pages se défaisaient (promises à une fin ignoble), je me hissais jusqu'au rebord de la petite fenêtre de côté, l'enjambais, et me laissais glisser allégrement dans le jardin par les branches du figuier.

Le figuier qui, à l'horizontale du banc (dans le jeu de **S'avancer-en-rampant**), et à l'extrémité gauche, apparaissait dans le champ de vision, au pied du mur.

et dont l'image introduira, si on adopte ce parcours de lecture, en s'engageant, à la suite du premier chapitre dans cette bifurcation, au chapitre deux de la branche présente, qui a pour titre, précisément, Le Figuier.

Bifurcation B
Avant-vie

**146 Je marque une frontière dans la durée, je pense le début de
ma vie :**

Je dessine ici une frontière dans la durée, et je la pense, avec
une certaine solennité comme marquant le début de ma vie :
une image y joue le rôle de poteau-frontière. Dans cette image,
j'entre (nous entrons tous les cinq) **dans le jardin de la rue
d'Assas.** C'est bien le jardin de la rue d'Assas, je le reconnais,
mais c'est un jardin où nous n'avons pas encore mis le pied, un
lieu vierge de notre occupation. Cette affirmation résulte très
simplement du fait que **le sol des allées est couvert de sable ; de
sable fin, presque blanc** (l'image exagère certainement la
blancheur toute d'innocence de ce sable). Dans le temps, après
le franchissement de ce seuil, le sable a disparu. Le piétinement
sourd des légions enfantines en marche, en courses, en vélos,
leurs jeux, leurs seaux et pelles, leurs grattages, leurs arro-
sages, ont eu rapide raison de la couche mince de sable
ornemental. Le sol véritable, rugueux, caillouteux et sec l'a
engloutie. C'est là, c'est de cela (?) qu'a commencé ma vie.
Je ne suis certes pas né avec un âge déjà compté (tel un
nouveau Dr Faustroll), à la fin de ma cinquième année, en
septembre 1937. Je ne suis pas né à six ans (si je nous accorde
les quelques mois nécessaires à la création, dans le jardin, du
paysage nouveau par destruction de l'ancien). Mais la conviction intérieure d'être soi (l'imagination centrale de l'ego voyeur
et sensuel ; l'enfant sensuel moyen) suppose, par retour inverse
dans le temps, une <u>continuité</u> du souvenir, la **mémoire**. Et la

mienne s'inaugure là, sur le sable robinsonien. Car de la quasi-totalité de ce qui précède la pose de mon pied nu dans ses allées, je suis amnésique. Tout ce qui lui est antérieur est comme un rêve d'avant-naissance, ou comme une collection de réminiscences, hors durée, discontinu, appartient à mon **avant-mémoire**. Vivre, et vivre un, entier, exige la pensée d'une continuité d'être, la certitude (illusoire mais tenace) d'avoir vécu sans interruption. Et cette certitude elle-même réclame un décor, un cadre, un *background* géométrique, temporel, sans discontinuités. Pour un « moi » le véritable début de la vie n'est pas la naissance (strictement aussi impensable intérieurement que la mort), est même assez éloigné de la naissance. Tout ce qui précède le début d'un temps parfait (au sens topologique : fermé sans point isolé) appartient à une zone-frontière de l'existence, comme le sommeil, pas à la vie (qui est un « ouvert », topologiquement). Ainsi l'entrée dans le jardin me désigne la fin de mon **avant-vie**.

Les années antérieures, du 5 décembre 1932 à septembre 1937, me sont, pour cette raison, extérieures. 1935, 1936 « ressemblent » plus à 1930 (où je n'existais pas) qu'à 1939. Je peux par conséquent jeter sur ce temps préliminaire un regard presque « objectif », par exemple photographique, avec beaucoup plus de tranquillité, moins de méfiance que sur ce qui suit : il n'y a pratiquement pas d'interférence possible avec la certitude de mon identité. La rigueur de la contrainte narrative (que ma mémoire agisse, dans cette prose, autant que possible sans secours) ne risque pas d'en être affaiblie.

Je m'allonge sur mon lit avec le dossier gris où j'ai rassemblé, peu nombreuses, quelques lettres, et quelques photographies extraites de la masse, plus étendue, de mes « archives familiales » (ce qui a survécu aux diverses destructions). Je garde l'ensemble dans ma chambre, la « chambre au lit de cuivre », dans le Minervois (j'y restituerai le contenu du dossier, après usage, ces documents sont à la disposition de tous (n'attirent guère leur curiosité, pour l'instant)). Je choisirai quelques photographies, une demi-douzaine au plus. Elles suffiront.

Je les regarderai un peu longuement. Je ne les avais jamais

regardées longuement. Ce sont de vraies photographies d'enfance : leur charge émotionnelle est pure, d'ordre strictement privé. Et leur banalité est parfaite : dimensions petites, papier ordinaire des tirages familiaux en noir et blanc des années trente, les voilà, glissées (par hasard de répartition) dans deux pochettes à rabats jaune-beige (jaunies). Je lis sur la première :

PHOTOGRAPHIE
A. GAMMONET
86, Avenue de Saxe - LYON

Au-dessus, un losange bleu sombre où est écrit, en lettres pseudo-manuscrites inclinées :

Agfa

losange surmonté d'une figurine rouge : une jeune femme au visage rose, les cheveux invisibles enfermés dans une toque de jeune femme de film ou revue de mode 1930, le bras droit républicain levé, une écharpe rouge dressée par le vent comme un bras gauche dessinant avec le premier (le vrai) un V de victoire, un foulard jaillissant du cou vers l'avant (toujours la brise optimiste) perpendiculairement au bras et à l'écharpe (l'ensemble est semblable aux trois axes d'un repère orthonormé pour problème de cinématique). Au-dessous du foulard apparaît le second bras de la jeune personne allégorique qui tient l'appareil photographique, rectangle noir d'où un œil blanc nous contemple.

A l'arrière de la pochette, d'une encre noire, on a noté le nom du client :

Nom : Molinaux (*sic*, pour « Molino », nom de mes grands-parents maternels)

Développements :	1	2.40
Impressions :	8	5.60
Agrandissements :		___
Total à payer :		8.00

411

Tout à fait en bas, en très petits caractères :

Pochettes BURLET 30 rue Saint-Merri Paris

Dans le rabattant intérieur gauche de la pochette les tirages, à droite les négatifs (certains, non tirés, représentent des variations, autant que je peux juger non significatives, des mêmes lieux). Le bord des papiers n'est pas droit mais légèrement ondulé comme celui des timbres-poste (plus irrégulièrement et plus rudement toutefois). J'en fais le tour avec le doigt.

Je m'adosse aux quatre oreillers posés en haut de mon lit contre la bibliothèque, les pieds sous l'édredon protéiforme à duvet de canard issu d'une commande faite par Marie à la Camif (c'est juin, mais il ne fait pas si chaud que ça). Je sors les deux premières pictions, je les dispose devant moi. Je regarde, sur chacune, la façade intérieure (tournée vers le jardin) du 21 *bis* rue de l'Orangerie, à Caluire, où je suis né.

147 Mes grands-parents s'installèrent à Caluire quand mon grand-père fut nommé inspecteur primaire

Mes grands-parents s'installèrent à Caluire quand mon grand-père fut nommé inspecteur primaire (inspecteur des instituteurs) pour le département de l'Isère. Caluire touche à Lyon, entre Rhône et Saône. La rue de l'Orangerie est au sommet de la colline, au-dessus du Rhône. Adossés l'un à l'autre (c'est le même bâtiment (?)) le 21 et le 21 *bis* étaient de taille inégale. Le 21 *bis* était plus petit que le 21, ne possédait qu'un bout étroit, peu profond, de l'immense jardin, séparé du reste par une palissade en piquets de bois. Dès leur installation ma grand-mère (qui avait quatre enfants en âge d'étudier) eut l'ambition de passer du 21 *bis* au 21, plus vaste. Sa volonté était peu résistible. Elle mit quelques années à convaincre le propriétaire, un rude Suisse, mais elle y parvint. Cependant cette conquête décisive n'eut lieu qu'un peu après ma naissance. Je suis né au 21 *bis*.

Mon père avait fait son service militaire de sursitaire dans les chasseurs alpins, puis avait commencé sa carrière d'enseignant au collège d'Arbois, patrie du « vin jaune » (dont je fus, m'a-t-il dit, « baptisé »). Ma mère, agrégée d'anglais à son retour d'Oxford, avait débuté à Bourg-en-Bresse. Elle s'y rendait chaque jour en train. Elle partait, toujours à la dernière minute, à l'angoisse désapprobatrice de son père, fanatique de la ponctualité, courait par la rue de l'Orangerie, puis par la longue rue de l'Oratoire, alors bordée d'un très long mur ininterrompu, rejoindre la petite gare de Cuire (la commune s'appelle Caluire-et-Cuire), où elle arrivait essoufflée en même temps que la locomotive, se précipitait sur le quai par le passage à niveau, et le chef de gare lui tendait son billet tout prêt, au dernier instant. J'attendais dans mon berceau, en compagnie de ma grand-mère, et de ma tante Renée.

Les éléments de cette description, concentré en peu de phrases des circonstances « entourant » ma naissance, je n'ai pas eu de mal à les assembler. Je n'ai pas eu besoin de ce que j'appellerai des souvenirs externes, documents ou images fabriquées à partir de récits : j'ai rapporté succinctement ce qu'on m'a dit. De paroles diverses, entendues de personnes diverses à divers moments, j'ai retenu cela. Mais je n'ai rien retenu des paroles elles-mêmes, ni des moments où je les ai entendues. Je sais tout cela de manière aussi impersonnelle que le bel alexandrin scolaire : « La Loire prend sa source au mont Gerbier-des-Joncs. » On appelle cela, dans la nouvelle école dite d'*ecological memory*, « mémoire personnelle générique ». Selon ma mémoire personnelle générique, je me souviens que l'on m'a dit que je suis né là.

Et, bien sûr, je ne sais rien du tout de ces circonstances « par moi-même ». Mon avant-vie m'est à peu près entièrement invisible et inaudible. Des paroles qui me disaient : « c'était là », « c'est ainsi que cela s'est passé », rien ne demeure non plus. Je les crois vraies (je crois vrai ce que j'en ai retenu), mais

413

ni plus ni moins que celles qui m'ont appris, par exemple, catastrophe quasi contemporaine de ma naissance, le triomphe de Hitler en Allemagne.

Plus généralement, il me semble n'avoir aucun souvenir exact de choses dites. Pour emprunter de nouveau une comparaison avec les « traitements de texte », je n'appréhende pour ainsi dire jamais les événements de langue en « mode image », mais au contraire comme traces « numérisées » (il faudrait plutôt dire, « à la Milner », « littéralisées »), c'est-à-dire recomposables, transformables à volonté en d'autres qui me sont propres, opératoires, calculables (pouvant être soumises à un « calcul » de l'esprit). (En moi, la langue n'est jamais « langage cuit », sauf la langue de poésie.) Toutes les images que je conserve sont donc en fait « hors-langue ». Tout ce que je sais (donc tout ce dont je me souviens, en ce sens) est « dans-la-langue ». Mes souvenirs internes (dans le « mode image » de ma mémoire) sont strictement distincts des autres, externes (en « mode littéral »).

Dès qu'apparaît, dans ma perception du passé, le sens d'une continuité personnelle, je peux mettre les deux modes (et les mondes qu'ils composent en moi) en parallèle, les confronter (au détriment inévitable du premier, le monde-image : quand la langue s'empare des images, elle les défait, les recompose, les détruit). Mais avant, il n'y a pratiquement aucun passage d'un mode à l'autre : les visions, rares, semblent « hors-monde », étranges, insituables. Elles flottent, privées des secours d'une forme du monde, d'une géométrie, d'un axe de temps.

La maison Gammonet avait préparé pour son client « Molinaux » huit tirages (qu'elle appelait « impressions »). J'ai devant les yeux le troisième et le sixième (si je me fie aux chiffres notés derrière, au crayon). Ils montrent tous les deux « le 21 *bis* » (comme on disait chez nous), à peu près sous le même angle. Dans un cas, la vue est prise à une certaine distance, depuis le jardin. On voit la porte d'entrée, les deux étages, le toit, on entrevoit la maison du n° 21 sur la droite (mais on ne disait pas « le 21 ». On disait « le 21 *bis* », car il n'avait jamais été, pour ma grand-mère, qu'un « *bis* », qu'un *ersatz*). A la fenêtre la plus haute un visage, peut-être celui de ma tante Renée, mais je ne le distingue pas bien.

Dans l'autre photographie, la façade est coupée juste au-dessus des fenêtres du deuxième étage. C'est cette vue que je regarde de plus près, avec mes yeux de maintenant :

la fenêtre du premier y est ouverte, et sur le fond noir de la pièce je vois mes parents. Mon père est debout. Ma mère, à sa gauche, est accoudée au rebord de la fenêtre.

148 **Je prends une autre photographie, dont le « sujet » est moi-même :**

Je prends maintenant dans la même pochette une autre photographie (elle ne devrait pas se trouver là, c'est une addition ultérieure, parasite, à son contenu initial), dont le « sujet » est moi-même : dans une allée légumière en pente, perché sur un tricycle, tourné à demi vers le photographe. Le décor qui m'entoure est avare de détails, mais je sais cependant où je suis.

A la fenêtre du 21 *bis*, rue de l'Orangerie, j'ai reconnu aussitôt mes parents (bien que les formes ne soient pas très nettes, les dimensions petites et ma vue moins bonne qu'autrefois) : je ne suis pas orphelin, je n'ai jamais été très longtemps sans les voir, je vais les voir encore dans quelques jours. Je les reconnais sans aucune difficulté à cette fenêtre de mon avant-vie, par extrapolation palindromique, en quelque sorte.

Mais comment se reconnaît-on soi-même ? Je ne suis pas du tout certain de ne pas devoir dépendre, pour cette reconnaissance, de ces souvenirs externes que sont les photographies, de nombreuses photographies constituant une séquence documentaire ordonnée, ponctuation des années à intervalles pas trop éloignés : témoignages du temps plus stables, plus irrécusables que les souvenirs intérieurs, mais beaucoup plus indifférents. (Indépendamment du fait que la représentation photographique regarde du dehors, et offre un visage différent de celui qui se montre dans le miroir.)

Je les trouve en fait à la fois étranges et peu convaincantes, dans leur espace sans vraisemblance, à la géométrie sans grâce. Ma réticence spontanée à accueillir comme authentiques ces supports devenus conventionnels de l'identité ne va pas jusqu'à la dénégation (il faut être raisonnable, n'est-ce pas !), mais je les sens malgré tout comme « au-dehors », artificiels, factices (et je pourrais facilement allonger cette liste de qualificatifs péjoratifs).

Ce n'est pas seulement qu'ils sont le plus souvent incapables de faciliter l'accès à des images intérieures (les souvenirs internes, les seuls « vrais », selon une conviction sans réflexion) : je les regarde, et l'apparition plate de cette forme qui est « moi » ne me dit rien, ne me donne accès à aucun mouvement du passé, à aucune vision. Ils sont des preuves parfaites de l'oisiveté des pictions, ersatz des images.

C'est aussi, et plus généralement que, comme les paroles ou les écrits transmettant en nous un savoir de langue (autre famille de souvenirs externes), ils viennent, en devenant à leur tour intérieurs (on les regarde, on les a vus, on les mémorise involontairement), perturber nos autres souvenirs, se substituer à eux. Bien souvent, cherchant à évoquer un visage, je ne retrouve devant mes yeux qu'une photographie, que l'image, insatisfaisante, pauvre, d'une piction. (Et les progrès du « mode image », télévisuel, & de la « télé-existence », rendront la mémoire plus artificielle encore, dans le futur dont je ne serai pas. Cette pauvreté n'est pas due seulement au caractère artificiel de telles images, mais à ce que les images naturelles de nos souvenirs ont non seulement une géométrie beaucoup plus complexe, plus vaste, non limitée aux trois dimensions conventionnelles, mais ne font pas intervenir comme sens unique la vue (même additionnée de sons, car les sons n'y sont que plaqués, comme une couleur collée sur un mur).)

Le lieu désigné par le rectangle de papier, cette fois, est Tulle. Quand mon père, après plusieurs échecs dus à l'extrême rareté des postes mis au concours, ainsi qu'à quelques démêlés conceptuels avec le jury encore compliqués de son ignorance persistante du grec, fut reçu à l'agrégation de philosophie, mes parents prétendirent à ce luxe des couples d'enseignants : un poste double, c'est-à-dire une affectation dans la même ville, où ils pourraient s'installer en famille autonome.

Mais les possibilités de choix, même pour des agrégés issus de l'École normale supérieure, étaient maigres : le mouvement perpétuel et pendulaire des politiques de recrutement dans notre pays, qui passent (généralement avec brusquerie) d'un malthusianisme féroce à un laxisme débridé, était alors (la « crise » mondiale aidant) arrêté à un niveau proche du zéro.

Les dés administratifs jetés les envoyèrent à Tulle, Corrèze : une petite ville estimable, néanmoins climatiquement en fort contraste avec celles qui sont proches de la Méditerranée. Mais rien ne s'offrait plus au sud. Ils y passèrent cinq ans. Ma sœur Denise y est née en octobre 35, mon frère Pierre en janvier 37.

149 Les images de mon avant-vie sont en nombre infime.

Les images de mon avant-vie sont en nombre infime. Incroyablement rares, elles ne sortent qu'avec peine, avec douleur presque, de mon **avant-mémoire**, de son oubli peuplé. J'admire (avec une réserve sceptique généralement silencieuse), ceux qui racontent des souvenirs de leurs deux, trois ans (certains même pensent remonter à la fin de leur première année, ou plus loin encore). Je suis persuadé (extrapolant abusivement sans doute à partir de mon cas particulier) que dans la plupart des cas ces scènes originelles ont leur source, composite, dans les récits des adultes, dans les albums de famille, quand elles ne sont pas tout simplement antidatées, et mal situées dans l'espace. Ce sont des souvenirs externes intériorisés, ou des souvenirs ordinaires désorientés, des « personnes déplacées » du souvenir.

Comme ils apparaissent en outre sans aides, c'est-à-dire la plupart du temps sans les objets, personnes ou paysages qui permettraient de les identifier à coup sûr et de les dater non moins certainement, je ne suis même pas sûr d'en posséder vraiment un seul. Je n'entrerai donc pas dans la course au record du premier souvenir, auquel se livrent les autobiographes, depuis qu'un premier d'entre eux a pensé à lui, a pensé qu'il possédait cette « chose » fabuleuse, un « premier souvenir » (je ne sais qui je ne sais quand : qui est donc l'auteur du « premier des premiers souvenirs » ? (écrits)) (Robert Graves regardant à un an la reine Victoria, ou Tolstoï, à deux ans, dans son baquet-baignoire, sont parmi les plus ridicules que j'aie jamais lus). Il se peut, inversement, que d'autres images, vives mais sans « adresses » indiscutables que je rencontre au cours de mes pérégrinations mémorielles, appartiennent à ces années de Caluire ou de Tulle. Mais je ne parviens pas à m'en assurer.

Il est clair que la perfection (au sens topologique) d'un segment de passé nuit à la restitution de moments singuliers, que leur isolement préserverait d'un brouillage par d'autres moments, à la fois proches dans le temps et situés dans les mêmes lieux. Il se produit un phénomène de « surimpression ». (seules l'inégalité émotionnelle, l'insistance sélective sur quelques points focaux empêchent le tout de sombrer dans une neutralité floue).

J'ai remarqué aussi, en me livrant à une tentative de ressuscitation de cette chambre où je suis aujourd'hui, où je fus pendant de nombreuses années, et où je suis revenu après d'autres années d'interruption, que les détails, les endroits où je me retrouvais le mieux étaient ceux qui avaient le plus changé (le sol moquette brune transformée en linoléum jaune, ou la position du lit, par exemple) mais aussi ceux qui n'avaient bougé que très peu, ou pas du tout : l'armoire, les fenêtres bien sûr (mais dans ce cas je ne suis absolument pas assuré de la justesse de mon évaluation temporelle).

Je m'éveille dans la pénombre d'une chambre immense (c'est la « preuve » perceptuelle de l'ancienneté, de l'archaïsme de ce souvenir), **j'ouvre les yeux face à deux énormes fenêtres** (le fait que je les vois ainsi est un signe de la pénétration du souvenir ancien par son futur : je vois un fragment du passé avec mes yeux du passé, mais je le juge, avec ceux d'aujourd'hui, ou d'un autre passé, postérieur. Je le regarde avec deux yeux, en somme, et je louche. Car dans cette étrange famille d'images, que nous avons tous, et qui donnent plus que d'autres le sentiment aigu de l'accès aux temps les plus reculés de notre existence, la pénétration obligatoire du passé par le présent est là, montrée par un changement d'échelle qui témoigne, pour nous, de ce qu'elles viennent du pays d'avant : mais pourquoi verrais-je les fenêtres « énormes » si je ne les voyais, aussi, maintenant) ; **et à l'instant où je les ouvre pour voir, les fenêtres s'avancent brusquement jusqu'à presque toucher mes yeux ; puis elles reculent, et je peux voir les rideaux sur les fenêtres, dans une lumière faible, silencieuse, grise.**

Je ne « possède » pas ce souvenir aussi librement que les autres (la plupart de ceux que j'entrelace dans cette branche, en une succession calculée). Il vient à moi de manière récurrente, d'année en année, au réveil d'un demi-sommeil, d'après-midi le plus souvent. Mais il m'est impossible de le rappeler à volonté.

J'en sais assez sur lui cependant pour pouvoir ainsi (succinctement) le décrire, mais je ne peux y ajouter en le fixant et l'interrogeant, car il s'évanouit toujours aussi vite quand je le rencontre (comme, dit-on, les images des rêves, ces rêves que je ne rêve pas). Cependant c'est bien de lui qu'il s'agit toujours. Je vois les deux fenêtres immenses en face de moi (même si je n'ai alors devant moi, au présent, qu'une seule fenêtre de taille ordinaire, ou un mur). Je le reconnais.

Et chaque fois qu'il se présente j'ai la même certitude de son ancienneté et de son lieu : Tulle.

Je l'ai choisi, arbitrairement au regard de la mémoire, nécessairement au regard du récit, pour l'insérer dans '**Le grand incendie de Londres**', comme étant mon premier souvenir, le plus ancien **signe-mémoire** de ce qui a été oublié.

150 Je regarde de l'herbe dans le jardin du 21 rue de l'Orangerie (du 21 cette fois),

Je regarde de l'herbe dans le jardin du 21 rue de l'Orangerie (du 21 maintenant). Elle pousse au premier plan d'une photographie, prise dans un temps que j'ai entièrement oublié, entre ma vie et mon avant-vie : une herbe restée sèche depuis l'été de 1938, sèche, grise et blanche. C'est l'été, j'en suis certain : il fait beau, les vêtements sont légers. C'est 1938, d'après nos tailles respectives (mon frère Pierre, ma sœur Denise, moi). C'est 1938, puisque nous ne sommes que trois.

Ma mère, à gauche, tient mon frère par l'épaule. Il est debout, elle assise. Elle lui montre du doigt quelque chose qui ne peut être que le photographe (qui est-ce ?) et son appareil. Mais il a les yeux baissés sous le trop de soleil. Mon père, assis à côté de ma mère, est tourné vers lui. Je vois qu'il commence à perdre ses cheveux. Derrière eux, une table basse, avec un plateau, une théière, trois tasses visibles, et quelque chose qui est peut-être un *tea-cosy*. Si c'était un tableau on pourrait l'intituler *Le Thé sur l'herbe*.

A l'extrémité droite, dans une chaise longue, ma grand-mère. Sa main sur le montant « pianote » nerveusement. Je ne vois, et pour cause, aucun mouvement de ses doigts, mais je le sais. Elle tient ma sœur sur ses genoux. Denise a un bandeau blanc dans ses cheveux. Elle regarde vers nous, avec une certaine circonspection. La chaise longue paraît ferme & stable (il en manque juste un petit bout). Je ne sais si c'est un des prototypes inrenversables construits par mon grand-père. Comme « Chaise longue » et « grand-mère » sont deux constantes associées de mes premières années, leur commune présence donne au groupe de douze personnages posés sur l'herbe grise (huit au moins sont encore vivants aujourd'hui, cinquante-trois ans plus tard) une sorte de sérénité.

Exactement au centre quelqu'un est debout, que je ne

reconnais pas. C'est un homme d'une trentaine d'années, la main gauche levée (qui tient peut-être une cigarette), la main droite dans la poche de son pantalon. Je suis devant lui, à cheval sur les épaules de mon oncle Frantz, lui aussi assis sur l'herbe, mes bras autour de son cou. J'ai les cheveux courts, et visiblement encore assez blonds.

A notre droite mon grand-père. Il a déjà le visage maigre et long de vieil homme qu'il gardera encore presque trente ans (il vient d'en avoir soixante). Il a couvert d'un béret, contre le soleil, sa calvitie absolue, intransigeante. Il tient son poignet gauche avec sa main droite. Son expression est légèrement étonnée, ou réflexive, ou tout simplement troublée par un excès de lumière. Je reconnais parfaitement cette expression.

Entre ma grand-mère et son fils Frantz, assez droite sur une chaise (on n'aperçoit que le haut du dossier), Mlle Chauvin, dite « Taia », une vieille amie institutrice de la famille, un être de bonté, d'infinie et modeste bonté. A ses pieds, côte à côte, ma tante Renée et mon (alors futur) oncle Walter. Mon grand-père et lui sont les seuls à porter une cravate. Tels sont les douze personnages de la photographie.

Elle me montre la première forme de l'invisible : celle de l'oubli. Car je ne revois rien de ce moment d'après-midi, au fond du jardin d'été, un an avant la Seconde Guerre mondiale. Je vois que j'ai été là, que j'ai regardé moi aussi le photographe, et ces visages familiers, aimés, disparus.

En lieu et place de ces visages, des herbes, des arbres sombres dans le fond du soleil, de la théière, il y a aujourd'hui la cour, goudronnée, d'une quelconque « Résidence ». L'herbe n'y repoussera plus.

Je restitue pourtant un moment très proche, en un endroit très proche. Mais alors j'y suis seul. **Je vois cette herbe ;** sinon cette herbe, une herbe fort semblable ; **entre les tiges j'aperçois les mouvements affairés, obstinés, incessants des fourmis, escaladant les échafaudages de graminées, les cathédrales de trèfles ; à côté des fourmis ces autres insectes, rouges à dessins noirs, qu'on appelle « bêtes du diable »** et que je nommais, m'a-t-on dit, plus brièvement et plus génériquement, *bêtten*, avec un fort accent trochaïque sur le *ê*. Et je les prétendais (passant immédiatement à l'action, à l'horreur de ma grand-mère) comestibles. **Je vois une fourmi s'arrêter, hésiter au bout de mon doigt.**

Bifurcation C

Des nuages

151 Au rez-de-chaussée de la maison, une fenêtre regardait vers l'extérieur.

Au rez-de-chaussée de la maison, rue d'Assas, une fenêtre regardait vers l'extérieur. Une fenêtre et moi regardions, dans cette image, vers l'extérieur : les vitres, le regard, ouvrant sur un espace descendant, non pavé, plus large qu'une rue, descendant vers une rue qui courait parallèle à la fenêtre : l'Enclos du Luxembourg. **Il pleuvait ; je regarde, et vois, l'eau ruisseler sur le sol, s'en aller dans la pente, suivre sa pente, comme toutes les eaux, toutes les pluies ; devant moi, sous la fenêtre, une flaque ; et dans cette flaque d'eau de pluie, que la pluie pointille, crible, crève de petit plomb, les nuages.**
Je m'appuie à la fenêtre et je regarde à travers la vitre ; et aussitôt l'image est pénétrée de mots, devient une image « aurale » autant que visuelle ; **j'ai posé sur le rebord interne de la fenêtre, et j'entends, en silence** au bord interne de l'image qui est en mon souvenir. Je n'entends rien de spécifique. Je ne peux pas dire : **j'entends cela,** mais seulement : **j'entends.** J'entends et ensuite seulement restitue un poème, ou plus exactement je suis restitué à des vers, de ces vers insipides dont, en mon obstination enfantine à « être poète », je couvrais en ces années mes cahiers : **Je regarde couler un torrent de nuages / Dans l'infini des flaques d'eau./**
(C'est le début de trois quatrains en mesure 12/8, en alternance, puisant leur inspiration dans les *Stances classiques* ?, du *Cid* ?) ; et plus loin (dans le cahier), plus tard (dans mon oreille, aujourd'hui) : **Je n'ai**

qu'un horizon de fils télégraphiques / dans la lumière insipide des réverbères / (mais ai-je vraiment écrit « insipide » ? ou bien est-ce un jugement d'insipidité du « moi » présent qui substitue, comme il arrive si souvent dans la transmission orale, cet adjectif métriquement quadrisyllabique à un autre, de même taille, perdu ?)

En face de moi, plus loin, plus loin que « l'enclos » terreux, argileux, caillouteux, mouillé, de l'autre côté de la rue, sur une façade, je vois du vert, un vert un peu pâle, une enseigne qui n'émerge pas vraiment en image, mais avec quelque chose d'écrit ; quelque chose est là écrit, c'est sûr, sur cette façade, quelque chose vert, « vert » exprimé en un vert pâle ; en lequel je déchiffre quelque chose comme « Ferrand », avec quelque chose comme « marbre » ; est-ce vrai ? Ou encore, est-ce vraisemblable ? Vraisemblable, certainement.

Mais ce qui est alors invraisemblable, dans cette même image-mémoire c'est de **voir**, aussi, et même plus distinctement, **sur le sol de terre penchée de l'« enclos » non pavé, non goudronné, entre les touffes d'herbe rare, de la bourrache, de la bourrache rêche avec ses yeux bleus**, invraisemblance née d'un saut visuel du souvenir, sans aucun doute effectué depuis les Corbières (les Corbières de mon récit (chap. 4)), pour une vision totalement injustifiable dans ce souvenir, une plante parasite poussée soudainement dans cette terre.

Le chemin que je me prépare à suivre maintenant, dans lequel cette vision instituée par quelques vieux poèmes m'entraîne, ouvre à un « côté » de mon paysage de mémoire. De ce côté se déploie un espace propre, tout entier contenu dans l'axe « gauche » de ma vision, de mon champ mnémonique (je le nomme « gauche », mais « gauche » n'est qu'une nomination relative, pas la dimension subjective d'un demi-trièdre opposé, dans le champ, à un espace « droit »). J'ouvre la porte d'un espace, qui est un espace en soi, largement indépendant.

(L'autre « côté », le « côté droit », qui possède aussi la dimension d'un « après », et qui s'ouvre en d'autres années, est celui que j'atteindrais, au bas de la même pente, en tournant non à gauche mais à droite. En fait je ne peux pas tourner à droite au bas de la pente, je ne peux plus le faire, car j'ai oublié, et ne vois rien. Je n'atteins l'espace « droit » que par un autre itinéraire (il s'ouvre, dans la disposition de lecture que je vous offre, à la fin de cette Bifurcation, dans le chapitre 5 du Récit, dont le titre est « **Place Davila** »).)

Si je choisissais, pour nommer un tel espace de mon ciel de mémoire, une expression du type « côté de X », suivant l'exemple bien connu de M. Proust, ce serait le **côté de l'École**. Et l'opposition entre deux « côtés », entre l'espace « gauche » et l'espace « droit » au bas de la fenêtre est aussi une opposition sentimentale : entre « école » et « lycée ». L'École est fort différente du Lycée (qui est dans l'espace droit, du « **côté place Davila** »), parce qu'elle n'apparaît pas le moins du monde comme le lieu d'un enfermement. Je ne la sens pas du tout de la même famille de lieux que l'hôpital (dont j'ai l'expérience), la prison (que j'ignore, et imagine, assez précisément en ce moment dans les récits de Laurence, ma fille, qui fait un de ses stages d'internat à l'hôpital de Fresnes). Ainsi, elle peut naturellement apparaître solidaire de l'espace du jardin, du mouvement, du dehors.

Et avec les années, elle m'est aussi apparue comme faisant partie d'un temps amène, heureux, animal, inséparable du temps des jeux : des vacances. Pendant le temps de l'École, « du côté de l'école », ce n'est quasiment pas la guerre. Il n'y a pas d'inquiétude, pas de privations. (J'étais là pourtant aussi pendant la première année de l'Occupation, qui fut ma dernière année dans l'enseignement primaire. Mais je n'en sais plus rien, et n'en avais pas alors, il me semble, une réelle perception.)

152 dans la cour nous jouions à des jeux de la guerre

Sinon que dans la cour nous jouions à des jeux de la guerre. Comme les guerriers hellènes de Giraudoux nous échangions non des coups, mais des épithètes. Nous nous réunissions dans la cour de récréation et après les jeux physiques et sérieux de balles ou de « barres », la tête ivre de courir, pour nous reposer nous parlions, agglutinés comme sur une *agora* carcassonnaise. Nous prononcions des discours rhétoriques et guerriers.

Il y avait dans ce jeu de parole des rôles de soldats, et des rôles de chefs de guerre. Moi je jouais et parlais Churchill. C'était mon rôle attitré. Je le revendiquais toujours et j'y avais droit, en vertu d'un accord tacite, en raison de mes convictions affichées et de mon ascendance (puisque ma mère était professeur d'anglais, je pouvais déjà prononcer quelques mots en cette langue. Et de plus les « opinions » de mes parents étaient connues comme peu favorables aux « Puissances de l'Axe »).

J'ai retenu aussi qu'il était très difficile dans ce jeu de trouver des volontaires pour les rôles d'ennemis, ou de traîtres : Hitler, Mussolini, Laval, Pétain. On devait les assigner d'office. De Gaulle et Staline ne nous étaient guère connus (ni les Japonais. Pourtant, l'empire du Levant devait bien surgir parfois dans l'air radiophonique, car nous, petits élèves, nous enchantions d'une phrase irrésistiblement comique : « le général Yamamoto a été mis à pied ») (cela se passait au printemps de 41 sans doute. Je vois qu'il fait beau mais c'est un temps de classe encore. Les Allemands n'ont pas lancé l' « Opération Barbarossa ». Tout ce qui arrive alors dans la guerre est loin, et le conflit dresse l'Angleterre, mon Arcadie, contre « eux », nos ennemis).

Dans notre école la non-collaboration (plutôt que la Résistance, idée qui était encore à naître) était « hégémonique ». La peur de la dénonciation, le silence recommandé ou imposé aux langues étaient encore à venir. (D'une manière générale, les vignerons de l'Aude n'avaient pas beaucoup de sympathie pour Vichy. L'Aude était un département « laïque », « radical-socialiste » avec une forte frange grondeuse et « rouge », celle des héritiers de Marcellin Albert, du Dr Ferrouls, et des révoltés du début du siècle (aux temps où on chantait : « Salut, salut à vous, vaillants soldats du dix-septième ! » (ce régiment de fils de vignerons qui n'avaient pas voulu tirer sur les leurs)).)

(Mon père s'est ressouvenu brusquement il y a peu (la remontée des vieux démons vichystes dans ce pays ramène ces temps à la surface des pensées) de la recommandation de son proviseur au lycée de Carcassonne où il enseignait la philosophie. On était en octobre de 1940. Les « autorités » nouvelles avaient réclamé du proviseur du lycée de « garçons » qu'il désignât quelqu'un pour prononcer, devant les professeurs et élèves rassemblés dans ce but le premier jour (en une sorte de « rentrée solennelle », comme l'Université en connaissait autrefois) un discours, conçu, dans l'esprit vichyste, comme devant être le « pendant » expiatoire des discours patriotiques de la précédente année (celle de la « drôle de guerre »), en une séance de « distribution de mauvais prix » nationaux, et le proviseur avait confié cette tâche à mon père, en lui disant : « Avec vous au moins, je ne risque pas l'éloge de " ceux-là " ».)

J'ai passé quatre ans à l'École annexe. On appelait ainsi l'école placée en appendice à l'École normale d'instituteurs (institution qui vient, plus que centenaire, de succomber aux coups désordonnés des réformateurs). Les « élèves-maîtres », sous la direction d'un instituteur respecté, expérimenté et chevronné, y faisaient leurs premières armes pédagogiques sur de petites têtes cobayes, dont je fus. Quand je l'ai quittée, non sans presque des larmes, en juillet 41, j'avais huit ans et demi.

Être élève de l'École annexe était une situation didactiquement luxueuse. Nous étions peu nombreux (il n'y avait en fait que deux classes : une classe de « petits », et une classe de « grands », parmi lesquels se trouvaient ceux qui n'allaient pas au lycée mais préparaient le certificat d'études (obstacle impressionnant dans l'imaginaire de notre école, qu'entré trop tôt au lycée je n'ai jamais franchi, ce qui me laissa longtemps un sentiment diffus d'inadéquation, en tant que petit-fils d'instituteurs)). Nous apprenions, plus ou moins, la grammaire, l'orthographe, le calcul, l'histoire, la géographie. Nous étions bien traités, contents (en tout cas je crois que je l'étais).

En raison de mon intérêt soutenu pour la lecture et le calcul, particulièrement sous cette forme prestigieuse chez les enfants scolarisés qu'était alors le « calcul mental » (je me ressouviens, avec une évidence immédiate, en inscrivant cela, que mon meilleur ami avait un nom « numétrique » : il s'appelait Quintane), je ne restai pas longtemps dans la petite classe.

427

Notre instituteur était M. Castel. C'était un instituteur de cette espèce qu'on qualifie aujourd'hui de « à l'ancienne », avec un mélange de regret et de condescendance (« des gens qui croyaient à ce qu'ils faisaient, pensez donc ! »). On en parle avec un ton de voix qui est celui qu'on emploie pour les bicyclettes (qui n'étaient pas encore des vélos), les réclames (qui n'étaient pas encore des « pubs ») les brouettes et les charrettes, mais aussi (et avec envie cette fois) pour les fromages non pasteurisés, le lait « cru », les pommes reinettes (celles qui furent et ne sont plus, qui ne sont en tout cas ni les Golden fades et hypersaines à l'américaine ni les Granny Smith australiennes (?) à la peau cirée d'un vert chimique). Ils sont de la même époque que le pain « cuit au four » et au « feu de bois » (que l'on regrette et envie. Regret et envie qui ont valu à une habile chaîne industrielle, aux produits aussi strictement mécanisés et instantanés que le reste des productions alimentaires, et n'ayant qu'un très lointain rapport avec les fabrications anciennes, un succès foudroyant, d'essence purement onomastique, en choisissant de se nommer, pour mieux vendre les *fast breads* qu'elle propose, « Fournil de Pierre »). On ajoute que le moule où cuisaient ces enseignants artisanaux a été brisé, et qu'on n'en fabriquera plus des « comme ça ». Il me suffira ici de dire que de cette espèce était M. Castel.

153 Pendant ces années bénies,

Pendant ces années bénies, le « calcul » et la « récitation » furent et restèrent mes « points forts ». Je dus sans doute à mes facilités arithmétiques, autant qu'à ma rapidité collatérale d'appréhension des vers par la mémoire (le « nombre » soutient le souvenir du vers), l'indulgence (peut-être excessive) avec laquelle M. Castel traita (ou plutôt ne traita pas) ma déficience scolaire principale : le désordre paroxystique dans l'accomplissement et la présentation des écritures.

(Mon expérience ne m'a jamais mis en présence de ces enseignants sévères dont la tradition littéraire est encombrée. Bien au contraire. Ainsi, modèle d'instituteur que j'avais, pour ainsi dire, sous la main, mon grand-père était indulgent, d'une indulgence quasi proverbiale. Les erreurs le faisaient souffrir. Il se sentait tellement en « sympathie » avec l'élève qui les proférait, qu'il avait toutes les peines du monde à se retenir de fournir les bonnes réponses à sa place. (Il témoignait aussi parfois de la même propension dans les conversations ordinaires avec les adultes, au désespoir de ses interlocuteurs.)

J'ai suivi, bien plus tard, au temps de mes études de mathématiques à l'Institut Henri-Poincaré, un cours d'arithmétique du Pr Salem, qu'on disait ancien banquier converti un jour à cette discipline abstruse, où on donne un sens plus pur aux mots de la tribu des nombres (mon vieil ami Pierre Lusson, qui a oublié comme moi le prénom de Salem, que j'avais laissé en blanc pour complétion ultérieure sur mon écran, un peu gêné de le désigner ici de la nomination par trop familière, « Salem », ne s'en souvient donc pas non plus, mais croit qu'il avait été un des dirigeants de la Banque d'Indochine). Cet éminent mathématicien était littéralement incapable de « coller » un étudiant à un examen. On racontait à son sujet l'histoire de l'interrogation d'un malheureux à l'oral du certificat dit de « Mathématiques générales », qui était resté totalement muet devant le tableau où était écrite l'équation qu'on lui avait demandé de résoudre. Et Salem, avec d'infinies précautions, parlant de sa voix douce faite encore plus douce pour ne pas l'effaroucher, lui disait : « Voyons, cette équation, quelle est son espèce ? » Silence. « C'est une équation, reprenait Salem de plus en plus doucement, une équation diff... ? » Alors, brusquement illuminé de compréhension, l'étudiant, disait la légende, avait complété le mot, non pas en l'adjectif, attendu, « différentielle », mais en « difficile ». « C'est une équation difficile ! » avait dit l'étudiant avec conviction. Et Salem, transporté de bienveillance et de soulagement, lui disait : « C'est très bien, très bien, une équation difficile. Voilà qui est certain ! Vous êtes reçu. »)

Ecrire était pour moi un exercice infiniment désagréable, presque un supplice. En ces temps-là encore on écrivait avec de l'encre externe et liquide, au moyen de porte-plume trempés dans un encrier. Chaque table d'écolier, chaque pupitre incliné de notre classe avait à sa droite (épreuve supplémentaire pour mon « gauchisme » spontané) un encrier de faïence blanche (dont la forme occupait, dans le champ des formes, une position intermédiaire entre le pot de fleurs et le pot de chambre (plutôt pot de fleurs par la géométrie, plutôt pot de chambre par la substance) rempli d'une encre violette ou noire redoutablement encrante, adhésive, tenace, persistante, mouillante, tachante et virtuellement ineffaçable.

On y trempait une plume d'acier au bec aigu, redoutable, bleue ou blanche, après l'avoir, difficilement (ô combien !), fixée sur le porte-plume tiré du plumier au couvercle coulissant, chargé aussi de crayons mâchés et de gommes, et il m'était quasiment impossible d'effectuer sans pertes, éclaboussements, débordements, étalements et autres égarements, le transfert indispensable d'une goutte d'encre de la plume à la page de mon cahier.

Les pointes du bec de la plume s'écartaient, ou s'égaraient, se brisaient même, s'engageaient sur la ligne qu'il ne fallait pas, l'encre refusait brusquement de couler, puis s'exaspérait, la plume griffait, crachait, imbibait une inégalité du papier, confondait les lettres, les mots, les phrases. Mes doigts devenaient bleus, noirs, violets, mes buvards se saturaient, il y avait de l'encre sur mon tablier, sur mon livre de lecture, sur le cahier de mon voisin qui m'avait demandé une aide de première urgence pour une multiplication. Il y en avait sur mon tablier, sur mes genoux nus, sur mon nez, mes oreilles, dans mes cheveux, dans mes chaussettes.

Un jour où j'avais été particulièrement négligent dans la manipulation de cette encre laïque, républicaine et obligatoire, M. Castel eut un rare mouvement d'humeur, et je subis une humiliation que je n'ai pas oubliée. Il me traîna, sanglotant et dégradé devant tous, dans la classe des « petits », où **je restai** (je le sens plus que je ne le vois) **toute une matinée, pétrifié de honte, mes larmes couleur d'encre dissimulées dans mon visage couvert de mon bras, le nez contre le bois rugueux de la table.**

Mes mouchoirs (que j'égarais constamment, comme mes bérets, comme mes souliers ou sandales même, que j'enlevais dès que possible, une fois dehors, afin de marcher comme il est naturel qu'on marche, pieds nus), mes mouchoirs étaient parfaitement reconnaissables à leurs taches d'encre. Car l'encre sans cesse coulait de moi, de cette partie de moi si inexplicablement rebelle à ma volonté qu'était mon porte-plume.

J'étais désarmé devant l'encre comme je l'étais devant le sang qui tombait parfois verticalement et irrépressiblement de mon nez heurté par un poing ou par un caillou. (Il m'est toujours aussi désagréable, comme cela m'arrive parfois en automne, de me mettre à saigner du nez dans le métro ou dans un autobus, et je me sens à peu près aussi désarmé, honteux, gêné.) Le sang poisse comme l'encre ancienne sur les Kleenex-buvards.

154 Tout autre était l'encre, le sang des mûres de ronce,

Mais tout autre était l'encre, le sang rouge clair des mûres de ronce, qui ne tachait que les doigts, les jambes, mêlée à l'écriture énigmatique du sang réel noirci sur les égratignures. C'est pour cela sans doute que j'affectionnais les fausses encres, par tasses de jus rouge extraites des grappes de sureau pressées entre les mains puis essuyées sur les vêtements. C'est l'encre de sureau que je choisissais pour la servitude volontaire d'autres écritures, secrètes, poèmes et récits, bientôt pâlies, bientôt effacées d'elles-mêmes sur les pages, alors que l'écriture à l'encre scolaire paraissait éternelle, éternellement destinée à dénoncer mes fautes d'orthographe et les maladresses de ma main.

Car, sèche sur le cahier, et comme éternelle, l'encre scolaire perpétuait, quasi illisible, l'infantilité irréductible de mon écriture, dont j'avais honte sans parvenir à y remédier (honte surtout en présence de mon grand-père, mon modèle, à la calligraphie parfaite, alors que l'illisibilité rapide et saccadée était caractéristique des lettres de ma grand-mère, moins aimée).

Mais parfois, **au pied d'un platane, le cahier jeté ouvert sur le cartable, les larges gouttes d'une pluie subite et brève lui redonnant une fluidité provisoire je voyais,** dans ma fascination retardant le moment de soustraire, en refermant le cahier, les exercices de calcul ou de grammaire à une dissolution prématurée génératrice de futurs désagréments familiaux ou scolaires, **la noirceur de l'encre bleuie, diluée d'eau, atténuée, se mettre en mouvement dans la page, jeter des passerelles de traces entre les lignes, annuler, confondre les jambages maladroits, les ratures, redonner aux mots, aux chiffres, en les mêlant les uns avec les autres, les mystères de l'indistinction.**

Notre école avait une cour, cette cour un /préau', un petit espace couvert mais ouvert.)J'enferme le mot préau (et quelques autres, prélevés dans cette nappe du temps), entre deux ailes écrites, ainsi : / ', car il a (ils ont) presque rejoint dans les limbes de la langue les âmes mortes des mots morts, et par cette innovation typographique j'entends leur donner un statut « angélique » : innovation qu'en même temps, pour la signaler d'une incise brève, j'étends entre les deux signes ordinaires des incises, la parenthèse ouvrante, « (», et la parenthèse fermante, «) », les *lunulae*, « petites lunes », donc, cette invention d'Érasme, mais, autre innovation, je pose ici le couple des parenthèses dans l'ordre inverse de l'ordre érasmien, qui est associé à celui des phases lunaires (et va d'ailleurs, je le remarque, étrangement il me semble, non comme le calendrier, du premier au dernier quartier, mais en sens inverse). Ainsi aimerais-je marquer, parfois, comme ici, en renversant le sens de parcours d'une parenthèse, le cheminement rétrograde du souvenir.(Et dans ce /préau' nous accrochions nos /pèlerines', nous suspendions nos /bérets' (objets qu'une fois sur deux j'oubliais en repartant).

Je vois octobre ; le sol est signé de feuilles rougissantes ; je vois l'air, je vois le fraîchissement de quatre heures de l'air d'automne, l'insistance des arbres sur le ciel, l'après-midi qui va devenir bleu, devenir soir, l'urgence de l'air bleuissant, du jeu ; c'est un moment comme celui, sans cesse réitéré, qui identifie le jeu en train de se jouer, après quatre heures, quatre heures d'octobre, dans la cour d'école : **/jeu de barres'** ; un jeu de lièvres et tortues zénoniennes, mais où il y a plusieurs lièvres, plusieurs tortues, où il y a deux camps, mais pas un camp des lièvres et un camp des tortues, parce qu'on ne sait « *which is which* », parce que les lièvres et tortues de ce jeu n'ont pas leur rôle désigné une fois pour toutes dans une géométrie de gestes réglés, puisque lièvre est celui qui a quitté le dernier son camp, et que devient alors tortue le dernier lièvre.

(N'est-ce pas ainsi que je joue dans ces pages ? j'y joue le « jeu de barres » zénonien du souvenir. Des lièvres provisoires y rejoignent parfois des tortues provisoires, parfois pas. Mais ce qui est inachevable, proprement zénonien, n'est pas leur course, c'est le geste, maintenant, de la poursuite, qui sans fin s'épuise, achevé s'annule, sans fin se réitère, comme si une tortue carrollienne rattrapée par un lièvre non moins carrollien réclamait sans cesse, avant de concéder sa défaite, que soit une nouvelle fois projeté le film de la course, et sa « photo-finish », pour vérification, et vérification de la vérification, sans fin.)

Le moment perpétuel de l'école est ainsi son commencement : **après le jeu venait un moment roux ; les bogues vertes, hérissées, hérissons, des marrons d'Inde tombés des marronniers aux feuilles rousses rougissantes, le ciel trempé, tremblé de nuages, ombres rapides dans les flaques, barques cotonneuses, ciel crémeux, couleur de boue ;**

un autre moment roux, identique ; les bogues vertes, hérissées, hérissons, des marrons d'Inde tombés des marronniers aux feuilles rousses rougissantes, le ciel trempé, tremblé de nuages, ombres rapides dans les flaques, barques cotonneuses, ciel crémeux, couleur de boue ;

couleur de boue, ciel crémeux, barques cotonneuses, ombres rapides dans les flaques, tremblé de nuages le ciel trempé, des marronniers aux feuilles rousses rougissantes, hérissons, des marrons d'Inde tombés les bogues vertes, hérissées, un moment roux ;

155 Guetteur à la fenêtre de l'Enclos du Luxembourg, je vois la ville comme une amplification du jardin,

Guetteur aux carreaux de la fenêtre sur l'Enclos du Luxembourg, je vois la ville semblable à une amplification du jardin, avec les rues-allées, l'opacité des maisons-arbres, l'anticipation des parcours, une topologie lacunaire, en de grands cercles concentriques pour la déambulation du regard, de la marche, de la course. Du « Côté de l'École » on sort de la ville par deux « routes », la route de Montréal (où se trouve l'école), et la route de Limoux. En ce temps-là on sortait vite de la ville. Très rapidement les maisons n'étaient plus des maisons de ville avec des numéros de rue en faïence crème, jaune ou jaunie, peinte de bleu, ou en plaques émaillées aux numéros noirs, mais des îles : îles gardées de murs, de murets. Les jardins et les maisons s'écartaient, les vignes prenaient place.

Je descendais la pente de l'enclos, tournais à gauche, la rue descendait encore. Au point où les deux routes se séparent, commencent, **il y a,** il y avait déjà, un garage. Je regardais, **je regarde l'irisation narcotique de l'essence ruisselée sur le sol de ciment, le réglisse écrasé du mazout.** La route de Limoux, comme on disait, rejoint bientôt l'Aude, qui coude à Carcassonne, étant descendue des Pyrénées vers le nord. Elle tourne à droite, dans la direction de l'est, et s'en va finir dans la Méditerranée.

Entre la route et la rivière il y avait des jardins maraîchers, des rizières de melons, de tomates, des roseaux, des sentiers, des ronces. Tout cela a disparu. Ma vue s'insurge. Mais si rien, ou presque, n'avait changé, serait-ce mieux ? Retourner affronte l'alternative de deux moments difficiles : tout est là, reconnaissable, mais on n'y est plus. Ou bien : plus rien n'est là semblable au souvenir, et on est là, soi-même, encore.

Sur la route de Limoux, la ville presque quittée, avant le chemin qui nous amenait jusqu'au bord de la rivière, par des après-midi de juin, de juillet, de septembre, chaudes, en des jours de vacances, en des jeudis sans classe, mon grand-père s'arrêtait parfois au café, à droite dans la longue ligne droite, avant le tournant, où la route quittait l'Aude (pour la retrouver beaucoup plus loin, vers « Madame », mais hors de portée, cette fois, de nos marches). On s'asseyait **sous la tonnelle, à une table métallique blanche « de jardin », sur des chaises à lattes vertes, au vert décimé, usé.** On s'asseyait dans l'**ombre chaude traversée de mouches, de papillons, de guêpes en août, septembre attirées par les raisins, traversée du soleil rendant vifs les cailloux blancs du sol,** et mon grand-père commandait pour nous des limonades, pour lui un demi-panaché, à la bière d'une marque carcassonnaise (Ruoms ? ou Fritz-Lauer ? deux des bières d'alors, les plus mauvaises du monde, si j'en crois un commentaire de mes parents).

Il buvait le mélange modestement moussu de limonade et de bière lentement, car il n'est pas prudent, il n'est pas hygiénique de boire trop et trop vite quand on a chaud. C'est imprudent, et cela ne désaltère même pas. Il buvait le **liquide jaune très pâle dans le verre** (il y avait très peu de cette bière presque sans alcool dans sa limonade). Il buvait lentement le liquide amer-sucré, sa **canne posée à côté de lui contre la table, assis très droit,** sans enlever **son canotier** de la tête sauf au moment de saluer le cafetier pour la commande, ou pour le resaluer au départ, **après avoir regardé l'heure à sa montre ronde de gousset, après avoir sorti le porte-monnaie de la poche de son gilet, sorti les pièces du porte-monnaie et les avoir posées sur la table,** le montant exact complété d'un pourboire (mais seulement si nous n'avions pas été servis par le patron).

Nous étions assis sous les arbres, ou sous la vigne de la tonnelle, mais il ne retirait pas la protection quasi permanente de son crâne parfaitement privé de défenses naturelles contre les rayons du soleil, qu'il estimait capables de traverser l'écran incertain des feuillages. D'ailleurs il gardait chez nous, il me semble, presque tout le temps son chapeau sur la tête, en Dauphinois resté méfiant devant le sans-gêne excessif du soleil méditerranéen qui pouvait imprégner même l'air des intérieurs.

(Ce n'était pas, je crois, par coquetterie qu'il dissimulait ainsi sa calvitie absolue. Car chez lui, à Caluire, dans son bureau, dans son atelier, et bien sûr dans la salle à manger au moment des repas, il se montrait tranquillement dévêtu du dessus des sourcils.) La limonade piquait délicieusement nos langues et parfois, remontant mystérieusement par l'intérieur jusqu'au-dessus de nos fronts, entre les deux yeux, venait picoter aussi dans nos cervelles, faux « rhume de cerveau », comme il nous arrivait aussi parfois quand, la tête sous l'eau dans la rivière, nous laissions par erreur un peu de liquide entrer dans une narine.

Car nous allions, dans ces promenades route de Limoux, jusqu'à l'Aude pour nous baigner. C'était un endroit de petite chute, ou le courant était rapide mais l'eau peu profonde. Et dès que mon père fut assuré que nous étions capables de brasse, et surtout de passer sous la surface de l'eau sans panique, les yeux ouverts, et d'y demeurer quelque temps, la rivière nous appartint. La précipitation (relative) de l'eau entre les larges tables de pierre était un toboggan naturel qui nous lançait pieds ou tête en avant dans une clairière d'eau calme, d'où on s'extrayait sans peine en quelques brasses pour remonter, ruisselant, par la rive, jusqu'à l'origine des « rapides », tels que le Dernier des Mohicans n'en aurait pas rencontré de plus sauvages. Il y avait là comme un petit bois, des peupliers, des sureaux.

Les peupliers couvraient l'eau de leurs feuilles, imprégnaient l'air de leur odeur personnelle, mêlée de miel. Et surtout, des **minuscules capsules de leurs fruits** (?) s'échappait, **neigeant sur la rivière, la bourre soyeuse, fine, brillante de leur « coton »** dont nous ramenions, avant qu'ils n'éclatent, dans nos poches, dans nos tabliers, dans le panier de Marie, de véritables récoltes pour en répandre la légèreté frémissante en l'air du jardin ou pour les thésauriser au contraire, en vue de la fabrication d'un oreiller d'une douceur qui serait incomparable, projet exaltant mais qui resta chaque saison inabouti.

156 Par la rue d'Assas, aussi, on rejoint l'Aude,

Par la rue d'Assas, aussi, on rejoint l'Aude, comme par la route de Limoux. Une vision « restitutive » prend, de très haut, en tenailles les jardins descendants impénétrés, les maisons opaques entre les deux itinéraires de la vue, le premier sorti de la vitre dans la pluie sur l'Enclos, le second échappé de la fraîcheur estivale de la « buanderie » dans la chaleur du soleil d'après-midi qui fait fondre le goudron piqué de gravier de la rue (§ 29) (je « saute » aussi, directement du garage à la rue, de mazout à goudron, par le chemin du mot « réglisse »).

Les deux chemins se rejoignent, **je le vois ; la rue d'Assas descend assez brusque, dans l'après-midi de sieste d'été, vide, à la Chirico. A droite, vers la rivière, une cascade de marches, puis un sentier, un sentier chaud, bruissant et bruyant de lumière, de bourdonnements d'insectes, de pas dans la poussière sableuse le long des jardins légumiers ; l'Aude là-bas, qui se rapproche ;**

un sentier bruissant d'herbes jamais fauchées ; de longues graminées et de fausses avoines, d'orties ; des fenouils (tiges mâchées contre la soif, au goût d'anis, de limonade) ; des épis surtout, des épis d'herbe, pas de blé, des épis sans grains ; on cherche les plus longs épis, les plus longs mesurés l'un contre l'autre gagnent, que l'on conserve pour éprouver leurs successeurs, plus tard ;

cueillis verts, souples, doux, tendres, quand l'herbe est encore fraîche, sucrée, ils jaunissent ensuite, durcissent dans les poches ; ils volent alors droit en l'air et se fichent profondément dans les chevelures, dans la laine des pull-overs, où ils s'accrochent, s'enfouissent, de plus en plus tenaces, tels des hameçons, puis se défont (car composés d'éléments séparables, semblables aux « chevrons » qui désignaient les « côtes » plus ou moins sévères, graduées sur les cartes Michelin) dans la laine parfois échappant au regard, et se manifestant plus tard,

du côté intérieur du pull-over (déjà saturé de « bardanes », grattant la peau) ;

l'humidité proche, souterraine, de la rivière, des jardins arrosés, nourrit les plus singuliers des fruits du sentier, des cucurbitacés sauvages, vagabonds, voyous, minuscules au regard des courges ou des concombres (mais on sent, on déduit qu'ils appartiennent à la même parentèle végétale), vert sombre, ovales de rugby, velus & rêches, d'extérieur aussi sec que la poussière, et cependant chargés d'eau et de graines, d'une intense pression de liquide, d'une compulsion, d'un *impetus* héréditaire à projeter leur profusion de graines, semences téléologiquement inventées par les ancêtres pour la perpétuation de la plante, une pression maintenue à l'intérieur des fruits dans une tension si acharnée, si violente que serrés fort entre les doigts ils éclatent, éclaboussent jusqu'à un, deux mètres, obus merveilleusement conçus pour des escarmouches humides, des embuscades,

ou pour la simple joie solitaire de provoquer le jaillissement soudain de leurs réserves d'eau & de petites graines, surgies comme d'une volonté artésienne, comme vivante, animale, parente de la pression, de l'impulsion soudaine des minuscules griffes de sauterelles s'envolant de la paume vers le tremblant air chaud (ainsi du poing serré dans l'eau chaude du bain l'hiver s'élevait une fontaine verticale enveloppée de vapeur (pour me borner à cette unique et non biographiquement anachronique comparaison)); les plus mûrs de ces fruits ellipsoïdes, dès qu'ils sont un peu jaunis, brunis sur place, avec leurs pointes comme de paille ou de papier d'avoine froissée, tiennent à peine sur leur tige et tendent à exploser d'eux-mêmes dès qu'on les touche, touchait, grenades vertes dégoupillées par le soleil.

On les trouvait aussi dans les fossés de la Cité, avec les épis, avec les boules accrocheuses des bardanes, au pied des tours Viollet-le-Duc pointues comme les souliers à poulaines des personnages médiévaux de Samivel (dans ses illustrations du *Roman de Renart*). Ils faisaient là fonction d'obus toujours, mais cette fois tirés de bombardes imaginaires, pour des scénarios inspirés de Walter Scott, où l'assaut préparatoire à la délivrance de prisonnières et prisonniers de la Tour (de n'importe quelle tour) les accompagnait de flèches, tirées haut de nos arcs de palmier vers le ciel d'ardoise au-dessus des toits de semblable couleur (qui donnent à la Cité son allure exotique, d'implantation arbitraire, nordique et croisée. Les maçons de l'Aude préféraient jadis généralement la roseur ocre et arrondie des toits de tuile).

Un sentier, un autre, s'échappait des remparts vers le haut, vers le bois des excursions scolaires, **Gaja**, la Cité s'éloignant se ramassait, plus compréhensible, plus vulnérable à hauteur et distance de collines, et en chemin **au bas des murets de pierres sèches poussait une petite fleur à grappes très bleues, d'un bleu très lourd, chargées d'une odeur dense, et lourde elle-même, et tenace, une odeur musquée comme le nom de la plante l'enferme, <u>muscaris</u> ; je les froissais entre mes doigts ; j'emportais leur parfum jusque dans la nuit, dans la chambre ; il s'élevait dans l'air sombre, souligné de toutes les odeurs végétales, feuillues et florales, des odeurs argileuses et minérales, déposées pendant le jour sur ma peau empoussiérée, égratignée, piquée de fourmis, caramélisée de soleil ; toutes odeurs qui résumaient le jour, composaient une mélodie du jour libérée par les membres nus entre les draps,**

et au-dessus du parfum des muscaris, au moment de saisir le sommeil dans l'oreiller, recommençait à s'envoler dans l'air de la nuit le tourbillon criard, le foulard agité des noires corneilles sans cesse tournoyant leurs protestations véhémentes et factices, autour des têtes-tours fichées sur les épaules des remparts.

157 **Il y a onze ans, j'ai achevé un livre de poèmes par un « chant », emprunté aux Indiens chippewas,**

Il y a onze ans, j'ai achevé un livre de poèmes par un « chant », emprunté aux Indiens chippewas, un de ces « <u>chants pour écorce</u> » qui sont pour moi des poèmes, selon l'idée que je me fais de la poésie. C'est un Chant des nuages, que je me suis approprié pour en faire le dernier et le plus court poème de ce livre, dont le titre est *Dors*, précédé de *Dire la poésie* (c'est aussi le plus court poème que j'aie jamais écrit). Il comporte trois mots, en deux vers séparés d'une ligne de blanc :

Chant des nuages

Les nuages

changent

Mettre ces mots en poème c'est, toujours selon l'idée de la poésie qui m'est propre, les disposer **« hors-temps »**, et **« hors-là »**. C'est pour l'œil, sur la page, en un volume d'air pour l'oreille intérieure du lecteur ou auditeur de poésie, les placer **« ici-maintenant »**. Et, peut-être plus précisément encore je devrais écrire, marquant leur isolement dans la langue selon les conventions typographiques que j'ai inventées plus haut pour certains vocables aux couleurs passées, afin de leur restituer un présent, **/hors-temps'**, **/hors-là'**, **/ici-maintenant'**.

« Les nuages », chantait l'écorce de bouleau chippewa quelque part sous la frontière canadienne, pour enregistrement sur les rouleaux de cire de Frances Densmore, vers la fin du siècle dernier, « Les nuages / changent. » Ils changeaient, ils changent, sur les plaines du Minnesota couvertes de bisons comme sur la vallée de l'Aude en 1941, mais ce que le poème fait de ces mots est extrêmement proche de dire, simplement en étant devenu un poème qui les englobe, qui les place, c'est **la permanence de leur changement.**

Une définition semblable a été proposée pour la mémoire : « permanence du changement ». Et je serais assez proche d'y souscrire, en y ajoutant (c'est implicite) « en nous », mais elle me paraît cependant insuffisamment spécifique, car elle ne dit de nous rien de plus que le fait que nous sommes des objets du monde, et tous les objets du monde ont ceci en commun d'être et de n'être que la permanence provisoire de certains changements.

Les nuages nous disent cela de la manière la plus pure, la plus sereine, la plus éprouvante. Telle est la source inépuisable de leur fascination. J'ai compris les Chippewas (j'ai fait le rêve de les comprendre), je leur ai été reconnaissant, au point de leur voler leurs paroles, d'avoir saisi cela comme le chant ultime des nuages, la persistance hypnotique de leurs changements, de leur continuité changeante, dans toute la généralité du ciel, au-dessus de l'océan des particularités, au-dessus des herbes, cailloux, fourmis, flaques de boue, lacs quintessenciés de la pluie.

Car c'est bien eux que je retrouve, les nuages, dans ces parcours de l'école à la rivière, de la rivière à la Cité, de la Cité vers les collines. Ils m'accompagnent de toute leur indirection formelle, de leurs formes dont nul ne disait rien de stable, rien de précis, nul ne pouvait rien dire avant que ne les classe, ne les nimbe, ne les stratifie, ne les cumule en leurs familles, vers 1800, le pharmacien quaker Luke Howard. (Mais la parole chippewa n'en devient pas caduque. Elle reste encore entièrement juste : Les nuages / changent.)

Les nuées m'accompagnent dans ces territoires du dehors, enveloppées, préservées par le vent, qui les pousse, les émiette, les soulève, les culbute, et sous elles, sous eux, nuages, sous eux seuls je peux être assuré de la proximité myope des ronces, des sureaux, des verres où montent les bulles, des marrons dans leurs bogues rousses, des pages à l'encre bleue, et noire, et rouge et violette mouillée, troublée, bleue et noire surtout des muscaris, des pies, des corneilles, images-mémoire intenses comme collées sur mes yeux. Sans les nuages coulant sur une table de ciel, pas de survie de ces souvenirs.

Ainsi je me les imagine présents pour moi, gardiens de ma mémoire, garants de ma mémoire, même s'il m'est impossible de placer là, ou là, précisément, la moindre de leurs formes particulières : ni les mouchoirs ni les écharpes, ni les barques larges chargées de gris, ni les écumes, les flocons, les aiguilles, toutes variations de leurs êtres mêmes, de leurs *inscapes*, que j'ai à un moment ou un autre en ces années vues, absorbées, reconnues, surprises, la tête en arrière renversée dans la marche pour n'apercevoir que le ciel en eux, qu'eux dans le ciel, ou les mains aux tempes pour gommer de ma vision le sol, les maisons, les fils télégraphiques, pour ne fixer que leur passage rapide dans l'eau, dans l'eau d'une flaque, quelque part. Juste au pied de la fenêtre sur l'Enclos du Luxembourg, peut-être.

158 Entre Villegly et Sallèles, dans le Minervois, un peu au nord, nord-ouest de Carcassonne,

Entre Villegly et Sallèles, dans le Minervois, un peu au nord, nord-ouest de Carcassonne, un chemin non goudronné mais « carrossable » (où pouvaient passer les charrettes, où passent aujourd'hui, quoique rares, des voitures) traverse les garrigues le long d'une minuscule rivière, la Cèze, qui descend de la Montagne noire, irrigue Sallèles et va se jeter (si j'ose dire) à Villegly, dans un à peine plus imposant cours d'eau au fier nom de Clamous, lui même tributaire de l'Aude.

La maison où se sont retirés mes parents, à leur retraite, qui est à eux, à nous, leurs enfants, depuis le début des années cinquante, la Tuilerie de Saint-Félix, une « campagne » sur la Route minervoise, près d'un carrefour aux quatre directions nommées de quatre villages, « Conques-sur-Orbiel, Villalier, Villegly et Bagnoles, n'est pas loin.

(Le carrefour fut longtemps connu sous le nom de « Gare de Bagnoles », en souvenir d'un petit arrêt ferroviaire (un train autrefois y passait, dont parle Gaston Bonheur dans ses *Souvenirs*. Nous ne l'avons pas connu en activité, mais les rails en étaient encore visibles dans le goudron pendant quelques années après la guerre). Les plus jeunes chauffeurs des « cars » de ramassage scolaire où je monte parfois, très tôt, l'hiver, pour aller prendre le train à Carcassonne, ne la connaissent plus, et la dernière trace onomastique du petit train du Minervois vient même de disparaître des « horaires ».)

Ce chemin, le beau village en pente de Sallèles (qui, après

avoir été presque abandonné il y a dix ans, se convertit terriblement en résidences carcassonnaises secondaires), les garrigues des deux côtés de la Cèze, face à la Montagne noire à laquelle Sallèles s'adosse et tourne le dos, voilà des lieux que je connais depuis cinquante ans. J'y ai couru, sauté, grimpé, roulé, escaladé enfant, j'y marche encore, avec plus de lenteur et de circonspection aujourd'hui, quand je viens à la Tuilerie.

De chaque côté de la vallée les garrigues s'élèvent assez haut (c'est une fin de garrigue, elles ont couru depuis l'Hérault et elles s'achèvent là, ou presque, interrompues ici sur leur flanc gauche (en regardant vers le nord) par la vallée de l'Orbiel, de face par la bande étroite de terres basses à vignes qui les sépare partout de la Montagne noire puis de la frange inférieure du Massif central), et sur l'une ou l'autre de ces hauteurs j'ai l'habitude (presque lamartinienne : « Souvent, sur la colline, à l'ombre du vieux chêne » (vers où il faudrait remplacer « chêne » par « pin »...) de m'asseoir sur une pierre plate ou un coussin d'aiguilles de pin (entre dès chênes qui n'ont pas d'ombre, qui ne sont que de tout petits chênes-verts) pour regarder les nuages.

Je viens là, des jours de grand vent d'ouest, de *cers*, surtout, mais de beau temps, pour une longue contemplation de nuages. J'ai placé là mon observatoire, mon centre de reconnaissance, de mémorisation de leurs formes, de leurs mouvements, de leurs changements. Je ne suis pas un savant de nuages, je connais mal leurs classes, leurs espèces, leurs genres, leurs variétés, les catastrophes « thomistes » dont pourraient s'interpréter leurs mutations. La science nébuleuse est (ou du moins fut longtemps), comme l'astronomie, selon la distinction milnérienne, une science à « observatoire », c'est-à-dire sans possible expérimentation. Les nuages, comme les astres, vont leur cours de nuages, sans interférences, sinon des aigles et des avions.

Et je les vois surgir dans le ciel clair, léger, bleu, légers eux-mêmes, blancs, nets, cotonneux, souples, arrondis, poussés par le vent net, décidé. Ils apparaissent, poussés au bord de la Montagne noire, hésitent, puis s'élancent, tombent un peu, se jettent dans la cuve d'eau bleue du ciel. Et je les suis des yeux dans leur navigation continue, de la gauche à la droite de la vue, jusqu'à ce qu'ils disparaissent, à ma droite, vers les lointains incertains de la Méditerranée.

Je laisse passer du temps et des nuages, comptant le temps non en minutes ou en heures, mais en unités de contemplation, les **nuheures** : une nuheure est le temps que met un nuage de référence pour traverser le ciel. Mon souvenir est plein de ces images. De très loin du passé me parviennent, du même point, dans les mêmes circonstances, ces images de la circulation lente des nuages sur l'horizon minervois : ils surgissent dans le ciel clair, léger, bleu, légers eux-mêmes, blancs, nets, cotonneux, souples, arrondis, poussés par le vent net, décidé. Ils apparaissent, **nuheure** après **nuheure**, poussés au bord de la Montagne noire, hésitent, puis s'élancent, tombent un peu, se jettent dans la cuve d'eau bleue du ciel.

Et parfois je me demande : si les nuages avaient subi, depuis les temps passés de ces images qui me parviennent, accentuées de toute l'émotion du souvenir, une décélération zénonienne, si la distance qu'ils parcourent pendant la première minute de temps ancien et réel était la moitié de celles qu'il leur avait été permis de franchir pendant la première, et encore, pendant la deuxième minute, la moitié de la distance précédente, et ainsi s'allongeant indéfiniment le temps vrai d'une **nuheure**, ne me serais-je pas, ne suis-je pas, comme nous tous en nos mémoires, moi qui les regarde en ce moment, d'un regard intérieur m'efforçant à la contemplation d'une limite, d'une origine, ne suis-je pas comme à l'infini éloigné ?

159 Nous vivions à Carcassonne, comme j'ai dit

Nous vivions à Carcassonne, comme j'ai dit. En arrivant de Tulle avec leurs trois enfants à l'automne de 1937, nommés dans un « poste double », denrée rare pour les couples d'enseignants à cette époque malthusienne de post-crise et de pré-guerre, mon père à la « chaire de philosophie » où il succédait à l'éminent cartésien Ferdinand Alquier, ma mère comme professeur d'anglais, mes parents étaient aussi accompagnés d'une jeune Corrézienne (pas tellement jeune d'ailleurs car elle avait l'âge de ma mère, trente ans), Marie Noilhac, de Souillac, Corrèze, mais pour nous et pour toujours, jusqu'à sa mort l'année dernière, Marie.

En 1943, il me semble, Marie fit la connaissance, un dimanche, d'un vigneron de Villegly, dans le Minervois, Antoine Bonafous. Il était vigneron mais aussi un passionné de chevaux, avec lesquels il avait des relations confiantes, et qu'il accompagnait parfois dans leurs voyages, pour les guider et rassurer. Il n'était aucunement un maquignon, il ne les possédait pas, ne les vendait pas pour le profit, mais s'occupait d'eux, les nourrissait, les rassurait pendant leur périple en « chemin de fer », pour une rémunération modeste. Le reste du temps il était dans sa maison de Villegly, dans sa cave, dans son jardin au bord de la Clamous, dans ses vignes de garrigue.

Antoine et Marie se parlèrent, je pense que ce fut sur la place d'armes, sur les allées Barbès, d'autres dimanches, quelques mois, en notre absence. Antoine la demanda en mariage, et elle accepta. Elle prit congé de mes parents, de nous enfants, de Jean-René, « Nanet », le plus jeune, qu'elle avait vu naître, à la Saint-Jean de 1939, son préféré (partialité évidente, spontanée et sans malice, que personne ne songea jamais à lui reprocher (témoignage d'un petit papier secret de mon frère Pierre, « découvert » un jour derrière le « cosy » du bureau lors d'un nettoyage : « Marie est une gentille, mais bien souvent elle me gronde, quand c'est Nanet qu'il faut gronder » (je note « de mémoire » comme on dit, c'est-à-dire que j'ai entièrement oublié les invraisemblances orthographiques de l'original))).

Marie était grande, très droite, avec cette tenue de corps qui fait dire en Provence : c'est une « belle femme ». Elle était d'une famille paysanne corrézienne, plutôt antipathique à ce que j'ai cru comprendre, qu'elle avait abandonnée aventureusement & sans regret pour suivre mes parents, et contre la volonté des siens qui la tenaient dans une dépendance presque esclavagiste, jusque dans l'Aude lointaine et louche. Elle ne renoua jamais vraiment avec eux.

445

Elle n'avait pas fait d'études, lisait peu mais avait une sorte d'appréhension esthétique intense et spontanée qui l'avait amenée, la première fois où, du « pick-up », s'était élevée la musique d'une sonate pour piano et violon de Mozart à réagir, en se précipitant depuis la cuisine pour dire : « Oh que c'est beau ! » (semblable en cela à certains Indiens (mythiques ?) de l'Amazone qu'on citait jadis dans les cours de psychologie (argument présenté naïvement (?) en faveur de l'universalité d'une composante du « goût » musical et partant, de la supériorité du classicisme tonal dans sa version mozartienne)).

Ainsi, en 1943, elle quitta la rue d'Assas pour s'installer en maîtresse de maison, dans la rue principale de Villegly, qui est tout simplement la Route minervoise. Antoine avait quelque années de plus qu'elle, était veuf, et vivait avec un oncle de sa première femme, l'Oncle, avec lequel Marie eut quelques disputes, mais pas longtemps, car c'était un vieil et brave homme, grincheux et bourru mais sans méchanceté. Il nous offrait de trinquer avec lui et nous disions alors à sa suite, à voix haute, en levant nos verres, le nôtre de limonade, le sien de vin : « Dragons, frisez vos moustaches ! »

Car la maison de Marie et d'Antoine devint en alternance (un peu jalouse) avec celle de mes grands-parents, rue de l'Orangerie à Caluire, notre lieu de refuge et de vacances jusqu'au milieu des années cinquante. La « Tuilerie », où mes parents habitent maintenant a été choisie par Antoine, et il en aurait été le conseiller et le protecteur sans sa mort prématurée. (Mais je ne « bifurquerai » pas de nouveau ici dans ma « récollection ».)

La porte de la maison s'ouvrait sur la rue-route ensoleillée (qu'on traversait alors sans risques, tant les voitures étaient rares, pour rejoindre la « remise », où étaient les chevaux, les lapins, le vin, les provisions), et c'était une porte de bois découpée dans un grand portail en bois qui pouvait s'ouvrir lui-même pour le passage de la charrette. L'escalier montait à droite jusqu'aux étages d'habitation.

Un peu de jour passait, vers le haut, dans l'intervalle du portail et du mur et, assis sur les marches de l'escalier, je regardais longuement, miracle de l'optique, les passants et les

charrettes se refléter en silhouettes renversées sur le plafond, pendant que les voix, les pas, assourdis, indistincts et réfractés en traversant l'épaisseur du bois, soulignaient ces défilés d'ombres.

160 Avec l'Oncle, avec Marie, avec Dick l'épagneul, avec des paniers d'osier aux fonds couverts de feuilles de vigne,

Avec l'Oncle, avec Marie, avec Dick l'épagneul, avec des paniers d'osier aux fonds couverts de feuilles de vigne, pour les tomates, pour les fraises, pour les melons, nous allions, par la Route minervoise, au jardin, au « jardin d'Antoine ». La route était toujours quasi déserte de voitures, et les rares voitures y étaient lentes, « gazogènes » poussifs, presque aussi lentes que les charrettes tirées par les chevaux raisonnables, et de rares cyclistes s'y hasardaient, sous le fort soleil de juin, visibles de loin quand ils arrivaient de là-bas, de Villeneuve- (ou) Laure-Minervois, de Rieux ou Caunes.

Un jour, remontant du jardin, nous avons aperçu dans la distance, contre le soleil éblouissant, un vélo qui venait vers nous et mon frère Pierre aussitôt a dit : « Celui qui va si vite c'est papa ! » Il avait raison. Nous n'étions pas autrement surpris. Mais lui ne s'attendait pas du tout à nous voir. Il n'aurait pas dû être là en juin 44, quelques jours après le « débarquement » de Normandie, mais ailleurs, rue d'Assas, ou dans sa classe par exemple. Cependant nous ne faisions aucunement attention à de si flagrantes incohérences dans les récits adultes. Il était naturel de rencontrer notre père sur la Route minervoise. Car ce qui était important, c'est qu'il allait vite. C'est cela qui était dans l'ordre des choses. De toute façon Antoine et Marie qui pensaient la même chose que lui de la guerre n'allaient pas non plus faire de commentaires étonnés sur cette apparition. Ils pensaient pareil, il n'y avait pas d'autre possibilité. Et l'Oncle également, mais il avait tendance à confondre tous les « boches », passés et présents dans la même réprobation : « Dragons, frisez vos moustaches », nous répétait-il, en levant son verre à l'invocation de la Victoire (pas de la Libération). (Il gardait caché son fusil pour le moment propice. Le Minervois était fortement représenté dans les maquis de l'Aude.)

La Clamous (ou Clamoux) commençait là, au jardin, et son territoire, son existence même en ce qui nous concernait s'étendait jusqu'au village puis au-delà du village jusqu'à l'entrée du très petit village voisin, Bagnoles : une toute petite rivière au nom triomphant, dont on se moque volontiers en temps ordinaire où la continuité de son cours disparaît presque de sécheresse, mais que les orages emplissent parfois soudainement d'une violence quasi provençale. Elle fait alors, même si ce n'est que pour peu de temps, pleinement honneur à l'être de son nom (qu'il faut alors dire « Clamou-ssss », ou « Clamou-ks »). Au bord de la Clamous il y avait des peupliers, des saponaires et des ronces, donc des mûres. Et dans la Clamous les poissons.

La Clamous était peuplée de son peuple, les poissons. Dans l'eau peu profonde, claire, nous les voyions déambuler, affairés, frétillants ou importants, disparaître effarouchés par nos ombres sous les berges clapotantes, sous les pierres. Leur taille était à peu près proportionnelle au volume du bassin qu'ils habitaient. Les plus gros avaient la longueur d'un *ell*, cette mesure médiévale qui a la valeur de la distance du creux du coude à l'extrémité des doigts (un unité de mesure inventée par des pêcheurs comme nous, des pêcheurs sans accessoires, c'est certain), mais c'était un *ell* adéquat à la Clamous et à mon âge, un tout petit *ell*. Il y avait quand même, dans des creux bien dissimulés, quelques assez imposants cabots.

Les pêcheurs à la ligne dédaignaient la Clamous, qui ne nourrissait pas de poissons nobles, comme les torrents de la Montagne noire (et la Clamous elle-même, en sa jeunesse montagnarde), ni abondants suffisamment comme l'Aude, l'Orbiel ou le Canal du Midi. Petits et délurés, ses poissons prospéraient frémissants, agiles. Il y avait aussi quelques rats d'eau, quelques écrevisses. Et j'ai vu, une seule fois hélas, dans un secteur de la rivière où nous n'allions presque jamais, en amont du jardin **une loutre**, animal britannique s'il en est un, sorti tout droit des nouvelles de Saki ou de *The Wind in the Willows*. Ce fut une vision brève, mais ineffaçable, thésaurisée. **Elle était affalée, sombre masse de cuir sur une large dalle ensoleillée et j'eus à peine le temps de la voir se glisser souplement dans la paume de l'eau, son royaume, et disparaître à jamais.** Et quand je l'ai revue, quand j'ai revu sa tête étonnée aux yeux ronds, ce fut à Berlin, un Berlin de livre, dans *Enfance berlinoise* de Walter Benjamin. Et je l'ai reconnue sans hésiter : c'était elle, la « bonne loutre vertueuse / qui résiste à tous les poisons » de l'oubli.

Je ne sais comment j'ai conçu l'ambition de la pêche, sans doute des récits de mon père pendant notre voyage à Toulon. Et il n'y avait qu'un mode de pêche possible : à la main. J'ai pêché. J'ai pêché des heures dans l'eau fraîche ou tiède, sous l'ombre des peupliers, sous l'air brûlant. Je ne pêchais que des barbeaux, des barbeaux truités et des cabots (presque les seules espèces présentes dans la Clamous. Les truites ne descendaient pas si bas). Mais ils n'étaient pas alors pour moi gibier, nourriture (comme nous les avons parfois traités plus tard, mon frère et moi, malgré le peu d'enthousiasme pour leur fadeur hérissée d'arêtes dans les cuisines familiales et les assiettes). Ils étaient mes partenaires dans un jeu, au fond assez analogue au jeu de barres, à « chat perché » et même au jeu de S'avancer-en-rampant (avec cette différence que les autres joueurs, les poissons, n'étaient pas, mais pas le moins du monde volontaires !).

Mon but était de les attraper, de les sortir de l'eau (et ensuite de les restituer à leur élément), le leur était de ne pas se laisser faire. Pour qui a jamais tenté de saisir un poisson dans son élément, cette ambition semblera insensée. Et d'ailleurs, s'emparer d'un poisson dans un bassin de parois lisses est quasiment impossible (sauf en le faisant sauter sur la berge avec la « poignée » d'eau qui le contient, exploit fort difficile (sauf pour les chats)). Mais la Clamous n'était pas une piscine. Il y avait des pierres, des rochers dans le courant. Et il y avait les berges.

La tactique des poissons était simple. Dès que ma main dans l'eau s'approchait d'eux, ils se réfugiaient sous une roche, ou sous la rive terreuse, basse et lourde, enchevêtrée d'herbes, de racines. Ils se collaient contre la paroi de roche ou s'enfonçaient le plus possible dans la terre du bord, et ne bougeaient plus.

Ma tactique n'était pas moins simple. Je glissais une main doucement jusqu'à les toucher, décourageant de l'autre main si possible toute velléité de leur part de tenter une sortie vers d'autres refuges de pierres, d'autres trous d'eau, vers l'abri d'autres racines. Je les touchais le plus légèrement possible, pour reconnaître leur taille, leur position. Très doucement, du bout des doigts, pour ne pas les pousser aux actions désordonnées que leur aurait suggérées la panique, et qui de fait auraient été le meilleur moyen pour eux de s'échapper. Mais si mon approche était suffisamment discrète, ils se persuadaient aisément (j'étais persuadé qu'ils pensaient ainsi) qu'ils étaient en sûreté, et que l'immobilité absolue était leur meilleure défense. Je les encourageais dans cette opinion.

161 Je les encourageais un moment dans l'illusion de la sécurité

Je les encourageais un moment dans l'illusion de leur sécurité matricielle. Alors, toujours lentement, toujours prudemment, toujours légèrement, j'avançais ma main tout au long de leur corps, parallèlement à leur corps écailleux et lisse sans le toucher, en direction de leur tête. Le moment décisif, le « moment machiavellien » de la pêche, approchait.

Il n'y a qu'un moyen, un seul, d'attraper un poisson à la main : c'est de le saisir par les ouïes. Le saisir à l'arrière de la tête par les ouïes, maintenir assurée et ferme cette prise, contre toutes ses protestations indignées, contre les coups de queue énergiques par lesquels il tentera d'intimider et de se dégager, coups de queue devenant particulièrement violents et énergiques quand il se sentira enfoncé dans cet élément étouffant qu'est pour lui l'air. Telle est la seule manière de parvenir à la victoire.

Les poissons de la Clamous étaient d'ardents, de valeureux combattants. Il me fallait d'immenses réserves de patience pour sortir de leur cachette les plus obstinés d'entre eux. Quand ma main se faisait plus proche de leur tête ils s'enfonçaient, eux, plus profondément dans l'enchevêtrement de racines terreuses de la rive, épousaient plus strictement encore la surface intérieure du rocher creux et voûté. Parfois, s'il y avait encore un peu de jeu dans l'espace de son refuge, le cabot (l'adversaire le plus redoutable) glissait simplement de sa longueur et je devais recommencer depuis le début. S'il pouvait reculer, s'enfoncer encore, j'étais perdu. Déjà, l'eau me léchait le menton. Acculé enfin, je le sentais tendu, prêt, contre son instinct, contre toutes les leçons de ses parents et de ses ancêtres, à changer finalement de stratégie et à tenter de s'enfuir. C'est alors qu'il fallait agir vite, avec décision : saisir, sans se tromper, l'unique prise, serrer, tirer à soi. Un vieux cabot, le plus gros de mon expérience, dans le plus gros trou d'eau de la rivière, me résista ainsi plus d'une heure. Mais j'eus raison de lui.

La truite, dit-on, disent les Anglais, est un *gentleman*. Ils l'inviteraient volontiers à leur club. C'est là un propos de pêcheur à la ligne. Pour un pêcheur à la main, il n'y a rien de plus ridicule qu'une truite. Elle est tellement snob et infatuée d'elle-même qu'elle n'imagine pas un instant que l'on puisse porter la main sur elle. Ce serait un crime de lèse-majesté (elle se compare sans doute intérieurement à la reine). En fait, il n'y a qu'une seule chose qu'elle sache faire, hors relire son pedigree : résister à la tentation d'avaler la mouche que lui a lancée le vieux *gentleman* au visage de brique assis sur la berge avec sa pipe et un mouchoir sur le crâne contre les atteintes du soleil. J'ai découvert cette vérité de « philosophie naturelle » en Écosse, en 1947. Ayant escaladé, avec George Lugton, une petite colline de bruyères et myrtilles au-dessus d'un petit loch, un ruisseau passait là et saisissant, de mon œil de pêcheur à la main exercé, la présence de truites dans cette eau, j'entrepris aussitôt (malgré le froid saisissant de cette eau transparente et liquoreuse) d'en capturer une. Je m'attendais, connaissant la réputation de la truite, à une lutte sévère, à des trésors d'astuce de sa part faisant apparaître les cabots et barbeaux de la Clamous comme des rustres inéduqués. Mais je n'eus pour ainsi dire qu'à tendre la main. Et ma surprise fut si grande que je faillis l'écrabouiller en lui serrant le cou. Mon estime pour la truite tomba aussitôt à zéro. Elle ne s'est pas relevée depuis.

Je n'ai pas mentionné encore l'existence d'un autre habitant de la Clamous (et mon rival pour la capture des plus petits poissons) : la couleuvre. Je veux parler de la couleuvre d'eau, pas de la longue couleuvre gris-vert qui vit dans les murs en ruines et qu'on confond souvent à sa grande honte avec sa cousine acariâtre, la vipère. La couleuvre d'eau est courte, de la longueur approximative d'un *ell*. Elle zigzague à la surface de l'eau, tirant une petite langue fourchue avec indignation quand on l'attrape pour l'enrouler autour du cou et la ramener au village effrayer Marie ou ses voisines (quand je pense au trajet que devaient ensuite parcourir ces malheureuses bestioles pour retrouver les rives de la Clamous, je rougis de honte rétrospective). On la capture sans peine : il suffit de la saisir, dans l'eau directement, avec prestesse et décision.

Après la guerre, et surtout quand nous sommes revenus plus longtemps et plus régulièrement dans la région après l'achat de la Tuilerie, nous avons continué, mon frère Pierre et moi-même, à pêcher à la main (nous avons pêché aussi dans l'Aude, où je fus rapidement surclassé, n'étant pas aussi bon nageur, ni capable de rester aussi longtemps sous l'eau pour m'expliquer avec un poisson récalcitrant (mon frère a même réussi à attraper, par deux fois, une anguille !)). Un jour, il n'y a pas loin de vingt ans, sentant déjà les années s'accumuler sur mes épaules, je me suis dit qu'il était temps pour moi de songer à transmettre mon savoir de pêcheur à la main pour que la tradition ne s'en perde pas dans la famille. Et, selon l'exemple bien connu des romans médiévaux, c'est de l'oncle au neveu que ces leçons doivent passer. Je priai donc, un après-midi d'août, mon neveu François (qui avait alors l'âge qui était le mien au moment de mon initiation à cette cérémonie rituelle et sacrée) de m'accompagner à la rivière. Je lui enseignai l'art du choix des pierres, celui de l'approche et celui de la saisie. Nous remontions lentement le cours de l'eau, tout au rapport didactique et à la réminiscence, et nous accumulions à mesure nos prises dans un sac plastique de la librairie de la Cité (à Carcassonne) afin d'en faire bénéficier (?) la famille au repas du soir, sur feu de sarments.

L'action narrative se transporte alors, en un saut brusque et dramatique, dans la Tuilerie même où, raconta ma mère, elle vit soudainement apparaître François, pâle, ému, essoufflé (il avait couru) qui, sous le sceau du secret le plus absolu et refusant de donner ses raisons, lui réclama la remise immédiate de ma carte d'identité qui se trouvait dans le tiroir gauche de la table de ma chambre. J'en avais, dit François avec mystère, un besoin urgent.

En effet. Tout à mon ardeur monstrative, j'avais oublié la première règle, la règle d'or du pêcheur à la main : ATTENTION AUX GENDARMES ! Et voilà que, bêtement, pour la première fois dans une carrière honorable de pêcheur à la main de quelque trente ans, je m'étais fait prendre. Car il n'y a pas de doute : la pêche à la main est strictement et absolument interdite (sauf pour quelques biologistes spécialistes, comme mon frère, des poissons), elle est assimilée par la loi au braconnage, et les sociétés de pêche sont partie civile dans les actions qu'elles mènent, devant les tribunaux, indifféremment et sans distinction, contre les dynamiteurs, les pêcheurs à la lampe, les empoisonneurs de rivières et autres dépoissonneurs, et les malheureux pêcheurs à la main. Deux agents stipendiés de celle de l'Aude, placés là en embuscade (et ils attendaient, en fait, un autre gibier que moi), m'avaient suivi et capturé. Je dus payer une amende. Et « la correctionnelle » me fut promise si je récidivais. Je n'eus, dans mon humiliation (redoublée de la présence de François et quadruplée du fait que je n'avais à m'en prendre qu'à moi-même), qu'une petite, toute petite consolation. Comme le sac où je consignais mes captures était là à fins didactiques (j'avais pris des poissons de différentes espèces et de différentes tailles), j'y avais ajouté une écrevisse ou deux et surtout, surtout, quelques couleuvres. Une des clauses de ma condamnation était, m'expliquèrent les agents secrets de la Société de pêche de l'Aude, la confiscation des produits illégalement acquis à fins de remise à une cantine d'orphelins ou de filles-mères, je suppose. Or, ces messieurs, saisissant avidement le sac litigieux que je leur tendais avec un rictus amer, et l'ouvrant pour en inspecter le contenu (qui valait preuve du délit) reculèrent d'horreur et d'effroi devant les couleuvres mécontentes et agitées qui manifestaient leur fureur en tirant des langues extrêmement vipérines. Je leur souris aimablement et pris une à une les couleuvres, que je libérai, avec leur permission empressée. Telle fut la fin honteuse de ma carrière de pêcheur à la main (officiellement au moins, je ne pêche plus. Mais je ne suis pas sûr d'être couvert par la prescription).

Quelques années plus tard, j'avais été invité à une lecture de poèmes, à la sortie d'un livre dont le titre est : *Les Animaux de tout le monde.* Cela se passait dans un établissement d'enseignement secondaire d'une banlieue, plutôt modeste (ce détail est important), de Roanne. L'assistance était composée de quelques classes de jeunes élèves (de la sixième à la troisième, il me semble) accompagnés de leurs professeurs. C'était, pour tous, une espèce de récréation et ils m'écoutaient donc avec bienveillance. Je lus, entre autres, un poème plutôt moqueur sur la truite (La Truite : poème fade. Le poème commence ainsi : « La truite est un gentleman / à ce que disent les Anglais/ »). Et pour expliquer la manière désinvolte avec laquelle je parlais de ce noble poisson, je racontai succinctement, sur mon expérience de pêche à la main, ce que je viens plus longuement de dire ici. Et quand j'arrivai à la « Règle d'or du pêcheur à la main », je m'arrêtai dans ma narration et j'interrogeai mon auditoire : « Qui peut me dire quelle est la règle d'or du pêcheur à la main ? » Une ignorance totale fut visible sur les traits des professeurs. Mais les élèves, eux, n'hésitèrent pas trente secondes. D'où je conclus qu'il ne fallait pas perdre espoir en les générations futures.

162 **L'heure était celle de midi, un jour d'été,**

L'heure était celle de midi, un jour d'été, et le seul choix de ces mots montre pour ainsi dire l'atmosphère ardente que tant de lumière avait sublimée de la pierre, du soleil presque épuisé, du mur blanc de la petite cabane de pierres sèches, empoussiéré, silencieux. La lune fondait dans le ciel comme un léger nuage.

Les « biens » d'Antoine étaient essentiellement, comme partout dans le Minervois, des vignes. Et comme partout ces vignes, par le jeu des partages familiaux, des échanges et rachats, étaient dispersées un peu au hasard dans la garrigue.

Entre deux arêtes de garrigue, sur les pentes de chaque côté de creux ravinés par les orages, il y avait ainsi de petites vignes, toutes sur le même modèle, avec une cabane-abri au bas, un accès pour les charrettes, charrues, chevaux et comportes de vendangeurs, un chemin-veine bifurquant du réseau capillaire des chemins de vigne. Chacune de ces vignes était désignée par son appartenance à un lieu-dit. Je me souviens de plusieurs, mais surtout, avec une acuité presque douloureuse d'une d'entre elles, et d'un moment en quelque sorte « générique » en un de ces lieux, la **Carrière blanche.**

Dans la proximité d'évidence de ce moment, je vois Antoine devant la charrue, et le cheval qui la tire. Au bas de la vigne en pente, il y avait un puits, une cabane en pierre, des figuiers, des pêchers (de pêches de vigne), des cerisiers.

Il y avait un grand cerisier à grosses cerises blanc et rose, des bigarreaux. Entre la vigne et la vigne voisine, un petit mur, des ronces. Le cheval montait et descendait dans la vigne, nous étions assis, autour du panier couvert d'un linge, abritant les bouteilles d'eau, les verres, autour de Marie.

Le chien, Dick, était assis à nos pieds, la langue pendante de chaleur, ses poils bruns bouclés pleins d'« agafarots » (ces très petites boules adhésives qui se prennent par centaines dans les vêtements, les poils) : sur le ventre, le dos, les longues oreilles posées en volets sur ses yeux.

L'heure, dans ce souvenir, était midi, dans le plein été incandescent, bruyant d'insectes et de chaleur intense. C'était midi, le plus haut du jour, et pourtant la lune paraissait dans le ciel. Une lune infiniment légère, pâle, floconneuse, mince. Je n'arrivais pas y croire.

La lune s'était comme oubliée dans le ciel au-dessus de la Carrière blanche.

Elle n'en bougea plus.

163 Aujourd'hui, je ne m'éloigne plus que très rarement de la vallée du barrage

Aujourd'hui, je ne m'éloigne plus que très rarement de la vallée entre les garrigues de Sallèles, la vallée du barrage, autrefois si feuillue, si verte avant l'incendie qui a déchiqueté les pins. Il y a un demi-siècle je ne craignais pas de traverser ici l'enchevêtrement de roseaux et de ronces, qui cachait l'eau. Aujourd'hui je ne quitte pas le chemin. Mais les nuages n'ont pas changé. Tête renversée en arrière en marchant, tels je les vois et revois, coulant à la surface des eaux du ciel.

Je n'ai presque jamais vu le petit étang du barrage plein, et l'eau en débordant se précipiter en cascade par-dessus son large parapet de pierre. Il devait recueillir autrefois non seulement l'eau menue de la Cèze mais celle de tous les ruissellements d'orage. Les dalles du barrage n'étaient pas, aux premiers temps, je m'en souviens, comme aujourd'hui disjointes. Mais déjà, après les premières semaines de l'été, il était presque à sec.

Le plus souvent, **le soleil pesait sur la surface d'eau rétrécie, refuge de carpes autant mythiques qu'antiques, l'eau presque invisible sous les roseaux ; et le fond, presque partout délaissé et asséché, s'était fendu en larges plaques d'argile recroquevil-**

lée ; il nous fallait des heures pour traverser, d'une garrigue à l'autre, descendant des gradins de pierre de la hauteur et nous frayant un passage, jambes griffées, à coups d'épées-bâtons entre ronces et roseaux immenses pour nous, longues feuilles coupantes ; les couleuvres d'eau fuyaient en chuintant ; envols des grandes libellules aux yeux de diamant, perdreaux ou canards surpris partant à ras des roseaux, graminées saupou-drées de moucherons ; trembles, frênes ; feuilles à dessous presque blancs ; l'odeur des peupliers, là, était de miel lourd ; ni le chemin ni la garrigue n'étaient plus visibles. Nous appelions ce lieu d'épreuves, d'exploration : Désert de Gobi.

Plus loin, le chemin peu à peu descendu vers le fond de la vallée traverse l'eau, change de rive (et la Cèze n'est nulle part et jamais plus large qu'un ruisseau, contrairement à ce que, de loin et de haut, la profusion d'arbres et d'herbes qui l'étouffe laisse entendre). Et là, sous le chemin, **des arbres, renversés par le vent et consumés de vétusté, formaient une sorte de digue. Des aunes, des trembles et des peupliers y avaient pris racine ; mur vert, mur végétal vert impénétrable ; cependant la** Cèze **filtrait à travers ces débris ; elle en sortait toute meringuée d'écume, pour former un bassin naturel d'une grande pureté. La lumière y couchait un ciel presque noir, compliqué de petits nuages.**

Où la vallée s'élargit, avant que commencent les vignes, que le chemin franchit pour rejoindre la route de Villeneuve qui passe au pied du village, Sallèles-Cabardès, la garrigue, des deux côtés, est la plus haute. C'est à son plus haut point que je me place pour regarder les nuages, là où le *cers*, en décembre, quand il est fort, est le plus fort, et emplit la bouche avec un tel bruit qu'on peut à peine avaler l'air.

Mais quand l'air d'août est presque immobile, le ciel, la chaleur, le soleil, la sécheresse ponctués d'insectes, de froisse-ments de thyms, de lézards, de rumeurs, je regarde, de l'autre côté de la Cèze, à la fois distincte, visible, et distante, comme habitante d'un espace entièrement autre que le mien, la grande ferme placée là, sur la pente, à la sortie de la vallée. Je ne me suis jamais approché d'elle à moins de cent, deux cents mètres (la distance qui la sépare du chemin) et d'année en année j'aperçois, d'en haut, descendant devant elle, la même nappe de terre labourée, à la couleur inégale, où se dessine, en plus sombre, ce que j'imagine être les contours d'une nappe d'eau profonde, mais n'est peut-être que le signe, dans cette zone géologiquement frontière, d'une mutation des terrains.

Au-dessous de moi le sol tombe brusquement et c'est là, avant le petit bois de quelques pins il y a très longtemps habité par une buse, que se trouvait **une saignée de la pente, une coulée presque verticale de pures argiles colorées ; c'était une cassate sicilienne d'argiles, leurs veines vertes, et jaunes, ocre, et rouges, affleurant de la profondeur de la garrigue en une sorte de cascade vive figée, à trois étages séparés par de courts paliers horizontaux, le premier presque vertical, les autres légèrement moins inclinés.**

Nous y glissions, sur la semelle de nos sandales ou la corne de nos plantes de pied nues, de haut en bas, assis sur nos talons, bondissant à chaque palier pour aborder la section suivante dans la même position, freinant et tournant brusquement au bas de la dernière pour éviter les rochers situés immédiatement dessous. Arrivés en bas, on secouait l'argile poudreuse de sécheresse de nos mains, de nos jambes, de nos vêtements et on escaladait de nouveau la pente par les côtés, accrochés aux touffes rudes de thym, aux racines des petits chênes-lièges, des pins débutants, avant de reprendre place, l'un après l'autre, au sommet de ce toboggan en couleurs naturelles, pour un vertige de vitesse renouvelé.

Il y a quelque temps, descendant prudemment la même pente pour rejoindre plus rapidement le chemin (je m'étais attardé au sommet dans une contemplation de nuages, et le jour déjà diminuait), je n'ai pas été surpris de trouver leurs couleurs plus ternes, et leur inclinaison affaissée. Je n'en ai pas été surpris, mais je n'ai pas senti intérieurement une minute que mon souvenir était erroné.

164 Ce soir-là, j'avais été m'asseoir sous les pins, face à Sallèles

Ce soir-là (un soir d'été, il y a plus de deux ans) j'avais été m'asseoir sous le pin de mon « observatoire », face à <u>Sallèles</u> : la soirée était belle, l'air silencieux, calme, le couchant rouge, sans nuage. Tout paraissait fixe, éclairé, immobile. Et un moment, levant les yeux après les avoir longtemps arrêtés sur l'entrecroisement d'aiguilles de pin qui me portait, j'eus l'illusion imposante d'une forme déjà autrefois perçue, pendant l'enfance, dans le ciel.

Les nuages sont de souverains <u>conducteurs de mémoire</u>. Leur abstraction est leur forme, car la légèreté invraisemblable de leur contenu ne lui donne aucune consistance. Au début de cet été-là, mes journées étaient mal remplies. Elles satisfaisaient peu l'intelligence. Ce n'était pas seulement les tâches promises et retardées qui m'angoissaient et m'angoissant me paralysaient plus encore (époques récurrentes dans toute ma vie). La simple réflexion aurait demandé un autre partage de mon temps. Mais les nuages contentaient le présent, ils faisaient autorité dans le ciel, leur progression me séduisait et même, s'il le fallait, à certains moments pouvaient changer pour moi, à volonté, l'aspect du monde. C'est pourquoi, inlassablement, dans le soir chaud, je franchissais la distance qui me séparait de la garrigue, je remontais sur l'épaule sèche de pierres, de chênes verts, de genévriers et de pins et retrouvais le même arbre, un pin-parasol. Il ne s'est jamais passé plus de six mois, depuis 1943, sans que je vienne m'asseoir sous lui, sur le tapis de ses aiguilles, pour me livrer à la même vide, paisible et bouleversante contemplation.

Chercher à éteindre sa pensée, se rapprocher de l'absence une et infaillible qui absorbe toute chose, ne serait-ce pas un titre pour participer à la durée de l'ensemble des êtres ? Insensiblement, pendant que je les fixais ainsi, plusieurs formes devenaient visibles dans la bousculade de l'indistinction, des combinaisons rapides, incalculables, trop tôt défaites pour mon appréhension restreinte, cœur serré par le soir.

L'air sans épaisseurs, sans ombres, la solitude de pierres sèches de toute cette pente au-dessous de moi m'arrêtait. Elle s'inclinait, elle glissait en argiles, ocre, presque rouges, à veines vertes (paradis des couleurs ruinées). Je m'allongeais, la tête sur les touffes de thym, les fausses lavandes, les talons contre le haut d'une *restanque* disjointe. Le ciel, ce soir-là, était plein, parallèle, presque vertical, pointé d'un seul nuage, rond, blanc.

Le lendemain, au contraire, le vent pressé les avait attirés en foule au bord inférieur de la Montagne noire et ils descendaient de là sans hâte, comme se dirigeant vers moi qui m'efforçais de les appréhender, l'un après l'autre, dans toute leur singularité. Êtres limités, je me répétais qu'ils devaient nécessairement différer, par quelque indice formel, les uns des autres, puisque autrement ils n'auraient pas été distincts. Et pourtant ils ne parvenaient pas à former à mes yeux autre chose qu'un tout, dès l'instant, au moins, où je tentais de me déprendre de leur mélange pour accéder à une compréhension. De temps à autre je laissais alors bouger ma vue, bientôt vaincue par la courbure de la terre.

Je cherchais, ma vue ayant toujours été en possession de tous ces regards posés sur eux, presque du même point, tant de jours de tant d'années, à reconnaître des classes de ces *equivalents* dont la méditation photographique de Stieglitz, en une vie entière de visions, au Lake George, avait capturé ces images qui m'avaient lancé, par analogie sinon émulation, dans cette activité consciente de contemplation. Je me disais que chacune de ces classes pourrait me servir de marque identitaire d'une région autonome du passé.

Et sans cesse, quand de nouveau l'un d'eux se présentait hésitant dans mon champ de vision, j'avais le sentiment de le reconnaître. Une forme, une disposition de l'air qui, même en se présentant des centaines de fois, était restée entièrement étrangère à ma réflexion consciente, comment pouvait-elle avoir eu tant d'influence sur mes pensées ? Étaient-ils signes, chacun, d'un instant dont ma mémoire n'avait pas entièrement réussi à se dessaisir, ou seulement d'une humeur, d'un parfum émotionnel, du passé même, que le hasard seul me permettait, dans ces soirs de journées à l'abandon, oisivement d'atteindre ?

Les nuages, cependant, m'offraient sans réticence leur variété. Ils avaient ici un ciel libre à parcourir. La solitude leur convenait. Ils n'étaient pas irrésolus à cet égard. Mais il est différentes manières de glisser dans le ciel. Je n'aurais jamais pensé que tant de douce concentration cotonneuse pouvait se concilier avec des géométries aussi exigeantes. Les moins propices cependant étaient ceux de circulation basse, petits et monotones, à la profusion si peu nécessaire. Je les voyais venir avec inquiétude. Mais je n'entendais bruire aucun torrent dans les cavernes imcompressibles de l'air : autrement dit, pas d'orage. Je n'assistais alors qu'à un déplacement de plaines. Ils me sortaient du poing jusqu'à l'infini, ajoutant à l'anxiété de mes journées précaires. Même quand leur ombre s'était arrêtée, accidentellement, contre le sol.

Ainsi, de soir en soir, je me retrouvais de nouveau sous ces pins face à Sallèles, cible récurrente de ma tristesse locale. Ce n'était pas seulement d'*acedia* que je souffrais, mais aussi d'avoir à me souvenir, dans l'espace profond entre le ciel et la montagne qui étaient inondés presque entièrement de nuages. Cherchant à éteindre ma pensée, à me rapprocher de leurs absences, je m'allongeais, la tête sur les touffes de thym. Et les nuages, toujours, ne parvenaient pas à former à mes yeux autre chose qu'un tout, où la lumière, comme autrefois au pied de la vigne, à la Carrière blanche, couchait devant moi un ciel presque noir.

Montée de la Boucle

165 la gare Perrache tendait un piège aux voyageurs

A Lyon, la gare Perrache tendait un piège aux voyageurs attendus par d'aimantes et anxieuses familles : elle avait deux sorties indiscernables, la sortie Nord et la sortie Sud, entre lesquelles la foule innombrable, le flot tumultueux de voyageurs, qui aurait aisément rempli au moins trois trains de l'avant-guerre, se divisait. Ceux-ci, molécules individuelles fatiguées, épuisés par la chaleur, salis par l'avoine noire des fumées de la locomotive pénétrant par les fenêtres des compartiments, la cervelle embroussaillée d'une longue et inconfortable nuit, meurtris par les valises de leurs voisins, énormes, incommodes, pleines d'angles aigus, se précipitaient comme les moutons célèbres du marchand ennemi de Panurge, les uns derrière les autres et se dirigeaient au hasard vers l'une quelconque des deux sorties, sans réfléchir.

Tels des électrons auxquels on présente, dans une expérience célèbre, deux issues, deux minuscules trous sous surveillance, ils franchirent lentement, un à un, les deux étroits contrôles respectifs des issues et se retrouvèrent dehors, les uns sortie Sud, les autres sortie Nord mais, comme les électrons au regard des observateurs, suivant une répartition totalement imprévisible. J'avais huit ans, je les suivis.

On m'avait bien, au départ de Carcassonne, averti de l'existence de deux chemins irréconciliables, et indiqué que mon grand-père m'attendrait sortie Nord, à moins que ce ne soit sortie Sud. Je ne sais plus. Mais j'avais oublié quelle était celle que je devais « emprunter ». Hésitant sur le quai avec ma petite valise, elles me parurent étrangement semblables, jumelles même : l'une était pour moi Tweedledum et l'autre Tweedledee.

Cependant mon grand-père, descendu des hauteurs de Caluire avec sa canne et son canotier pour accueillir le fils aîné de sa fille aînée, et parvenu, selon son habitude, devant la gare Perrache une grande demi-heure avant l'heure prévue pour l'arrivée du train, fut lui aussi, comme il l'avoua plus tard à sa grande honte, un moment saisi d'une incertitude symétrique à la mienne. Puis il crut se rappeler distinctement qu'il devait aller sortie Nord (à moins qu'il ne s'agisse de la sortie Sud). Bien entendu, ce n'était pas la bonne.

Mais entendons-nous bien. La sortie aux avant-postes de laquelle il se plaça n'était pas la sortie à laquelle il aurait dû aller m'attendre, selon les instructions de ma grand-mère, instructions qu'elle avait par ailleurs transmises par lettre en temps utile à ma mère (le téléphone n'était encore, dans ma famille, qu'un objet futuriste pour comédies américaines filmées). Il fut obligé d'en convenir, lors de la discussion fort animée qui suivit son retour, et qui se poursuivit, sporadiquement, dans les semaines qui suivirent, à sa grande vexation, car il se trompait très rarement sur les données immédiates de la conscience et les algorithmes de la vie pratique et n'était pas, contrairement à ma grand-mère, ma mère, et moi-même, le moins du monde distrait.

C'est à ce point que les choses se compliquent. Ma mère en effet, plus tard, quand elle apprit l'aventure, fit remarquer que la sortie indiquée par ma grand-mère comme étant celle où mon grand-père aurait dû se rendre pour réceptionner sans encombre son petit-fils (en admettant bien entendu que celui-ci soit passé par là) n'était pas celle qu'elle avait lue sur la lettre qu'elle avait reçue à cette occasion. Or ma grand-mère, comme je viens de le dire, était distraite, d'une distraction proprement extrême, dont j'aurai sans doute l'occasion et le plaisir de rapporter quelques exemples. Il était donc parfaitement envisageable, naturel, ordinaire même, qu'elle ait dirigé mon grand-père vers une sortie différente de celle qu'elle avait prévue quelques jours auparavant, quand elle avait écrit sa lettre à ma mère.

Mon grand-père, agréablement surpris de ce retournement de situation inattendu, ne manqua pas de le relever avec vivacité. A quoi il lui fut rétorqué que cela ne changeait strictement rien au fait qu'il s'était trompé, lui, et que c'était par un pur hasard qu'il s'était donc trouvé attendre à la bonne sortie. « La bonne sortie ? » dit mon grand-père. « Mais quelle était donc la bonne sortie ? » demanda mon grand-père avec une légère mauvaise foi. Cette interrogation (et surtout le ton de voix employé pour la formuler) fut jugée spécieuse, sophistique, irrecevable et créatrice de confusion. On lui avait dit d'aller à la sortie Nord (à moins que ce ne soit la sortie Sud) et il était allé attendre cet enfant (moi : on me montrait) à la sortie Sud (respectivement Nord). Aucun raisonnement, aucune argutie ne pouvait changer ce fait. Mon grand-père, haussant les épaules, se rabattit alors sur cet autre fait, indéniable selon lui, qu'il n'avait pas été le seul à se tromper : la part de responsabilité de ma grand-mère était au moins égale à la sienne.

Mais était-ce si sûr ? Autrement dit, ma mère avait-elle correctement lu ce que sa mère lui avait écrit ? Les deux sorties étant distinguées par un mot unique et court (quatre lettres pour Nord, et trois pour Sud), avait-elle identifié le bon ? Une deuxième caractéristique de ma grand-mère explique la pertinence de cette interrogation : son écriture était quasiment illisible, bien pire que celle de son médecin, le Dr Bouchut (qui a aujourd'hui sa rue à Lyon, du côté de la nouvelle gare de la Part-Dieu). L'analyse critique du document ne permit pas de trancher. Ma mère avait lu « Sud » (ou « Nord ») sans doute, mais ma grand-mère avait-elle vraiment écrit « Sud » (ou « Nord ») ? Presque unique spécialiste de l'écriture de sa mère (on avait toujours recours à elle quand notre grand-mère nous écrivait), ma mère s'était fiée à sa longue expérience, et n'avait pas hésité.

Mais en y regardant de plus près, à la lumière des événements ultérieurs, elle n'était plus aussi certaine de son interprétation. Le plus simple, dans ce cas, était de mettre la lettre sous les yeux de son auteur. Ma grand-mère, ayant identifié (non sans mal, comme d'habitude) la place occupée dans la maison par ses lunettes, les chaussa, regarda attentivement le passage incriminé, et fut obligée de convenir qu'elle ne savait pas.

166 Et cependant

Et cependant (nous revenons de quelques jours en arrière, au matin de la confusion), ayant franchi l'obstacle de la (en tout état de cause mauvaise) sortie, tendu mon billet, cherché du regard mon grand-père dans la foule, je constatai bientôt cette évidence : il n'était pas là. Je n'hésitai pas. Je ne demanderais pas secours aux autorités ferroviaires. Je ne refuserais pas l'appel de l'aventure : je me rendrais au 21 rue de l'Orangerie par mes propres moyens.

Entre les deux itinéraires qui se présentèrent à ma réflexion je choisis (je ne sais pourquoi, peut-être parce qu'il me parut moins compliqué), non celui qui, par l'intermédiaire du tramway « 4 » m'amènerait au bas de la montée de la Boucle (face au pont de même nom) mais la combinaison alternative du « 8 » (par la Croix-Rousse) et de la rue de l'Oratoire. Je montai dans un 8, payai, m'assis fièrement (j'étais en train d'accomplir un exploit), et me mis à absorber avec enthousiasme le paysage (j'adorais les tramways, ces chemins de fer de ville. Il n'y en avait pas à Carcassonne). (La disparition des tramways, succombant à l'assaut des hordes automobiles, a été une de ces tragédies urbaines du xxe siècle, dont on commence enfin à mesurer l'ampleur. Et on ne peut que saluer l'initiative de quelques villes pionnières, comme Manchester, qui ont décidé de les rétablir. Je n'ai, hélas, pas pu m'y rendre, en ce début de 1992, pour assister sur place à leur réinauguration, un de ces événements symboliques qui redonnent, modestement certes, mais tout de même distinctement, foi en l'homme !)

C'était le matin, un matin d'été, tôt. Il faisait encore frais. Le tram grimpa, s'engagea dans la grand-rue de la Croix-Rousse. Des voyageurs montaient, des voyageurs descendaient. Ma valise sur mes genoux, je regardais monter et descendre les voyageurs, apparaître puis s'éloigner les boutiques, les passants. De plus en plus de voyageurs descendaient et de moins en moins montaient. Le paysage devenait de moins en moins urbainement animé. Je n'en fus pas inquiet au début, car l'arrêt habituel au retour de « courses » à la Croix-Rousse était quasiment désert. Cependant le tram était maintenant presque vide et rien de familier n'apparaissait dans le paysage. Je descendis au terminus (quelque part dans Cuire), et entrepris de refaire, à pied, le chemin en sens inverse. Personne ne fit attention à moi, personne ne s'étonna de rencontrer ainsi un enfant de huit ans, seul avec une valise. Personne ne me demanda où j'allais, si j'étais perdu. Il me semble qu'une telle aventure ne serait plus possible aujourd'hui.

Cette fois, en marchant, je retrouvai le chemin. Le soulagement, peut-être, de ne plus être égaré, d'être proche du but et du soulagement (j'avais faim, j'avais chaud, j'avais envie de pisser) a donné à cette longue, longue rue de l'Oratoire une apparence indestructiblement joyeuse (qui ne pourra que surprendre ceux qui l'ont connue alors, dans toute son austérité). Elle était vide (elle était presque toujours vide), et j'avançais sous le soleil entre les hauts murs à peine coupés de petites portes secrètes ouvrant sur des jardins somptueux invisibles, fermées et verrouillées, murs aux sommets semés de tessons de bouteille pour décourager les maraudeurs (détail caractéristique de cette ville suprêmement close, involutive, aussi peu méditerranéenne que possible, et où toute architecture est tournée vers l'intérieur).

Au bout de la rue est l'Oratoire (le couvent qui lui donne son nom). Elle s'arrête là brusquement en bord de pente, la pente abrupte qui tombe en bas, dans le Rhône. La rue de l'Orangerie finit là aussi, perpendiculairement à elle. Encore quelques maisons sur ma droite, puis le 21 *bis*, puis j'arrivai devant la petite porte de fer, à droite du portail.

Marchant dans la rue de l'Orangerie, on n'apercevait pas le Rhône. Comme dans la rue de l'Oratoire, un mur ininterrompu à gauche (un jardin derrière, en chute libre : vignes, arbres fruitiers, herbes sauvages, inculte) barrait la vue. Et plus loin, après le 21, commençaient les maisons modestes du Clos-Bissardon.

Marchant dans la rue, sous le mur aveugle, on ne voyait rien de la pente précipitée, du Rhône en bas. Mais au-dessus du mur du 21, de l'autre côté de la terrasse cimentée en dalles géométriquement sillonnées de traits sur laquelle ouvrait le portail, il y avait une invraisemblable « pergola » juchée en haut du rocher (esthétiquement proche des sauvageries artificielles du jardin des Buttes-Chaumont, à Paris), où on accédait par un escalier tordu dans la pierre (ou bien, préférablement, à nos âges, en escaladant la face tourmentée revêtue d'un lierre tombant et creusée d'une fausse grotte à fausse source suintant dans une vasque de ciment). Un petit parapet surplombait la rue et, de là, la vue enfin franchissant l'obstacle de l'obstinée rétention lyonnaise, de sa passion fuyante et froide du secret, avait accès à une lointaine Arcadie végétale (je ne suis jamais entré dans ce jardin-là), à sa profusion d'arbres et de fleurs se ruant vers la brillance rapide du fleuve, là-bas.

J'y ai passé, plus tard, des heures d'été vacantes à lire, à regarder le Rhône, et la pente peuplée, bourdonnante d'insectes et de la rumeur montante de la ville, étalée au loin. C'était un lieu d'« extrême bonheur végétal autorenouvelé » (« *a self-renewing vegetable bliss* », comme dit William Herbert, Lord of Cherbury).

Un fragment d'Hölderlin s'y attache irrésistiblement, le révèle, l'arrache à tout oubli : (je choisis, parce que je l'ai lu en cet endroit, mon souvenir de la traduction de Pierre-Jean Jouve).

> Et moi
> l'homme de nulle part
> devrai être enterré
> là
> où la rue tourne
> au sentier des vignes
> et résonnante au-dessous des pommiers

167 Peu de temps avant sa mort ma grand-mère,

Peu de temps avant sa mort ma grand-mère, alors âgée de quatre-vingt-trois ans, écrivit et fit transcrire pour nous, ses six petits-enfants (trois de chacune des familles Roubaud et Molino respectivement) quelques-uns de ses souvenirs. Il y avait longtemps que tous ceux qui l'avaient, à un moment ou un autre, entendue raconter, les lui réclamaient. Le texte, dont j'ai un exemplaire (à peine une quarantaine de pages dactylographiées en violet sur une machine américaine, où les accents ont été rajoutés à la main), a été composé chez sa plus jeune fille, ma tante Renée, à Cambridge (Massachusetts). En voici les premières pages (sans omissions ni corrections) :

SOUVENIRS
1900-1945

Mme B. Molino
Cambridge, décembre 1963

« Ceci est écrit pour une jeune institutrice de l'an 2000 qui aura la curiosité du passé de sa profession et qui aura peut-être lu *L'Histoire d'un sous-maître* d'Erckmann Chatrian datant de 1816 *[sic]* — en appreciant les progrès.

Le 11 octobre, une jeune fille de dix-neuf ans allait prendre le chemin de son premier poste d'institutrice. D'où venait-elle ? Où allait-elle ?

Fille d'instituteur de Marseille, sa mère étant simple femme d'intérieur, elle avait subi trois mois auparavant le concours d'entrée à l'École Normale d'institutrices d'Aix-en-Provence avec succès grâce à des efforts sérieux nécessités par le nombre imposant de concurrentes (80 pour 8 places).

Elle ne connaissait que la grande ville de Marseille, qui l'avait surtout marquée par les promenades au bord de mer et les enviables parties de pêche dont son père était passionné, et l'émouvante amitié d'un chien élevé en partie par ses soins.

L'entré [sic] à l'École Normale, l'austère édifice et les austères règles de la maison ne lui avaient guère permis de connaitre et d'apprécier les charmes de cette petite ville de province et ses ancestrales beautés. Les quelques promenades hors de la ville s'accompagnaient bien de quelques relachements de discipline, mais le hasard des rencontres dangereuses des internes masculins, en particulier les Normaliens ou les terribles « Arts », faisaient reformer les impeccables rangs dans le digne silence de jeunes filles bien surveillées. Pour cette bonne reputation « extra muros », il fallait même se méfier de quelques promeneurs isolés. Le Recteur de l'Académie, à une de ces promenades, n'avait-il pas entendu quelques jeunes indépendantes ouvrant la route au chant de « Viens, Poupoule, viens ! ». Souvenir qui avait eu sa place dans le redoutable commentaire directorial du Dimanche matin.

Qu'on ne pense pas d'après ces sévérités, ces règles desuètes, que l'enseignement fut mortel ou extincteur. La jeune fille se souvient des excellents cours de professeurs titrés, consciencieux, qui se donnaient à leur tâche avec tout leur savoir, toute leur âme, l'une d'elles préférée à toutes, toutes observant un esprit de parfaite neutralité (liberté pour les offices religieux).

En dehors de cette vie pleine, mais théorique, que connaissait-elle de la vie réelle, de celle qui l'attendait dans un village provençal, de la campagne où elle n'avait fait que quelques tres brefs séjours de vacances ? Son père, fervent républicain, mettait toute sa foi à défendre le nouveau régime qu'il avait vu naitre et prospérer, et les élections, les fastueux « 14 juillet », avaient été les points d'éclat dans sa jeunesse, que l'insouciance, par ailleurs, remplissait de tant d'intérêts divers.

168 Suivons donc la jeune fille sur la route

Suivons donc la jeune fille sur la route qui la conduisait à son poste.

Arrivée à Salon-de-Provence, par le train, avec sa valise bourrée des objets essentiels... et d'espoir, elle trouve le relais des diligences Miramas-Lançon. La diligence est là, à l'arrêt, entourée par des groupes de femmes chargées de provisions de la ville, bourriches ou paniers recouverts de torchons nets. Salon est une capitale, la capitale des huiles. On gronde, on appelle le jeune conducteur, un beau gars de Provence qui allonge à plaisir une conversation amoureuse avec celle qui deviendra sa femme peu après.

Enfin, on prend place. Sans nul doute, on a déjà distingué la jeune étrangère qui, en s'asseyant, prie le conducteur de l'arrêter près des Écoles. Ce renseignement confirme l'opinion générale des voyageurs la regardant à la dérobée, se parlant en chuchotant et lui permettent d'entendre ces quelques mots : « Es ben junette ! » Fière jusqu'alors d'entrer en fonction avec toute la dignité qu'elle pensait imposer par sa personne, voila son assurance, ses espoirs déjà entamés !

Le gros Tintin le conducteur, toujours en retard pour les retours, et pour cause !, fouette ses chevaux, sans pitié. Les vitres de la voiture frémissent tandis qu'au-dehors, les oliviers secoués par le vent de la Crau défilent dans un ondoiement de branches argentées où l'on croit pouvoir distinguer quelques olives.

La diligence s'arrête devant un chemin pierreux, grimpant : c'est le chemin qui mène le plus directement aux Écoles et la jeune institutrice, chargée de sa valise, s'engage dans la montée, suivie très curieusement par tous les voyageurs qui descendront, eux, en plein village, sans négliger de répandre la nouvelle.

A côté d'une petite maison, à l'entrée d'une rue montante, deux bâtiments jumeaux devant une très grande place herbue se signalent d'eux-mêmes à la jeune fille, mais tout est clos, rien n'invite à entrer. Fort heureusement, sur le seuil de la maison voisine, une femme l'invite du regard à s'approcher. C'est elle qui détient les clés. Elle peut donner les renseignements urgents à la première arrivée. Visage ouvert, assurement sympathisante au personnel enseignant (l'ancien personnel féminin avait été renouvelé d'office pour manquement grave à la fonction). [? J.R.]

Voila donc la jeune institurice gagnant sa vie en toute indépendance, en plein épanouissement de ses jeunes années, qui va prendre possession de son logement personnel.

L'appartement est au premier étage : une chambre et une cuisine. La jeune fille ouvre d'abord la fenêtre de la cuisine qui donne sur le « Champ de Mars » au nom historique. Il est très vaste et, à travers les arbres assez espacés, encore recouverts de leur parure automnale, on distingue une statue fortement vert-de-grisée : celle du poète Signoret, natif de Lançon. Juste devant la fenêtre, au-delà du chemin, la fontaine laisse couler son eau que le vent, le terrible mistral, dirige à son grè. Dans la cuisine, un mince placard recevra les effets personnels, car la chambre à la tapisserie fleurie n'en possède pas.

Après cette longue station à la fenêtre face au « Champ de Mars », au beau milieu de ses rangements, la jeune institutrice sursaute en entendant le heurtoir de la porte d'entrée, au rez-de-chaussée. La voilà en face d'un homme jeune encore, plutôt petit et sec, au visage assez résolu. Qu'est-ce à dire ? la nouvelle de bouche à oreille avait fait son tour de village et Monsieur le Maire se présente. Aussitôt s'engagent les présentations et compliments d'usage : souhaits de bonne adaptation, de bonne relations, avis que la nouvelle Directrice arrivera sous peu d'un hameau voisin rejoindre la jeune adjointe.

Mais la visite a un autre but pressant : c'est d'avertir que les écoles doivent être présentes le lendemain même (un samedi) à un enterrement. La jeune fille prend l'air consterné que l'usage commande, et demande quelques détails sur ce deuil. Voila textuellement ce qui lui est annoncé :

« C'est la conduite au cimetière d'un enfant mort-né qui, s'il avait vécu, aurait été élève de l'école laïque. On connaît la famille, il n'y a pas à avoir de doute sur ce point. »

471

169 **Notre déception fut sévère.**

Notre déception fut sévère. Nous ne retrouvions pas dans ces pages, écrites dans le style des « Livres de lecture » des écoles laïques du début du siècle, serrées dans le corset de leurs conventions narratives, la vivacité, la spontanéité, le comique irrésistible des récits que nous avions si souvent entendus, réclamés. Le récit de « L'affaire de l'enterrement laïque de l'enfant mort-né », prélude à l'affrontement finalement triomphal de notre grand-mère avec les deux allégories complices du sectarisme et de la bigoterie, avait pourtant été un de ses succès les mieux assurés.

(Avec l'histoire du « mistral » et celle de *« ren que par aco rest'aqui ! »*, qui ne figurent pas dans les « Souvenirs », peut-être parce que n'offrant aucune prise à une interprétation « idéologique ». Car il y a deux parties dans ce texte. La première exalte une conception « pure », non politique, de la laïcité. La seconde est un éloge des luttes de la « Résistance », en lesquelles ma grand-mère, quarante ans plus tard s'engagea avec une intrépidité aussi caractéristique que celle dont elle avait fait preuve, à dix-neuf ans, face au maire politicien de Lançon-de-Provence.)

Elle ne cessait de raconter. Elle racontait la vie à mesure, passant de la plus récente incompréhensible disparition de ses lunettes à des scènes d'enfance. (A quatre ans, juchée par son père sur la table à la fin d'un repas dominical, elle avait chanté, avec un énorme succès auprès des convives : « Va petit mousse / Le ventre pousse /... »)

Elle renouvela souvent ce succès auprès de nous, ses petits-enfants, soixante ans plus tard, en nous montrant, au besoin par l'interprétation d'autres chansons très anciennes, comme « Au revoir bon voyage / ne sois pas triste ainsi / ... / Donne-moi un peu de courage / Pour rester seule au nid / ... » que son triomphe d'alors n'avait pas été dû aux qualités musicales, restées toujours médiocres, de sa voix, mais à l'erreur qu'elle avait naïvement faite sur les paroles (« Le vent te pousse »), et que les applaudissements que lui avaient prodigués les adultes n'étaient que moquerie.

(Elle aurait pu alors, et bien des autobiographes, comme Sartre ou Leiris, ne s'en seraient certainement pas privés, insérer dans le souvenir d'enfance le moment d'une décision consciente et réfléchie, d'une ferme résolution de revanche sur ce mauvais coup paternel : devenir, en « embrassant » la carrière d'institutrice, celle qui posséderait le « vrai » de la langue, sa correction, et l'inculquerait aux enfants des générations suivantes afin qu'ils ne tombent pas dans de tels pièges. Mais ses « performances » orales n'avaient aucunement la coloration fortement morale (je dirais que la composante éthique de l'existence était chez elle hypertrophiée) qui marquait, par ailleurs, ses actions et ses jugements. Elles étaient essentiellement plaisir du conte, repos ludique. Du moins est-ce ainsi que je les ai retenues.)

Ce sont de tels moments que nous nous attendions à retrouver dans ses « mémoires », et que, devenus adultes, nous réclamions d'elle qu'elle les fixât (le magnétophone, hélas !, est venu trop tard, et surtout la vidéo). Un seul autre *exemplum* figure dans le texte que j'ai sous les yeux (et peut donner une légère idée de la version « orale ») : la visite d'un inspecteur (je note cet éloge figurant dans le « rapport d'inspection » : « Satisfaisant. Les enfants regardent leur maîtresse droit dans les yeux. »).

« L'inspecteur s'avançant devant les premiers bancs, l'institutrice reste à son bureau. " Voyons, demande-t-il à toute la classe, quel est le premier des mammifères ? " Diverses réponses fusent, comme " le loup, le chien, le cheval, le singe ". L'institutrice aux abois fait ce qu'elle peut pour sauver la situation. Hélas !, rien ne vient ! L'inspecteur, pris subitement de colère, s'écrie alors devant les enfants terrifiés, en se tapant sur la poitrine : " Et moi, je ne suis pas un mammifère ? " Toute la classe affolée regarde sans y croire ce mammifère riche en poils c'est vrai, mais dont la poitrine creuse ne donne aucun espoir d'allaitement. »

Elle arrivait de promenade, ou d'Amérique, avec des sacs à

provisions, ou des valises de récits. Nous n'en attendions pas moins. Mais le reste du temps elle était absorbée, distraite, dolente, silencieuse, absente. Sur la photographie dont la description termine le chapitre de mon « avant-vie », elle est ainsi, ma sœur sur ses genoux, ne regardant personne, dans une chaise longue. Si je mets à part les moments de récit, où elle semble presque être une autre, c'est bien ainsi que je la revois, et sous trois modalités, à savoir :

— allongée dans une chaise longue (ou dans le « rocking-chair » de la véranda, à Caluire) lisant, ou tricotant, ou pianotant rêveusement sur les bras d'un fauteuil ;

— allant et venant toute seule dans la grande allée du jardin entre les mûriers, une lettre à la main, ou bien accompagnée de ma mère, ou encore de sa sœur Jeanne, ou le plus souvent de sa vieille amie (encore plus petite qu'elle), Mlle Chauvin, « Taia » (c'est elle qui parle. Taia hoche la tête, dit deux ou trois mots, opine) ;

— allongée sur son lit, la tête sur l'oreiller, dans la chambre obscure, aux rideaux lourds, à l'odeur médicinale, où nous n'entrions que rarement, et ne parlions qu'en chuchotant.

170 Il y a eu de très nombreux instituteurs dans ma famille

Il y a eu de très nombreux instituteurs dans ma famille : essentiellement du côté de ma mère. Certes ma grand-mère paternelle, que je n'ai pas connue, l'était aussi. Mais elle était la seule, dans cette branche-là de mon arbre généalogique, et dans cette génération. Mon père a, d'une certaine manière, sauté une étape, qui est représentée de manière parfaite, typique, par la génération de mes grands-parents. Car notre famille est une véritable friandise pour sociologues.

Au début, comme partout, on trouve la terre : les vignes de Soliès ou de l'arrière-pays nissard d'un côté, la Provence mistralienne ou le Piémont (Villanova d'Asti) et la Savoie de l'autre (je n'entre pas ici dans les détails). Mais ensuite il se produit une convergence quasi absolue. C'est-à-dire que le choix (?) n'est pas fait de l'enrichissement matériel : ni les terres, ni le commerce, ni les affaires. De tous les côtés on évite (volontairement ou non) et l'immobilité et la voie décrite par Charles Cros dans son poème *Le Propriétaire* :

« Né dans quelque trou malsain / D'Auvergne ou du Limousin, / Il bêche d'abord la terre. / Humble, sans désir, sans but, / C'est le modeste début / Du propriétaire. (...) D'abord pour gagner son pain / Il vend des peaux de lapin / Quoique ce commerce altère, / Il ne boit pas son argent / Car il est intelligent / Le propriétaire. / (...) Son magot d'abord petit / Tout doucement s'arrondit / Dans le calme et le mystère, / Puis, d'accord avec la loi, / Son or le fait presque roi, Le propriétaire /... »

(L'environnement climatique est autre que dans le poème, mais la trajectoire n'en dépend pas.)

Le père de ma grand-mère, Paul Devaux, était donc instituteur. Sa mère (née Bœuf : nous aimions beaucoup lire, quand elle nous le montrait en riant, sur un extrait de naissance de Blanche Molino, qu'elle était née fille de « ... Devaux, née Bœuf »), sa mère était « femme d'intérieur », comme on a vu. C'était une ménagère et cuisinière marseillaise, experte en « pieds et paquets », en « alouettes sans tête », en « cannellonis » ou « raviolis » (à la marseillaise !) et daubes qu'elle préparait pour son mari, tyran gourmet et irascible (se levant la nuit, tremblante, pour vérifier l'état d'une très longue, très exacte, très douce et très difficile cuisson).

Mais, soit qu'elle ne fût point si entièrement tremblante et soumise que ne le laisse à penser la tradition, soit qu'elle le fût tellement qu'elle incita, vertu du contre-exemple, sa descendance (peu nombreuse) à ne pas reproduire la même configuration, ses deux filles, Jeanne l'aînée et Blanche la cadette, atteignirent toutes deux à l'émancipation de l'exclusif esclavage ménager, en devenant, comme leur père, des institutrices. Ma grand-tante Jeanne hérita des qualités culinaires (les ambitions de ma grand-mère, dans ce domaine, au moins dans les années où je l'ai connue, n'allaient guère au-delà des œufs à la coque et des casseroles de lait pour le thé, que d'ailleurs elle oubliait très naturellement sur le feu et qui finissaient une fois sur deux carbonisé(e)s). Après une jeunesse qui fut, selon ma mère, assez orageuse et de longues années « émancipées » comme vendeuse aux « Nouvelles Galeries » (c'est sa jeune sœur qui l'aida à préparer son entrée dans l'enseignement public), elle épousa un instituteur aimant le calme, Pierre Thabot. Ils exercèrent, vécurent, retraitèrent et moururent à Marseille. Et ils n'eurent point d'enfants.

Ce qui n'était, pour sa sœur, qu'une solution douillette (Oncle Pierre était tout le contraire d'un tyran domestique) fut pour ma grand-mère un choix autant théorique, idéologique que personnel, la forme « 1900 » d'un féminisme qui ne se démentit jamais. Elle se maria (avec le frère d'une de ses camarades d'École normale), fut institutrice-adjointe, puis institutrice tout court, à Lançon, puis à Fuveau où est née ma mère, puis directrice d'école (à Digne (département des Basses-Alpes, comme on disait en ce temps-là)). Elle éleva quatre enfants, deux garçons (mes oncles Maurice et Frantz) et deux filles (ma mère Adèle Suzette, née en avril 1907 et la benjamine, Renée, née nettement plus tard, pendant la Grande Guerre, après la blessure salvatrice de mon grand-père, en 1916).

Je viens d'écrire, et tout naturellement, sans y penser, « elle éleva ». Tout se passe en effet comme si le récit familial avait tendu à translater très légèrement et peu à peu mon grand-père, à le placer dans une position « à côté », la responsabilité motrice des événements étant devenue (dans tous les domaines autres que l'économique, en particulier par l'oubli des améliorations financières amenées par la réussite de mon grand-père au concours d'inspecteur primaire) l'apanage exclusif de ma grand-mère. Cet éclairage assez particulier du passé, entièrement adopté par ma mère (je ne me prononce pas sur sa vérité, qui m'échappe), je le retrouve, presque caricaturalement exprimé, dans le texte des « Souvenirs » (je souligne à cet effet, dans ce nouvel extrait, l'emploi significatif des pronoms) :

« ... la vie de la mère enseignante est illuminée par la joie qu'une autorisation spéciale lui a été donnée : celle de pouvoir mettre au milieu d'une classe nombreuse de filles et, l'un après l'autre, ses deux aînés, au plaisir naturel et peut-être atavique s'ajoutant l'élan qui parfait auprès d'eux son rôle d'éducatrice. C'est cette présence si chère qui anime et éclaire souvent la leçon (...).

A partir de ce moment la vie des enfants a pris une telle place dans l'existence quotidienne qu'elle porte naturellement à l'emploi de nous, moi remplaçant l'impersonnel. La carrière enseignante nous emmenant à Digne par le nouveau titre du père, me porte avec effroi à la Direction d'une École maternelle à Digne (Basses-Alpes) (...). »

171 Mon arrière-grand-père Robert Molino fut chef de gare à Poliéna.

Mon arrière-grand-père Robert Hyacinthe Molino (« né en 1840 (en fait 1835), mort en 1916 », a écrit ma grand-mère à l'arrière de son portrait en pied, barbe et casquette dorée conservé dans le grand carton à dessins placé à droite de la commode de ma chambre du Minervois, entre la commode et le lit) fut chef de gare à Poliéna. Les noix, m'a-t-on appris dans mon enfance, y sont les meilleures du monde. (Son père à lui, mon arrière-arrière-grand-père Joseph (Giuseppe) Molino, carabinier puis voiturier, avait abandonné Villanova d'Asti, au Piémont, et franchi la frontière avec la Savoie (pas encore française) pour épouser une demoiselle du village des Marches, mon arrière-arrière-grand-mère Maurizia Bal, « ancienne institutrice qui faisait des journées », une « marcherue », donc.)

C'est de la mairie des Marches (Savoie) que vient le plus ancien document familial en ma possession (je n'en ai en fait qu'une copie plus tardive) :

Extrait de registres de l'état civil
de la commune des Marches pour l'an 1839

L'an mil huit cent trente-neuf et le douze du mois de septembre à onze heures du matin en la paroisse des Marches, commune des Marches, a été présenté à l'Église un enfant du sexe féminin, née le onze septembre à cinq heures après midi en cette paroisse, fille de Maurice Bal, cultivateur de profession, demeurant aux Marches, et de Marguerite Ferreros, son épouse en légitime mariage, ———————————————

L'enfant a été baptisé par moi, recteur soussigné, et a reçu le nom de Marie ———————————————————

Ont été parrain Claude Ferreros, tuilier de profession demeurant aux Marches et marraine Péronne Bal, ouvrière, demeurant aux Marches.

Marie Bal, fille de Maurice Bal (né en 1812, date extrême possible de cette remontée généalogique dans le temps, sans recours à des recherches d'archives) et de Marguerite Ferreros (qui était sage-femme), ayant plus tard épousé son cousin Robert Hyacinthe Molino, fils de Giuseppe Molino et de Maurizia Bal, est mon arrière-grand-mère. Elle avait des cheveux très longs, que son mari seul pouvait peigner.

Dans leur très nombreuse famille, il y eut principalement des filles, qui toutes, sans exception (sauf la jumelle de mon grand-père, morte à trois mois de coqueluche), devinrent institutrices. Toutes, sauf une, restèrent célibataires. Toutes, sauf une (la même, Louise, épouse Glodas) moururent de « consomption » (traduire : tuberculose). Joséphine mourut la première, à dix-neuf ans, en 1900. Adèle soigna Joséphine, et en mourut à son tour. Enfin Marie, l'aînée, succomba.

Effet apparemment bénéfique du mariage, les seuls survivants de cette hécatombe typiquement dix-neuviémiste, furent les deux enfants mariés : le rôle de garde-malade était impossible à l'un, chargé de famille ; et l'autre, ma grand-tante Louise, le refusa (par « égoïsme », selon la tradition familiale, volontiers spartiate et sacrificielle). (Mon grand-père franchit aussi l'obstacle de la guerre, avec une blessure relativement bénigne à la jambe en 1915, aggravée toutefois de la perte de sa première montre et de son premier stylo.)

La menace morbide a pesé de tout son poids sur l'enfance de ma mère. C'était une sorte de malédiction, dont l'origine était jugée de nature héréditaire, créant chez les générations successives une prédisposition à la maladie, une « fragilité de constitution » qui ne pouvait être combattue que par la vigilance et l'hygiène (de propreté comme de régime : une véritable passion laïque), dont les préceptes (pris dans la « Bible » des instituteurs du temps, les œuvres à la fois hippocratiques et « progressistes » du médecin et républicain Raspail) furent suivis farouchement par mon grand-père jusqu'à sa mort, dans sa quatre-vingt-onzième année, aussi strictement que les règles de l'orthographe et de la syntaxe dite « logique ».

Ma grand-mère demeura persuadée toute sa vie du fait que ses enfants n'avaient survécu que par miracle. (Ses deux filles pourtant, ma mère et ma tante, ont aujourd'hui respectivement 84 et 75 ans. Les deux aînés sont morts prématurément, mais de manière accidentelle.) Elle écrit ainsi, dans le texte de 1963 :

« L'installation à Marseille est marquée hélas ! par les tristes effets d'une épidémie de rougeole meurtrière qui compromet gravement la santé de nos enfants, ce qui ajoute au travail quotidien, aux soucis du metier une angoisse chronique qui a jeté sur la vie de famille, de la mère surtout (c'est moi qui souligne) un voile attristant sa vie entière. »

Elle fut elle-même, surtout après 1938 (année de l'accident mortel de mon oncle Frantz), une invalide chronique, dont les souffrances, physiquement bien réelles selon la médecine, étaient certainement redoublées par cet état de deuil permanent dont elle ne ressortit jamais.

172 la dissymétrie frappante entre les réactions de mes grands-parents devant les maladies

C'est aussi que la dissymétrie frappante entre les réactions de mes grands-parents devant les maladies ne tenait pas vraiment à une plus grande réceptivité de ma grand-mère à l'appel des explications irrationnelles. Leur formation intellectuelle, positiviste, était semblable, leurs idées générales très proches. Mais le spectre de la fatalité morbide héréditaire qui prenait pour lui le visage de la « consomption » qui avait frappé ses sœurs avait pour elle un autre visage, plus obscur, plus terrible, plus caché, le visage d'une malédiction morale.

Ce n'est en effet qu'au moment des fiançailles de ma mère que ma grand-mère se résigna, par honnêteté, à l'aveu d'un terrible secret, une honte qui de plus était une honte qu'elle considérait comme dangereuse : à savoir que son père à elle avait été syphilitique (communiquant, conjugalement, un charmant *tabès* (maladie d'origine syphilitique, caractérisée notamment par une sclérose des cordons postérieurs de la moelle épinière, par des troubles de la motilité et l'abolition des réflexes, comme dit le « petit Robert ») à sa femme, mon arrière-grand-mère Bœuf, qui avait déjà eu le bonheur insigne d'être fille d'une fille-mère (le père était un « fils de famille » de Lançon-Provence précisément, où ma grand-mère ensuite, comme institutrice-adjointe, débuta). (Je remarque d'ailleurs que, tout en plaisantant des craintes (mi-médicales mi-morales) de sa mère, la mienne ne m'a « révélé » ce fait que très tardivement, et je ne sais même pas si elle en a jamais parlé à mon frère et à ma sœur)). Il est certain que ces craintes renforcèrent, dans la conduite de sa stratégie éducative, la dimension éthique autant que la prudence hygiénique.

Elle soumit ses quatre enfants à un programme d'études sévère, qu'ils absorbèrent apparemment sans difficultés. (J'adopte implicitement ici malgré mes doutes, la description familialement traditionnelle qui lui accorde la responsabilité de l'impulsion. Mon grand-père y participa certainement, mais son rôle est considéré comme ayant été plus « technique », et plus intermittent, ne serait-ce qu'à cause de la guerre, puis des « tournées » d'inspection qui plus tard l'amenèrent souvent assez loin.)

Et elle conçut alors pour eux une ambition toute nouvelle, des buts et des horizons dont n'auraient même pas eu l'idée les générations précédentes : elle avait été institutrice, donc enseignante du primaire mais (à la différence de sa sœur aînée) en passant par la voie la plus difficile, la plus « élevée », celle de l'École normale : ses enfants seraient professeurs, en passant par la voie la plus difficile, la plus « élevée » : celle de l'École normale supérieure. (Je mets, dans les deux cas, « élevée » entre guillemets car il ne s'agissait là pour elle que d'une hiérarchie intellectuelle, liée à la difficulté des études et à leur complexité. L'« élévation » sociale qui en résulterait éventuellement était à ses yeux réelle, estimable mais, il me semble, secondaire (elle ne la voyait cependant pas du tout ce qu'elle est apparue ensuite : illusoire, non seulement économiquement mais aussi symboliquement).)

Je ne sais si ce « programme » fut conçu d'emblée dans toute son ampleur. Mes oncles Maurice et Frantz étaient sans aucun doute des élèves brillants et leurs professeurs les encouragèrent vraisemblablement à continuer en « khâgne », classe de préparation au concours de l'École normale de la rue d'Ulm, après le baccalauréat. Mais je crois qu'on peut sans risque d'erreur accorder à ma grand-mère, à son féminisme convaincu, l'idée alors extrêmement originale de permettre à sa fille aînée (et plus tard, tout naturellement, aussi à sa benjamine), d'en faire autant (et de viser non pas l'école de Sèvres, réservée aux filles, mais de rivaliser, sur leur propre terrain, avec les garçons). Envoyer tous ses enfants à la « Rue d'Ulm », tel fut son projet. Elle le conçut comme son œuvre, sa création. Elle y parvint presque entièrement et en fut, ensuite, extrêmement fière (elle me l'a dit, non sans attirer mon attention sur le risque de décadence familiale puisque deux seulement de ses petits-enfants sont parvenus à ce même résultat). (Et, je le crois, elle ressentit les deux tragédies qui la frappèrent à quelques années d'intervalle comme un retour de la fatalité ancestrale, comme une sorte de vengeance de la mort.)

On a peine à imaginer à quel point il était inhabituel pour une jeune fille, à Digne, au début des années vingt, de prétendre se présenter au baccalauréat. Ma mère y fut une des premières, en dépit de toutes les réticences intérieures et institutionnelles. Elle bénéficia des leçons et de l'exemple de ses frères, ses proches aînés. Il est clair qu'elle les aimait et admirait éperdument. Elle se considérait, c'est clair aussi, comme intrinsèquement inférieure à eux. (Bien sûr, ils étaient ses aînés, et ils étaient loin d'être idiots, ni laids, ni timides. Et elle se considérait bête, pas très jolie et sans audace.)

Mais ce n'est pas la seule raison : l'idée d'égalité des sexes a encore bien du chemin à parcourir avant d'être intérieurement naturelle. Et il est non moins clair en particulier que ma grand-mère, toute féministe qu'elle fût, avait beaucoup, beaucoup d'amour et d'admiration pour ses fils (elle avait certes de l'amour pour ses filles, mais peut-être moins d'admiration).

Cependant ce sentiment très aigu de son infériorité n'eut pas, sur ma mère, d'effet paralysant (il me semble qu'elle a toujours été soutenue, comme par en dessous dirais-je, par le curieux mélange d'un désir de bien faire et de ce que je ne saurais autrement caractériser que comme un orgueil d'avoir raison). Elle fut reçue au baccalauréat, alla en « hypokhâgne » (surnom traditionnel de la classe de « Première Supérieure », première année des « préparations » littéraires) à Marseille puis en « khâgne » à Lyon, fut préparée dans la maison même de la rue de l'Orangerie au concours par ses frères, et fut reçue, après un premier échec, comme je l'ai dit ailleurs, à la Rue d'Ulm.

Ma tante Renée aurait sans doute pu suivre le même chemin. Elle fut en effet proche d'y parvenir (obtenant, comme c'était la règle pour les premiers « collés » à l'oral, une « bourse de licence »). Mais elle ne persévéra pas. Il est vrai que l'époque (c'était peu avant 1939) ne s'y prêtait plus guère.

**173 De leur maison de Caluire (qui n'était encore que le 21 *bis*
de la rue de l'Orangerie,**

De leur maison de Caluire (qui n'était encore que le 21 *bis* de
la rue de l'Orangerie, la « conquête » du 21 n'eut lieu qu'un peu
après ma naissance, et mon grand-père avait alors pris sa
retraite (à cinquante-cinq ans, privilège des « actifs », avantage
des instituteurs sur les professeurs qui indignait mon père)),
l'inspecteur Molino partait visiter sa « circonscription » de
l'Isère, avec sa canne (sa blessure de guerre le faisait boiter
légèrement) et son chapeau, se levant toujours assez tôt, même
en hiver, pour atteindre par surprise les écoles de montagne à
l'heure de l'ouverture des classes, huit heures pendant toute la
durée de la Troisième République, par tous les temps. Il ne le
faisait pas par méchanceté, pour désarçonner ses « adminis-
trés » (il était strict, mais indulgent), mais par conviction
absolue des vertus pédagogiques de l'exemple (pas plus de
« grasse matinée » pour lui que pour les « maîtres ») et de la
ponctualité.
Ma grand-mère, elle, avec l'esprit d'entreprise qui la caractérisait s'était comme on dirait aujourd'hui « reconvertie dans le
privé ». Elle s'en explique ainsi dans son « mémoire » : « C'est
à Lyon que, soucieuse de mes devoirs auprès de nos adolescents
devenus étudiants avancés, j'ai cru devoir quitter l'enseignement d'État et, par goût autant que par des nécessités financières, faire des redressements scolaires ce qui m'a fait mesurer
les responsabilités des parents trop étrangers à leur tâche et
mesurer aussi le pourcentage important des élèves qui, soute-
nus ou repris à temps, peuvent arriver à faire très bonne figure
dans leur classe, quelques-uns aussi bien que mes propres enfants qui, là aussi, étaient mon soutien et m'élevaient avec eux. »
Je me suis parfois demandé, en présence de quelques lignes
manuscrites d'une illisibilité absolue, comment grand-maman
(nous disions « grand-maman » et « grand-papa », ce qui n'a
rien d'original, mais nos cousins disaient « bonne-maman » et

« bon-papa », chaque famille s'assurant ainsi, au moins par l'onomastique, sa paire de grands-parents en toute propriété, sans partage), comment donc grand-maman avait pu apprendre à écrire à de jeunes enfants.

Sans doute s'agissait-il chez elle d'une détérioration tardive, progressive, précipitée par l'âge et le retrait de l'enseignement actif polyvalent (je ne vois pas sans cela comment elle aurait pu, si elle avait toujours calligraphié aussi mal, passer un concours comme celui de l'École normale d'instituteurs, et faire carrière dans cet « ordre monastique laïque » qu'était l'Enseignement primaire où la bonne formation des signes sur le papier était une composante indispensable de la vocation).

Il me semble aussi qu'avec les années s'était renforcé, sur ce point également, le contraste avec son mari, qui était, lui, un extraordinaire maître d'écriture laïque et républicaine. (J'imagine avec quels haussements d'épaules exaspérés il devait recevoir et parcourir dans sa chambre du deuxième étage, comme cela se produisait souvent à la suite d'une de leurs polémiques, disputes même, une missive justificative et indéchiffrable de grand-maman, la blessure esthétique aggravant en lui le sentiment d'une incompatibilité logique entre leurs arguments.)

Avec le soin millimétrique du menuisier, d'une plume infiniment soigneuse et précise, aux encres variées (noires, rouges, vertes, bleues, violettes), il confectionnait dans son atelier (son bureau parfaitement rangé, dont les tiroirs étaient de véritables coffres-forts de crayons, de buvards, de plumes et plumiers, de papiers, carnets, et enveloppes) de petits cahiers d'écriture-lecture originaux, gradués selon les difficultés de la graphie et de la prononciation, en triple version (majuscules, minuscules droites et penchées), destinés (et individualisés) aux enfants confiés à ses soins, et en premier lieu à ses petits-enfants.

Nous avons tous, je crois, appris à lire selon ces « modèles » pré-oulipiens, où chaque lettre et chaque son avait droit tour à tour à un traitement de faveur, un texte lui assurant une prééminence quantitative (le nombre des mots le contenant) et qualitative (le choix d'une couleur spéciale, à lui alors réservée) :

« TOTO PORTE LE POT. TOTO TOUCHE LE CHOU.
Toto porte le pot. Toto touche le chou.
Toto porte le pot. Toto touche le chou.
Lili finit de lire le livre.
Jaja le chat marcha dans le plat... »

(Il vint ainsi encore (ce devait être en 1964, pas très longtemps avant sa mort, il avait quatre-vingt-sept ans !) rue Notre-Dame-de-Lorette, proposer des leçons d'écriture à son arrière-petite-fille Laurence, ma fille (qui, elle, avait tout juste quatre ans). Il avait, comme à son habitude, bâti un « livre d'écriture » spécialement pour elle, mais sa main n'était plus aussi sûre, son attention et son autorité suffisantes (je crois que Laurence (elle me l'a dit) avait un peu peur de ce très vieil homme), et il dut renoncer, à notre grande gêne et tristesse, après quelques tentatives infructueuses.)

Je ne lui avais, je le crains, moi-même pas fait grand honneur, n'ayant jamais réussi à maîtriser encres, encriers ni plumes (ni plus tard les stylos, pour le maniement desquels j'étais d'une maladresse insigne : ils se répandaient sur mes doigts, dans mes poches, sur les papiers, d'une manière chaque fois pour moi plus surprenante, imprévue, exaspérante. C'est l'arrivée du « stylo-bille », puis, beaucoup plus tard, des « feutres » qui m'a sauvé de ce qui fut, pendant toute ma scolarité, un supplice. Alors seulement, avant que je me mette à la machine à écrire, puis au Macintosh, j'ai fait, consciemment, et consciemment en son honneur, à titre de réparation, de grands efforts manuscrits. Mais aujourd'hui, de nouveau, mon écriture est redevenue comme aux premiers temps, dans mes cahiers, illisible).

174 La maison du 21, où j'arrivai enfin après ma longue errance

La maison du 21, où j'arrivai enfin après ma longue errance depuis la gare Perrache en cet été de 1941, je la vois presque

mieux, plus distinctement bien que moins violemment présente que celle de la rue d'Assas. Non pas réellement mieux,
mais plus proche : c'est que mes séjours s'y étendent sur plus
de trente ans. Elle n'a été abandonnée, vendue qu'à la mort de
mon grand-père, en 1967. (Comme je la regrette ! même si elle
avait été déjà amputée de l'énorme jardin, au désespoir, que je
comprends, de ma grand-mère.)

Je l'ai donc vue pour la première fois de mon berceau (si tant
est que je percevais un objet de telles dimensions), en tout cas
enfant, d'année en année, de vacances en vacances, puis dans
l'adolescence, et quand j'y ai pénétré pour la dernière fois
j'avais plus de trente ans. (Je suis passé avec Marie, il y a cinq
ans, dans la rue de l'Orangerie. La maison était toujours là,
superficiellement au moins inaltérée.)

Cela fait d'elle, au souvenir, la projection d'un solide non
seulement quadridimensionnel, en mouvement temporel, mais
à la topologie bizarre : car plusieurs « métriques » simultanées
contractent ou distendent les mêmes fragments d'espace, de
très nombreuses discontinuités le fracturent et la multiplicité
des points de regard crée une géométrie auprès de laquelle une
représentation picturale cubiste apparaîtrait exagérément
« naturaliste ». (Au temps de mes ambitions romanesques,
j'avais tenté de m'en construire, pour y faire évoluer mes
personnages, un modèle appuyé sur la théorie des « immeu-
bles » de Tits. Je le nommai « l'appartement de Coxeter »
(branche un ; chap. 5, § 83).)

Contre la façade, face au tertre rocailleux, sur un terrain
cimenté, limité à gauche par la terre du jardin commençant, à
droite par le portail et la petite porte, vers l'arrière par le
rocher, on jouait à notre version particulière d'un « jeu de
paume » que nous appelions « pelote basque » : une balle de
tennis rebondissait sur le mur (qui tenait lieu de filet) (elle
devait le frapper à une hauteur miminale marquée par une
division naturelle dans le revêtement du mur, ne pas bondir
ensuite hors du terrain, limité en arrière par une ligne parallèle
au mur tracée, sillon, dans le ciment), renvoyée de la paume de
la main alternativement par chacun des deux joueurs. (**Je sens
la chaleur des chocs dans le creux de la main, je vois la peau,**

usée, grise, d'une balle.) On comptait, comme au tennis, comme mon père (admirateur des « trois mousquetaires », Cochet, Lacoste et Borotra, de Tilden et Suzanne Lenglen) m'avait appris à la faire : « 2-0 », « 6-3 » « 40-15 », « avantage ! » « avantage détruit ! » « jeu ! » « balle de set ! », « deuxième balle de match ! »...

Quelque chose me frappe quand j'entre par la porte à droite, à droite de la toute petite fenêtre du « cabinet » du rez-de-chaussée, quand je « simule » une entrée dans le vestibule, vers la cuisine en face, l'escalier aux marches cirées à droite après la salle de bains, le grand bahut à linge de table et vaisselle à gauche de la porte de la cuisine, quand je m'autorise à pénétrer cette configuration si familière, si chargée de ce que je serais tenté de désigner comme une odeur de pénombre (rien n'y ouvre directement sur les lumières du jour extérieur) : tout ce que je vois, je le vois de très bas, comme si j'avançais assis, ou à genoux et sur les mains, ou rampant. J'avance dans la couche inférieure de cet espace, à moins d'un mètre au-dessus du sol.

Je ne suis pas tenté d'en conclure trop rapidement à une antériorité pure de ma vision, à un regard d'extrême ou de petite enfance. Cependant ma mémoire privilégie indéniablement une façon de me situer dans ces lieux qui serait très peu naturelle s'il s'agissait d'une vision adulte, ou même adolescente.

La ligne horizontale sur le mur qui servait de frontière entre le légal et l'illégal du jeu de paume était déjà excessivement haute, selon les mêmes critères (je peux m'en rendre compte car je possède, aussi, quoique moins naturellement, comme second choix, dirais-je, l'autre manière de voir, selon mes dimensions présentes, mes yeux étant à une distance du sol qui n'a plus varié depuis, en gros, 1950).

Mais quand j'entre dans la maison, dans cette partie-là de la maison (je m'interdis pour le moment d'aller ailleurs), je « tombe » encore plus bas. Ce n'est pas, là encore, comme sur la terrasse, que je ne puisse y voir, aussi, à hauteur raisonnable (c'est-à-dire comme je vois toutes choses, au présent), mais d'une part ce n'est pas ainsi que je me place d'abord, sans réfléchir, d'autre part « debout » ou grandi je vois moins, moins nettement, ou encore (l'effet est le même) je vois avec plus d'indifférence.

Il me semble raisonnable de penser, dans ces conditions, que je possède là quelque chose comme la preuve, indirecte, d'une persistance géométrique de mon avant-vie, au sens où j'ai défini, antérieurement, cette expression. Mais je n'en retire qu'une satisfaction plutôt modérée.

175 **Si familière odeur de pénombre qu'elle se mêle de cire,**

Si familière odeur de pénombre qu'elle se mêle de cire, de la cire des premières marches, immenses, de l'escalier, comme si les carreaux de céramique fraîche du sol étaient cirés eux-mêmes, cirés, brillants et lisses, où glisser les pieds nus s'imbibant de fraîcheur après la canicule du dehors, de l'août lyonnais étouffant ses rues, la place Bellecour, les quais du Rhône. Le dessin des carreaux m'échappe, de rouge et de noir. Leur contact hors de l'oubli éveille le parfum cireux et la pénombre,

éveille le mystère d'une déclivité infiniment émouvante entre vestibule et salle à manger, un pan incliné insolite qui s'élève dans le passage, sans interrompre le dessin du sol, sans fracturer les carreaux, les relevant seulement doucement en une pente légère d'où roulaient les billes d'argile peinte rouges, vertes, bleues, ou les « agathes » veinées de jaune spirale, de rouge, de bleu, jusqu'au bas de la première marche de l'escalier,

le mystère surtout du passage dans l'autre pièce, la pièce-salon, par un « sas » entre deux portes lourdes, épais d'obscurité entière et de manteaux suspendus dans les hauteurs fourrées de bruissements : cachette, ténèbre souple d'une solitude secrète mais sans effroi, protégée de toute la familia-

rité des bruits proches, remue-ménage de vaisselle, empresse-
ment ménager, les verres tintent, les voix s'assourdissent, les
pas,

l'horloge parle paisiblement. **Je vois cela.** Je le vois, mais
qu'est-ce au juste que je vois, les yeux dans l'obscurité
arcadienne du « sas » entre les deux portes de boiseries lourdes
et odorantes ? Ce n'est pas seulement l'interrogation sceptique
wittgensteinienne que je me pose, qui vise aussi bien les formes
que les couleurs (§ 70 : Est-ce qu'on peut parler d'une rose rose dans
le noir et d'une rose rouge dans le noir ?). C'est aussi celle de
l'imprécision du moment : l'image sans vision que je restitue,
accompagnée de fragments de passé visible, de bruits situés
autour, était-elle déjà un tout, le tout de ce que j'imaginais
alors, ou bien est-ce une construction contemporaine de mon
esprit, associant des images de provenance largement éloignées dans le temps ? Et quelles pourraient être les expériences
qui me permettraient de décider entre les deux explications ?

**Dans la cuisine, je vais vers les deux fenêtres qui, à droite de
l'entrée, donnent sur la rue de l'Orangerie. La porte de la cave
est à gauche, dans le fond, la table en face de moi, une théière
sur la table. L'eau chauffe dans la bouilloire sur le feu bleu du
gaz, entre la porte de la cave et l'évier. Ma grand-mère et son
amie Taïa sont debout devant la table, et discutent en attendant l'accomplissement des opérations du thé. « Discutent »
est beaucoup dire. Ma grand-mère parle, raconte, Taïa écoute,
objecte, commente, ou interroge brièvement.**

« Où ai-je bien pu encore mettre mes lunettes ? » dit ma
grand-mère. Elle s'interrompt brusquement au milieu d'un
récit. La « question des lunettes » est une question primordiale, vexante, récurrente. La distraction de grand-maman est
certes d'application quasi universelle, mais elle a un domaine
d'intervention particulièrement privilégié, celui des lunettes.
Ses lunettes ne sont jamais là où elle pense les avoir mises.
C'est dans ce domaine que sa créativité distractive se montre
active tout spécialement, nécessitant de longues quêtes, exas-
pérantes sur le moment, source de fierté et de narration
mimées ensuite (grand-maman raconte comme un montreur de

marionnettes, avec ses mains), quand le danger de la perte est passé.

« Ne nous énervons pas, dit Taia. Elles ne peuvent pas être bien loin. Procédons par méthode. Vous les aviez quand nous sommes rentrées du jardin, puisque vous m'avez lu la lettre de Renée. Vous avez dû les poser dans l'entrée. » Mais elle sait, et elles savent, que la méthode ne peut rien contre le démon de l'imprévisible. Les lunettes ne sont pas dans l'entrée, où ma grand-mère se souvient effectivement les avoir posées. Car son « malin génie » est beaucoup moins mégalomane que le malin génie de l'« expérience de pensée » cartésienne : il ne cherche pas du tout à la persuader faussement de l'existence des objets du monde extérieur, il se contente de lui offrir une vision totalement erronée de l'emplacement de ses lunettes. Cela suffit à son contentement.

Les lunettes n'étant pas dans l'entrée, grand-maman essaie de convaincre Taia du fait qu'elle doit se souvenir, elle, de l'endroit où elle, sa vieille amie, dont elle connaît la proverbiale distraction, les a posées. Taia ne se souvient de rien. Elle sait que le démon distracteur se rit de sa vigilance. Mieux vaut chercher systématiquement. Après tout, remarque-t-elle, il n'y a pas tellement d'endroits dans la cuisine où « elles » peuvent se dissimuler. C'est là faire preuve d'optimisme. Mais Taia est généralement calme et optimiste. C'est pourquoi elles s'entendent si bien, et depuis si longtemps, ma grand-mère n'étant ni calme ni optimiste.

La recherche « systématique » consiste à envisager tous les endroits où les lunettes se sont déjà trouvées lors d'une de leurs escapades précédentes. C'est une stratégie erronée. Elles devraient le savoir (je le sais, moi qui regarde la scène, une scène imaginaire cette fois s'il en fut, reconstituée de quelques moments réels effectifs et des récits grand-maternels). Le lieu où se cachent les lunettes n'est pas déductible des lieux précédents. Il ne ressemble pas aux lieux antérieurs, et ce n'est pas un lieu habituel de dépôt de lunettes en voie d'égarement. Ni l'habitude ni la ressemblance ne sont des concepts adéquats pour rendre compte du libre exercice de la distraction chez Mme Blanche Molino, ma grand-mère.

176 Elles auraient dû tenir compte (par anticipation), pour leur recherche, du fameux argument chomskyen

Elles auraient dû tenir compte (par anticipation), pour leur recherche, de l'argument chomskyen en faveur de la créativité de la fonction langagière chez l'homme : la probabilité qu'une phrase prononcée par quelqu'un l'ait déjà été antérieurement par le même, ou un autre, est quasi nulle. Ce n'est pas parce qu'une phrase ressemble à une autre déjà entendue, ou qu'il est dans nos habitudes de la dire, que nous la sortons brusquement de nous-mêmes. Nous créons les phrases, grâce à un mécanisme implanté ancestralement en l'humanité, de là en nous, un modèle syntaxique dont nous héritons et dont nous avons appris à nous servir. Ainsi, la faculté distractive, chez ma grand-mère, était capable de créer en chaque circonstance des cachettes à lunettes, inouïes, neuves, inhabituelles, et ne ressemblant à aucune de celles qui avaient été précédemment inventées en elle (ma grand-mère), par elle (la syntaxe distractive, modèle en acte de la faculté de distraction : quelle était la structure de ce modèle, je ne saurais dire, mais il n'était certainement pas, pas plus que la syntaxe du langage ordinaire, indépendant du contexte vital, « context-free »).

Ayant fait le tour de la cuisine plusieurs fois, ouvert les placards, fouillé dans la boîte à sucre, dans le four (où s'était retrouvé, un jour, le portefeuille de grand-maman (mais jamais ses lunettes !)), dans le Frigidaire (je vois qu'elles fouillent dans le Frigidaire, derrière le bac à légumes, derrière et dans le beurrier, ce qui prouve que la « scène » ne saurait avoir eu lieu en 1941, au moment du séjour qui commande cette bifurcation narrative), elles retournèrent, un peu découragées, à leur point de départ : jamais les lunettes n'avaient résisté si longtemps (elles n'étaient cependant jamais entièrement perdues).

Alors j'entends Taia dire, de sa petite voix douce, jamais énervée (c'était une des personnes les plus absolument bonnes,

491

sans malice, que j'aie jamais connues) : « Ça par exemple ! »
« Quoi ? » dit grand-maman. « Mais vous les avez sur votre
nez ! »

Cet épisode représente en quelque sorte le chef-d'œuvre du
« démon de la distraction ». Il s'est, ce jour-là, tellement
surpassé lui-même qu'il n'a jamais pu faire mieux (et il me
dispense, par la même occasion, de donner d'autres exemples
de ses inventions) : dans l'ensemble, ordonné par étrangeté, des
lieux d'égarement de cet accessoire pour la vue il s'agit, en
somme, d'un « plus grand élément », d'une « borne supérieure
interne à l'ensemble », comme on dit dans l'idiolecte de la
théorie élémentaire des ensembles ordonnés. Ce démon avait
peut-être été un lecteur d'Edgar Poe (et, en tant que démon,
échappant aux contraintes temporelles, lecteur aussi du Dr Lacan, ou même de Jean-Claude Milner (qui, je le rappelle, a
composé une merveilleuse « déduction fictive » sur le conte de
La Lettre volée (ma grand-mère était une grande lectrice
d'Agatha Christie))). (On pourrait s'amuser de la répartition
des rôles dans cette analogie : le démon dans le rôle du
ministre, Taia dans celui de Dupin !)

Un incident contemporain (de la composition écranique de
ces lignes) m'a peut-être lancé dans cette digression (je n'étais
pas parti pour m'occuper de lunettes, mais pour traverser la
cuisine en direction de la cave de la rue de l'Orangerie, où je
vais revenir) : je passais dans la cour du 82 rue d'Amsterdam,
où j'habite, mon trousseau de clés à la main (je le garde à la
main jusque dans la rue, afin d'être sûr de ne pas l'oublier trop
souvent sur la porte, ou dans la serrure de la boîte aux lettres),
traversée préalable à la descente de la rue en direction de la
gare Saint-Lazare d'où part le train de banlieue qui conduit à
la station Nanterre-Université, où je l'abandonne pour rejoindre le « département de mathématiques » de mon « UFR » au
quatrième étage du bâtiment C. En dehors des heures de pointe
ou de contrepointe (si j'ose m'exprimer ainsi, je veux parler des
heures tardives), il y a quatre trains par heure en ce moment, à
04, 19, 34 et 49 après chaque heure respectivement. Il me faut
dix à douze minutes pour atteindre le quai après avoir acheté le
Times du jour, et je pars donc à peu près 25 minutes avant

l'heure afin, c'est mon habitude, de « rater le train précédent »,
conformément à un précepte de mon grand-père.

Dans la cour je croisai Mme Jacquet la concierge, que je
saluai aimablement mais brièvement, n'ayant pas le temps
(j'étais un peu en retard dans mon avance) d'engager l'une de
nos conversations habituelles (« Est-ce qu'il va pleuvoir
aujourd'hui ? » « Je vous dirai ça ce soir. »).

Or Mme Jacquet, d'une manière tout à fait non traditionnelle
dans nos échanges de vues me dit, et cela m'arrêta dans ma
progression vers le porche d'entrée : « Et où allez-vous comme
ça, monsieur Roubaud ? » « Je vais faire mon cours à l'université, et je suis en retard. » « Vous êtes sûr que vous voulez y
aller comme ça ? » J'en étais sûr, mais j'avais tort, car j'étais en
pantoufles.

Cette preuve de distraction, seulement peut-être un petit peu
plus extrême que d'habitude, n'a pas surpris Mme Jacquet (je
suis mathématicien, n'est-ce pas ?), et elle ne saurait être mise en
compétition avec les distractions parfaites de ma grand-mère.

Je la rapporte, non seulement parce qu'elle a sans doute été
la cause indirecte de ma digression, mais parce qu'elle
m'amène à constater (ce qui ne me fait pas spécialement
plaisir) que, mon père étant peu distrait (ma mère l'était un
peu plus mais pas aussi spectaculairement) et mon grand-père
ne l'ayant pas été, si on admet (hypothèse, purement fictive,
sur l'hérédité des caractères) que le démon de la distraction,
dans une famille, changeant d'hôte avec les générations (et
souvent, comme d'autres, en sautant une étape), c'est de ma
grand-mère que je tiens ce trait, alors que mon modèle
conscient et cultivé avec constance est, presque en tout son
opposé, mon grand-père !

177 Mon grand-père estimait la température de sa cave idéale

Mon grand-père jugeait sa cave idéale en tout, en particulier
par sa température, donc idéale pour la conservation des

aliments, et en conséquence aussi pour le plaisir du palais, qui ne saurait se réjouir que de ce qui n'est en rien extravagant. Les fruits, l'eau, les laitages ne pouvaient, selon lui, être appréciés qu'à une température tempérée, qui était précisément celle dont sa cave était naturellement pourvue, et qu'elle conservait sans modifications notables toute l'année.

Aussi était-elle fraîche en été, contre l'août lyonnais souvent torride, et presque tiède en hiver, quand il y descendait remplir le seau à charbon pour nourrir, par devoir, les poêles surchauffés (établissant une température bien supérieure à celle qu'il estimait hygiénique, les quinze degrés indiqués comme « température des appartements » sur les thermomètres du XIXe siècle. Mais sa femme, ma grand-mère, avait toujours froid et s'emmitouflait dans sa robe de chambre, même dans la cuisine. Il chargeait les poêles jusqu'à la gueule d'anthracite et ouvrait la fenêtre de sa chambre). Il n'admit pas chez lui sans réticences l'invasion de la brutalité polaire du Frigidaire (qu'aurait-il pensé du congélateur !), et maintint toujours, malgré sa présence, quelques denrées précieuses dans le garde-manger, en bas.

Dans la cave où je le suis en pensée je le vois, ce garde-manger grillagé et le beurre, clair, ferme mais non polaire, dans une soucoupe, qui contient aussi un peu d'eau. La température de la cave et le degré hygrométrique assuré par la vapeur d'eau maintenaient le beurre dans l'état le mieux propre à une agréable consommation. Du Frigidaire, au contraire, il ressort froid et dur, à la fois impraticable au couteau et privé de toute saveur.

(Mon père, récemment, retrouvant du goût pour les achats sur catalogue (une fois surmontée sa déception de la disparition de celui de Manufrance), a fait, en même temps que d'une perceuse à l'intention de Marie, en qui son œil exercé a reconnu l'été dernier, quand elle a entrepris la restauration des *restanques*, une authentique bricoleuse (ce que je ne suis pas, ni ma sœur. Mon frère Pierre, lui, est, selon mon père, un bricoleur fantaisiste), capable de prendre sa relève dans l'immense champ de bataille du domaine familial, Saint-Félix, l'acquisition d'un « garde-beurre » bâti sur le même principe (proche, au fond, de celui de la terreuse et poreuse gargoulette, où l'eau de boisson se conservait fraîche autrefois).)

Je vois les « faisselles » achetées chez le laitier du Clos-Bissardon, dans leurs formes métalliques percées de trous qui gardaient en surface, une fois démoulées, de petites pointes fromagères. La langue, avant la morsure dans leur chair blanche, dense et tremblante, en éprouvait, sous la pluie de sucre, d'abord blanche puis devenant transparente, comme de la neige allant fondre, lentement, la présence physique, en anticipation du plaisir. Elles disparurent avec les pénuries de guerre, et ne réapparurent pas avec l'abondance retrouvée, frappées d'obsolescence par la modernisation et la mort des petits laitiers. Puis, sous l'effet d'une réponse commerciale à la nostalgie, on les a vues revenir il y a peu, mais comme caricatures d'elles-mêmes, baignant dans le peu appétissant plastique. Et lisses !

Le garde-manger de la cave abritait aussi, en leur saison, les fruits, les fruits préférés de mon grand-père : la pomme reinette, la pêche et la poire (« Pèle la poire à ton ami, et la pêche à ton ennemi » disait-il, pour expliquer le traitement différent qu'il faisait subir à ces deux fruits). Pour les peler, pour les couper, comme pour étaler, en couche égale et modérée le beurre malléable sur la tartine, il sortait son couteau suisse d'une poche de son gilet, faisait jaillir la lame adéquate et l'essuyait longuement après usage, avec de la mie de pain, ne la rentrant dans son encoche d'une netteté toute helvète qu'une fois de nouveau impeccablement brillante, neuve, propre.

Pendant ces opérations, comme dans toutes celles qui demandaient une certaine application manuelle, il procédait avec lenteur, avec un soin de calligraphe, de menuisier. Il tirait légèrement la langue en disposant les quartiers de pêche autour de l'assiette, dégagés du noyau. Elles devaient, c'est clair, n'être ni trop ni trop peu mûres, et pleines, saines, parfumées. Celles que je vois sont des pêches du jardin, de vraies pêches d'autrefois, puisées dans son inconcevable, prodigieuse, anachronique profusion.

Mais il laissait le noyau (et je le regrettais pour lui)

abandonné dans l'assiette, encore attaché à un peu de chair juteuse, mais surtout enveloppé et investi de ces nombreux filaments fruitiers accrochés dans le dédale du bois, qu'il aurait fallu, prolongeant le plaisir du fruit, le noyau maintenu dans la bouche ou tenu entre les doigts, de longues minutes à débusquer des dents, de la langue, de leurs circonvolutions ligneuses, avant de le rejeter pâle sous un mûrier, dans l'allée. Mais pour les poires (et les pommes, qu'il pelait aussi), il procédait différemment, découpant des tranches dans le fruit et les mangeant aussitôt, afin qu'elles n'aient pas le temps de s'oxyder à l'air, d'y rouiller. Avec la pêche, il buvait un doigt de vin pur.

Mon grand-père n'avait pas la religion du pain frais. Il le préférait même un peu rassis. Le pain et le beurre, à consistance tempérée, en association modérée avec un café (de force modérée (pour éviter l'abus des excitants)), tempéré d'un lait dosé raisonnablement, étaient les constituants sobres de ses petits déjeuners précoces, avant sept heures du matin, dans la cuisine, où il se livrait aussi, dans une tranquillité entière (puisque grand-maman, insomniaque, n'y pénétrait que beaucoup plus tard), à l'opération, somptueuse à mes yeux, du rasage au « sabre », devant un miroir rond à pied, légèrement grossissant. Il rinçait ensuite son visage à l'évier, l'essuyait, effaçait toute trace de son passage, remettait son gilet et s'enfermait bientôt dans sa chambre, pour ses « travaux » de la matinée. Levé tôt moi aussi, je le suivais des yeux, les coudes sur la table de la cuisine, silencieusement. Je ne le dérangeais pas. Bien plus tard, j'ai conçu une admiration très vive pour cette marque d'autonomie sans ostentation, faite d'ordre et d'habitudes. Alors, c'était simplement un fait, un de ces faits qui constituent le monde, et qui s'énoncent en calmes propositions.

178 L'heure de ma grand-mère était au contraire, aussi éloignée que possible de l'aube, celle du thé

L'heure de ma grand-mère était au contraire celle, aussi éloignée que possible de l'aube, des toasts, du thé, et des conversations. Je serais presque tenté de lui attribuer le titre d'un roman de Christina Stead *A Little Tea, a Little Chat,* sinon que la « conversation », dans la pratique grand-maternelle, était le plus souvent *one-sided* (à sens unique), une occasion de narration, devant un petit auditoire. Mais la coloration anglo-saxonne du rituel, que marque le surgissement devant moi de cette désignation était indéniable. D'ailleurs mon oncle Maurice, en ses années d'École normale avait étudié à Oxford (comme, un peu après, ma mère). J'étais sur le point d'émettre ici l'hypothèse d'une influence qui se serait exercée des enfants sur leur mère, en sens inverse du sens habituel.

Mais je me suis souvenu du récit d'un épisode, plusieurs fois entendu et apprécié, jusqu'en ses variations « formulaïques », un « chant » de l'« Odyssée distraite » de grand-maman, dont elle était à la fois l'Ulysse et l'Homère, qui démontre indirectement l'ancienneté du rituel.

Un matin de 192 ?, à Digne, elle avait écrit deux lettres (elle était une correspondante acharnée, aux longues pages d'écriture tremblée, tricotée, presque indéchiffrable) : la première à de vieux amis, les d'Argences, dans leur lointain exil « indochinois », la seconde à d'autres amis, dont je n'ai pas retenu le nom, les xxx (je ne suis pas certain de l'orthographe du premier nom, avec lequel je n'ai qu'une familiarité auditive, et que je confonds peut-être, par contamination, avec celui de ce « polygraphe » du XVIIIe siècle dont mon cousin et aîné Jean Molino a fait autrefois sa « thèse », occasion pour lui d'un ensemble de monographies encyclopédiques sur le siècle encyclopédique par excellence).

Les xxx, donc, furent un peu étonnés de recevoir, avec un tel luxe de détails, des nouvelles de toute une famille, habitant la même ville qu'eux, et dont ils ne se croyaient pas si ignorants. Quant à la missive égarée quelque part dans la mer de Chine c'était leur invitation à prendre le thé, un jour qui aurait été prochain (ce que les d'Argences en pensèrent, l'histoire ne le dit pas).

Le traitement du beurre à l'heure du thé grand-maternel était d'une exubérance en fort contraste avec la sobriété presque janséniste des tartines matinales de grand-papa :

attendant dans la soucoupe, et déjà sérieusement amolli par la proximité des lames rougissantes du féroce grille-pain, il perdait rapidement toute prétention à l'état solide en revêtant les tartines-toasts qu'il imbibait de son jaune mou et luisant (les tartines préalablement grattées de leurs excès carbonifères, car elles étaient régulièrement oubliées à l'intérieur brûlant de l'appareil, dont les avertissements pourtant péremptoires ne parvenaient pas aux oreilles inattentives, oublieuses, de la conteuse, ou bien étaient considérés comme négligeables face aux intérêts supérieurs d'un récit).

Affectées parfois d'une couche supérieure additive de miel crémeux, ou de « marmelade » d'oranges amères (anachroniquement j'y ajouterai le *lemon-curd*, dont le goût m'est venu en fait, beaucoup plus tard, de ma propre expérimentation des essais que ma mère fut obligée de faire, après nous avoir vanté les merveilles de cette friandise, connue d'elle lors de ses séjours oxoniens. Il ne figurait pas, il me semble, dans les thésgoûters de la rue de l'Orangerie), je ne connaissais rien de plus savoureux, de plus luxueux que leurs bouchées craquantes. Et les longues années de pénurie (débordant largement l'intervalle de la guerre, au-delà même du maintien des restrictions, tant elles étaient devenues mentalement habituelles) n'ont fait qu'ajouter à leur prestige. **Dans les tasses, je regarde le lait envahir, comme un brouillard paresseux, le thé pâle.**

A l'extrême distance climatique, dans l'août caniculaire, le beurre fondait entièrement dans l'assiette puis, refroidi, coagulait en grumeaux étranges. J'ai parfois cherché à retrouver l'irréductible différence de goût qui avait été le résultat d'une semblable mutation physique, mais en vain. Il me manquait, révolus, sans doute les nécessaires harmoniques du lieu, les ombres, le goutte-à-goutte des voix dans la cuisine, ou le balancement du rocking-chair, dans la véranda. Je n'ai pas eu beaucoup plus de succès dans mes tentatives de combiner, les matins, ces deux modèles antagonistes de traitement du beurre. J'ai un grille-pain ici dans mon logement, rue d'Amsterdam. Mais je ne pense jamais à m'en servir, quand je me lève, à cinq heures du matin.

La véranda était presque aussi constamment chaude que la

cave était fraîche (j'aime cette symétrie, d'ailleurs assez vrai-semblable : le pâle soleil d'hiver « aidait » le ronflement du poêle. L' « effet de serre » redoublait le soleil d'été). **Dans la véranda le rocking-chair aux cannelures de paille oscille, d'un mouvement perpétuel, accompagnant celui des doigts de grand-maman sur le bois brun de ses bras.**

Je sors de la cuisine, avance pieds nus sur les carreaux peints de l'entrée, les carreaux s'élèvent légèrement à l'entrée de la salle à manger. C'est une pièce cérémonieuse. Je regarde, sans surprise, une fin de repas (le dessert, moment photographique obligé des réunions familiales).

179 Très tôt, dans les mois qui suivirent l'effervescence de la Libération

Très tôt, dans les mois qui suivirent l'effervescence de la Libération ma grand-mère, forcée à un repos inactif pas entièrement agréable après les angoisses, dangers, tragédies mais aussi aventures de la guerre, parcourant de son pas distrait, ses lunettes à la main et ses mains derrière son dos les allées désertées de son immense jardin, le trouva, comme peut-être elle ne l'avait jamais vu auparavant, invraisem-blable-ment beau (ce qu'il était), précieux, mais à l'abandon. Je ne pense pas qu'elle ait alors senti la menace que pouvait faire peser sur lui le fait qu'elle n'était (qu'ils n'étaient, mon grand-père et elle), puisque locataire, qu'une occupante précaire de ce lieu miraculeux.

La guerre avait bouleversé les vies, semé les morts et les destructions, exilé et dispersé les proches, mais que l'âge à venir allait être celui des promoteurs et des propriétaires, de la raréfaction et du renchérissement explosif des logements urbains, elle n'en eut, je le crains, aucune idée. (C'est un fait qui n'échappa pas à mon oncle Walter, devenu chimiste prospère et citoyen du Massachusetts quand, les communications normales rétablies entre les deux côtés de l'Atlantique, et accélérées par les progrès de l'aviation, il vint revoir les arbres sous lesquels il s'était fiancé avec ma tante Renée (j'ai étalé sur mon bureau, à la droite du Macintosh, quelques photographies du jardin, prises en divers endroits et divers moments, avec divers personnages, et sur l'une d'elles ils sont, assis sur un banc et tournés l'un vers l'autre, au soleil de 1939 qui illumine la barrière de piquets, derrière, entre le 21 et le 21 *bis*, enfoncé dans son ombre végétale, comme le passé). Malheureusement, il ne se trouva pas là au moment décisif.)

Mais, pénétrant un jour dans le bâtiment de bois à l'abandon, qui avait été autrefois l'orangerie à oranges, quand la rue de l'Orangerie avait mérité son nom, elle découvrit les vieux registres de ce qui avait dû être, en des temps reculés, une entreprise prospère de je ne sais trop quoi (il traîne dans ma tête qu'il s'agissait de soie, mais cela semble trop simple, et n'est peut-être qu'une pseudo-déduction inconsciente à partir de la présence majestueuse des mûriers). Et elle eut alors l'idée, qui lui sembla on ne peut plus naturelle, d'en faire une entreprise dynamique, un verger producteur de fruits (dans une moitié seulement du jardin, après les grands arbres, la plus éloignée de la maison).

Je fais donc l'hypothèse suivante (les hypothèses ne me coûtent rien) : la découverte des registres, preuve de la prospérité ancienne et active de l'Orangerie (et en particulier d'une quantité non négligeable de grands registres vierges) fut l'impulsion décisive pour la création d'une association informelle (avec des statuts, certes, une présidente et un bureau, mais je doute que tout cela ait jamais eu le moindre commencement d'existence légale, ait donné naissance à une « association loi de 1901 », déposée à la préfecture du Rhône, etc.), rassemblant autour d'elle quelques amies et amis, retraités et voisins, pour une nouvelle tâche éducative, la maturation des fruits.

Les séances de l'association se tenaient dans l'orangerie, époussetée, rapetassée et pourvue de fauteuils de jardin. Je m'en souviens, je vois les gros registres. La question débattue était ce jour-là : quels noms donner aux poiriers, quelles variétés choisir, quels parrains pour les jeunes arbres ? J'ai été là. Et je l'ai écrit :

ASSEMBLÉE NATIONALE
CONSTITUANTE
LYON, LE 11 JUILLET 1946, 10 H

chère maman, chère Denise, je suis arrivé hier à 5 H rue de l'orangerie aprés un excellent voyage. à partir de Dijon nous n'étions plus que cinq dans le compartiment et le train est arrivé à l'heure. J'ai trouvé grand-maman dans le jardin et elle m'a parlé des transformations profondes qu'il allait subir. Le travail de la Société des PPPCAFV a d'ailleurs commencé (devinez, s'il vous plaît, chers lecteurs ce que ce sigle veut dire, je n'en ai plus aucune idée). Deux arbres inutiles ont été abattus, le gazon a été ratissé et l'allée du milieu est délicieusement verte. Des trous seront bientôt creusé pour recevoir de nouveaux arbres : P.P.P.C.A.F.V.

Grand maman m'a ensuite raconté les débats de la société dans sa séance plénière qui a eu lieu il y a quelques jours. Raymonde et Emile Sermet doivent en rédiger le rapport et grand-maman m'a demandé de faire de la propagande auprés de Madeleine, Armandou et cie... afin de recueillir quelques membres honoraires.

Maintenant je demanderai à Denise quel arbre lui convient le mieux car j'espère que l'état va souscrire pour un ou deux bébés au prix moyen de 150f. L'état a intêret a les prendre car selon le réglement de la société, la moitié des fruits nous reviendra pendant que l'autre moitié sera vendu par la PPPSAFV a des prix raisonnables pour combattre le marché noir. Ainsi nous pourrons soit venir manger notre récolte soit recueillir le produit de la vente.

je vais tout à l'heure faire ma gymnastique et Emile Sermet va examiner mes doigts.

(...)

(Je déchiffre au bas de ma lettre quelques mots ajoutés par ma grand-mère :

« Jacqui (c'est moi) oublie de dire qu'il a déja fait de l'allemand avec Holl, excellent dit-il pour l'accent. »)

Qui, en effet, avait « ratissé le gazon », qui allait « creuser des trous pour de nouveaux arbres » ? Il fallait, bien sûr, un bras séculier, un bras armé de bêche et de râteau à cette église nouvelle des âmes fruitières. Or il y en avait un sur place, un Allemand, Ludwig Holl.

Holl était un ouvrier de la Ruhr, un communiste allemand. Il s'était battu dans les rues contre les nazis en 1930, 31, 32, jusqu'au début de 1933. Alors, tout s'était effondré : « Personne n'a voulu lutter », nous disait-il, dans son français hésitant et rauque, quand nous allions nous asseoir autour de lui entre les sillons, sur la terre sèche, dans la fin d'après-midi brûlante. « Personne. Ils se sont tous ralliés. Tous. » Lui avait fui en France. Lui avait combattu en Espagne, devant Madrid, à Teruel. Il avait été interné par Daladier, s'était évadé, s'était caché. Il avait été pris dans un maquis en Savoie. Ses ennemis, ses compatriotes, ne l'avaient pas tué sur place, mais ramené à Paris, jugé, condamné à mort, gracié : il était allemand, après tout. On l'avait envoyé à Buchenwald, pour être régénéré par le travail. Il nous racontait tout ça, pas pour se vanter, mais pour que nous comprenions, pour que je comprenne, moi, l'aîné. Est-ce que c'était fini ? Non, ce n'était pas fini, disait-il. A Buchenwald il entretenait les clôtures électrifiées du camp : l'électricité, ça avait été son métier, autrefois. Mais vers la fin, les Américains approchant, il s'était laissé oublier là un soir, caché entre les grilles. Il y était resté deux semaines, se nourrissant d'escargots crus et d'herbe. Et il était revenu, pas en Allemagne, pas encore. A Lyon, là.

Et ma grand-mère, comme elle avait caché pendant la guerre ceux qui se cachaient, après la guerre avait accueilli Holl. Il logeait là, mangeait là, jardinait, participait au grand projet fruitier (qui le faisait rire), reprenant des forces. Il attendait. Quelques mois plus tard, il est reparti. Je n'ai jamais su où, pour quelle vie, dans quelle Allemagne ? Mais en ce temps-là, sous les mûriers de Caluire, le soir, il nous chantait :

Wir graben unsre Gräber
Wir schaufeln selbst uns ein
Wir müssen Totengräber
Und Leich in einem sein

(Nous creusons notre propre tombe / Nous nous ensevelissons nous-mêmes / Nous devons être les cadavres / Et les fossoyeurs en même temps /.)

(Aujourd'hui, parfois, de nouveau, j'entends sa voix lourde. Et je pense à la dure ironie métaphorique de ce chant de déportés.)

180 Je vois dans le jardin, au cœur de son immensité luxueuse.

Je vois **dans** le jardin, au cœur de son immensité luxueuse. Maintenant, maintenant qu'il a disparu de la surface de la terre, ne laissant comme dépouilles que ces <u>images</u> que j'appelle en moi, et quelques <u>pictions</u> que j'étale sur ma table, à la droite de mon écran, je le possède enfin sans partage, et parmi mes possessions imaginaires il occupe une place toute particulière, sans aucun équivalent en d'autres lieux : ni dans la maison de la rue d'Assas, à Carcassonne, ni impasse des Mûriers à Toulon, ni dans le Parc sauvage des Corbières, ni ailleurs (à Villegly par exemple), ni à plus forte raison dans aucun des lieux postérieurs à la fin de la Seconde Guerre mondiale.

J'ai le sentiment intérieur de cette singularité, voilà qui est sûr. Et je ne résiste pas à en donner une interprétation : qu'au 21 *bis* de la rue de l'Orangerie je suis né, **à côté**, dans un espace séparé mais contigu, que j'ai appris à marcher dans ses allées, sous ses arbres, que je me suis mis debout, que j'ai conquis la surface de la terre en même temps que mes grands-parents s'emparaient de ce jardin, s'y installaient, y créaient le long moment d'une continuité familiale, qu'à cause de cela les images que j'en mets au jour ne sont jamais seulement contemporaines du moment de leur perception mais viennent à la suite d'une immensité continue d'instants enfouis, de visages, de gestes, qui tous ont eu lieu là. Quand je m'y sens, quand je le vois, c'est que j'y ai toujours été.

Bien plus, l'identité locale des circonstances du souvenir et de l'avant-souvenir n'est pas, pour moi, divisée, en particulier n'est pas partagée en deux, n'a pas deux côtés : cela veut dire qu'elle impose ce que j'appellerai un matriarcat de la mémoire. Plus encore, comme l'invention, rapportée ci-dessus de la « PPPSAFV », le jardin était, par excellence, possession de ma grand-mère (mon grand-père ne fut jamais convié aux réunions de l'association. Il n'avait à sa disposition, dans le jardin, que son atelier de menuiserie, à l'abri de toute interférence et regards, tout à fait de côté, sous le tertre). Ainsi le jardin, et mon enfance, sont dans une large mesure sous le signe d'un « grand-matriarcat ».

Dans les premières années du Minervois, les années cinquante, ma grand-mère avait chez nous sa chambre, avec deux grands portraits photographiques sous verre de ses fils disparus, mon oncle Maurice et mon oncle Frantz. Un mauvais buste d'elle-même en terre cuite ocre était exilé en haut de l'armoire, et un mauvais tableau dans un cadre s'étalait sur le mur, un tableau de taille moyenne, représentant un début du jardin, une vue tournée vers la maison, la terrasse, la véranda, deux silhouettes mièvres de jeunes filles assises sur un banc, à mi-image, œuvre (comme le buste, mais d'une « main » différente) d'un artiste ayant bénéficié là d'un refuge provisoire, vers 1942. (C'est le « tableau, représentant un jardin de maison ancienne à contre-jour » de la branche un, chap. 3 § 38.)

Tout cela fait que mon « immersion » dans l'immensité du jardin, étant appuyée, protégée de temps familial, assure aux images que j'extrais une stabilité, compacité, autonomie inentamable par aucune piction. Sur les photographies, je reconnais qu'il s'agit du même territoire, mais je le vois, moi, à ma façon. Je ne leur dois rien.

Je dispose des statues photographiques d'époques variables abandonnées un peu au hasard sur le sol :

— Devant la barrière à claire-voie à la frontière du 21 *bis*, oncle Pierre (Pierre Thabot) et Tante Jeanne, lui debout, béret et moustache, elle assise. Leurs pieds, le sol, tout le devant est plus que flou, entièrement effacé pour ne laisser que du gris uni et un ovale blanc, le soleil.

Devant la véranda grand-maman, la main sur l'épaule de Taia, son amie, à leurs pieds Coqui, le chien collie de mon frère : très beau, très noble, un peu apaisé par l'âge. (Un moment tardif, donc).

— Un peu plus loin dans l'allée, et bien des années avant, grand-maman toujours, Taia toujours à sa droite, mais avec elles cette fois ma mère, jeune.

— Une table dressée l'été dans le jardin, plein soleil contre un mur de feuilles. C'est moment encore plus ancien, ma tante Renée n'a pas beaucoup plus de dix ans, mon grand-père a son chapeau sur la tête, ma grand-mère soulève son assiette de la main gauche.

— La maison derrière les arbres l'hiver, les mûriers nus de feuilles.

— Mon grand-père et moi assis au pied d'un arbre. Le soleil est violent. Grand-papa ferme les yeux. Je (sept, huit ans), dans une veste de tricot à boutons, me suis tourné vers lui.

181 En m'immergeant dans le jardin, en me tournant depuis les mûriers, vers la maison,

En m'immergeant dans le jardin, en me tournant depuis les mûriers, vers la maison, la terrasse, la véranda, j'ai implicitement toute son immensité autour de moi, comme un vêtement sur mes épaules. Je pense, et je vois les mûriers, véritablement énormes, vieillards vénérables de la forme de vie végétale. Ils avaient tant vécu que les blessures des orages, ou les explosions exagérées de sève, ou le simple poids de leur chevelure de

505

larges feuilles vert sombre avaient fait éclater le tronc de certains d'entre eux, et on les avait affublés de pansements de maçonnerie, de cataplasmes de ciment, de « bandes Velpeau » de pierre qui étrangement leur donnaient un air d'animaux immobiles plutôt que d'arbres. Ils étaient guetteurs dans l'allée, jusqu'au milieu à peu près de la dimension longue du jardin (107 mètres sur 40), avant le verger qui avait engendré les rêves utopiques de grand-maman.

C'étaient, comme il se doit dans cette ville (Caluire-et-Cuire touche à la Croix-Rousse, où se révoltèrent, au XIXᵉ siècle, les « canuts » (« Nous en tissons pour vous gens de la terre / et nous pauvres canuts sans drap on nous enterre /... ») et où prospérèrent de plus belle ensuite les « soyeux » (« Nous n'avons plus d'argent pour enterrer nos morts / Le prêtre est là, comptant le prix des funérailles /... » (Marceline Desbordes-Valmore))), des mûriers pour vers à soie, leurs fruits ces mûres blanches, poilues, douceâtres qui, tombées, devenaient rouille sur le sol, imbibées aussitôt de fourmis.

(J'ai découvert plus tard les mûres rouges de Delphes, juteuses d'un vin rouge éclatant, qui laissaient en tombant des taches de sang sur les gradins du stade antique, comme des prophéties silencieuses.)

Le haut mur du fond s'ouvrait sur une autre rue étroite, par une petite porte, et tout de suite d'autres rues en pente raide, vers le grand pont de la Boucle, l'arrêt du tram de Vaise, de chaque côté de la porte un massif buissonnant, épais, riche en lourds et lents escargots « bourguignons », maladroits comme des tanks (bien inférieurs aux agiles « petit-gris » de la campagne carcassonnaise, au long de l'Aude, ou dans les fossés de la Cité).

M. Nithard, le grincheux et suisse propriétaire, mourut au milieu des années cinquante (ses locataires, à l'époque du 21 *bis*, les Calame, les Pasquier, avant que grand-maman, par la seule autorité et insistance de son désir lui arrache notre « droit d'entrée » au 21, avaient tous été, comme lui, des Helvètes), et les héritiers, peu intéressés par Caluire, pressés de se partager l'héritage (ils ne s'entendaient pas) et semble-t-il au moins aussi indifférents (inconscience prévisionnelle) à l'avenir immobilier que mes grands-parents, offrirent la vente du tout, maison et jardin, pour une somme si ridicule que nous en rougissons encore.

Certes mes grands-parents ne la possédaient pas. Mais non moins certes ils auraient pu l'emprunter à mon oncle Walter, qui n'aurait pas demandé mieux et qui n'en aurait guère souffert, étant donné le taux de change du dollar, à l'époque. Mais mon grand-père en décida autrement (il prit cette décision seul, unilatéralement, faisant ainsi preuve d'une mentalité patriarcale dont il n'était pas coutumier en d'autres domaines). « Locataire il avait vécu, locataire il resterait. »

Certes (troisièmement certes) je ne peux qu'admirer rétrospectivement la fermeté de ses convictions (où se mêlaient, peut-être moins admirablement, une certaine propension à éviter les changements d'habitude, après les tumultes de la guerre, ainsi qu'une horreur d'être endetté, de devoir quoi que ce soit à autrui). Mais quand même ! (Je comprends mal que grand-maman n'ait pas réussi cette fois à passer outre. Peut-être n'était-elle pas tout à fait consciente de l'enjeu.)

Les années passèrent. Et l'inévitable arriva. Les Suisses vendirent. Ils n'offrirent même pas cette fois à mon grand-père d'acheter : le prix s'était mis au goût du jour. Comme la « loi de 48 » protégeait spécialement des locataires presque octogénaires (et qui louaient eux-mêmes une ou deux chambres, pour sécurité et pour trois fois rien), ils ne mirent en vente que le jardin. Et à la place des mûriers s'élevèrent des « résidences », à moins de vingt mètres de la maison. Ce fut le premier coup.

Et, peu de temps après, la maison elle-même, dont la façade rend la rue de l'Orangerie particulièrement étroite fut, comme on dit « frappée d'alignement » (on remarquera que, trente ans plus tard, elle est toujours là). Pour éviter expulsion et relogement n'importe où, il fallait en devenir propriétaire. Le prix n'était pas trop élevé, et cette fois, mon oncle Walter fut autorisé à participer (largement) à l'achat. (En 1967, à la mort de grand-papa, je me souviens avoir tenté d'empêcher qu'elle ne soit vendue, envisageant même, un moment, de venir y habiter moi-même (je venais d'être, après ma thèse, nommé à Dijon). Ce fut en vain. Mais de toute façon, il n'y avait plus de jardin.)

Bifurcation E

Enfance de la prose

182 Tout au long de l'écriture de cette <u>branche</u> et jusqu'à aujourd'hui,

Tout au long de la composition « écranique » de cette **branche**, et jusqu'à aujourd'hui, j'ai eu en tête la nécessité de cette **bifurcation**, à laquelle je donnais pour mission « théorique », en son **moment** unique, de rassembler les éléments utiles à l'économie générale de mon entreprise, les **images-mémoire** qui m'ont accompagné dans le récit (il ne s'agissait pas des images elles-mêmes bien sûr, mais de « pictions » de ces images, disposées en une succession descriptive), et de les mettre en parallèle avec les **assertions du chapitre 5 de la première branche,** qui constituent une **déduction fictive** de ce que '**Le grand incendie de Londres**', entre autres choses, se trouve toujours en train de continuer à raconter : issus de l'**axiome** d'un **rêve**, un **Projet** et un **roman**, dont le titre aurait été **Le Grand Incendie de Londres**. Je voulais aussi lui confier l'examen de la situation de ces images, de cette famille d'images liées par « ressssemblance familiale » dans le **Projet** précisément (qui était poésie et mathématique) et consécutivement dans le <u>roman</u>.

Mais comme je me trouvais, sans cesse, un peu débordé par la masse de ces matériaux et des élucidations qu'ils semblaient, à mesure, exiger, je n'ai jamais pu vraiment me « préparer » à ce moment, qui risquerait par suite, si je m'en tenais à mon but initial, d'être de dimensions extravagantes (en comparaison des autres), une véritable « hernie théorique » dans une continuité ailleurs dans l'ensemble numériquement contrôlée, et de plus de ne pas parvenir même jusqu'au début de son « intention », à savoir fonder cette espèce de « correspondance » entre **assertions** et **images** qui constitue l'un des liens formels principaux entre les deux premières branches de mon mémoire. J'y ai donc renoncé (ou plus exactement j'ai renvoyé l'ensemble des divagations qui en résultent à ce que j'ai appelé plus haut **entre-deux-branches**).

Il reste que la « situation narrative » de cette cinquième bifurcation demeure excentrique. Mais cela n'a pas que des inconvénients. Ce qui survit de la menace d'une « digression théorique » paraîtra ainsi plus inoffensif, moins rébarbatif que son homologue, le chapitre 5 de la première branche, « Rêve, décision, **Projet** », qui m'a été souvent reproché par certains de mes lecteurs. Sa place, avant-dernière des Bifurcations, moins visible, permettra aussi beaucoup plus aisément cette « excision » à la lecture que je recommandais alors (d'une manière qui pouvait paraître provocatrice). Sa disposition numérique même facilite son isolement. Ce n'est qu'un simple **moment** du texte, au sens que j'ai donné à cet emploi du mot « moment », mais, à la différence des autres, ce n'est pas un moment uniquement circonscrit temporellement de la composition du texte.

Je maintiendrai ceci seulement : toutes les images constitutives de cette branche, des images-souvenirs devenant des **images-mémoire** du fait même de leur insertion dans la continuité contructive de la narration, sont situées dans un passé antérieur au triple constitué du rêve, de la décision et du **Projet** qui est au centre de la première branche.

J'en viens maintenant à la place de cette bifurcation, la cinquième. Elle est la suivante : elle commence, s'insère à la fin du chapitre 3 (**Rue d'Assas**) et s'achève au commencement du chapitre sixième et dernier (**Hôtel Lutetia**). Si on se représente les six chapitres de la partie intitulée **récit** comme un chemin

509

continu et rectiligne de prose, elle constitue donc une « **boucle** ». Il en est de même pour les autres bifurcations : chacune d'elle constitue une boucle possible dans le récit, entre la fin d'un chapitre et le commencement d'un autre (le titre même de la Branche présente, **La Boucle**, se trouve ainsi partiellement expliqué). La Bifurcation A, la première « va » du chapitre 1 au chapitre 2, la Bifurcation B du chapitre 2 au chapitre 4, la Bifurcation C du chapitre 4 au chapitre 5, la Bif D de chap. 5 à chap. 3, Bif E, comme je viens de le dire de chap. 3 à chap. 6, et la dernière, Bif F (qui se situe après celle-ci dans le livre, et en achève le déroulement linéaire) effectue une « boucle » finale en joignant la fin du chapitre 6 au tout début du premier. Je laisse le soin au lecteur de se représenter la « figure » géométrique sur laquelle ce chemin proposé de prose peut être tracé.

Cette branche, ai-je dit dès son début, est un parcours dans mon **Avant-Projet**. Elle est aussi description de l'enfance, selon le modèle du récit médiéval, enfance de la prose. Et sa construction mime l'espace où je vivais alors. La topologie de cet espace (qui est aussi celle de la **mémoire**, comme je la conçois dans ce livre) est assez éloignée de celle au sein de laquelle nous nous imaginons vivre, une fois habitués à la perception ordinaire et consensuelle du monde. Je l'évoquerai ici seulement par un fragment d'un texte d'Italo Calvino, *De l'opaque*, dernier des six « exercices de mémoire » qui constituent le livre posthume paru en France sous le titre *La Route de San Giovanni* :

« Si l'on m'avait (...) demandé combien de dimensions a l'espace, si l'on demandait à ce moi qui continue à ne pas savoir les choses que l'on apprend afin d'avoir un code de conventions en commun avec les autres, et en premier (...) la convention selon laquelle chacun de nous se trouve au croisement de trois dimensions infinies, transpercé par une dimension qui lui entre dans la poitrine et ressort dans le dos, par une autre qui passe d'une épaule à l'autre, et par une troisième qui perce le crâne et sort par les pieds, idée que l'on accepte après beaucoup de résistances et de répulsions (...) si je devais répondre (...) sur ces trois dimensions qui, à force de se trouver au milieu d'elles, deviennent <u>six, avant arrière dessus dessous droite gauche</u>... » (c'est moi, J.R. qui souligne).

Dans la tradition des <u>Arts de la Mémoire</u> un auteur au moins, du xve siècle, <u>Lodovico da Pirano</u> semble avoir eu une intuition semblable, organisant son espace mnémonique en huit dimensions associées deux à deux sur des axes éclairés chacun aux deux bouts par un soleil.

Et c'est bien ainsi que je me représente ici **voyant** enfant, le monde, centre d'une vue pour laquelle l'arrière n'est pas le prolongement virtuel de l'avant mais une tout autre dimension, un autre « avant » entièrement distinct du premier, auquel on accède par un retournement intérieur (tel qu'il s'effectue ensuite tout naturellement, sans y penser, dans le souvenir), et ainsi du dessus et du dessous, de la droite et de la gauche et de l'avant comme de l'arrière du temps passé. J'ajoute qu'en chacune de ces <u>huit dimensions</u> l'espace intérieur est double, se repliant sur lui-même, par réversibilité.

On naît à cet espace au moment où, en même temps que la langue, on acquiert le sens intérieur de ces dimensions, ainsi que leur irréductible distinction. On l'oublie adulte (peut-être jamais entièrement).

C'est cet espace vécu que j'ai habité puis abandonné (pour ne le retrouver, comme imitation de lui-même, qu'en espace mnémonique) en perdant le jardin de la rue d'Assas.

Boulevard Truphème

**183 Saint-Félix le dix huit décembre
La partie droite de la maison est à la promriétaireMadame**

Saint-Félix le dix huit décembre
La partie droite de la maison est à la promriétaireMadame
Atjer je revois sa figuer flasque bouggie et
blafarde Quand elle xxxxxx   parle elle lève souvent les
yeux au ciel et ses paupières clignotent Elle est veuve Vèit
seule et ne reçoit personne   Elle veille jalousement à ce que
Chers amis
nous n empiétions pas sur son territoire   Les jeux de balle
sur la terrasse   sont strictement contrôlés
Les calissons d Arles sont arrivés ce matin Bien à temps p
Nous avons l'eau sur l'évier de la cuisine Pas de gaz
pour que nous les savourions avec deux des enfants et petits
d electricité   Les repas sont préparés au charbon de bois
enfants qui viendront à nous ce Noël Merci pour eux et qui
sur le potager ou sur un réchaud à alcool Le soir on allume
pour nousPaul n est pas le seul à apprecier les douceurs
la suspension dans la salle à manger si l on y tient ce qui
Nous n aurons ici qu u ne fraction de la famille
est rare ou des lampes à pétrole   qui ne sentent   pas bon
Anne débute toute seule jeudi Son séjour ne durera que
et se mettent rapidement à fumer si l on ne contrôle pas la
jusqu au lendemain de Noël et elle montrera son goût de
montée de la meche Le seul moyen de chauffage dont je
l indépendance en prenant le train pour Paris le jour même

me souvienne est un réchaud à pétrole à flamme bleue qui
où sa mere prendra cxxxxxxxxx   son train en sens inversex
sert surtout dans la chambre pour le coufher de FrantzMais je
Elles se croiseront dans la nuitDenise ne nous accordera que
n ai pas conscience d avoir jamais eu froid
la derniere semaine car elle ne veut pas laisser la grand
Les ceux chambres au premier et unique étage sont
mere d Anne seule le jour de NoëlPierrot ne nous amène
disposées comme les pièces au rez de chausséeJe me suis
que la moitié de saprogeniture Les deux absents seron
souvent demandé comment nous pouvions loger là à quatre
Clairette et Vincent   l une faisant un séjour linguistique
d abord non à cinq nous trois maman et grand maman Il devrait
dans une famille de RDA l autre se payant un sejour à Marse ille
y avoir une troisieme pièce mais je ne la revois pasNous n
avec quelques copainsT ous c s jeunes ont drolement la xxxxxx

---

bougeotteFrançois sera juste rentré d un sejour à Londres
La vie se passe à l école de huit heures à onze puis de une
pour descendre jusqu ici   n voiture
heure à six puisque nous restons à l étude du soir
paternelle pour raisons d economie
Cette période après la liberté de la ampagne
Nous avons pris le régime d hiver   d autan plus aujourd
Jolie me revient à l esprit comme une
hui que le temps a fraîchi considérablementDonc trois
prisonTout y est petit mesquin laid Le retour de l école les
sources de chaleurLes flambées dans la cheminée sont ce
soirs d hiver lapar le Bd lr est lugubreLes reverbères à gaz
qui nous est le plus agréableNous serons envore mieux
n eclairent guèreJ y éprouve mes
protégés du froid quand le maçon aura fini de doubler
premières impressions de cafard et d oppression qui sont toutes
la toiture du grenier avec laine de verre et isorel
doncensée dans le cri du vendeur de Tout cau   sortes de

Lucien s'est remis de sa lombo sciatique et ne souffre
grepes à la farine de châtaigne   suant l huile Le marchand
plus que de ses douleurs normales si l on peut dire
lance deux notes longues toujours les mêmes Fa mi
Je remplis les creux de mes journées dus à l extrême indi
descendante
gence de la radio par ll écoute des cassettes Barrès m a
les seulxs évènements marquants sont les
offert avec Colette Baudoche un si parfait exemple du
bains de mer du jeudi au oucas lanc sur la orniche à
nationalisme revanchard et patriotard qui r égnait avant
MarseilleBaignorre chauffé l'hiver   Toute l année pour
quatorze que je n en ai supporté que le début et la finx
Frantz Pas pour Maurice et moi qui nous trempons dans la mer
J ai également calé devant un Samuel Beckett particuliere
dans l'espace protégé par des cordes M apprend à
ment déprimant   Nos amis rolland
nager moi pasNous rentrons à pied par la Corniche et le
m ont mis en rapport avec une bibliothèque sonore de Grenoble
Prado jusqu'au premier tram
Mauvais souvenirs aussi les retours au anet le soir
apr ès les courses en ville dans le tramway vroyant et bondé
devant la fabrique de Gougies fournier sur le boulevard extér
rieur l air empeste Les gros camions à chevaux chargé de xx
soufre en bâtons font un bruit infernal   sur les pavés ix
irréguliers Des étincelles partent sous les fers des chevaux

184 Peu de temps avant de renoncer définitivement à sa machine à écrire

Peu de temps avant de renoncer définitivement à sa machine à écrire (dont mon frère avait adapté les touches à son toucher incertain d'aveugle) (quand elle devint persuadée (à tort) de l'illisibilité absolue de sa frappe), ma mère entreprit (tentative hivernale prolongée qui exigea d'elle beaucoup d'efforts) la restitution sur papier de quelques moments de son passé. Ils vont (au moins dans les quelques feuilles que je possède) de ce qu'elle désigne comme son premier souvenir (daté d'octobre 1910 : elle avait donc trois ans et demi) au printemps de 1916, en pleine guerre.

En abordant cette dernière Bifurcation de mon livre, que je pensais, sans en avoir réfléchi autrement le contenu, devoir s'insérer entre le dernier chapitre de sa partie intitulée Récit et le chapitre premier de cette même partie qui le commence (achevant ainsi, au moins en esprit, l'entrelacement de ces « boucles de la mémoire » qui le constituent par un retour à son premier moment) j'ai ouvert le dossier à carton rouge souple où j'avais placé ces écritures et j'ai rencontré cette page, ce mélange de hasard entre une description de Marseille avant mil neuf cent quatorze et une lettre envoyée, peu avant Noël d'une année non précisée (qui est bien sûr celle où eut lieu la tentative de restitution par ma mère de son enfance), à nos amis Geniet, d'Arles.

Cherchant, pour écrire cette lettre, une feuille de papier dans un tiroir du petit bureau où se trouvait sa machine et se trompant, par distraction, de tiroir (c'est ainsi que j'interprète ce que je lis), elle avait pris une feuille déjà occupée par une version, entre autres, d'une de ses descriptions de lieux (elle les reprenait sans cesse, toujours mécontente de leur style et de leurs lacunes) et avait superposé, sans s'en rendre compte (et pour cause), les deux textes.

Mais, par hasard encore, le hasard de l'insertion du papier autour du rouleau cette fois, les lignes s'étaient trouvées non strictement superposées, ce qui aurait rendu le tout illisible, mais légèrement décalées les unes par rapport aux autres, et c'est ainsi que j'en ai reproduit le début. (L'alignement de mon « traitement de texte » est évidemment parfait, lui, parfaite également sera la disposition de la typographie, ce qui n'est pas le cas de l'original, où les lignes des deux textes, sans se chevaucher, ne sont pas exactement parallèles, et se mordent parfois un peu.)

Il m'est apparu, alors, que je ne pouvais faire mieux que de restituer ici en partie cette tentative de ma mère, de lui donner la parole après avoir, dans d'autres pages, laissé aussi parler (même s'il ne s'agit que d'un « parler-écrit »), et selon des modes chaque fois différents, mon père et, de mes grands-parents, les deux seuls que j'ai connus, mes grands-parents maternels.

Car cette conjonction tapuscrite involontaire de passé et de présent était comme une image, brutalement simplifiée, mais en même temps révélatrice de ma propre tentative de déchiffrement du souvenir (qui s'est, elle, poursuivie au long des pages de récit, incises et bifurcations dans des conditions de lisibilité bien plus incertaines, où les lignes de la vision non seulement s'entassent les unes sur les autres, se confondent, dirais-je pour prolonger cette comparaison, mais sont au moins autant lacunaires, et troubles, et brouillées).

Il y a trois parties, trois lieux évoqués dans ces souvenirs : à Marseille, la Campagne Jolie puis le Boulevard Truphème, à Digne le Boulevard Thiers. Je n'ai pas corrigé le texte. J'ai laissé toutes les fautes de frappe, les ratures, les omissions de lettres non réparées (parce que non senties, non vues, irréparables, lettres oubliées ou touches non assez appuyées) (cependant l'omission des apostrophes, après le « l », ou le « n », comme dans « l air », est trop systématique pour ne pas laisser supposer ou bien une omission volontaire ou bien un lapsus de la vieille machine fatiguée, plutôt qu'un oubli des doigts). J'ai conservé les irrégularités du décrochement des lignes, parfois très tôt interrompues. Des mots parfois se sont perdus au contraire au-delà de la feuille sur le rouleau (ou même en bas de page). Cependant j'ai imposé l'alignement à gauche. J'ai maintenu aussi certains blancs excessifs entre mots. Je n'ai pas rétabli la ponctuation, entièrement absente. J'ai conservé aussi certaines redites, des faux départs, des contradictions. J'ai tranché dans quelques minuties et méandres de la troisième partie, pour ne restituer, presque partout, que les visions. (J'ai sans doute, inévitablement, ajouté quelques erreurs de transcription.)

Toutes ces particularités du texte retardent sa lecture, font buter l'œil, je le sais. Elles n'affectent pas la compréhension (rares sont les mots entièrement déformés). Mais je les laisse surtout parce qu'elles sont signe, signe persistant et que je ne veux pas omettre, des circonstances de la composition.

Et de ce que toute vision du passé est d'aveugle.

185 Campagne Jolie, feuille I. Précédée de : **Mon premier souvenir octobre mil neuf cent dix**

Je ne me rappelle rien de mon village natal Fuveau   village de mineurs dans le bassin de Gardanne Rien non plus de cet immeuble si laid bâtisse mod erne à bo n marché où mes parents ont occupé quelque temps le cinqième étage lorsqu ils ont été nommés au Canet   banlieue ouvrière au nord est de Marseille La legendr familiale a perpéué le mot de mon père Lors d un tremblement

de terre qui a fait d importants dégâts en Provence la maison de la place Casemajou s est mise à osciller très sensiblement pendant la nuit A maman qui le secouait en lui criant La maison tremble il a rpondu Eh bien Laisse trembler il s'est tourné et rendormi La famille va quitter ce logement exigu pouf und mqixon située dans une immense campagne domme il y en avait encore à cette poque aux portes de Marseille nous sommes debout à la fenêtre mes frères et moi sans doute mais je me rappelle seulement la présence de maman Assez loin vers le nord est   au milieu de près et d arbres montent deux colonnes de fumée Deux feux de feui les mortes Maman nous dit voyez là bas la maison où nous allons habiter C est peut être la maisonn qui brûle   Nous rions

Le Canet La Campagne Jolie
De Parseille on gagne le Canet par la rue d Aix bordée de boutiqques de frippiers avec leurs habits accrochés dehors en plein air lers étala ges de vieilles chaussures La rue mon e Puis la pxxxxxxxxxxxxxxxx porte d Aix une vaste place dont j ai ouvlié le nom un large boulevard aue l on prend à angle droit sur la droite Il sent déjà la banlieue

Quelque part par là uxxx   la grande fabrique de bougies Fournier oLe
tramway tourne à fauche vers le nord est et monte par une rue irrégu
lièrement pavée jusqu à son terminus la place encore villageoise du Canet

---

l image s est toujours form "e dans ma tête du coude élargie ayant
l air d un cul de sac om nous nous arrêtions devant une petite porte
à droite Ce n était pas un cul de sac puisque la ruelle se xxxxxxxxx
continuait vers le petit chemin de fer lequel qui sortait d un tunnel
au nord de la campagne   et passait dans une profonde tranchée qui me
faisait peur
            Nous sommes devant la petite porte jamais x
fermée qu au loquet Du haut d un petit palier en pierre nous
descendons une vingtaine de marches également en pierre également
et sans rampe et nous débouchons sur une immense pe te un peu   vallon
née et toutes sorte d espaces de verdure
La maison est à notre gauche tout à fait en contre bas par rapport
o la traverse dont on peut encore apercevoir les xxx   le sommet
des pins dans ce coude où le mistral souffle tant que nous l
appelons le Pôle Nord
la maison
une sorte de vide sanitaire la sépare au nord de la
traverse espace étroit noir humide où sont jetés toutes sortes de x
débris où nous jeterons mes poupées celles que l on me donne pour
dévlopper en moi l instinct qui paraît il me fxxxxxxtait défaut x
mes frères m aident à les écarteler e c est dans cet espace quell
finissent

            La maison n a sur cette façade ouest de fenêtre qu au
premier En longeant le mur   nous parvenons sur la terrasse   plutôt
genre terre plein qui domaine les espaces ve ts de la campagne plus xx
loin les toits de marseille puis la mer presque toujours voilée par les
fumées des usines xxxxxx
la façade ud ne me laisse pas d   ision précise Autant qu il me sou
vienne elle est crépie d un haune un peu sale ce qui m a vraiment
frappée   c est l œil de bœuf à son sommet Le mot lui m̂me me surpre
nait comme la roudeur de cett overture Je ne sais pas sur quoi elle

---

518

186 **Feuille II**

donnait je n ai jamais eu accès à quoi que ce soit
qui ressemblât à un grenier

<u>L intérieur</u>
     Jen parle en premier parce que il est de loin eclipsé par les m
merveilles du dehors La disposition des i pièces est banale sembla
ble à celle de beaucoup de maisons en Provençales C est aussi cxx
celle de St félix un petit perron de quelques marches Un couloir
central A droite la salle à manger en profondeur sas de qui est
ici le bouteiller je crois qu elle a deux fenêtres une au sud l
autre xx à l est A gquche ce qui aurait dû être le salon Elle sert
de débarras Nous l appelons la slle de bains car on y a
mis une baignoir en zinc où l o nous lave je n ai aucune idée de
la façon dont l eau est chauffée ni par où elle s écoule
Je me revois là devant un grand tableau représentant les lettres
de l alphabet avec des syllabes correspontantes Ma mère me les
désigne du bout d un long bambou Elle me dit maintenant
tu sais lire

            Au fond du couloir àgauche enêtre à l ouest Comme
la maison est en contre bas la pièce est combre Une assez grande che
minée dans laquelle on fait rarement du feu Campagnarde d allure Un
potager à côté sur lequel miijotent parfois des poêlon de terre sx
sur des braises de charbon de bois plusieurs histoire paysannes des
contes de fées s inscrivent naturellement dans ce cadre Notamment
les trois souhaits Nous mangeons toujours à la cuisine sauf lesxx
rares cas où il y a des invités Nous y faisons ici nos devoirs et
notre toilette comment se fhauttait on je ne me souviens pas d y x
avoir eu jamais froidUn certain coin ou j étais assise me ramène x
vois voix de mon père pour l occasion basse et théatrale lisant x
une description des pyramides à intention de mon frère aîné lycéen
de s xième J ai encore cette voix dans l oreille

la salle à manger est restée lonttemps presque vide
jusqu au jour où sont arrivés des Nouvelles Galeries de Marseille
l ensemble de meubles dont la servante dans le couloir du rez de
dh "uzzée à st Félix est le dernier survivant Buffet tarabiscoté c
comme celui de Tante jeanne chez denise mais en bien moins luxueux
pourtant les six chaises cannées au dossier raraviscoté et le dessus

---

en marbre ultra brillant de la servant me païssent le comble du luxe
Qelques chaises de cet ensemble sont encore dispersées en divers
points de la maison ici

L escalier monte au fond du couloir et tourne à gauche comme icixx
trois chambres à l étage Celle de mes parents me paraît grande Frantz
y couche parce qu il est si souvent malade depuis la rougeole broncho
pneuemonie wui avait emporté presque neh enfants sur dix dans le
quartier de la place Casemajou

Nous sommes souvent seuls Frantz et moi pendant que mes paretns et
Maurice sont à l école du Canet Il paraît qu il y avait
toujours une femme pour nous garder mais elles n ont
aucune existence dans ma memoire Frantz est souvent couché Il est
toujours joyeux et chante dans son lit Un de nos jeux familers
sonsiste pour lui à repérer la marche de l escalier que j ai xx
réussi à atteindre en rampant depuis le bas aussi silencieusement
que possible Ou bien dans la chambre arnée aux fenêtres de rideaux
roses à grands ramages riche don de ma tante Adèle morte
morte avant ma naissance et à quije dois mon vrai prénom donc dans
la chambre nous lison ou il me lit des poèmes dans un recéeil de
morceaux choisis de V Hugo

son livre de chevet pendant des
années plus tard maurice et moi nous couchons dans deux chambre x
exigues que je ne peux pas situer par rapport à la grande chambre
mais il y a sur le lit un grand édreon rouge genre brioche   Nous
l appelons d ailleurs la brioche Il me plaît de croire que sel ui
de Saint-Félix que les petits enfants se disputent est le même

Cest à l injtérieur aussi que je place la mémorable arrivée
des amis d Indochine   les d Argence   avec leurs cinq enfants à x
peu près dans nos âges et leur bonne annamite aux dents laquées
de noir Des cadeaux orientaux sont arrivés avec eux   comme
il en arrivera par la poste pendant de nombreuses années Leur odeur
   est encore familière

<u>L extérieur</u>
     Le lieu des merveilles il y fait toujours beau La grande terrasse
devant la maison est en plein soleil ombragée seulement xx côté x
midi Elle surploùbe un grand bassin lavoir où j ai toujours placé par la suite
mes problèmes arithmétiques de robinets Sur la murette au-dessus
de lui ma mère lave souvent la vaisselle dans grand tian vernissé
jaune paille je suis quelque fois admise à cet honneur

---

187 **Feuille III**

          côté ouest nous sommes séparés de la campagne voisine par une hai
jqixxxxxxxuCdes ouvertures permettent de nous glisser Maurice et moi
pour aller marauder des fraises ce pour quoi nous sommes sévèremeent
punis   ur un tas de sable tout près je joue à Lilliput en tra ant
des chemins et plantant des bout de branches en guise d arbres
Je quitte la terrasse pour aller vers l est près de la maison un x
grand poirier de la St Fean donne beaucoup de poires que nous
n avons pas le droit de manger tombées à terre Eooes donnent
le choléra Bordant la large xxxxxallée qui conduit aux maisons des
maraîchers ily a toute sortes de grands arbres L un d eux porte
une balacçoire mes frères jouent à me lancer le plushaut possible

Je n'ai pas trop peur mais j ai le mal de mer quand je descendsLes
logements des marâches forment une maison basse qui comprend plu
sieurs logements pas tous habités

521

Par le large portail qui
ferme l allée nousa vons vu un jour entrer une calèche à cheval c
ou chevaux blancs Elle amenait mes grands parents parernels qui o
venaient habiter dans le logement la plus proche de chez nousA la
mort de mo n grand père

Grand maman vient habiter chez nousElle est
grande et droite Ses cheveux blonds sans un cheveu blanc sont
partagés par u e raie au milieu et coiffés en bandeaux plats Exx
Ellea les yeux noisette et les mommettes saillantes

Elle est très
douce J aime aller jouer chez elle xxx dans la pièce du rez de
chaussée qui donne directement sur la terrasse La salle est som bre
et basse

Je ne me rappelle plus où se trouve l horloge dont monxx
grand père a fabriqué la caisse en noyer de l 8sère mais j en ai
entend- les sonneries jusqu à la rue de l Orangerie Mon grand père
petit trapu nest pas aussi doux Il se moque de moi quand je
pleure

Assise sur la murette qui part de notre terrasse et se continue
jusaue là je vois les grenadiers au milieu d un fou llis d autres
esĉces Le rouge de leurs fleurs leurs)étales un peu charnus à
la base me donne une sensation extraordinaire En co tre bas xxx
grompons sur les oliviers Leurs branc hes inférieures sont facile
accessibles Je grimpe d ailleurs aussi bien que mes frères

Les jardins maraîchers descendent vers la maison des propxxxxxx
propriéraires les Villaldac Aé coin de la restague nous avons notre
cagnard ensoleillé bien à l abri du mistral

Il me semble que des
ouvriers jardiniers travaillent parfois dans les plates bandes

188 Campagne Jolie (deuxième version), <u>feuille III *bis*</u>

<u>Les jardins</u>
J'emploie le pluriel   Il s'agit en réalité   d une très faste propri
été comprenant allées parc jardin maraichers larges prés en pente
pinède   bassins d arrosage fouillis de buissonsDans mon souvenir
le tout est plus vaste que le jardin de l OrangeriejJ ai une vision
de mon pètre et ma mère se promenant sur l allée conduisnt dans l
allée conduisant au pavillon de chasse dans la pinède Ils sont
extraordinairment diminués à mes yeux et je n arrive pas à me rendre
compe s ils marchent

partons de notre maison Faisant s   à l esplanade déjà décrite part une
large allée entourée à gquche d espaces ombragés comme à Lyon
Aè coin de la maison   un grand poirier de la St Fean dont il nous
est défendu de manger les poires tombées qui nous dit on donnent le
choléra Plus l in une balacçoire pendue aux branches d un des beaux
arbres   je ne sais de quelle espèce

                                             Plusieurs magno
lias Je me rappelle le touccher de leurs grosses fleurs leur pétalesx
épais qui se fanent en brun dès qu   on les froisse un peuEt cette odeur
Entre le parc et notre terrasse il y a un grand bassin lavoir J y ai
toujours situé par la suite mes problèmes de robinets   Au débouché du
parc aux endroits ensoleillés des grenadiers sur la droite

<u>Campagne Jolie — détails oubliés</u>
  Comment on accède à la campagne
nous suivons u ne rue de banlieue qui se dirige plus
à l st que celle par où monte le tramway.En fait elle
contourne ou plutôt amorce le pourtour du vaste terrain
vague auquel aboutira le bd Truphème côté ouestLes xxxx
maisons et les magasins assez piteux les uns et les autres

s'interrompent Nous sommes sur un chemin Je ne saurais
préciser à quel moment ce chemin se change en Traverse
C est le mot qui dans la banlieue marseillaise désigne
ces ruelles tortueuses bordées de grands murs coupés
seulement de loin en loin par des portes s ouvrant sur
les vastes CAMPAGNES ce ne sont que de petites portes
L entrée principale   doit être située ur n autre xxˆ
xˆxxxx côté Notre traverse s appelle   La Traverse de la
Mère de DieuElle est bien plus étroite que la rue de Mx
Margnoles à Caluire C est à elle que j ai toujours pensé x
en lisant dans Les Misérables le chemin de Jean Valjean
et Cosette poursuivis par Javert dans le qu artier du xx
Petit PicpusMais là p s d éclairage   Les premiers temps
où nous l avons prise tous les soirs   Pas nous tous xxx
seuleme t Papa Maman et Maurice à la sortie de l étude
vers six heures du s oir mon père avait ne lanter   à
une main et dans l autre un pist letLa tra erse s étant
révélée pls pacifique   que ne le trétendait l   habitants
du canet il n a plus été question de ces deux objets que
je ne me souviens pas d avoir jamais husMais l impression
d insécurité et l aspect sinistre de ces longs murs xxx
aveugles ne m a jamsi compètement quittéeNous sommes tx
tout près de la maison quant à un tournant le voyau étroit
s élargit un moment pour se resserrer tout de suite aprèsx
derrière le mur de gauche le serrain doit être plus levé
car on aperçoit   d énormes aloès et de grands pinsCe coin
c est ce que nous nommons le Pôle Nord Les jours de Mistral
le vent s y engouffre en tourbillons et le ciel bleu   iontense
est encore plus glacé que partout ailleursNos pélerines se
soulèvent sur nos jambes nues et l air nous gèle les cuisses
Mais une petite porte à droite va nous conduire chez nous
Au bas de l escalier de pierre nous sommes immédiatement à
l abri   — Boir pages précédentes

Je ne connais pas le nom des arbres qui forment le parcIls
sont nombreux très hauts et touffusTout le parc sent laxxx
fraîchehr et les feuilles pourrissantes Surtout par cxxxxxx
ontraste avec le oliviers alignés en dessousJe n ai jamais

pu grimper sur un arbre du parc   mais les oliviers nous sont
tout à fait accessiblesFrantz   tombé dxxx d une de leurs
branches semblait s être fait une blessure sanguin lente à
le tête C est moi m a t on dit qui avait ixxxxxxxxxx
suggéré qu il avait sans doute écrasé une olive mûre

La prairie   Plutôt le pré Il est immense dévalant en pente
d abord abrupte puis plus douce jusqu au bas de la propriété
tr s loin très loinNous nous y roulo s en faisant les txxxxxxx
tonneaux
j ai toujours gardé dans les yeux le vert de l herbe
un matin de soleiloù la couleur intense de l herbe des
marguerite et pissenlits me faisait mal aux yeux xxxx
pendant que nous chantions Une souris verte... etc

Du haut des oliviers on peut voir le mer mais elle n a
jamais à travers les jumées qui montent de la ville   cet
extraordinaire bleu un peu violet   presque solide que xx
j ai apercçu la première fois où l on m a menée faire le
tour de la Corniche au moment où   la remorque découverte qu
les maisons et laisse voir la mer

Ce vert   ce bleu   c est à lépoque de la Campagne Jolie
que je les replace Comme aussi   les grosses barres givré
et translucides que des camions transportaient vers
les cafésCette première notion visuelle de la réfeaction
est associ e pour moi aux grains de tapioca dans le blanc du e
la soupe

Maladie
j'ai je crois la varicelle On m isole de mes frères La maladie
alors est austère ne pas sortir les bras du lit pour ne pas
prendre froidPas de livres Pas de lecture des tisanesLa tapisserie
à petites fleurs n a aucune fantaisie j entends dans le
jardin un vruit d e grelots qui courent j imagine que mes
parents ont adopté un chien J apprends que ce sont les relots
des huides qu on a offertes à mes frères pour jouer au cheval
on chauffe la chambre de Frantz avec un réchaud à pérole qui fait
une flamme bleue et ne sent pas bon

525

189 **Le Canet II — Bd Truphème**

Si j'en crois la topographie mentale que j ai
gardée depuis cette époque en venant du Vieux Port o
on prend la Rue d Aix La porte d Aix est au bout de c
cette rue où avondent des frippiers Des bêtements de
toute sorte pendent à même le rue Bd d Arenc On voit
la fabrique de Bougies Cournier qui rûla au cours de
ces années et souleva une grande émotion dans tout
la quartier et laissa pendant pluseirs jours de fxx
flocons de suie aux alentours On prend la rue qui monte
vers Le Canet   direction cord est je crois Elle est garnie
de gros pavés Gros charroi des camions à che aux très
buyants des étincelles jaillissent sous les sabots des
chevaux a la m ntéeDerrière eux nous ramassons souvent du x
soufre sous forme de petits cones tro qués tombés des
camions Le tramway qui vient du Vieux port aboutit à la place
centre du village et les habituels platanes ces place proven
ales Le Bd Truphème est le dernier arrêt   arrêt facultatif
avant le terminus

D abord de chaque côté de petites villas assez minables
dans de tout petits jardinsPuis des deux côtés   de longs murs
sales qui cachent des usines ou des entrepots et des
maisons de plus en plus minables sauf à l aubre bout où xxx
recommencent les maisonnettes où des immmeubles de rapport
o deux ou trois étages Le grande école communale École laîque
de filles est surla droitele
Boulevard abouti et se perd dans un grand terrain vaque
Notre maison est l ava t dernière sur la fauche

La maison
   Elle n a qu un étage La porte d entrée donne sur un
couloir avec l escalier du premier au fondMême disposition
qu à Toulon Le propirxxxxxxxxxx propriétaire occupe la

partie droite Nous l autre Au rez de chaussé sur la rue une
salle à manger miniscule même pour l enfant de sept ans
que j étais La cuisine donne sur ce qu on peut difficilement
appeler un jardin moins grand que celui de Toulon
Au fond à gauche une cabane Les cabinets Il e semble pas qu
il y ait des arbres C es laid et délabré la seule verdure
agréable Une traille mais de
quelle espèce Sûrement pas de vigne ni de vigne vierge
elle obscurcit la terrasse dur tout l arrière de la maison
et le soleil p énêtre très peu dans la cuisine qui est toujours
obscure il fait clair sur le devant qui est je crois au midi
Au premier étage deux chambres Même disposition qu au rez de xx
xhausséeApr !s les espaces de la C pagne jolie nous nous
sentons dans un clapier

Feuille II (autre version du Bd Truphème)
Notre maison est une des der ières à gauche un peu en contrebas puisque
le voulevard est en pente légère Nous sommes vraiment à la limite de l
aglomeration habitée comme tait la Cité Universitaire en vingt sept à
la limite de la zone Nous remontions ou descendions ce lugubre bou
vard pour aller à l école ou à la place du village nous y voyons les
mêmes maisonssinistres des ruelles qui les oupent généralement
bordées d interminables murs d usines comme l usine Photos à Lyon
se répète en noir sur fond gris sale Défense d afficher le bas en est
souvent garni d ordures animales oui végéralesA la tombée de la nuit on
voit arriver sur son vélo ou à pied l allumeur de reverbères ave sa
longue perche C est une diversion toujours renouvelée pour les gosses je
ne me rappe le plue comment il ouvre la porte en verre de la lanterne x
mais au bout de sa perche jaillit l étincelle qui allume la
flamme bleue du gaz qui cesse d être bleue pour jeter une lumière faible
jaune verdâtre qui n éclaire pas très loinDe ces soirs au retour de
l école vers les six heures du soir car maman et moi nous restons à
l étude je garde u souvenir sinistre encore accru les oirs où passe le
marchand de Tou caou sorte de grosse crêpe de farine de chataîgne cuit à
la poême et puissamment impipée de graisse plus ou moins rance Son cri
je l ai gardé dans l oreill et sa tierce descendante sol fo mi chantée d une

527

voix trainante renforce l aspe ct lamentable de la rue
ce petit quartier ne m a laissé aucune impression de co leur que celle
du rideau rouge fortement éclairé du dxxxxxxdedans et qui est celle
de l autorité redoutable pûisque c est là que loge ma maîtresse
Mme Ricoud à la face tougeaude et couperosée d abord peu engageant

L école où ma mère me conduit et où elle enseigne se situe entre des
murs d usine un plus loin xxxxxxxxxxxxxxxxxxxxxxxxxxxxxxxxxxxxxxxxxxxx
un peu plus haut que notre maisonElle est grande avec deux étages et une
dizaine d e classes Entre quatre et cinq heures pendant la récréation
du soir la cour et le préau dxxxxxxxxxxont des allures de coupe gorge
Ny mange mon goyter le plus souvent une oranhe et du paion L agaxxxx
L avacement de l orange acide mangée avec du pai me fait grincer
des dents quand j y pense

les bons moments moments sont les jeudis où nous allons à la mer pas
les jours où on ne part que pour faire des courses. Dès qu on a gagné le
Vieux Port par la rue d Aix où s étalent de chaque côt les vêtement
suspendus par les frippiers le plaisir comence Nous assistons au
dbarquement des balancelles chargées d oranges en provenance d Espagne

---

Feuille III
Je ne sais quand j ai vu pour la première fois la mer maismais il me reste
l apparition su ite d une étendue d un bleu si intense que je l imagine
fait d une matière presque solide t l odeurest là liée invinciblement
désormais à celle du sac en toile cirée noire qui contient nos
maillotsNous no s arrêtons au Roucas Blanc Bains Publics Franz prend un
vain d eau de mer chauffée dans l établissement Maurice et moi
nous nous trempons dans lespace de mer limité par des cordes au-dehors
Maurice a appris à nager tout seul je l admire ne me cramponnant aux c
cordagesPres de moi une jeu e anglaise fait des manières pour entrer x
dans l eau et j ai la révélation des diphtongues nglaises en l en
tendant prolonger le o de it is cold Comme la fleuristedudans
xxxxxxxxxxxxxxxxxxxxxxxxxxxxxxxxxxxxxxxxxxxxxxxxxxx

en l entendant prolonger le o de it is cold comme la fleuriste au début
de PygmalionAprès le bain nous avons une faim de loup L unique pain au'

cnocolat est exquis maiss bien minisculeNous rentrons rentrons en
marchant le long de la plage libre dans les paquets de varechet Déjà
des saletés la gar nisse Nous tournons à gauche par le pradoTout le
long Les belles maisons dans leurs jardi s les marroniers aux fleurs
blanches ou rouges nous impressionnent par leur luxe et leur beautéLe
retour par le tram est moins drôle celui du Canet est comble et il faaut
se serrer sur la plateforme le Canet nous paraît bien minable.

190 Nous prenons des leçons de piano à domicile

Nous prenons des leçons de piano à domicile à cause de Franz qui
ne peut guère sortirMaurice va tout seul chez son professeur Frantz et moi
attendons à la maison sur le table maman a préparé un pla
teau de verre trois verres en cristal ornés d un oiseau doré et uxxxxx
carafon même style plus une assiette de biscuits dits biscuits champagne
Mlle Balardini arrive très élégante discrètement parfumée Elle boit un
peu de malaga après la leçon Je la raccompagne au tramCe qui me vaut
le spectacle extraordinaire de sa montée dans la tramwaySa robe entravée
c'est la mode en mil neuf cent quinze donc sa robe ne permet à ses jambes
de ne se mouvoir quand dans le même plan verticalj'entends le froissement
de ses mollets contre l étoffe étroite

nous allons passer un mois de l été quinze chez des amis
i nstituteurs d Dauphiné grand maman est malade Elle a un désir fou
de retrouver son Dauphiné presque natal Pour le voyage elle a gardé sous
sa longue jupe noire son tablier bleu de cuisine avec son couteau à
légumes dans sa poche

La propriétaire s appelle Mme Atger Elle occupe la partie droite
de la maison exactement symétrique de la nôtre Elle règne sur le
tout Mêm quand on ne la voit pas on sait qu elle est là derrière
ses volets toujours croisés à la mode ancienne de Provence On n'ose

guère laisser le ballon rouler de son côté de la terrasse et il
n'est jamais agréable de la rencontrer

Elle est veuve je me demande pourquoi je revoie si nettement son
visage au teint blêmegris Elle a la chair molle et pendante
des bajoues Quand elle parle   elle cligne constamment des
yeux et lève souvent les yeux au cielNous savons qu elle a deux
crapauds familiers dans le jardin et pour nous ça complète
bien le personnage et les lieux où elle vit où nous
vivons

xxxxxxxxxxxxxxxxxxxxxxxxxxxxxxxxxxxxxxxx de Pâques quatorze
Bien qu elle n ait dur   pour moi que d octobre quatorze à
Pâques seize cette période est associée dans mon souvenir
à une impression générale de tristesse d emprisonnement
de laideur et de vie mesquine avec quelques moments de vrai
cafard spécialement l hiver le soir entre six et sept à la sortie
de l'étude les bec de gaz n éclairent guère il fait souvent
presque nuit quand l'allumeur de réverbères passe pour les allumer
au bout de sa longeu percheCertains jours
                                même impresion dans l écoleGrande
bâtisse à face plate pad de volets des
s tores en lames de vois orientables La cour n est pas grande et
le préau   au fond avec ses colo   es de fer et sa rangée de
lavabos est toujours sombre

Il y a peu d'occasions de sortir de ce cadre Au printemps
le terrain ague qui nou sépare de notre Campagne Jolie a de
l her be très verte qui ne dure pas Les rues transversales sont
grises et sales longées souvent de grands murs de fabrique Défense
d afficher loi du   Peu de magasins et généralement
minables comme la toute petite épicerie chez jacque assez
semblable aux Portepots du Clos Bissardon (à Caluire) J y vais
en grimpant la petite côte presque en face de chez nous
Elle me plait surtout p r ses bocaux mode ancienne remplis de
de bo bons d une espèce appelée Mistralets à caus de la
fraîcheur de la menthe.Ils ressemblent à des pains à cacheter
bla cs ou rouges

530

Maurice est au lycée et ne rentre que le soirFrantz reste
à la maison avec grand mamanLes orties dans arseille
  arrivent que de loin en loin pour des courses pressées   où xx

---

l on rentre pard dans le tramway bondé du Canet
sans doute l atmosphère ce la guerre ajoute à cette
grisaille mes compagnes en parlent à l'école deux maîtresses
ont vu entrer dans la cour de l école les gendarmes qui venaient
leur annoncer la mort de leur fils au front

m ais après ce purgatoire va commencer la période bénie du
quatre Bd Thiers à Digne Papa estblessé au printemps quinze Txxx
Le télégramme ainsi conçuLégérement blessé Hospitalisé
Autun fait pleurer grand maman à qui il faut expliquer
que c est une bonne nouvelle xxx Un an plus tard nous quittons
le Bd Truphème

191 **Pâques mil neuf cent seize**
     Départ pour Digne

Papa blessé eau printemps quinze d un éclat d obus à la
cuisse est guéri et peut marcher avec un soulier xrtho
orthop dique Il est nommé inspecteur primaire à castellane avec résidence à
Digne   Nous quittons Marseille et le Bd Truphème

Ligne de Marseille aux Alpes Arrêt à St Auban laide
petite gare empestée par le chlore de l usine voisineLa xxxx
végération alentour a été tuée Le peu qui en reste est
raboutrie
Embranchement de Digne trois gares Malijai malemoisson
champtercie Digne est le terminus

531

devant la gare pas de taxis bien sûr mais les
voitures de deux hôtel le Boyer Mistre et le Grand Paris
On va à pied vers laVil lleUn bon quart d heure de marche Un
long mur très haut sur la gauche puis le chemin pierreux
sur la hauche conduisant à travers les oliviers et les
amandiers jusqu au hameau de Courbon à mi hauteur de colline

M aintenant on rejoint le cours de la Bléone qu   on remonte
jusqu au grand pont unique qui fait communiquer le quartier
de la gare et la ville elle mêmele pont paraît très long
il l est effectivement pour enjamber le large lit de la
Bléone qui peut couler à ras bord les jours d orage
Au débouché du pont on laisse à gauche la place du
Tampinet en contre bas le long de la rivière le Bd Gassendi et
ses platanes Presque dans le prolongement du
pont c est le Bd Thiers

Le mur de notre jardin son grand portail
presque toujours ouvert Le Nu méro quatre Notre maison
Double rangée de platanes Espace découvert jusqu au parapet
de la rivière des Eaux Chaudes échappée vers le sud les arbres
du jardin publicLes grands bâtiments gris du Lycée de
garcons
la colline de Caramentran sur les contre forts du Cousson un petit pont
sur les Eaux Chaudes
après le pont le oulevard se resserre
devient la Rue Pied de Ville la rue de l Hubac dans la
ville vieille.

Au rez de chaussé l étude du notaire Pierrre
Mouraire notre propriétaire
le mur du jardin son grand portail qui   oubre
presque en face une fontaine deau courante touj ours
fraîche   celle où Jean Valjean s est arrêté pour boire
pas de heurtoir Il faut tirer une sonnette Un coup pour nous
deux coups pour le second étageLa porte s ouvre d en f

faut un système que j ai oublié
une cloison vitrée Première volée de marches larges douces à
la montée premier palier sur le perron du jardin
la superbe rampe en bois large et plat une moulure arrondie
le bois un beau marron foncé un peu acajou revêtu d un
vernis impecable sans éraflureOn le dirait
vitrifiéUn seul inconvénientle tournant rectangu
laire interdit la glissade ininterrompue jusqu au rez de xx
chaussée Il faut mettre pied à terre au tournant

Toutes les fenêtres huit donnent sur le boulevard
sans vis à vis sur la rivière des Eaux haudes les arbres du
jardin public sur un socle d un obscur bas loin
l inscriptio A SOUSTRE les basses Alpes reconnaissantes

La frand chambre de mes parents Une petit e
chambre Le bureau de Monsieur l inspecteur notre père petite pièce
s ouvrant directement sur l escalier
le grand salon à trois fenêtres le précédent locataire
donnait des réceptions avec balAu
plafond des anges moulés en plâtre
on peut entrer dans l cuisine par une sorte de vouloir
extérieur faisant verandah Son toit de
zinc résonne sous les puies d orage sous la grêle C est
là que nous prenons nos bains de piedUne
petite arrière cuisine avec petit écier et récha ud
à gazUn escalier dérobé permet de   But of this later
tout ceci confus Je m y déplace sans hésitation xx
dans mon souvenir Un plan serait facile   mais

la cheminée de marbre est drapée c était la mode d une sorte d
de châle en soie brodé de rubans je dis bien brodé par tante J
jeanne Je m'extasie devant
Une armoire à glace à une porte je crois bien que c est celle ci qui
affreusement peinturlurée en bleu par des locataires italiens de
l orangerie est devenu ici l armoire à confituresLe tiroir du

533

bas s ouvre et se referme mal Je m irritais chaque fois que x
j y cherchais une paire de chaussettes

La bibliothèque œuvre de m n grand père qui a é
été jusqu à cette ann ée dans le grenier vitres cassées
la grande horloge de grand papa donnée
à Pierrot Molino
le rocking chair
j ai encore dans les narines l odeur qui flotte dans la salle à
manger je n en ai plus rencontré de semblable Elle est faite
de vieux murs avec un fond de vernis usagé légérement
eccœuran mais ça ne sent jamais le renfermé
Papa y veille

192 C est un endroit enchanteur

(le cabinet) C est un endroit enchanteur Assis sur le siège par la
fenêtre à droite noxxx on peut voir toute la verdure du j
jardin et plus loin sur la droite la vieillc ville la xx
app uyée contre le rocher dit de neuf heures Classique xx
faute de traduction du provencal   Toute ladégringolade
des toits de xtxtuiles rondes couleur de pain peu cuit surx
le clocher en fer forgé de la cathédrale Pour
xxxxxxxxxssssss   Pour regarder cette vue merveilleuse pas
besoin d ouvrir la fenêtre Nous avions n grattant de l ongle
le papier vitrail où le rouge et le bleu dominent
ménagé quelques ouvertures oû le verre est à nu

la véranda est par endroits couverte   par la vigne vierge qui
fait un toit de verdure au perron du jardin les tiges et les xx
feuilles dessinent des ombres sur le papier vitrail Ou si on
ouvre une ou deux venètres le rideau de vigne vierge a paraît
dans les premiers temps un livre de Vies de Saints procurait
le papier hygiénique mais les feuilles en avaient été

débitées par les soins de papa et je n ai jamais pu reconstituer
une vie de Saint dans sa totalité par la suite seuls les
journaux pédagogiques étaient là en usage j en trouvais la lecture
plutôt assomante mais je lisais quand même
Il faisait délicieusement frai s l été mais l hiver mieux
valait ne pas s y attarder

les jivers sont une é oque glaciaire à Digne Dans
la cuisine où no us faisons nos devoirs il fait bon Le soir
on s assied en rond autour du poêle de la s à m Sur des chxx
chaises Il n y a pas un seul fauteuil chez nousSur le poêle
chauffent les petis galets plats que nous somme allés xxx
ramasser dans le lit de la rivière odeur du papier journal
autour de la pierre brûlante ans le lit il faut un bon moment
pour se décider à allonger les pieds Seul le secteur autour
dela pierre sonest uj pêu chaud Il m est arrivé de me réveiller
le matin les pieds glacés comme au couch

Comme les ecoles primaires n ont vacance qu au

Qu au trente jui llet   nous passons àDigne ce mois qui
est sec et très chaud dans la ville encaissée entre ses
montagnesLafacade sud est au soleil tout le jour Mais il
y a l ombre des platanes une partie du jourdans la sale
à manger les fenêtres ouvertes font avec les escaliers
de derrière et la terrasse un agréable cou nt d airEn
y entrant on éprouve toujours une sensation de fraîchehr
relative Les stores restent déroulés jusqu en basIls son
faits de fines baguettes de vois non colorié il est aux
vôtécœur de bois frais la nuit même les chambres du nord
sont chaudes je me couche ventre nu sur les xxxxxxx max
mallons froidsdehors dans les arbres du jardins les chxx
chouetteslancent leurs deux notes très flûtées On entend
très distinctement lxxxx l horloge de la cathédrale qui
sonne les heures deux fois et les demies

535

La terrasse
esposée au nord et à l ouest   le mur arrière du salon
lui fait ombre au nord   descendant en pente   vers   les
premières ranches d un tilleul la cueillette des fleurs
peut se faire en enjambant la balustrade en fer tant pis
si nous cassons quel ues tuiles rondes en marchant dessus
La terrasse est notre chemin le plus ordinaire pour descendre
au jardin par le côté ouestRien de plus facile puisque
les fenêtres du rez de chaussée où est l'étude sont
garnies de bar e de ferC est là que je fais ma chute
mémorable l été seizeAucun souvenir de douleur papa
me ramasse à une bonne dizaine de mètresJe me réveille sur
le lit de mes parents à peineendolorie
mais depuis quel nez

C est sur la terrasse que n ous mangeons notre dessert
en jouant à la marelle ou au ballon Non à la balle Contre
le mur jeu de fillePar terre   Dans les mains   Tourbillon
Sans parler   Sans rire   Sans montrer

notre côté de la maison a des entraillesdans le deuxième
vestibule de l entrée une petite porte s ouvre xxxxxx
sur la gauche Elle donne par un couloir étroit humide et
sombre qui conduit à unc porte également petite
qui s ouvre à droite sur une longue pièce toute en prof ndeur
par où on rejoint le jardin Elle servait d office aux
domestiques aux temps bourgeois de la maison où
logeait le Trésorier Payeur Général Nous en avons jouissance
mais nous n en faisons pas grand choseUn assez grand réduit
sous la toiture en pente qui descend de la terrasse vers le
tilleulUne ouverture je peux difficilement dire une fenêtre
Elle n a ni vitre ni volet je peux tout juste m y enfoncer et en me
tortillant meglisser ma tête dehors passer le reste du
corps et sauter dans le jardin je l ai fait
un jour à sa demande devant la demoiselle propriétaire
M ouraire Angèlequi voulait me faire réaliser cette performance
pour amuser une amiemais je préfère gagner le jardin par d autres

un petit palier conduit à une sorte de grand
recoin caverneux à mi hauteur entre le premier et le
rez de chausséeCela devait servir de resserre à provisions Noous
y mettons la provision de pommes de terre qui se couvrent xx
d une vraie chevelure de longues tiges blêmes quand le printemps
arrive A nous la corvée de faire tomber à la main ces
longs germes qui laissent alors les pommes d e terre flêtries
ridées et flasques

dans cet office humide et sombre se fait de temps en
temps notre lessiveUn grand cuveau en bois percé d un trou à
sa base est posé sur le potager On en recouvre le fond de cendrre
de vois bien propre pas d écorces de châtaignes pas de clous xx
rouillés Le linge sale est empilé par coufhes bien pliées
xxxxxxx presque jusqu en haut On verse de leau sur le haut
froide d abord Elle s coule par le trou inférieur dans une xx
bassine cette eau chauffée progressivement et reversée   de plus
en plus chaude sur le linge déjà savonné et devient le lessif'
ligide trouble couleur jaune vert crasseux Il faut tout
un apres midi pour   uler la lessive J aide à porter les corbeilles
de linge fumant jusqu à la rivière des Eaux Chaudesoù la femme
qui fait la lessive la rincera à l eau courante les mois où il
y a assez d eau qui descend de la grande barre
de montagne   la barre des Dourbes qu on voit boucher l hor
izon à l est très loin

Troisième étage
car il y a encore un troisième niveau Outre le grenier xx
proprement dit auquel nous allons rarement   rarement
si ce n est pour y aller chercher les malles des vacances
xxxxxxxxxxxxxxxxxxxx dauphinoises nous jouissons encore
d une chambre de bonne vérit ble pièce non mansardée Personne
ne l habite Elle sert de fruitier Dans un coin les châtaignes
entassées à même le sol dans un autre le monceau de petites xx
pommes rouge d un côté jaunes de l autre qu on croque ou qui
sont cuites au four dela cuisinères Egalement le tas de poires
qui mijotent dans le sirop les mmmes appartiennent à l espèce

537

dite changarnier Mais quelle espèce pour les poiresCes fruits
proviennent de divers coins des basses Alpes où au hasard
de ses inspections P apa a eu l occasion de les commander
Je suis souvent chargée d aller chercher dans cette pièce la
quantité nécessaire à la consommation du jour Vers la fin oxx
octobre nous en descendons la grande marmite de châtaignes p
pour la frême de marrons fabrication familiale A près le repas
le jeudi toute la famille est réquisitionnée pour peler les
chataignes brûlantes et les dépouiller de leur seconde peau

193 Ici le gardin est entièrement clos de murs

Ici le gardin est entièrement clos de murs assez hauts
mais qui limitent un espace trop vaste pour qu on s y sente enfermé
On est dans la bille mais à l écart Quelques pas on est à la
riv ère On entre On sort A l ouest la ville neuve et les
magasins du Bd Gassendi A l est la vieille ville qui monte vers la
cathédrale avec son clocher en fer forgé les toits de luiles
romaines rose pâle s étagent à scs pieds avec le Rocher de
Neuf heures qui merme l horizon au nord est la colline du Chevrier
le Cousson dominent les vall e et la ille sans les
emprisonnerEt vers le su ouest il y a léchappée de la Bléone x xx
J avais toujours l impression qe cet e valléé axxxxx   allait
s ouvrir sur la mer

Le jardin a en gros la forme d un trapèze re ctangle
dont la base serait le bd ThiersJe ne peux pas chiffrer sa surface Je croix
avoir entendu répéter qu elle était au moins gale à celle du parc
de l orangerie
la sortie noble de la maison se fait par le perron
Nous préférons   les autres sorties plus originales
par la terrasse dont on engambe la
balustrade pour mettre le pied sur les barres de fer d es
fenêtres

Le perron assombri en été par l immmense vigne vierge rougue qui
grimpe sur le cabinet véranda   Cinq ou six marches et On met
le pied sur le gravier qui entoure la maison
on peut prendre le chemin des communs des anciennes remises
et r duits à charbon
oit l allée centrale toute droite qui limite   à peu près
le côté des Mouraire Une grande prairie rectanbulaire qui aboutit à
un bouquet d arbres Un tres bieux et grand saule pleureur
En s agrippant àses bra ches
retombant jusqu à terre on peut se balancer jusqu au mur du fond

---

si bien que les rameaux sont presque constamment effeuillés
à leur extrémitéNous n avons pas le droit de marcher sur le pré qxxx
les groseillers que nous grapillons en cachette
ils ne sont pas à nous commence nôtre côté de beaucoup le
plus grand et le plus beau   varié   feuillu pleine de
coinsComment d'autres que moi
en recoller géographiquement les morceaux J y tourne
et m y retourne dans mo n souvenir

les platanes   Il y en a deux ils ombragent une sorte de
place de vollage provençalSur le tron à hauteur
suffisamment basse pour qu il soit possible d y grimper
partent les grosses branches taillées de facion à s étaler
jorizontalement en rangées supermosées On y atteint des
fourches faite pour xx s y asseoir admirablement
à califourchon au milieu des feuilles Excellent
pour lire ou de reposer

Au pied des platanes pas dexx
végération Un sol comme dans une cour d école pas de ciment
Un portail ouvert au coin de la maison et du murPar là
rentrent les charges de bois qui seront sciées dans cette cour

539

le bosquet aux catalpas
Des buissons enchevétrés eh se glissant par une ouverture dans
les branches on accède à un espace dégagé entièrement recouvert
d un plafond de feuillesNous y avons une table J y fais
des versions latines des feuilles tombent sur mon vieux dictionnaire
Quicherat qui me suivra jusqu en Khègne Pour passer le temps
j attrape les l ongs haricots bruns des catalpas qui dominent les
buissons

Le Marronier
c est le centre du parc Il est très gros difficile à escalader
Une grosse branche s allonge presque horizontalement
On y suspe d une lampe quand en eté on dûne sous ce
marronier entouré d unxxxxxxxxxxxxxxxx   une xxxxxxx   une
clairière par terre du gravier Puis une très large corbeille
du temps de l épouse tu Tresorier Payeur Général et ses
splendeurs Elleest entourée d une ceinture de pervenches
très serrées Au printemps sortent encore de terre
des tulipes rouges et aunes une quantité de crocus

---

que les fleuristes vendent en pots et dont l odeur est
affaiblie   de même que les clochette s
taravistotées ont perdu lexxxxxxxxxxxxxxxxxx sont la
caricature des minuscules clochettes sim ples chaque fois
donc qxx
c est digne que je ressuscite

194 à gauche de la clématite le mur du fond

à gauche de la clématite le mur du fondDerrière
un peu enretrait le dos des maisons sur le Bd Gassendi Nous
voyons les fenêtres étroites mais sous les arbres
pouvons ne pas être vusCe sont tous des arbres sombres

mon sapin très haut aux branches
jorizontales qui font une échelle très commode
j y grimpe souvent plus haut que mes frères A force de
monter presque jusqe au sommet je me suis ménagé un chemin
accessible mais je m accroche tout de
même aux aiguilles qui restant encore pres du tronc et
je redescends les mains et les cheveux toutpoissés de
résine parfum tenace mais le txxxxxxxxxxxxxxtaches
ne partent pas facilement et les mèches restent collées
dures à démêler C est sur la branc de ce sapin dont
les branches ne commencent qu à hauteur d homme que j ai
tenté devant mes frères de démontrer par la
pratique ma fameuse théorie de l ascension perpétuelle

(La théorie de la marche verticale de ma mère : reconstitution)
C'était très simple. « J'ai réfléchi au problème de la
marche verticale et j'avais trouvé une solution satisfaisante,
leur disais-je. Quand nous marchons ordinairement nous
procédons, vous le savez, de la manière suivante : nous
posons un pied à terre, le droit par exemple puis, quand
celui-ci est solidement installé sur le sol, nous soulevons le
deuxième pied (le gauche dans l'exemple choisi) et le
posons à son tour un peu plus loin devant nous. Vous me
suivez ? »
« Oui »

« Bien. Supposons que je veuille maintenant marcher sur
le tronc du sapin qui est, lui, vertical. je pose mon pied gauche,
par exemple, sur le tronc, comme ceci, puis je soulève, comme
dans la marche, mon pied droit et... »
« Et tu tombes par terre »
« Et pourquoi est-ce que je tombe par terre ? A cause de la
gravité, qui tire mon pied gauche vers le bas. Il tombe, et
je tombe avec lui. Vous me suivez toujours ? »
« Oui, oui. »

« Oui, mais supposons qu'avant que mon pied gauche
ait eu le temps de tomber, j'ai ramené prestement mon pied

droit d'en dessous, comme ceci, et que je le pose très vite au-
dessus du pied gauche sur l'arbre et qu'avant que celui-ci
à son tour ait eu le temps de tomber je fasse de même avec
l'autre pied, et ainsi de suite, qu'est-ce qui se passer ? »
« Vas-y, dirent-ils. Montre-nous. »
Ils ont beaucoup ri.

dans ce coin le sol est noir de l humus des fexxxxlles
sans herbes vertes dans les quelques trous un peu clairs
des chélidoines dibt ke kaut haune est censé guérir les
verrues odeur de moisi d aiguilles   pourrissantesImpression
vaguement insuiétante des nombreux moilages
en plâtres de dentiers que le préparateur dudentiste
Besaudun oncle de m a camarade germaine Besaudun jette
par la fenêtre de son cabinetces moulages servent à
dessiner des marelles sur la terrasse quand
on émerge de cette ombre on se retrouve dans la pleine
lumière de la clairière

les buissons aux boules blanches
espèce de viornes dont j ignor le nom il y en a à
Saint-Félix mais plus maignres et rabougris que ceux de
Digne Ils forment une sorte de haie à hauteur d'épaules
enfantinesmais laissent une entrée libreLes boules blanches
qui succèdent aux petites fleurs roses sont frosses lisses
et juteuses Ils nous servent de projectiles pour
l assaut au recoin de la buanderie miuniex d un évier en
pierre et d un robinet les assiégeants lancent leurs boules
par le petit fénestron "troit comme une meurtrière que je suis
la seule à pouvoir passer le défenseur lance par la meurtrière
des casseroles d eau ou le jet
obtenu à partir du robinet partiellement bouché par un doigt

---

les pervenches
leur   bleu étonnant La
minuscule odeur jaune La corolle ronde dont tous les pétalesxxx
faite de pétales dont le bord extérieur oblique ddans le même sens

Plusieurs tulipes Voloris rouge et jaune vifsxxxxxxxxxx Lx
leurs pétales luisants Leurs curieux pistils que je vois noirs

Près des herbes blanches des pieds d alouett e bleus qui se
ressèment tout seuls au hasard omme des ancolies roses
mauves ou violettes leurs clochette carrs comme des
lanternes avec de curieux cornets à chaque coin
Dans la partie central couverte de gravier brusquement
et pour une rève période sortent au raz du sol et
entre les petits cailloux quantité de crocus jaunes et rouges je'
crois je n en suis pas sûre Peut être aussi des mauves comme des
colchiques

pour le parfum seul le tilleul embaume

195 Comment ai-je pu oublier les bambous

Comment ai-je pu oublier les bambousIl y en a deux ou est ce
trois   touffes extrêmement serrées Tiges noires
ou blanches j ai voulu essayer un jour d en offrir une
à Mlle Giraud proffesur principal de sixième pour
ses démonstrations au tableau Impossible de tailler le vois
avec mon petit canif
Dès les premiers jours secs et tout l été durant la
végération au ras du sol est desséchée mais le jardin reste
plein d ombre

Impressions diverses
J en rassemble ici au hasard Peut être en ai jedéjà
fait mention ailleurs Tant pis si je me remète

Gourmandise
après l orgie de douceurs que sont les treize desserts
de Noël l austérité recommence Il reste quelques morceaux de
la « pompe » provençale reçue de Lançon chaque année Régal du
petit déjeuner je chipe des cuillerées de miel dans le grand pot
non le grand seau venu de Lambruisse   Je ramasse à la
cuillère juste ce qu il faut pour ne pas trop faire
diminuer la hauteur des confitures qui attendent d être
recouvertes Difficile à réussir quand il s agit
de gelée bien ferme
La saveur sucrée acide des petites pommes rouges et
jaunes les changaillards que nous allons chercher dans
la chambre du deux ième étage où il y en a tout un tas
On nous en donne une pour le goûter Cxxxxxxxxxxxx
Après la pomme chaque bouchée que je mords dans le pain
me fait grincer les fents

Le marché
J aime aller au marché qui se tient devant la cathédrale
et dans une rue assez large qui part de la placeles marchandes
en noir ou en vêtements sombres debout derrière leurs panier
De petits panier Je me rappelle l année où je vais régulièrement
avec la petite bonne Marie Jacob orphcline pâle et
malingre un fichu noir sur la tête Elle me semble adulte
mais je crois qu'elle n a guère p lus de seize ans C est avec
elle qu une paysanne nous vend en guise de poulettes
futures poxxxxx pondeuses un jeune coq et une
poule aveugle je m explique après coup le
sourire malin qu elle avait eu uand je lui demandais si
elles allaient pondre bientôt

Pâques pluvieuses
cette année là je dois voir dans les douze ou treize
ans Nous attendons une bande d amis pour une grand après midi
de jeux dans le jardinle matin le ciel est parfaitement pur
Il me tarde que la matinée se passe je scrute le ciel vers onze
jeures le bout d un nuage pointe derrière Caramentran et
le Cousson venant de l est Je xxxsais cette menace mais je ne

veux pas y croire je guette je guettele nuage a grossi Un autre
le suit un autre et encore un autre le ciel est maintenant
tout couvertPeu après midi c est le déluge
la vraie pluie provençale qui tombe plusieurs jours
de suite aux alentours de l'équinoxe

Froid

Le froid dans la maison où on se serre les soirs autour de
l unique poêle rond dans la salle à manger
le froid pour entrer dans le lit dans l odeur du papier
journal surchauffé qui entoure les miniscules galets plats
Leur chaleur ne dépasse pas l endroit àù ilxx l unique galet
que nous emportons avec nous pour nous coufher
cette chaleur ne
se répand qu à quelques cmsIl me faut un bon moment pour
prendre le courage d allonger mes jambes dans les draps de toile
Le froid à la toilette du matin sur l évier dans
une petite cuvette   d eau glacée Engelures
Le froid sur le chemin du collègemesxxxx   bas de laine
que je porte aux jours les plus froids n arrivent qu au-dessus
du genou et laissent les cuisses nues sous les
jupes et le manteau court Pas de gants La main qui
tient le cartable est tellement engourdie qu il m est
arrivé de pleurer au vestiaire quand le sang se remet à circuler
dans les doigts

Liberté

en dehors des jheures très strictes chez nous pour les
repas et le travail s olaire pendant les vacances et le xx
jeudis et dimanches je suis libre de m occuper comme
il me plait Jeux avec mes frères lectures   à haute vois Mais
surtout j entre et je sors je vagabonde mes parents ne
sont pas timorés et me laissent aller à ma guiseHeureuse
époque je tourne et retourne à vélà seule ou avec des
canarades de classe aux bords immédiats beaucoup plus
loin souvent et toute seuleA caramentran je f erborise Sur les
routes   alors non goudronn es qui dexcendent la
rive gauche de la Bleone je pédate ou mets pied à terre

rencontre a ec un troupeau transhumant qui va
vers les Alpes les chiens Les cris des bergers la poussière
je me serre vontre les ralus pour laisser passer le flot
LibertéLibertéje sors sans m habiller sans chapeau chose xx
hardie en ce temps là en simple petit tablier à
petits carreaux

Le ciel
Le ciel de Digne En dehors des pluies diluviennes à l autonne
et au printemps il y a TOUJOURS des étoiles Et
quelles étoilesLa grand Ourse et la petite ourse sont
dessinées si nettement que l'étoile polaire elle même
est toujours visibleEt les nuits d hiver surtout s il gèle
ferme ce qui arrive souvent ça brasille et fourmillePlus
jamais je n ai retrouvé ces ciels à la Booz endormi

La neige
je renonce à dire ma première neige Je n en avais
jamais vu à Marseille
le jardin
le jardin est une splendeur

196 Le dix-neuf avril de cette année (1992)

Le dix-neuf avril de cette année (1992) ma mère fêtera (fêter est un bien grand mot) son quatre-vingt-cinquième anniversaire. Entre deux vendredis je ferai le voyage de Paris à Carcassonne, par le train, puis de Carcassonne à la Tuilerie dans un taxi. Il tournera, entre les cyprès, dans le mauvais chemin un peu après le « carrefour de Bagnoles », s'arrêtera devant le ponceau, au-dessus du bassin-piscine, face à la fenêtre de la « maison des vendangeurs », qui sera habitée d'hirondelles, je les vois.

Ce sera l'après-midi. Mon père sera devant la télévision, ou, la télévision éteinte, dans son fauteuil de devant la télévision avec un livre, ma mère allongée à la droite de son lit avec sa radio-cassettes, entre deux de ses moments de marche de l'après-midi, dans la grande pièce, autour de la table, aidée, guidée et soutenue dans cet exercice, plusieurs fois répété avant le soir, prescrit pour lutter contre l'ankylose doucereuse de l'immobilité.

Mon père me fera un signe, un bonjour de la main. Je poserai mon sac dans la chambre, la « chambre au lit de cuivre », qui est la mienne. Je reviendrai dans la grande pièce, dans la chambre de mes parents. Couvrant le son de la musique, ou le déversement continu et peu naturel des voix de la radio, j'annoncerai ma présence. Je m'assiérai sur une chaise, à la tête du lit. J'embrasserai ma mère sur le front, elle prendra ma main dans les siennes. Voilà.

Voilà que je décris au futur cette scène, qui sera passée quand ces lignes, encore immatérielles, se seront tracées sur du papier. A l'instant où, immatériellement donc, je les compose (aux premiers jours de mars), à cet instant, le temps verbal futur dont je l'habille lui donne une sorte de permanence, un simulacre de stabilité, comme s'il se chargeait d'assurer la normalité, la naturalité indéfinie de sa répétition.

Ce n'est pas, il est vrai, la première fois que je viendrai ainsi. Je viens ainsi de temps à autre. Nous venons ainsi de temps à autre tous les trois, ma sœur, mon frère, et moi, les survivants plus très jeunes de cette génération. Cette fois, je viendrai avec ces pages, pour les lui lire, si elle le veut bien, ce que j'espère.

Et s'il en est bien ainsi, confronter ce qui, dans ce livre, est restitution de souvenirs d'enfance (même s'il n'est pas que cela, s'il n'est pas d'abord cela), en particulier d'événements dont ma mère (et mon père) furent témoins adultes m'exposera, inévitablement, à la mise en évidence d'inexactitudes, d'erreurs flagrantes même, je le sais. Je ne les corrigerai pas. Ce n'est pas dans ce but que je viens.

Alors pourquoi ? Parce que par le simple effet de ces images mises en paroles j'aurai, peut-être, accès à un regard autre sur leurs circonstances, excédant le mien, hors de cette vue du monde qui fut la mienne, mais en ayant été proche, et non indifférent. J'entendrai que ceci n'était pas là, ou pas ainsi, qu'il y avait encore là ceci, et que ceci s'est produit après cela, que j'ignorais, ou que j'ai oublié, ou que je n'ai jamais su. Et de tout cela je tirerai leçon réflexive, peut-être, pour la suite de ce que j'entreprends, pour la construction de ses chemins, pour ses enchevêtrements. Pour cette raison, donc.

Mais aussi, mais autant, pour cette autre : parce que ce sera, au-delà de toute nécessité de justification, une manière de dire et une manière d'entendre, une manière d'échange, une manière de dialogue.

J'ouvrirai le dossier assez lourd (il contient beaucoup de pages) sur la couverture duquel j'ai écrit : GRIL II, La BOU-CLE. J'en sortirai le premier chapitre, FLEUR INVERSE, je le poserai sur mes genoux. Je prendrai la première feuille, je me pencherai un peu pour que ma voix soit assez proche, assez nette et je commencerai à lire, ce par quoi j'ai commencé dans ce livre, cette première **image-mémoire** d'il y a longtemps, entre toutes, pour moi, la première. Je lirai

ceci : « Pendant la nuit, sur les vitres, le gel avait saisi la buée. **Je vois qu'il faisait nuit encore, six heures et demie, sept heures ; en hiver donc, dehors noir ; sans détails, noir ; la vitre couverte des dessins du gel à la buée ; sur la vitre la plus basse, à la gauche de la fenêtre, à hauteur du regard, dans la lumière ; d'une ampoule électrique, de l'ampoule jaune ; jaune contre le noir intense, opaque, hivernal, la buée s'interposant ; pas une buée uniforme, comme à la pluie, mais une gelée presque transparente au contraire, dessinant ; un lacis de dessins translucides, ayant de l'épaisseur, une petite épaisseur de gel, variable, et parce que d'épaisseur variable dessinant sur la vitre, par ces variations minuscules, comme un réseau végétal, tout en nervures, une végétation de surface, une poignée de fougères plates ; ou une fleur. »**

Table descriptive

Récit

Règles, jeu, S'avancer-en-rampant – voir, dire, hors-jeu –
guetteur – être (ne pas être) vu – cachette.

Insertions

incises

gique – absolument continuer – entrelacement, hypothèse programmatique – entre-deux-branches.

moments – axiomes, masse critique – prologue – passé, présent – devenir de prose, consignes – entre-deux-branches 1-2 & 2-1.

lignes de temps, narration – double temps – abstraction – autobiographie de personne – raison numérologique – épilogue.

degré de liberté – ordre privé – dix styles, pseudo-déduction palindromique – double photographique – révélations non biographiques – extravagance formelle.

méditation ignatienne – Aldana – descente aux enfers, gouffre de la pluralité – méditation des cinq sens, méditation de la mémoire – voir – toucher.

expérience de pensée – disposition topologique – expérience, rosbif de saumon – Ophélie, positions de chat – pendule ronde – perplexité.

jeu – famille des positions – double négation – bestiaire moralisé – théorie des lieux centraux – autoportrait.

bifurcations

575

Index des principaux termes figurant dans la Table descriptive [1]

---

1. Les numéros renvoient aux paragraphes.

151, hors-, 157, conversations avec le — 157, *horloges ptolémaïques 91, *nuheures 158, *pendule ronde 89.

vitesse 7, 43, idée de — 66, vélocité 59.

voir l 14, 19, 20, 50, 77, 88, 113, *vue 23, * vision 21, * yeux derrière la tête 21, *guetteur 20, 155, *voyant 182.

TRANSCODAGE : IMPRIMERIE BUSSIÈRE
IMPRESSION : S.E.P.C. À SAINT-AMAND-MONTROND
DÉPÔT LÉGAL : FÉVRIER 1993. N° 19119 (3450-2481).

Dans la même collection

DOMAINE FRANÇAIS

Jean-Louis Baudry, *Personnages dans un rideau*, roman
Evgen Bavčar, *Le Voyeur absolu*
Bruno Bayen, *Restent les voyages*, roman
 Éloge de l'aller simple, roman
 Hernando Colón, Enquête sur un bâtard, roman
Simone Benmussa, *Le prince répète le prince*, roman
Jean-Luc Benoziglio, *La Boîte noire*, roman
 Beno s'en va-t'en guerre, roman
 L'Écrivain fantôme, roman
 Cabinet Portrait, roman
 Le jour où naquit Kary Karinaky, roman
 Tableaux d'une ex, roman
Alain Borer, *Rimbaud en Abyssinie*, essai
 Rimbaud d'Arabie, essai
Philippe Boyer, *Le Petit Pan de mur jaune*, essai
 Les Îles du Hollandais, roman
Pascal Bruckner, *Lunes de fiel*, roman
 Parias, roman
Pascal Bruckner et Alain Finkielkraut,
 Le Nouveau Désordre amoureux, essai
 Au coin de la rue, l'aventure, essai
Belinda Cannone, *Dernières Promenades à Petrópolis*, roman
Michel Chaillou, *La Croyance des voleurs*, roman
 La Petite Vertu
Antoine Compagnon, *Le Deuil antérieur*, roman
Hubert Damisch, *Fenêtre jaune cadmium*, essai
Michel Deguy, *Jumelages*, suivi de *Made in USA*, poèmes
 La poésie n'est pas seule, essai
Florence Delay et Jacques Roubaub, *Partition rouge*, poèmes et
 chants des Indiens d'Amérique du Nord
Jacques Derrida, *Signéponge*, essai

Jean-Philippe Domecq, *Robespierre, derniers temps*, récit
Sirènes, Sirènes, roman
La Passion du politique, essai
Lucette Finas, *Donne*, roman
Alain Finkielkraut, *Ralentir, mots-valises!*
Le Juif imaginaire, essai
L'Avenir d'une négation, essai
Viviane Forrester, *La Violence du calme*, essai
Van Gogh ou l'Enterrement dans les blés, biographie
Jean-Marie Gleize, *Léman*, récit
Jacques Godbout, *L'Écrivain de province*, journal
Jean-Guy Godin, *Jacques Lacan 5 rue de Lille*, récit
Georges-Arthur Goldschmidt, *Un jardin en Allemagne*, récit
La Forêt interrompue, récit
Serge Grunberg, « *A la recherche d'un corps* », *Langage et silence*
dans l'œuvre de William S. Burroughs, essai
L'Hexaméron (Michel Chaillou, Michel Deguy, Florence Delay,
Natacha Michel, Denis Roche, Jacques Roubaud)
Nancy Huston, *Les Variations Goldberg*, roman
Histoire d'Omaya, roman
Nancy Huston et Sam Kinser,
A l'amour comme à la guerre, correspondance
Jeanne Hyvrard, *Le Corps défunt de la comédie*, littérature
Raymond Jean, *Cézanne, la vie, l'espace*, biographie
Abdellatif Laâbi, *Le Règne de barbarie*, poèmes
Jacques Lacarrière, *Le Pays sous l'écorce*, récit
Hugo Lacroix, *Raideur digeste*, roman
Yves Laplace, *On*, roman
Giovanni Marangoni, *George Jackson Avenue*, roman
Éric Marty, *Sacrifice*, roman
François Maspero, *Les Passagers du Roissy-Express*
Patrick Mauriès, *Second Manifeste Camp*, essai
Pierre Mertens, *Les Éblouissements*, roman
Lettres clandestines, récit
Les Phoques de San Francisco, nouvelles
Daniel Mesguich, *L'Éternel Éphémère*, essai
Natacha Michel, *Impostures et Séparations*, 9 courts romans
Canapé Est-Ouest, récit

Bambini, roman
Frédéric Vitoux, *Fin de saison au palazzo Pedrotti*, roman
La Nartelle, roman
Riviera, nouvelles
Sérénissime, roman

DOMAINE ÉTRANGER

John Ashbery, *Fragment*, poèmes
John Barth, *La Croisière du Pokey*, roman
Donald Barthelme, *Le Père mort*, roman
Walter Benjamin, *Rastelli raconte...*, nouvelles
José Bergamin, *La Solitude sonore du toreo*, essai
Peter Brook, *Points de suspension*, essai
Margarete Buber-Neumann, *Milena*, biographie
William S. Burroughs, *Le Métro blanc*, textes
German Castro Caycedo, *Mille Fusils à la mer*, récit
Robert Coover, *Le Bûcher de Times Square*, roman
  La Bonne et son Maître, roman
  Une éducation en Illinois, roman
  Gérald reçoit, roman
  Demandez le programme !, nouvelles
John Hawkes, *Aventures dans le commerce des peaux en Alaska*,
  roman
  Innocence in extremis, récit
  Le Photographe et ses modèles, roman
  La Patte du scarabée, roman
  Le Cannibale, roman
  Cassandra, roman
Glenn B. Infield, *Leni Riefenstahl et le IIIe Reich*, essai
Brian McGuinness, *Wittgenstein, t. I*, biographie
Giorgio Manganelli, *Discours de l'ombre et du blason*
Sergueï Paradjanov, *Sept Visions*, scenarii
Thomas Pynchon, *V.*, roman
  L'homme qui apprenait lentement, nouvelles
  Vente à la criée du lot 49, roman

L'Arc-en-ciel de la gravité, roman
Vineland, roman
Ishmaël Reed, *Mumbo Jumbo*, roman
Thomas Sanchez, *Rabbit Boss*, roman
Kilomètre zéro, roman
Susan Sontag, *La Photographie*, essai
La Maladie comme métaphore, essai
Moi, et cetera, nouvelles
Sous le signe de Saturne, essais
Gertrude Stein, *Ida*, roman
Autobiographie de tout le monde
Botho Strauss, *Théorie de la menace* précédé de *La Sœur de Marlène*, récits
Kurt Vonnegut, *Le Breakfast du champion*, roman
R. comme Rosewater!, roman
Le Cri de l'engoulevent dans Manhattan désert, roman
Gibier de potence, roman
Rudy Waltz, roman
Tom Wolfe, *Acid Test*, roman